U0142080

道家文化研究

第二輯

陳鼓應主編

文史哲出版社印行

國家圖書館出版品預行編目資料

道教文化研究 / 陳鼓應主編. -- 校訂一版. -- 臺北市: 文史哲, 民 89
面 ; 公分
ISBN 957-549-300-1 (一套：精裝) ISBN 957-549-301-x (第一輯)ISBN 957-549-302-8 (第二輯)ISBN 957-549-303-6(第三輯)ISBN 957-549-304-4 (第四輯)ISBN 957-549-305-2 (第五輯) ISBN 957-549-306-0 (第六輯) ISBN 957-549-307-9 (第七輯) ISBN 957-549-308-7 (第八輯) ISBN 957-549-309-5 (第九輯) ISBN 957-549-310-9 (第十輯) ISBN 957-549-311-7 (第十一輯) ISBN 957-549-312-5 (第十二輯)

1.道家 - 論文-講詞等　2. 道教 - 論文-講詞等
121.307　89011271

道家文化研究 第二輯

主編者：陳鼓應
出版者：文史哲出版社
登記證字號：行政院新聞局版臺業字五三三七號
發行人：彭正雄
發行所：文史哲出版社
印刷者：文史哲出版社
臺北市羅斯福路一段七十二巷四號
郵政劃撥帳號：一六一八〇一七五
電話 886-2-23511028 · 傳眞 886-2-23965656

精裝全十二冊售價新台幣　元

中華民國八十九年八月校訂一版

ISBN 957-549-300-1 全
ISBN 957-549-302-8 (二)

《道家文化研究》在臺重版序言

八十年代以來，在中國大陸陸續創辦了一些學術性的刊物，如《管子學刊》、《孔子研究》等，對推動儒家、管子思想及稷下學的研究，起了積極的作用。在此之前，1979年創刊的《中國哲學》，它是以書代刊的形式出版，給我留下深刻的印象，為此我和一些研究道家的學者曾多次商議想辦一個專門討論道家思想的專刊，這想法終於得到香港道教學院院長侯寶垣先生和副院長羅智光先生的大力支持。於是，《道家文化研究》第一輯很快就於1992年面世了。

時光荏苒，轉眼之間，《道家文化研究》已經出版了十八輯，辦刊的過程是艱辛的，但每一輯的出版也都帶來收穫的愉快。特別是它能夠獲得海內外學術界的廣泛關注與好評。

眾所周知，《道家文化研究》一直是在大陸印行的。這對於臺灣感興趣的讀者帶來諸多不便。兩年多前，我剛回臺大的時候，就感到了這個問題，也就有了在臺灣重新印行它的念頭。當然，我也知道，這並不是很容易做到的。因為，任何一個出版公司若要出版它，大半是要賠錢的。所以，我非常感謝我的老朋友——文史哲出版社的彭正雄社長，願意幫忙印行《道家文化研究》一到十二輯，目前僅印三百部提供專業學者研究之需。同時，我也要借此機會，向上海古籍出版社和北京三聯書店表示感謝，由於他們的慷慨，得以使本刊在臺重印。

陳　鼓　應

1999年8月

《道家文化研究》臺灣版出版開言

《道家文化研究》是道家及道教研究的專業研究性刊物，在知名道家專家陳鼓應教授多年努力耕耘下，今天它已經是國際同行不可或缺的學術園地。世界學人只要想用中文發表有關這個領域的研究成果，莫不努力爭取在這個學術園地刊出。試看《道家文化研究》出版至今共十餘輯，作者群就已經遍佈世界各地了，除了海峽兩岸外，更包括韓國、日本、新加坡、澳洲、加拿大、美國及歐洲等地。而且其中更包括張岱年、柳存仁、王叔岷、湯一介、李學勤、朱伯崑、金谷治、余敦康、許抗生、蒙培元、李豐楙、劉笑敢、陳鼓應等等知名學者。

可惜，從前受限於現實情況，海峽兩岸資訊交流不易，臺灣地區的學者專家，並不容易取得這一份刊物的。而且《道家文化研究》從創刊號到今天，已經出版了十八本了，好些早已銷售一空；特別是期數較早的，更是一冊難求。有鑒於此，本社認爲需要重印整套《道家文化研究》，以饗讀者。

也許關心我們的讀者會替本社擔心成本效益問題，但我們的老客戶都知道本社成立近三十年，始終沒有只以營利爲唯一的宗旨。雖然我們還不至於像莊子所說的「舉世而譽之而不加勸，舉世而非之而不加沮」，但是，正如同許多讀者一般，我們欣賞這樣高水準的學術雜誌，我們更希望能讓更多人分享到這許許多多知名學人的學術成就。當然學術性專業期刊的銷路，本身就很有限，所以本社也將限量發售，只印三百套，供有興趣的專家學人們選購，當然更希望學校機關及圖書館能夠購備，以便更多讀者可以讀到這份雜誌。這樣，我們的辛勞就不會白費。

最後，我們得感謝陳鼓應教授的信賴，更感謝上海古籍出版社及北京三聯書店的慷慨，使得我們的重印計畫得以實現。

彭　正　雄

文史哲出版社發行人

2000 年 7 月 15 日

《道家文化研究》合刊總目

《道家文化研究》第一輯目錄

《道家文化研究》第二輯 目錄

《道家文化研究》第三輯 目錄

《道家文化研究》第四輯　目錄

《道家文化研究》第五輯　目錄

《道家文化研究》第六輯　目錄

《道家文化研究》第七輯　目錄

《道家文化研究》第八輯 目錄

《道家文化研究》第九輯 目錄

《道家文化研究》第十輯 目錄

《道家文化研究》第十一輯 目錄

《道家文化研究》第十二輯　目錄

道家文化研究

第二輯

香港道教學院主辦

陳鼓應　主編

上海古籍出版社

《道家文化研究》編委會

目　錄

道家風骨略論

蕭萐父

內容提要　本文闡述道家有其獨特的思想風骨，即其思想和學風中涵有的某種內在精神氣質，并分析道家風骨的形成，有其深遠的社會根基。文章概述了道家風骨內涵的三個層面：（一）“被褐懷玉”的異端性格，是道家風骨的重要特徵。（二）“道法自然”的客觀視角，是道家思想的理論重心，與儒家把“道”局限於倫理綱常相比，更具有理性價值，更接近於科學智慧。（三）物論可齊的包容精神，這是道家特有的文化心態和學風。具體論證了道家學風的開放性、包容性和前瞻性，並認定這是值得珍視的思想遺產。

一

道家，遠慕巢、許，近宗老聃，獨闡道論。雖然老聃被司馬遷稱爲“隱君子也”，“修道德，其學以自隱無名爲務”（先秦無“道家”之名，亦無人以道家學者自命），而道論——老學的研究，卻流播民間，蔚爲思潮，不僅與儒、墨、名、法等顯學相並立，積極參與了先秦諸子的學術爭鳴；而且，以其理論優勢，漫汗南北，學派紛立，高人輩出，論著最豐①。到秦漢之際，融攝各家思想而發展爲新道家，對漢初新制度的鞏固和社會經濟的繁榮發揮過獨特的導向作用；漢

---

① 關於道家的分派和《漢書・藝文志》所反映的諸子九流、十家的論著以道家爲最多，我在《道家・隱者・思想異端》一文中略有論述，參拙著《吹沙集》第145頁。

初最博學的司馬談《論六家要旨》，通觀當代學術思潮，總結各家理論貢獻，獨對道家的成就及其學風給予了高度評價。中央集權的封建專制法度確立之後，在儒法合流、儒道互黜中，道家雖長期被斥爲"異端"，但仍然以茁壯的學術生命力和廣泛的思想影響，滲入民族文化意識深層，成爲傳統文化中的主流學派之一，并具有其獨特的思想風骨。

"風骨"二字借自劉彥和《文心雕龍·風骨篇》，原意指文藝創作中的風力和骨髓所構成的氣勢，亦即文藝家在創作時潛在的傾向激情或作品中内在的精神力量。彦和所謂"辭之待'骨'，如體之樹骸；情之含'風'，猶形之包氣"，"風骨不飛，則振采失鮮，負氣無力"。其引伸義，可以涵攝更廣。如陳子昂所説："漢魏風骨，晉宋莫傳"（《修竹篇》），乃泛指漢魏文風的恢弘氣象。又如鍾嶸《詩品》曾稱讚劉楨的詩達到了"真骨凌霜，高風跨俗"的境界；而李白在《大鵬賦·序》中稱："余昔於江陵見天台司馬子微，謂余有仙風道骨，可與神遊八極之表……"。"真骨高風"，"仙風道骨"，這類頗具質感的表述，似乎更能道出道家的思想和學風所涵有的某種内在精神氣質的特徵。

曾有論者從儒道對立互補的總格局着眼，認爲儒家的精神氣質趨向於"賢人作風"，道家則表現了"智者氣象"，這一分疏，似也近理。但由於"賢人作風"與"智者氣象"等詞，經趙紀彬、侯外廬等的提倡、論證，原是用以區分古代中國與西方（尤其指古希臘）的哲學思想特質的。"藁然慈仁"的儒家，確具有"賢人作風"；而把"絶聖棄智"的道家比作古希臘智者（以外向自然、追求知識爲務），則顯然不類。僅就先秦諸子而論，被道家斥爲"其道舛駁"，"逐萬物而不反"的名家，或宜歸於"智者氣象"；類推之，則墨家近於工匠意識，法家近於廉吏法度，而道家，則似可説是表現了隱者風骨。

二

道家風骨的形成，有其深遠的社會根基。

中國作爲東方大國，古先民在亞洲東部廣闊土地上締造文明時，走着一條特殊的途徑。依靠原始共同體的分工合力，早已創造了河洛、海岱、江漢……等史前文化區，原始氏族公社及其向文明社會的過渡，經歷了曲折漫長的歲月（從黄帝、炎帝時代起，經過顓頊、堯、舜，到夏王朝的建立，共經歷了二十個世紀），而且氏族公社的一些遺制和遺風始終被保留下來。因而，我國文化的黎明期，氏族制開始瓦解的社會蛻變過程中，已出現了一批抵制階級分化，對奴隸制文明抱着懷疑、批判態度乃至强烈反抗的公社成員，他們向往氏族制下原有的純樸道德和原始民主，反對文明社會必將帶來的矛盾冲突和貪殘罪惡……，乃至在國家機器形成中自己可能被推上首領地位，由公僕轉化爲主人而享有的各種特權，也表示鄙棄、拒絶和逃避。這就是最早的"避世之士"。他們的獨特言行，對社會現實的批判和超越態度，被人們傳爲美談。"日出而作，日入而息；鑿井而飲，耕田而食。帝力於我何有哉？！"這首古《擊壞歌》所表達的，正是這類獨特人物的心態。《莊子》書中有《讓王》等篇，專述這類人物"鄙棄名位如蔽屣"的故事。其中除了"堯以天下讓許由，許由不受"的著名傳説外①，還有一則云："舜以天下讓善卷，善卷曰：'余立於宇宙之中，冬日衣皮毛，夏日衣葛絺；春耕種，形足以勞動；秋收斂，身足以休食；日出而作，日入而息，逍遥於天地之間而心意自得。吾何以天下爲哉？！悲夫，子之不知余也'。遂不受，於是去而入深山，莫知其處。"類似的許多故事，正是這類人物行跡的

① 依皇甫謐《高士傳》的綜述，略謂：許由，堯時高士，隱於沛澤，堯以天下讓之，逃隱箕山。堯又召爲九州長，許由聞之，乃洗耳於潁水之濱。時其友巢父，牽犢欲飲，見由洗耳，問其故，許由告之，巢父急牽牛赴上流飲之，曰：勿污吾犢。（《史記·伯夷列傳》正義引《高士傳》）

史影。善卷的言論,與古《擊壤歌》類似,反映了氏族公社分化中另一種價值取向。

在氏族社會末期,已有這樣一批鄙棄權位、輕物重生的特殊人物,并成爲人們仰慕的對象①。往後,在以貪慾爲動力的階級社會中,仍不斷地湧現出辭讓權位爵祿、甘心退隱山林的高士、逸民,繼承這一古老傳統,諸如殷初的卞隨、務光,周初的伯夷、叔齊等,皆名彪史册。到了春秋戰國時期,由於社會變革中的貴賤易位與"士"階層的沉浮分化,更出現大批隱者。《論語》、《史記》等實錄了他們中許多人的名號、言論和時人對他們的讚揚,《莊子》、《列子》等書中更誇張地讚述了許多隱者的行跡和精神風貌。這些隱者,"遊方之外",避世、遁世卻并非出於厭世,而是由於憤世嫉俗,潔身自好,所謂"欲潔其身而亂大倫"(《論語·微子》),由反抗倫理異化到反對政治異化,試圖以德抗權,以道抑尊,蔑棄禮法權勢,傲視王公貴族,所謂"志意修則驕富貴,道義重則輕王公"(《荀子·不苟》)。以至"天子所不得臣,諸侯所不得友"(《後漢書·逸民列傳》)。他們往往主動從統治層的權力鬥爭漩渦中跳出來,與權力結構保持一定的距離和獨立不阿的批判態度,所謂"在布衣之位,蕩然肆態,不詘於諸侯,談論於當世,折卿相之權"(《史記·魯仲連列傳》)。甚或"羞與卿相等列,至乃抗憤而不顧"(《後漢書·逸民列傳》)。他們自願退隱在野,較多接觸社會現實,深觀社會矛盾,了解民間疾苦,從而有可能成爲時代憂患意識和社會批判意識的承擔者。他們爲了貴己養生,遁居山林,注意人體節律與自然生態的觀察和探究,强調個體小宇宙與自然大宇宙之間的同構與互動的關係,從而有可能成爲民間山林文化和道術科學的開拓者。這樣的隱者群,在中國古代社會中是一個特殊階層。他們的生活實踐,乃是

① 司馬遷稱:"余登箕山,其上蓋有許由塚。"酈道元《水經·潁水注》:"山下又有許由廟,碑闕尚在。"《太平御覽》卷一七七引戴延之《西征記》云:"許昌城有許由臺,高六丈、廣三十步、長六十步,由耻聞仰讓,而登此山,邑人慕德,故立此臺。"足見許由一直爲人們所崇敬和仰慕。

道家風骨得以形成和滋長的主要社會根基。

道家風骨的形成，自當有其思想文化條件。《老子》一書反映了道家思想的成熟體系。它鎔鑄了大量的先行思想資料、既有當時最先進科學技術知識的總結（諸如天體“周行”的規律、冶鑄用的‘橐籥”的功能等），也有個人立身處世經驗的總結，而更主要的是富有歷史感地對“大道廢，有仁義，智慧出，有大僞”的文明社會的深層矛盾進行了透視和總結。班固稱“道家者流，蓋出於史官，歷記成敗、存亡、禍福、古今之道、清虚以自導、卑弱以自持。”此所謂“出於史官”，非僅實指作爲道家創始人之老聃作過“周守藏史”，而是泛指道家思想的重心乃淵源於對以往“成敗、存亡、禍福、古今之道”的研究和總結。《莊子》有“參萬歲而一成純”一語，王夫之曾給以深刻闡釋：“言萬歲，亦荒遠矣，雖聖人有所不知，而何以參之？乃數千年以内見聞可及者，天運之變，物理之不齊，升降、隆污、治亂之數，質文風尚之殊，自當參其變而知其常，以立一成純之局，而酌所以自處者，歷乎無窮之險阻而皆不喪其所依，則不爲世所顛倒而可與立矣！”（王夫之《俟解》）這正是依賴於歷史教養而形成的道家風骨的最好説明。

當然，道家風骨的形成，還有更廣闊的思想土壤與理論源泉。不僅《老子》一書以其理論思維水平，對遠古至舊制崩解的春秋時期哲學發展的積極成果作了一個劃時代的總結。“道”概念的凝成，及“道生一，一生二，二生三，三生萬物，萬物負陰而抱陽，冲氣以爲和”這一命題的提出，就已涵攝了以往大量的哲學思辨成果，并使之整合爲新的範疇系統；“有無相生……”、“反者道之動”等哲學概括，綜合了古代辯證智慧的豐富成果而標誌着我國樸素矛盾觀的歷史形成。而且，古代氣功養生等方術科學和神仙境界的自由向往，原始樸素的非功利的審美觀、道德觀等，也都被納入思想體系，成爲道家風骨的重要文化基因。

三

道家風骨的內涵，具有模糊性而又包容甚寬，僅就其在思想和學風上表現的普遍特徵而言，至少有以下幾個層面，灼然可見：

（一）“被褐懷玉”的異端性格，這是道家風骨的重要特徵。聖人“被褐而懷玉”，是《老子》書中對理想人格美的一句讚詞，乃指布衣隱者中懷抱崇高理想而蔑視世俗榮利的道家學者形象。他們在等級森嚴的社會中，自願處於“被褐”的卑賤者地位，對世俗價值抱着强烈的離棄感，對現實政治力圖保持着遠距離和冷眼旁觀的批判態度，從而在學術思想上往往表現出與正宗官學相對峙的異端性格。在西方，針對天主教會的神權統治和宗教異化，而有活躍於整個中世紀的神學異端；在中國，針對秦漢以來儒法合流所營建的以皇權專制與倫理異化爲核心的封建正宗，道家便被作爲思想異端而出現。秦皇、漢武爲鞏固專制皇權，百年中曾興兩次大獄，一誅呂不韋集團（包括《呂氏春秋》作者群），一誅劉安集團（包括《淮南鴻烈》作者群），除了政治誅殺以外，主要打擊對象乃是大批道家學者。司馬遷曾指出：儒、道互黜，表現了“道不同不相爲謀”的思想路綫的對立，也就是正宗和異端的對立。漢代，自武帝接受董仲舒“獨尊儒術”的獻策之後，大批儒林博士，由於奔競利祿而使儒學日趨僵化和衰微。這時，正是處於異端地位的道家，雖屢遭打擊而仍固守自己的學術路綫，堅持天道自然，反抗倫理異化，揭露社會矛盾，關懷生命價值，崛强地從事於學術文化的創造活動和批判活動，形成了特異傳統，凸顯了道家風骨。如司馬遷，被斥爲“論大道則先黄老而後六經”，在身受腐刑，打入蠶室的困頓處境中，奮力寫成了《史記》這部光輝巨著；此外，隱姓埋名的“河上公”，賣卜爲生的嚴君平，投閣幾死的揚雄，直言遭貶的桓譚，廢退窮居的王充等卓立不苟的道家學者，正因爲他們被斥爲異端而他們也慨然以異端自居，故能在各自的學術領域自由創造，取得輝煌成就。以王充爲例，正當漢章帝主持盛大的讖緯神學會議,儒林博士們"高論白虎,深言日食"的喧囂氣氛中,勇於舉起"疾虛妄"的批判旗幟,自覺地"依道家"立論,"伐孔子之説"(《論衡·問孔》),"奮其筆端以與聖賢相軋"(紀昀《四庫全書總目提要》),千多年後還被清乾隆帝判爲:"背經離道"、"已犯非聖無法之誅"(《讀〈論衡〉後》)。足見《論衡》一書的思想鋒芒確乎表現了一個異端思想家的品格。此後,在長期封建社會中,凡真具有道家風骨的民間學者,無不表現這種可貴的品格。

(二)"道法自然"的客觀視角。"人法地,地法天,天法道,道法自然",這是道家思想的理論重心,決定了道家對社會和自然的觀察、研究,都力圖採取客觀的視角和冷靜的態度。這與儒家把"道"局限於倫理綱常的倫文至上乃道統心傳觀念等相比,顯然更具有理性價值,更接近於科學智慧。道家超越倫理綱常的狹隘眼界,首先,力圖探究宇宙萬物的本原("道"是"天地之根"、"萬物之母"、"道"被規定爲:"自本自根,自古以固存,神鬼神帝,生天生地……",這樣的理論思維,對宗教意識和實踐理性的超越和突破,標誌着我們民族的哲學智慧的歷史形成!其次,力圖通觀人類社會由公有制向私有制、由氏族制向奴隸制的過渡及其二重性(道家着力研究原始公社"自然無爲"原則被階級壓迫原則所破壞以後的社會矛盾,出現了戰爭、禍亂、虛僞,出現了"損不足以奉有餘"的殘酷剝削,出現了"危生棄生以殉物"、"以仁義易其性"的人的異化,從而富有歷史感地提出了救治之方及"無爲而治"的理想社會的設計)。由"道法自然"的客觀視角對社會現實的批判與對社會矛盾的揭露,從老莊開其端,在王充、嵇康、阮籍、陶淵明、鮑敬言、劉蜕、鄧牧等的論著中,得到鮮明的反映,表現了道家由自然哲學轉向社會哲學的研究成果及其價值取向(反抗倫理、政治的異化現象、提倡否定神權、皇權的無神論、無君論等)。至於"道法自然"的思想定勢,更主要喚起道家學者大都熱愛自然、重視"天地與我并生,萬物與我爲一"的自然生態,尊重客觀自然規律,因而極大地影響和推動了我國古代各門自然科學的發展,從貴己養生,全性葆真出發,道家更强調了自然和人之間、宇宙大生命與個體小生命之間的同構與互動的關係,誘導人們從自然哲學轉到生命哲學,再具體化到人體功能和自然節律的深入研究,大大促進了中國特有的醫藥氣功理論及養生妙術。中國民間道術科學的發展,許多科技成果及自然和生命奥秘的靜心探研,首應歸功於道家;而許多卓有成就的科學家,如揚雄、張衡、葛洪、陶弘景、孫思邈、司馬承禎、陳摶等,都是道家人物并具有道家特有的思想風骨。

(三)物論可齊的包容精神,這是道家學風的特點。由於長期處於被黜的地位,與山林民間文化息息相通,道家的學風及其文化心態,與儒家的"攻乎異端"、"力辟揚墨"和法家的"燔詩書"、"禁雜反之學"等文化心態的褊狹和專斷相比,大異其趣,而别具一種超越意識和包容精神。他們對於"萬物并作"、百家蜂起的學術爭鳴局面,雖也曾擔心"智慧出,有大僞"(《老子》十六章),"百家往而不返,道術將爲天下裂"(《莊子・天下》),但他們基本上抱着寬容、超脱的態度。如《老子》提出"知常、容,容、乃公"的原則,主張"挫鋭"、"解紛"、"玄同"、"不爭"(《老子》四章、二十二章)。稍後,北方道家宋鈃、尹文等强調"别囿",主張"不苛於人,不忮於衆"、"以胹合歡,以調海内";田駢、慎到也提倡"公而不黨,易而無私"(《莊子・天下》),在他們的帶動下,所形成的齊稷下學風,在學宫中各家各派并行不悖,自由論辯,兼容并包,互有採獲,成爲古代學術繁榮最光輝的一頁。南方崛起的荆楚道家,以莊子爲代表,更爲道家學風的開放性,包容性和前瞻性作了理論論證,提出"物論"可齊,"成心"必去,分析學派的形成和爭論的發生,學術觀點的多樣化,是不可避免的"吹萬不同,咸其自取"。因而,基於"道隱於小成,言隱於榮華"而産生的儒墨之是非,只能任其"兩行"——"和之以是非,而休乎天鈞,是之謂兩行"(《莊子・齊物論》)。《秋水》等名篇,深刻揭示了真理的相對性、層次性和人們對於真理的認識的不同層次都有的局限性;"井蛙、河伯、海若"的生動對話的寓言,既指出:"以道觀之，物無貴賤；以物觀之，自貴而相賤”；又通過認識的不同層次，把人們引向開闊的視野，引向一種不斷追求、不斷拓展、不斷超越自我局限的精神境界。這是莊子對道家思想風骨的獨特體現。儒、法兩家，都有把“道”凝固化、單一化的傾向。如孔子說：“朝聞道，夕死可矣”（《論語・裏仁》）。韓非說：“道無雙，故曰一，是故明君貴獨道之容”（《韓非子・揚權》）。而莊子卻說：道“無所不在”（《知北遊》）；“指窮於爲薪，火傳也不知其盡（《養生主》）。《莊子》上記載顏回對孔子畢恭且敬，亦步亦趨，但仍然跟不上，稱“夫子奔逸絶塵，則回瞠若乎後矣！”（《田子方》）莊子卻對後學說：“送君者自其涯而返，君自此遠矣”！（《山木》）這顯然是兩種學風，兩種文化心態。道家以開放的心態，對待百家爭鳴，在學術文化上善於學諸家之長，走自己的路。司馬談總結先秦諸家學術時，正是從學風角度讚揚道家能夠博採衆長，取精用宏，“因陰陽之大順，採儒墨之善，撮名法之要，與時遷移，應物變化”，“以虛無爲本，以因循爲用，無成勢，無常形，故能究物之情。”這一兼容博通的學風，影響深遠。唐宋以降的道家及道教理論家，大都善於繼承老、莊學脈，大量攝取儒、佛各家思想，尤其大乘佛學的理論思辨，諸如：李榮、成玄英之論“重立”有取於三論宗的“二諦義”，司馬承禎的坐忘論有取於天台宗的“止觀”說，而全真道派承襲山林隱逸之風，更傾心吸取禪宗的慧解，并非捨己耘人，食而不化，而是有所涵化和發展。馬端臨在《文獻通考》中評定：“道家之術，雜而多端”，此語可從褒義理解，正反映出道家學風的開放性和博通兼容精神，這是值得珍視的思想遺産。

以上對道家風骨的內涵的概述，僅係例舉一斑，遠非全豹。但已足以表明，道家思想風骨在我國傳統文化的發展中，據有重要的地位，發揮過獨特的文化功能。它在歷史上所起的作用，儘管由於本身的局限或被歪曲利用而存在着消極面，但從中華文化的總體發展上看，是積極的，是促進的因素。至於道家思想風骨的現代意義，能否實現其與現代化的歷史接合，則是有待探究的重要課題。

作者簡介 蕭萐父，1924年生，四川成都人。現任武漢大學哲學系教授、博士生導師，中國哲學史學會副會長。著有《中國哲學史》等。

道家的思維方式與中國形上學傳統

朱伯崑

内容提要 道家作爲中華傳統文化三大系統之一,在中國哲學史上居於至要地位。本文從無爲而無不爲、道法自然、有無之辨這三個方面,系統探討了老子所提出的否定性思維方式、自然主義和無神論傳統、以及形上學原則對於中國傳統各派哲學的深遠影響。

中華傳統文化,就其觀念形態説,其影響深遠者有三大系統,即儒家、道家和佛家,傳統的説法,稱爲儒釋道三教。此三家學説,各有自己的理論體系,對中華文化的發展都起了深遠的影響。儒學在漫長的封建社會中成爲中華文化的主流,此是人們所公認的,然而其它兩家學説在中華文化中的地位和影響,特別是道家學説對中國傳統哲學的影響,往往被人們所忽視。中國傳統哲學,始於先秦諸子爭鳴,經過漢唐,到宋明,發展到高峰,可以儒家的宋明道學爲代表。但宋明道學的形成和發展,頗受佛道兩家哲學的影響,其中受道家哲學的影響,尤爲突出。可以這樣説,沒有道家哲學的滋養,便沒有宋明道學。從歷史上看,儒釋道三家哲學,在其發展過程中,既相抗衡,又相吸收,抗爭的結果,是相互融合。此是中國傳統哲學發展的一條規律,也是中華文化發展的總趨向。本文僅就以下三個問題,談談道家學説在中國傳統哲學中的地位及其貢獻。

一、無爲而無不爲

任何哲學體系的形成,同其思維方式的特徵是分不開的。哲學是理性思維的產物,出於人類對自身和周圍世界即主體和客體的反思。但反思的方式,即以理性思維觀察和解釋世界(包括人和物)的方式,卻是多方面,多角度和多層次的,而且是一個歷史的發展過程。這是因爲人們所處的社會歷史條件不同,生活環境不同,所受的文化教養不同,因而對世界的感受和觀察問題的方式也不盡同。先秦的儒學大師荀子,基於戰國時代開展的百家爭鳴,寫了《解蔽》一文,認爲諸子之學皆是"蔽於一曲而闇於大理"。他所追求的是真理的全面性,即"大理",故以"一曲"之見爲"蔽"。其實,一曲之見,如真有所見,即其所長,即有真理的顆粒或永恒的價值。因爲真理總是相對的。至於人類對"大理"的認識,不是某一哲學家或某一時代的哲學家所能完成的。爲什麼哲學家們提出的問題和命題,有所見又有所不見呢?荀子將其歸之於"心",即理論思維的水平和能力。他說:"心不可以不知道。心不知道,則不可道而可非道。"又說:"心不使焉,則白黑在前而目不見,雷鼓在側而耳不聞,況於蔽者乎!"荀子此論,頗有見地,揭示出哲學家們的見與不見,同其"心術"即思維方式有着密切聯繫。心術不同,對世界的解釋也就不一樣。因此,我們研究歷史上不同流派的理論體系,不能忽視其思維方式的特徵。

先秦道家的心術,同儒家相比,有哪些特徵?這是一個值得研究的課題。有一種流行的說法,認爲儒家重人道,道家重天道,前者形成人文主義傳統,後者形成自然主義的傳統。此說,就兩家學說的形成說,有一定的道理。因爲兩家的創始人孔子和老子,其觀察世界的角度不同,因而在天人問題上各有偏重。但此種區分,衹表示兩家探討問題的視野不同,還不足以說明其思維方式的差異。就思維方式說,兩家的差異,可以概括爲:儒家習慣於從正面看問題,而道家則善於從反面或負面看問題。所謂從正面看問題，是說，從常識、常規和一般的心理常態以及傳統的觀念出發，討論人類面臨的問題，如孔子所處的時代，人們都崇拜祖先，尊重禮儀，追求富貴，又受等級身份的約束。孔子從肯定這種現實出發，探討人道問題，即是從正面看問題。所謂從反面看問題，是說，與當時的常識、常規和心理常態相反，思考和處理問題。如不以富貴爲榮，不以鬼神爲神，不以耳目見聞者爲實，不以禮儀爲維持社會秩序的規範，不以飲食豐美爲長命之術，等等。此種反常識和反常態的思維方式，并非是精神失常，如荀子說的心術不正，而是從另一側面，即從一般人所肯定的反面，觀察事物的性質，并評論其價值。如莊子於《齊物論》中所說，“是其所非，而非其所是”。此種差異，從兩家的言論中可以得到説明。《論語》説：“子所雅言”，“述而不作”，“溫故而知新”，“子不語怪力亂神”，“攻乎異端，斯害也已”。“雅言”，一說，謂常言，一說謂官話，總之，指正規的語言。“異端”，指與常識和常理相反者。上述言論，表明孔子的思維方式是循規蹈矩，從不標新立異，違背常理和常識。可是，老子則不然。《老子》說：“正言若反”，“大巧若拙，大辯若訥”，“明道若昧”，“善計不用籌策”，“玄德深矣，遠矣，與物反矣，乃至於大順”。“正言若反”，謂說反面的話，反而符合正理。後一段話，是說，同一般人之所見相反，反而是高深的德性。凡此皆表示老子看問題，從不循規蹈矩，像孔子那樣，以“雅言”爲據，以“異端”爲非，而且專講同常識和常規相反的話。老子的這種從反面看問題和追求負面價值的思維方式，可以稱之爲否定意識，構成了道家學說的主要特徵。

《老子》一書中許多命題和觀念，都是基於這種意識而提出的。其第一章論道，一開始便說：“道可道，非常道；名可名，非常名”。謂一般人或常識所說的“道”和“名”，既然可以說出，可以稱謂，就不是永恒的道和永恒的名。是說，大道和真理是不能言說的，因爲它是同常識相反的。他進而解釋說：“上士聞道，勤而行之；中士聞道，若存若亡；下士聞道，大笑之。大笑不足以爲道”（四十一章）。

"道",指事物的原則。但此原則是反常識的,所以下士之人,即智力低下的人,不能了解,故聞道而大笑。什麼是常道和常名呢?他說:"反者道之動,弱者道之用"(四十章)。"反"同返,謂向反面運作;"弱",謂功用在於柔弱。這兩句話,都是針對常識所肯定的"道"而發的。一般人所追求的道,就運動說,總是以一往直前爲上;就功用說,總是以剛强不屈爲貴。而老子則認爲,"道"作爲事物的原則,恰恰相反,其意義在於"反"和"弱"。如果說,前者所追求的是事物的正面和積極的一面,老子所追求的卻是其反面和消極的一面。此負的一面,在老子看來,卻是非常有價值的,此即所謂"正言若反"。正是依據這一原則,老子考察了世界和人生,思考了許多常人所看不出的問題,從而成爲儒家的對立面。如儒家爲了維護正常的社會秩序,主張仁民愛物,故以天地化育萬物和聖人愛護百姓爲仁。而老子則反其道而行之,提出"天地不仁,以萬物爲芻狗。聖人不仁,以百姓爲芻狗"(五章)。强調天地與聖人的自然性,而不以天地和聖人爲有"仁"德。又如,儒家以追求人格的自我完善爲道德修養的目的,如孔子所說:"志於道,據於德"(《論語·述而》)。而老子卻說:"上德不德。是以有德;下德不失德,是以無德"(三十八章)。"不德",謂不追求德,認爲有此境界,方爲道德高尚的人。又如,孔子提倡好學,如說:"學而時習之,不亦說乎"(《論語·學而》),"默而識之,學而不厭"(《同上·述而》)。而老子卻說:"爲學日益,爲道日損"(四十八章),"學不學以復衆人之所過"(六十四章)。此又是對學習俗知常識的否定。又如儒墨兩家都提倡賢人政治,選拔有才幹的人治理民事的糾紛。而老子則說:"不尚賢,使民不爭"(三章)。又是對尚賢的否定。儒家以知、仁、勇爲美德,而老子則說:"大道廢,有仁義;智慧出,有大僞"(十八章);"慈故能勇"(六十七章),"勇於敢則殺,勇於不敢則活"(七十三章)。此又是對儒家倡導的美德的否定。老子的否定意識,不僅對儒家學說,對其它各家的觀點,也是從其反面的效果加以指責。如關於法家,他說:"法令滋彰,盜賊多有"(五十七章)。關於兵家,他說:"善爲士者不武,善戰者不怒,善勝敵者不與"(六十八章),總之,以"不爭"爲兵家的美德。關於養生,一般人皆以個體生命爲貴,應精心調養,保持長壽。而老子則說:"天地所以能長且久者,以其不自生,故能長生"(七章)。"不自生",謂不故意爲生,反而能長久。又說:"吾所以有大患者,爲吾有身,及吾無身,吾有何患"(十三章)。"無身",謂不以個體生命爲貴,即"外其身而身存"(七章)。此又是對世俗養生意識的否定。又如,剛和柔兩種性能相比,常識認爲剛强的東西總是戰勝柔弱的東西,并以剛强爲美德,如《易傳》所說:"天行健,故君子自强不息"。而老子則反其道而行之,提出"柔弱勝剛强"(三十六章),"强大處下,柔弱處上"(七十六章),"天下之至柔馳騁天下之至堅"(四十七章)。認爲堅强者早死,水雖柔弱,卻能攻堅。因此,老子認爲,處理問題,應着眼和保持事物的消極一面,或相反的一面,如其所說:"知其白,守其黑,爲天下式","知其榮,守其辱,爲天下谷"(二十八章)。總之,從反面入手,方立於不敗之地。這種從反面或消極一面對待事物的態度,老子稱之爲"無爲",并以無爲爲處理事物的最高原則。他說:"是以聖人處無爲之事,行不言之教"(二章)。又說:"爲無爲則無不治"(三章),"道常無爲而無不爲"(三十七章)。無爲是同有爲對立的。此種無爲說,又是對積極有爲的思維的否定。老子創立的道家學說,後來分化爲黄老學和莊子學兩派,其傾向并不盡同,但倡導無爲則是一致的。

如何理解老子的這種否定意識或追求負面價值的思維方式?有一種説法,認爲此種消極意識出於對當時社會的不滿,憤世嫉俗,故意作反面文章;或者認爲乃隱士們對其前途失去信心的没落意識的表現。此說,雖有所見,但未免將思想問題簡單化了。還有一種説法,即將道家的無爲思維所起的積極作用,説成是歪打正着。此説又抹煞了理論思維自身發展的規律。從人類理性思維發展的歷史看,道家的思維方式,并非無價值可言。因爲事物的性質和人的思維都具有兩重性,用中國哲學的術語説,即都有陰陽兩方面,如老子所説"萬物莫不負陰而抱陽"(四十二章)。而且陰陽、正反、肯定和否定兩方面又是相互依存的。道家的思維方式,提倡從反面即陰的一面思考問題,是無可非議的,從某種意義説,是一種更高層次的智慧,比僅從正面或肯定的一面看問題更爲深刻。所以老子將其看問題的方法稱爲“微明”或“玄德”。如果,將道家對常識和常規的否定和追求負面價值的意識,簡稱之爲“無”的思維,并以此來觀察和處理人類面臨的現實問題,這同數學史上,對零和負數的發現一樣,在人類理性思維或認識史上是一大飛躍。因爲此種思維方式,從對現狀的肯定轉向否定,具有反常識,反常規,反傳統,反權威和反世俗的意義,同樣對中國傳統文化的發展起了重要的影響。歷史上不墨守成規和敢於創新的思想家,科學家以及文學藝術家,大都受到道家思維方式的熏陶,從而突破舊傳統,開拓新的視野和思路,對中華文化作出新的貢獻。當然,道家的思維方式,如果講過了頭,就會引向極端。由於老子所創立的道家,善於從反常識和反常規的角度思考問題,因而在哲學上提出了許多有價值的問題,如中國傳統哲學中的天人之辨,有無之辨,動靜之辨,心物之辨,生死之辨,言意之辨,性情之辨,以及内聖與外王、世俗與超俗之辨,都是由於道家的思維方式引起的。道家在回答這些問題時,既有所見,又有所不見。但其提出的問題,卻引起歷代哲學家們的爭議和研討,成爲中國哲學的重要内容。這是先秦其它流派所不能比擬的。就此而言,道家又是中國傳統哲學的奠基者。

二、道法自然

老子以其無爲而無不爲的思維方式,考察天和人的關係,便引出了天人之辨,成爲中國傳統哲學中的一大問題。天和人作爲中國哲學中的一對範疇,其涵義是不斷發展的,哲學家們對其所作的解釋并不盡同。就“天”説,有天神,天意,天命,天道,天體,天時,天然,天理等説;就“人”説,有人爲,人心,人德,人力,人欲等。就二者的關係説,有天人感應説,天人合一説,天人一本説,天人相勝説,天人不相勝說等。這些不同的理解,反映了哲學家們不同的立場、觀點及其思維路綫。老子作爲道家的創始人,第一次從理論上辯論了這一問題,揭開了中國哲學史上探討人與自然關係問題的序幕。

在西周時期,"天"作爲哲學範疇,主要指天神,天命和天意。此種意義的天被認爲是世界的主宰者,自然界和人類社會的一切變化都是由天命和天意決定的,從而宣揚一種具有宗教意味的目的論的宇宙觀。春秋以來的儒家學者,由於重視人爲和人道,對西周的傳統的天命論作了修正。或者强調盡人事,如孔子;或者認爲天意依人意爲轉移,如孟子;但都保留了天有意志的傳統觀念。在先秦,首次向傳統的天命觀念挑戰的是老子。他提出了自然界無意識,無目的的學說,如前面所引的"天地不仁"和天地不自生說。他把這種觀點,概括爲:"道法自然"。他說:"人法地,地法天,天法道,道法自然"(二十五章)。老子說的"自然",謂自己而然,非使之然,即"無爲"之義,如其所說:"輔萬物之自然而不敢爲"(六十四章)。道以自然爲法,是說,道作爲宇宙的最高原則即是自然無爲。天地以道爲法,是說,自然界的變化亦是無爲而自然。在老子看來,道作爲萬物的本源,其生化萬物亦是這樣。他說:"萬物恃之以生而不辭,功成不名有,衣養萬物而不爲主"(三十四章)。又說:"生而不有,爲而不恃,長而不宰"(十章),"莫之命而常自然"(五十一章)。此種自然無爲說,排除了人的意志,情感和慾求等心理因素,作爲一種自然觀,嚴重地打擊了主宰的天和目的論。如其所說:"吾不知其誰之子,象帝之先"(四章)。在中國古代社會,以農業生產爲主要生活資料的來源,而農業生產的好壞,同天時、地利又有密切的關係。由於生產力的低下,人們形成了靠天吃飯的思想,乞求天的保祐,從而將天神化,實際上是將其人格化,天便成了宇宙命運的主宰者。老子第一次對這種習以爲常的傳統觀念加以否定,這在古代思想史上是一大解放,從而成爲中國無神論的先驅。

老子的天人觀的基本觀點是,反對以人觀天,此種理論思維,後被道家各派所繼承和闡發。莊子則以自然的東西或自然所給予的東西爲天，以天爲“天然”，即自然而然，非人力所能爲。如《莊子·秋水》所説：“牛馬四足是謂天；落馬首，穿牛鼻是謂人”，并且提出“無以人滅天”説。他崇拜自然，鄙視人爲。按此觀點，觀察自然現象的變化，則認爲皆無人的意識、行爲和目的。莊子於《齊物論》中説：“夫吹萬不同，而使其自己也，咸其自取，怒者其誰邪”！“自取”，即自己而然，非或使之。其在《大宗師》中評論造物者説：“韲萬物而不爲義，澤及萬世而不爲仁，長於上古而不爲老，覆載天地刻雕衆形而不爲巧”。《天運》一文，論天體的運行，四時氣候的變化，又以懷疑的語氣提問説：“孰主張是，孰綱紀是，孰居無事推而行是”？認爲在天地日月風雲之上，别無有一主宰者，操縱和安排其變化，一切運動和變化皆是自然而然。所以《在宥》一文，論天人關係説：“無爲而尊者，天道也；有爲而累者，人道也。”并且將人的生命亦看成是一種自然現象，主張亦應以無爲的態度對待生死問題。如其所説：“知天樂者，其生也天行，其死也物化，静而與陰同德，動而與陽同波。故知天樂者，無天怨，無人非，無物累，無鬼責”。此種生死物化説，又是對有鬼論的否定。總之，先秦道家提出的天人之辨，以天道無爲説，否定了主宰的天和意志的天，進而否定了目的論的宇宙觀。

此種天人觀，對先秦儒家的學説，起了深刻的影響。荀子正是在道家的影響下，寫了《天論》一文，斷言天體的運行和天時的變化不體現某種意志和作爲，因而其運行和變化同人事吉凶毫無聯繫。其論天道變化説：“列星隨旋，日月迭炤，四時代謝，陰陽大化，風雨博施，萬物各得其和以生，各得其養以成。不見其事而見其功，夫是之謂神。皆知其所以然，莫知其無形，夫是之謂天”。“不見其事”，謂無經營的行爲，即道家説的無爲。“神”，即莊學所説：“油然不形而神”（《知北遊》），謂神妙莫測。“無形”，謂其功迹無形迹可查，亦本莊學語。荀子此論，可以説是對老莊天道無爲説的闡發，成爲儒家無神論代表。又《易傳》的作者，論天地陰陽的變化説：“顯諸仁，藏諸用，鼓萬物而不與聖人同憂，盛德大業至矣哉”（《繫辭上》）。

“顯諸仁”,謂化育萬物,無有私心;“藏諸用”,謂其作爲不見於外,即荀子所說“不見其事而見其功”。“不與聖人同憂”,謂天地陰陽,無人的憂患意識。此論亦是受了道家天道觀的影響。總之,儒家從孔孟的天命論到荀子和《易傳》作者的天論,其言天,從肯定天有意志轉爲天無意志,這一轉變的關鍵,基於道家的天人之辨。當然,荀子作爲儒家學者,并不滿意老莊的天論,指出“莊子蔽於天而不知人”,即掩蓋了人道的特點,進而提出“制天命而用之”的命題,又揚棄了道家的人道順應自然的任天說和宿命論。《易傳》提出“天地設位,聖人成能”說,亦是對任天說的揚棄,從而在天人問題上,作出了重要的貢獻。先秦儒家學者取得的這一貢獻,同道家的天道無爲說是分不開的。

道家的天人之辨,在漢唐時期,其影響更爲突出,成了無神論者抵制和批判儒家的神學目的論的重要武器。漢代的儒家學者董仲舒,適應漢帝國皇權政治的需要,在哲學上又恢復了以天爲神的天命論,并且炮製了一套目的論宇宙觀的體系,將天人之辨引向天人感應論。從《淮南子》開始,到揚雄、桓譚、王充等無神論者,都借助於道家的天人之辨,同以董仲舒爲代表的目的論展開了大辯論。《淮南子》解釋老莊之學,以大量的文字,論述了天道無爲而自然的學說,認爲一切自然現象的變化,“非有爲也,正其道而物自然”(《泰族訓》)。揚雄則說:“老子之言道德,吾有所取耳”(《法言・問道》)。“道德”,指“道法自然”說。桓譚則以“天非故作爲”說,反對了目的論。到王充,寫了《自然》、《物勢》等文,集中論證了“天道自然無爲”這一命題。其在《自然》中,駁斥“天生五穀以食人”的目的論說:“此謂天爲人作農夫桑女之徒也,不合自然,故其義疑,未可從也。試依道家論之”。關於天以其氣化育萬物的觀點,他解釋說:“天動不欲以生物而物自生,此則自然也;施氣不欲爲物而物自爲,此則無爲也”。其在《物勢》中,又提出“天地不故生人,人偶自生”說,反對了目的論。“故”,謂有心而爲;“偶”,謂恰合,非出於謀劃。因此,其論天地陰陽之氣同萬物和人類的關係說:“無心於爲而物自化,無意於生而物自生”(《自然》)。王充對道家天道無爲説的闡發,其要點有二:一是以氣化萬物,無意識和無目的;二是引證實物實事即實際經驗,説明天無意志,如其所説:“道家論自然,不知引事物以驗其行,故自然之説,未見信也”(同上)。他將道家的天道無爲自然説,引向了科學的和實證的道路。在漢代,由於有一批無神論者,繼承黄老之義,堅持天道無爲説,抵制了儒家的神學目的論,從而使今文經學派所炮製的天命論,終未成爲西方基督教那樣的宗教體系。道家的天人之辨,成了阻止儒學宗教化的理論支柱。

到了魏晉時期,兩漢的黄老之學轉向了魏晉玄學,形成了新道家。玄學家以解釋老莊的著作爲任務,進一步闡發了先秦道家的天道觀。玄學中的兩大流派,貴無論和崇有論,皆以自然無爲解釋天和道。貴無派的代表王弼在《老子注》中説:“天地任自然,無爲無造,萬物自相治理,故不仁也”。又説:“地不爲獸生芻,而獸食芻,不爲人生狗而人食狗,無爲於物而萬物各適其所用,則莫不贍矣”。此是對老子的“天地不仁”説的解釋。意謂天地作爲最大的自然物,其化育萬物,既非“造立施化”,亦非“有恩有爲”,無造作,無選擇,故能覆載一切個體。其以“任自然”,解釋天無意志,以萬物相互調治,解釋萬物得以生存的原因。進一步打擊了目的論的宇宙觀。所謂“萬物自相治理”,又是受了王充的“萬物自相勝負”(《物勢》)説的影響。由於王弼推崇自然無爲,又導出“天地雖廣,以無爲心”説,進而導出了“天地萬物皆以無爲本”的玄學本體論。崇有論的代表郭象於《莊子注》中説:“自己而然,則謂之天然。天然耳,非爲也,故以天言之。以天言之,所以明其自然也,豈蒼蒼之謂哉!……故天者,萬物之總名也。莫適爲天,誰主役乎?故物各自身,而無所出焉,此天道也”(《齊物論》)。此是以萬物自己而然,無任何外力使其然,解釋天和天道。此種解釋的特點是,否定了天的實體性,進而否定任何形式的造物主説,如其所説:“故造物者無主而物各自造。物各自造而無所待焉,此天地之正也”(同上)。他將天道自然無爲説,引向了物各自造説或萬物自生自化説,從而導出了“物之所有,自然而然,非無能有之”(《則陽》)的崇有論。由於郭象,因受王充的“物偶自生”說的影響,又將自然而然理解爲不知其所以然而然,進而將萬物各自造說引向萬物“欻然自生”的獨化論和偶然論。其獨化論在當時是反對目的論的一種新形式,其理論意義是否定事物的變化有第一因或終極因。可以看出,玄學的代表人物,繼老莊之後,對中國無神論的發展同樣作出了貢獻。

郭王兩家的天人之辨,對南北朝和隋唐時期儒家無神論者同樣起了重要的影響。南朝的無神論者范縝在同佛教有神論的爭論中,寫了《神滅論》,其中說:“陶甄稟於自然,森羅均於獨化,忽然自有,恍爾而無,來也不御,去也不追,乘夫天理,各安其性”。此是依郭象義,反對了佛教的生死輪迴說和三世因果報應論。玄學派的天道無爲說,到唐代,又爲儒家解經的學者所吸收。孔穎達的《周易正義》,通過對《周易》經傳的解釋,進一步闡發了道家反對目的論的傳統。如其釋乾卦《文言》四德說:“凡天地運化,自然而爾,因無而生有也,無爲而自爲。天本無心,豈造元亨利貞之德也”。此是說,元亨利貞作爲天運行的德行,乃自然而有,非出於有心而爲,所以天地萬物的變化無使之然者。又其解復卦《彖》文“復其見天地之心乎”說:“天地養萬物,以靜爲心,不物而物自爲,不生而物自生,寂然不動,此天地之心也。天地非主宰,何得有心?……以人事之心,托天地以示法耳。”他將“靜”解釋爲無有意識,以“天地之心”爲無心而爲,說明萬物自爲自生,無主宰者使其生。此是對郭象義的闡發。又其依郭象義,解釋《繫辭》文“一陰一陽之謂道”說:“自然而有陰陽,自然無所營爲,此則道之謂也”。按此解釋。陰陽二氣的運動和變化,不僅没有意志和目的,而且其存在,也不被創造,便進一步否定了宗教的創世說。孔疏通過對儒家經典的解釋。依道家義所闡發的天人之辨,在當時影響很大。唐中期,儒家内部展開了天人問題的大辯論。韓愈、柳宗元和劉禹錫的天說,即其代表。韓愈認爲,人類的生産活動,破壞了自然的環境,應受到天的懲罰,從而陷入了目的論。柳、劉二人則依道家的天道無爲說,批駁了韓愈的天說。柳宗元認爲，天地陰陽同其它自然物一樣，其變化，都是自然而然，没有意識，無賞功罰禍的慾求。他還依郭象和孔疏義，指出，陰陽二氣遊於天地之間，其運動變化，是“自動自休，自峙自流”，“自鬥自竭，自崩自缺”，不依人的好惡爲轉移；并且認爲天地陰陽没有開端，亦無終結，所謂“天地之無倪，陰陽之無窮”(《非國語》)。劉禹錫在辯論中，寫了《天論》，同意柳的“自然之説”，但以其義有未盡，又作了補充。他提出“天人交相勝”説。此説，以天象和自然給予的爲天，以智力最强又能推行法制者爲人。認爲天人各有其所能，不相代替，但可以相互爲用，即人依其智力可以掌握自然現象變化的“数”和“勢”，使其爲人類服務。此説，一方面繼承了道家的天道自然説，另一方面又揚棄了道家和玄學派的因天説，對兩漢以來的天人之辨作了總結。

到了宋明時代，伴隨着儒家道學的興起和發展，天人之辨又獲得了新的内容，即從目的論和反目的論的爭論，轉向心物之爭，主觀和客觀之爭。這同傳統的哲學問題，從漢唐的宇宙論轉向本體論的研究是聯繫在一起的。道學家們對天的解釋。取郭象義，以天爲天地萬物的總名，指外在的客觀世界。對人的解釋，則以人心和人德爲人。天人關係變成了客觀世界和主體人的關係。道學中心學一派，以心爲世界的本體，主天人一本；佛教禪宗心學主心法起滅天地；兩派皆宣揚人心爲自然立法。兩派心學，在天人問題上，或以天地萬物具有人心或人德，或以天地萬物爲人心的顯現，總之，都不區分天和人。如道學中心學的先驅程顥，提出“仁者與天地萬物爲一體”(《遺書》二上)，認爲仁愛之心將客觀世界和主觀世界結爲一整體，既無人我之分，也無心物之别，天地生物之德即是仁德，人心即是天地之心，所謂“只心便是天”(同上)。由此得出結論説：“天人一也，更不分别”(同上)；“天人本無二，不必言合”(《遺書》六)。他以心釋天，成爲心學一派天人觀的基本原則。如陸象山所説：“宇宙便是吾心，吾心即是宇宙”(《雜説》)。所謂“宇宙”，指心外的客觀世界，即程顥説的“天”。其弟子楊簡依此提出“天人一本”的命題，認爲人的自强不息即是天行之健,人心的變化即是天地萬物的變化,所謂"陰陽變化無一日不自道心而生者"(《易傳·臨》)。明代心學大師王守仁依此得出結論說:"人者,天地萬物之心也。心者,天地萬物之主也。心即天,言心則天地萬物皆舉之矣"(《答季明德》)。又說:"天即良知也","良知即天也"(《傳習錄》下)。他從心出發,將天人合而爲一,所謂"大人與天爲一而已矣"(《山東鄉試錄·易》)。總之,在宋明時代,由於本體論的流行,心學派的代表人物,竭力抹殺或冲淡天人的區分,進而以人心爲天,以主觀意識爲客觀世界,爲其心本論提供理論根據。此種天人觀,來於孟子的盡心,知性,知天說,將人的道德意識視爲客觀世界的本原。如果說,以前的儒家講的天命論,以天爲有意志,從而導出了目的論的宇宙觀,宋明時期心學一派新儒家,又將天意解釋爲倫理的心,宣揚心本論的形上學,爲這一時期的天人之辨開闢了新局面。

道學中的理學派和氣學派,爲了論證自己的本體論的體系,同心學派展開了天人異同之辨。他們的出發點,雖然不同,但都不讚成天人不分,反對天人一本說。其所依據的理論思維仍舊是道家的天人之辨。理學派的創始人程頤,以理釋天,認爲天地萬物皆有其理,理爲一物之所以然及其當然之則,規定事物的本質,不受人心之左右,故以"天理"稱之。其以天稱謂理,"天"取郭象義,即以"自然"爲天。他說:"天者,自然之理也"(《遺書》二十四)。所謂"自然之理",是說,事物之理,本來就有,固然如此,非人意所安排,如其所說:"事理之固然,非心意之所造作也"(《易傳·無妄》)。他引道家的自然說,表示理乃客觀存在的實體。因此,他區分心和理。他說:"自理言之謂之天,自稟受言之謂之性,自存諸人言之謂之心"(《遺書》二十二上)。此是以理爲天,以心爲人,認爲心可以存理,但天理不等於人心。依此觀點,他辯論了天人關係問題,認爲天和人,天道和人道,既有同一性,但又有差別。他評論《禮記》提出的"人者,天地之心"這一命題說:"謂祇是一理,而天人所爲,各自有分"(《遺書》十五)。"一理"謂天和人,有共同遵循的法則,但又各有其本分，不可混同。意謂心外有天，人道應符合天道，但不能以人道爲天道，更不應認爲人心能創造天道或天理。他評論陰陽變易的法則說："此是生生之謂易，理自然如此。維天之命，於穆不已，自是理自相續不已，非人爲之"(《遺書》十八)。是說，天道變化，深遠而無窮盡，其理自然如此，非人心之所爲。據此，他批評佛家的心學說："書言天叙天秩。天有是理，聖人循而行之，所謂道也。聖人本天，釋氏本心"(《遺書》二十一下)。認爲人道指人心符合天理，而佛家則以人心爲天道，本末倒置，是錯誤的。可以看出，理學派的天人之辨，是區分主觀和客觀，以天理爲客觀的東西，所謂"自然之理"，從而否定了心本論。此種理論思維，同樣來於魏晉玄學的天人之辨。關於理，王弼曾說："物無妄然，必由其理"(《周易略例・明象》)。又說："萬物以自然爲性，故可因而不可爲也，可通而不可執也"(《老子注》二十九章)。郭象曾說："物有自然，理有至極，循而直往，則冥然自合，非所言也"(《齊物論注》)。又說："今仲尼非不冥也，顧自然之理，行則影從，言則響隨"(《德充符注》)。總之，郭王兩家，皆以理或天理出於自然，而非人爲，人祇能與理冥合。程氏因之，從而在天人問題上區分了主觀和客觀，建立其理本論。當然，程氏說的"自然之理"，也不盡同郭象義。他揚棄了"冥然自合"說，認爲理或天理，非不可思議，而是可以認知的。這又是受了儒家的"窮理盡性"說的影響。

氣學派的奠基人張載，在同佛教心學的爭論中，則以氣釋天。他說："由太虛有天之名，由氣化有道之名"(《正蒙・太和》)。所謂"太虛"，指氣的本然狀態，即"太虛之氣"。他以氣化的過程爲天道。認爲氣化過程，即陰陽二氣相互推移的過程，其推移又有其自身的法則，所謂"其爲理也，順而不妄"(同上)。所以氣化的過程即天道，既無意識和目的，也非人心所能造化。他說："其所以屈伸無方，運行不息，莫或使之，不曰性命之理，謂之何哉"(同上)！又說："有謂心即是易，造化也。心又焉能盡易之道"(《易說・繫辭上》)。其對氣化過程的解釋，同樣本於道家的天道自然說，如其所說："蓋爲氣能一有無，無則自然生，氣之生即是道是易”(同上)。“無”指無形，“有”，指有形，認爲氣能統一有形和無形，氣雖無形，卻生生不已，出於自然，無使之然者。張載又依道家的自然說論證氣化過程有其客觀的規律性。因此，在天人問題上，他斷言天是無心的。他說：“天地則無心無爲，無所主宰，恒然如此，有何休歇”(《易說·復》)。此是對復卦《彖》文“天地之心”的解釋，認爲此“心”只表事物的本質和實情，指天地以生物爲本，無止息之時，非謂天地有人的意識和情感，故又以“無心無爲”釋之。因此，他認爲老子提出的“天地不仁”這一命題是正確的，其錯誤在於以聖人爲不仁。他說：“天則無心，神可以屈，聖人豈忘思慮憂患？雖聖人亦人耳，焉得遂欲如天之神，庸不害於其事”(《易說·繫辭上》)。“神”同伸。是說，天道之屈伸，出於自然，無思無慮，而人的特點是有思有慮，所以聖人應有憂患意識，仁愛百姓。此種天人之分，無疑是正確的。但他强調，不能因爲人有思慮，具有仁德，從而認爲天和天道亦有人心和人德。他說：“鼓萬物而不與聖人同憂，則於是分出天人之道。人不可混天。鼓萬物而不與聖人同憂，此言天德之至也”(《易說·繫辭上》)。“人不可混天”，謂不能將人的意識强加於天，即不贊成天人一本說。又說：“天能爲性，人謀爲能。大人盡性，不以天能爲能，故曰天地設位，聖人成能”(《易說·繫辭下》)。“天能爲性”，謂天以自然爲性，無人的思慮，亦無人德，而人則以謀劃爲能，人的任務是成就天之所能，而不是以人能代替天能。張氏此論，頗爲深刻。是其天人之辨的主要貢獻。在中國哲學史上，他第一次提出“天人合一”這一命題，見《正蒙·乾稱下》。但其所謂“合一”，不是說天合於人，而是人合於天，即人的思想和行動應符合氣化的過程和法則。此種天人觀，顯然，來於道家的天人之辨。不同的是，他提出“人謀爲能”說，拋棄了老子的“絶聖棄智”說。張載的天人之辨，同樣具有區分主觀和客觀的意義，强調人德基於天德，即氣化萬物的本性，而不以人德爲天德，對後來氣學派的天人之辨起了很大的影響。如明代氣學派的代表羅欽順說：“天之道，莫非自然。人之道皆是當然。凡所當然者，皆其自然不可違者也"(《困知記》上)。

明末清初的氣學派大師王夫之，進一步辯論了天人關係問題。他繼承了張載的天人觀，認爲天道和人道皆基於陰陽二氣變易之理，有其同一性，但强調其差異。他說："同一道也，在未繼以前爲天道，既成而後爲人道。天道無擇，而人道有辨"(《周易内傳・繫辭上》)。此是解釋《繫辭》文繼善成性句。認爲陰陽二氣形成人物的本性，出於無心而爲，無所選擇，如其所說："天地無心而成化，故期於陰陽也，泰然盡用之而無所擇(《外傳・繫辭上傳》七)。可是，人基於陰陽二氣而成性後，人有心靈，能辨别是非善惡，此即"人道有辨"。因此，他以有思維和道德意識爲人道的特點。他說："天地之生，以人爲始，故其弔靈而聚美，首物克家，聰明睿哲，流動以入物之藏，而顯天地之妙用，人實任之"(《外傳・復》)。謂人聚衆美而心最靈，居萬物之首，能以其聰明智慧深入到萬物的内部，揭示天地生物之功。正因爲人爲萬物之靈，人有道德本性，故能擇善去惡。他說："人物有性，天地非有性。……性存而後仁義禮知之實章焉。以仁義禮智而言天，不可也"(《外傳・繫辭上》五章)。"性"，指性善。是說，自然界無所謂性善問題，善乃人性特點。因而不能以人的道德品質稱謂天。他說："在天謂之元，在人謂之仁。天無心不可謂之仁，人繼天不可謂之元"(《内傳・乾》)。是說，人道之仁來於天道之元，但不能以人道之仁稱謂天，所謂"理通而功用自殊，通其理，則人道合也矣"(《内傳・文言》)。此是對張載的"天人合一"說的發揮。其目的是反對以人道言天道，如其所說："君子以天合人，不能强天以從人"(《外傳・繫辭下》九章)。"以天合人"，謂人道本於天道。王夫之的這些辯論，可以說是對老子的"天地不仁"說的闡發，在哲學史上是少見的。他精通老莊之學，著有《老子衍》、《莊子解》和《莊子通》。其在《莊子解》中，對道家的自然說，作了充分肯定。如說："天地之化。無非自然"(《天運》)。又說："天者，自然之化。人者，因功趣差等而達權者也"(《秋水》)。"自然之化"，謂無心無爲。"達權"，謂有心而爲，能通權達變，即人道有主動權。此種天人觀，是對莊學的新發展，也可以說是對莊子"蔽於天而不知人"的糾正。因爲人道的特點在於人有主動權，所以人不應因襲自然而無所作爲，應協助天地治理萬物，使萬物爲人類所用。他說："人者，天地之所以治萬物也"，"人者，天地之所以用萬物也"(《外傳・繫辭下》一章)。治萬物和用萬物的職能存於人，如《易傳》所說："財成天地之道，輔相天地之宜"。就此而言，也可以說"人者，天地之心"，即人類應成爲自然界的主人，并非天地有人的意識。如其所說："自然者，天地；主持者人，人者天地之心"(《外傳・復》)。由此，他提出"延天以祐人"說，"相天"和"竭天"說，"勝天"說等，批評了道家的任天說，他在天人問題上所取得的成果，就其理論的淵源說，由來有二：一是道家的"天地不仁"和"天地無心"說，一是心學派的"心者，天地萬物之主"說。他取二說之長而揚其短，從而得出了天人既相對立又相依存的結論。即他所說的"天人之合用"(《外傳・繫辭上》一章)，從而有力地批判了心本論。

總上所述，老子提出的"道法自然"說及由此而引起的天人之辨，對後來哲學的影響有兩方面：其積極的方面，即天道無爲說，在宋代以前，成爲無神論者反對目的論宇宙觀的理論支柱，宋明以來，又成爲理學家和唯物主義者反對心本論的武器；其消極的方面，即人在自然面前無所作爲的觀點，又成爲儒家學者所批評的對象。中國傳統哲學就是在儒道兩家既相批評又相吸收的過程中得到發展的。

三、有生於無

老子以其無爲而無不爲的思維方式，思考世界的本原問題，又引出了有無之辨，成爲中國傳統哲學中又一重要問題。所謂本原問題，即宇宙的總根源或世界的統一性的問題，即第一原理問題。對此，老子提出"有"、"無"範疇，以本原的東西爲無，以天地萬物爲有，解釋二者的關係，便形成了有無之辨。由於老子以無規定本原的東西，其對世界的解釋，則成爲中國傳統哲學中形上學的先驅。以後，道家各派都遵循這一原則，探討本原問題，對中國形上學的形成和發展起了深遠的影響。

關於世界的本原，在老子的時代，其說有二：一是殷周傳統的天命論，一是春秋時期的天地生萬物說。在老子看來，此二說乃一般人或常識的見解，即從"有"出發，前者以天爲有意志，有營爲，後者以天地爲有形的實體，都不足以說明天地萬物的本原。因此，他提出新的觀點，即從"無"出發，解釋天地萬物的形成。他說："無名天地之始，有名萬物之母"(一章)。又說："天下萬物生於有，有生於無"(四十章)。"無名"，指世界的本原，其無形體，故不可稱謂。"有名"，指天地，因爲其有形體，可以稱謂。老子認爲，萬物雖天地之所生，但天地還有其老根或始基，此老根卻無形體。其所說的："萬物生於有，有生於無"，亦是此義。"有"，指天地，"無"指無名的始基。老子以無名解釋天地之始基，是對上述流行説法的否定。此說，以"無名"和"有名"，區別本原和天地萬物，就其理論思維說，是以超感覺的東西，即超乎形象的東西爲世界的本原，因爲其超乎形象，老子又稱其爲"道"。他說："有物混成，先天地生，寂兮寥兮，獨立不改，周行而不殆，可以爲天下母。吾不知其名，字之曰道"(二十五章)。關於"混成"，老子自己解釋說："視之不見名曰夷，聽之不聞名曰希，搏之不得名曰微。此三者不可致詰，故混而爲一"(十四章)。按此說法，"道"作爲混成之物，乃超感覺的無形象的實體，但非空無，故又以希、夷、微等詞形容之。關於道的這種品格，老子又說："道之爲物，惟恍惟惚。惚兮恍兮，其中有象；恍兮惚兮，其中有物。窈兮冥兮，其中有精，其精甚真，其中有信。自古及今，其名不去，以閱衆甫"(二十一章)。他以"惚恍"解釋"道"，一方面表示此實體超越感覺，無形無象；另一方面又表示其非空無，故又說其中有象，有物。道的這種品格，又被稱爲"無狀之狀，無物之象"(十四章)。因此，他又以"常無"和"常有"解釋"道"的這種性格。他說："常無欲以觀其妙，常有欲以觀其徼。此兩者同出而異名，同謂之玄，玄之又玄,衆妙之門”(一章)。是説,道之爲無,非常識所説的無,即一無所有,乃“常無”;其爲有,又非常識所説的有,即有名有形之有,而是“常有”。常無和常有乃道體的兩方面,此即“同出而異名”。老子的這些辯論,都在於表示道作爲天地萬物的始基乃無形無象但又是客觀存在的實體,祇有無形無名之物,方能成爲一切有形有象之物的根源,此即其所説的“以閲衆甫”或“衆妙之門”。儘管後人對老子提出的道的内容,可以有不同的理解,但“有生於無”即有形來於無形這一原則是清楚無疑的。這一原則,借用歐洲的哲學語言説,即是形上學(metaphysics)的原則。此原則的理論意義是,作爲本原的東西,應具有普遍的和永恒的性格,而不是某種具體的和個别的東西,老子簡稱其爲“無”。此原則的提出,是人類理論思維的一大飛躍,因爲是站在更高的層次,即較爲抽象的層次,討論世界的本原,表明人類對世界統一性問題的認識,超越了感性階段而深化了。這同老子追求負面價值的思維方式是分不開的。關於有和無的關係,老子曾説:“三十輻共一轂,當其無,有車之用。埏埴以爲器,當其無,有器之用。……故有之以爲利,無之以爲用”(十一章)。此處,以“無”爲空間概念,舉例説明“無”的重要性,并非以道體爲虚空。但他重視無的作用,對見有而不見無的思維方式卻是一次挑戰。老子關於本原問題的辯論,屬於宇宙形成論,即探討宇宙的起源,如其所説:“道生一,一生二,二生三,三生萬物”(四十二章),還不是本體論的問題。但他提出的形上學原則,對本體論的形成和發展卻起了重要的影響。

老子提出的形上學原則,在戰國時代,爲道家黄老學派和莊子學派所闡發。《管子》四篇保存了黄老學派論道的史料。此派以氣或精氣解釋老子的道,用來説明世界的本原。《内業》解釋説:“凡道,無根無莖,無葉無榮。萬物以生,萬物以成,命之曰道。”此是説,“道”作爲萬物的本原,無有形狀或形體。又説:“不見其形,不聞其聲,而序其成,謂之道”。是説,道又是超感覺的。此文認爲,此無形之道,即是氣或精氣。它説:“凡物之精,此則爲生,下生五穀,上爲列星，流於天地之間，謂之鬼神，藏於胸中謂之聖人，是故名氣也”。又說：“精也者，氣之精也”。總之，天地萬物以及人的生命和智慧都是氣或精氣的產物。《心術上》加以解釋說：“虛而無形謂之道，化育萬物謂之德”。“無形則無所抵迕，故遍流萬物而不變”。還說：“道在天地之間，其大無外，其小無內”。“道”，皆指氣或精氣。黃老學派對道或氣的解釋，其特點有三：一是氣作爲實體，無有形狀，超越感覺；二是有流動性，遍於一切有形的個體之中；三是具有包容一切的性格，所謂“其大無外，其小無內”。此三點是對老子提出的形上學原則的闡發。按《內業》和《心術上》的說法，人的形體得氣則生，失氣則死，氣或精氣可以出入於人的形體中。此派提出的作爲生命根源的氣，實際上是呼吸之氣，即空氣，包括寒溫之氣。此氣加以升華，則成爲解釋世界統一性的哲學概念。黃老學派所以選中空氣說明“道”的物質性，因爲在直觀的領域內，物質性的東西，祇有空氣符合於老子提出的形上學的原則。正因爲如此，氣便成爲後來哲學家們解釋世界本原及其物質構成的重要範疇。黃老學派可以說是中國氣論哲學的先驅。

莊子學派對老子提出的“有生於無”命題作了深入的闡發，成爲莊學的重要內容。就《莊子》一書提供的材料看，其對世界本原的解釋，大致有三種傾向。一種傾向，可以《齊物論》和《秋水》爲代表，提出“道通爲一”和“萬物一齊”說，以無差別對立的境地爲“道”。如《齊物論》說：“夫道未始有封，言未始有常”；“彼是莫得其偶，謂之道樞”。又說：“其分也成，其成也毀也。凡物無成與毀，復通爲一”。其以“一”解釋“道”，“一”謂泯滅差別對立。由此得出結論說：“天地與我并生，萬物與我爲一。”是說，道將天地萬物人我融爲一體而泯滅其差別。《秋水》說：“萬物一齊，孰長孰短？道無終始，物有死生”，亦是此義。此二文，未直接談天地之始基問題，其着眼點是探討世界的一體性或同一性。認爲一切有形的個體都存在差別對立，有生死成毀，而“道”作爲世界的根本原理，不應再有差別對立，故能包容一切，有其普遍的和永恒的價值。這是對老子的有無之辨的闡發。另一種傾向,可以《大宗師》和《知北遊》爲代表,將無差別的道視爲天地萬物的老根。如《大宗師》說:"夫道有情有信,無爲無形,可傳而不可受,可得而不可見。自本自根,未有天地,自古以存,神鬼神帝,生天生地。在太極之先而不爲高……長於上古而不爲老"。此是以道爲一切有形個體產生的根源。道不僅無形,超越感覺,而且超越時空的局限,它不依靠任何個體,本來自足,即"自本自根",但卻是一切有形個體存在和變化的依據。所謂"萬物之所繫而一化之所待乎"!《知北遊》解釋此道說:"夫昭昭生於冥冥,有倫生於無形,精神生於道,形本生於精,而萬物以形相生"。是說,一切個體事物,從形體到精神,都來於無形之道。此文進而指出,道所以爲一切物體的本原,因爲其自身無形,故能周流於一切有形的個體中,"無所不在",具有"周遍咸"的性格,即其所說"物物者與物無際"。正因爲有此性格,它方能資養萬物而不匱乏,成爲萬物之"本根"。此是對老子的"有生於無"說的進一步闡發。其目的在於論證任何個體事物都不能成爲世界的本原。如其所說:"有先天地生者物耶?物物者非物,物出不得先物也。猶其有物也,猶其有物也,無已"。"物",皆指有形之物。"物物者非物",意謂"道"不能是某種具體的東西,因爲其爲具體的東西,又要有另一具體東西產生它,如此推下去,無有窮盡,則陷入循環論證。此論也可以說是對從有到有的思維方式的批評。此文以"道"爲無,取其無形之義,如其所說:"知形形之不形乎,道不當名",又是對老子的"無名天地之始"的發揮。此文未明言"道"爲何種實體,但據《大宗師》和此文對生死問題的解釋,其所說的作爲本原的道,當指無形之"氣"。此文論生死說:"人之生,氣之聚也,聚則爲生,散則爲死,若死生爲徒,吾又何患?故萬物一也。……故曰通天下一氣耳,聖人貴一"。《齊物論》說的"道通爲一",此文則以"一氣"釋之,將一體論引向了本根論。莊學關於道的解釋,還有一種傾向,可以《庚桑楚》和《天地》爲代表,以虛空或虛無爲道。《庚桑楚》說:"有乎生,有乎死,有乎出,有乎入,出入而不見其形,是謂天門。天門者,無有也,萬物出乎無有。有不能以有爲有,必出乎無有。而無有一無有,聖人藏乎是。""有",指個別有形物體。此是說,個別形體,總是有生有死,出入於道體,但作爲萬物出生入死的"天門",卻無形體,即"天門者,無有也"。其所以無形體,因爲萬有不能靠有形之物成爲有,祇能靠無形的道。但此本原的道,説到底,亦是"一無有",即一無所有。此種道體,祇能是虛無或虛空。此種觀點,亦見於《天地》:"泰初有無,無有無名,一之所起,有一而未形。物得以生謂之德,未形者有分,且然無間謂之命,動流而生物,物成生理謂之形"。此處說的"一",按下文所說"未形者有分"和"流動而生物"句,指陰陽二氣尚未分開的狀態,其分爲二氣,則生出萬物,并規定其命、形、性。但此未分之一氣,又是來於泰初之"無"。此是對老子的"道生一,一生二,二生三,三生萬物"說的解釋。按此解釋。"無"比氣更爲根本,其對無的解釋,取老子以空間爲"無"之義,又導出虛生氣說。以上,是莊學論道的三種傾向,所論并不盡同,但有一點是共同的,即發展了老子的"有生於無"的命題,認爲道作爲世界的本原,必須是無形的,不能是某種個別的實物,因爲個別有形之物,非長則短,非生則死,總有其局限性,祇有無形的道,方有普遍的和永恒的性格。這正是對老子提出的形上學原則的貫徹。其有無之辨同樣對中國傳統哲學中宇宙論和本體論的形成起了深刻的影響。

道家提出的有無之辨,到漢代,經各派哲學家的闡發,形成了宇宙論的體系,成爲兩漢哲學的主流。《淮南子》解釋老子的"道生一"的命題說:"道始於一,一而不生,故分而陰陽,陰陽合和,而萬物生"(《天文訓》)。此說,以道爲一,以一爲陰陽混而未分之氣,認爲其分而爲陰陽二氣,相交而生天地萬物。又其解釋說:"道始於虛霩,虛霩生宇宙,宇宙生元氣。氣有涯垠,清陽者,薄靡而爲天,重濁者,凝滯而爲地"(同上)。此又是以道爲虛空。認爲有虛空而後生出元氣,元氣分爲陰陽二氣,分別形成天和地,天地陰陽二氣又構成萬物。此二說,對道的解釋,或本於先秦道家的"一氣"說和精氣說,或來於虛生氣說,但皆將老子的"道生一"的命題,闡發爲宇宙形成論,從而否定了今文經學派的天神創世說。其後,道家典籍《易緯》吸收了《淮南子》的元氣說,以元氣解釋太極。如《乾鑿度》所說:“夫有形生於無形,乾坤安從生?故曰有太易,有太初,有太始,有太素也”。乾坤,取象爲天地。按其解釋。太易謂無氣可見,其它三太,乃氣質具備的階段,其渾淪未分即是“太極”,其分而爲陰陽,清輕者上昇爲天,濁重者下降爲地。認爲此混淪未分的太極,即是元氣。《易緯》此說,本於道家的虛生氣說,由於以元氣解釋太極,成爲儒家宇宙形成論的先驅。漢初道家提出的元氣說,影響頗大。如揚雄的《太玄》,以“玄”爲天地的本原,“玄”即無形的元氣。其以本原爲玄,取老子的“玄之又玄,衆妙之門”義。又天文學家張衡,依老莊義,提出宇宙演化論。認爲宇宙的原始狀態,無形無象,“斯謂溟涬,蓋乃道之根”;其後,“自無生有,太素始萌”,“渾沌不分”,即老子說的“有物混成,先天地生”,此爲“道之幹”;其後,“元氣剖判,剛柔始分,清濁異位”,形成了天和地,其陰陽二氣交合,則形成了萬物,此爲“道之實”(以上見《靈憲》)。其將宇宙的形成分爲三時期,即從根到幹,從幹到實,認爲此即老子所說“有生於無”的過程。其所說的“溟涬”,本於《莊子·在宥》:“大同乎涬溟”。王充以“溟涬”爲“氣未分之貌”。按此說法,張衡則以元氣尚未成象的狀態爲“道”,取元氣說解釋其宇宙演化論。漢代的元氣說,到唐宋仍有影響。如唐朝柳宗元於《天對》中,以宇宙的原始狀態爲“龐昧革化,惟元氣存”。宋代的周敦頤於其《太極圖說》和《通書》中,關於天地萬物的形成,提出“自無極而爲太極”說。“無極”一語,本於《老子》,他理解爲虛無的實體。“太極”,謂混沌未分之氣,即元氣。此是對老子的“有生於無”說進一步地闡發,成爲儒家宇宙論的代表。可以看出,中國傳統哲學中的宇宙論,是按着老子提出的“有生於無”思維路綫而展開的。此種宇宙論的特點是,以宇宙的原始狀態不存在任何個體,元氣作爲原初物質或宇宙的始基,亦無形象,其自身分化爲對立面即陰陽二氣,相互作用,方轉化爲各種有形的物體,從而有力地否定外因論。此是中國自然哲學的一大貢獻。

道家提出的有無之辨，到了魏晉時期形成了玄學。玄學所討論的主要哲學問題，是有無之爭。崇有和貴無兩派都是通過對有和無的解釋，建立各自的理論體系。其在中國哲學中的主要貢獻是，通過有無之辨，建立起中國形上學體系，并將兩漢的宇宙形成論推向本體論的探討。王弼將老子的“有生於無”這一命題解釋爲“天地萬物皆以無爲本”。他是以形式邏輯的思維方式，考查有和無的關係，建立起貴無論的體系。他因受易學中象義之辨的影響，將有無問題，歸結爲物象和義理，現象和本質的關係，以義理統率物象，解釋無爲有的本原。在王弼看來，任何事物皆有物象和義理兩方面，物象可以感受，其義理則不能感受，前者稱之爲有，後者稱之爲無。其在《老子注》中解釋“大音希聲，大象無形”説：“聽之無聞名曰希，不可聞之音也。有聲則有分，有分則不宮而商矣。分則不能統衆，故有聲者非大音也。”又説：“有形則有分，有分者，不溫則炎，不炎則寒，故象而形者，非大象。”他區別聲和音或大音，形象和大象。聲指具體的聲調，音指聲音本身，無聲調；形象指方圓，溫寒等具體的物象，大象指物象自身而無形象。認爲具體的聲調和物象皆有其規定性，即“有分”，有其差別，不能相通，故不能統率一切聲調和形象。從而認爲，作爲事物本原的道，如大音大象一樣，其自身則無任何形象，無名可稱謂，但爲一切形象的基礎。他論“道”説：“在象則爲大象，而大象無形，在音則爲大音而大音希聲，物以之成而不見其成形，故隱而無名也”。王氏此論，是以聲調和具體的形象爲一類事物的外延，聲音和形象自身爲其内涵，前者統稱爲“象”，後者統稱爲“義”。認爲一類事物的内涵即義理乃一類事物的共性，其自身無形無象，非感覺的對象，但規定外延中一切個體的本質，如其所説：“五物之母，不炎不寒，不柔不剛”，“物生功成，莫不由乎此，故以閲衆甫也”（《老子指略》）。“五物”，指金木水火土等個别物體，各有其規定性，其共性則無具體形象，故爲五行之母。據此，王弼認爲，道作爲天地萬物的本原，其自身必須無任何規定性，故稱其爲“無”，方能統率和包容宇宙中一切個體事物，成爲萬有存在的基礎。此即他所說:“道也者,無之稱也。無不通也,無不由也,次之曰道,寂然無體,不可爲象”(《論語釋疑》引)。總之,王弼以形式邏輯思維方式,闡發老子提出的形上學原則,以抽象的義理和具體的物象解釋無和有的範疇,利用概念内涵的抽象性,包容性和普遍性,導出萬有以“無”爲本的形上學。由於他推崇一類事物的内涵,將義理和物象對立起來,又依莊子的“得意而忘言”說,提出“得意在忘象”,認爲哲學家的任務是探討物象之上的原理,從而使他成爲中國哲學史上自覺地建立形上學體系的第一人。由於他以形式邏輯思維方式,解釋有和無,追求事物的本質,又將老莊的“有生於無”的命題,引向有以無爲本的本體論,此是王弼哲學的又一貢獻。玄學中郭象一派,通過對《莊子》的注釋,又將有無之辨引向崇有論。此論的特點是,將無解釋爲數學上的零,即不存在,不承認“無”有實體的品格,得出了“有”即個别存在物乃唯一自存實體的結論。其在《在宥》中說:“夫老莊之所以屢稱無者,何哉?明生物者無物,而物自生耳”。此即以無爲一無所有,即不存在之義。他解釋《大宗師》中“道”生天地句說:“不生天地,而天地自生,斯乃不生之生也”。又釋《知北遊》“物物者與物無際”說:“明物物者無物而物自物耳”。又釋其“有先天地生者物耶”說:“吾以自然而先之,而自然即物之自爾耳。吾以至道爲先之矣,而至者乃至無也,既以無矣,又奚爲先?”是說,如果以道爲無,無即不存在,道先於天地,即無任何實體先於天地。他將“物物者非物”解釋爲“物物者無物而物自物”。又其釋《庚桑楚》“天門者,無有也”說:“以無爲門,則無門也”。釋“必出乎無有”說:“此所以明有之不能爲有,而自有耳。非謂無能生有也。若無能生有,何謂無乎?”此是以無爲零,認爲有生於無,即萬有自生或自有,無任何超越的實體使其爲有。又釋《天下》“建之以常無有”句說:“夫無有何所能建,建以常無有,則明有物之自建也”。以上所引,都說明郭象不以道和無爲實體,居於萬有之上或之先而生成萬有,或爲萬有存在的根據。此說的理論意義是,萬有生成和存在的根本原理,即是萬有自身,萬有本來就是自足的。從表面上看,此種有無之辨，是對本體論的否定。但他衹是否認天地萬物有共同的本體，先於萬有而存在，肯定萬有各以其自身的存在爲本體。就此而言，可以說是以另一種形式，講本體論問題。郭象此論，同樣是以形式邏輯思維方式所謂"辨名析理"，辯論有無問題。但他推崇外延中的個體事物，輕視其共性或一般，從而成爲王弼哲學的對立面。他從肯定個體出發，探討本原問題，對後來儒家哲學本體論的發展同樣起了影響。

魏晉玄學的有無之辨，到了宋明時期轉變爲道器之辨，理氣之辨。宋明時期是儒家形上學和本體論形成和發展的時期。其形成和發展同魏晉玄學有着密切的關係。宋明道學家是打着反對二氏的旗幟建立其體系的。但是，在反對二氏的過程中，他們吸收了二氏特别是道家哲學提出的問題、觀點和範疇，尤其是有無之辨的思維形式和内容，從而發展了中國的形上學傳統。程朱理學，以理爲世界的本原，提出道爲器本，理爲氣本以及理爲事本等命題，這些命題，就其思維路綫說，都脱胎於王弼派的無爲有本的本體論。就其使用的哲學範疇，如道器，理事，理氣等，亦來於道家哲學系統。關於道和器，作爲一對範疇，始於老子。老子以道爲樸，以其分散爲器，如其所說"道常無名，樸"(三十二章)，"樸散則爲器"(二十八章)。其以道爲無形，以器爲有形，認爲道高於器。此說，後被《易傳·繫辭》所吸收，提出"形而上者謂之道，形而下者謂之器"，説明卦爻畫和卦爻象同其變易之道的關係。玄學家韓康伯解《繫辭》，則以形而上爲無形之道，以形而下爲"成形之器"，貴道而賤器，即貴無而賤有，以道爲器的根本。此種道器觀，爲程頤所吸收。關於理事範疇，流行的説法，認爲來於唐代佛教華嚴宗的理事之辨。其實，同樣來於王弼派玄學。如王弼所説："物無妄然，必由其理"，又説："識物之動，則其所以然之理皆可知也"(《周易注·文言》)。程氏以理爲"必然"和"所以然"，即本於此。又韓康伯解《繫辭》文"其事肆而隱"説："事顯而理微也"。此以事爲顯，理爲幽，認爲卦爻辭講的事件隱藏着事物之理。關於二者的關係，他説："其事彌繁，則愈滯乎形;其理彌約,則轉近乎道"。此是以無形之理爲本,以有形之事爲末。此種觀點,亦爲程氏所吸收。關於理氣問題,玄學貴無派,以"無"爲宇宙中的"至理",認爲陰陽二氣靠"無"方發揮其功能,所謂"陰陽恃以化生,萬物恃以成形"(《晉書·王衍傳》引)。總之,理本論的主要概念,範疇以及觀點,來於魏晉玄學。不同的是,在本原問題上,抛棄了以"無"爲最高範疇,而代之以"理",以理爲世界的本原。他說:"一陰一陽之謂道,此理故深,說則無可說。所以陰陽者道,既曰氣,則是二,言開闔,已是感,既二則便有感。所以開闔者道,開闔便是陰陽,老氏言虛生氣,非也。"(《遺書》十五)。"所以陰陽者道"。謂道乃陰陽二氣之所以然,即二氣之理,有其理方有陰陽開闔之事,陰陽二氣的本原是理,而不是虛無。這樣,便將貴無論轉變爲理本論。理學家稱"理"爲形而上,認爲比有形之器更爲根本,正是闡發道家的形上學原則。但關於形上和形下的關係,王弼派則排斥物象,如韓康伯所說:"非忘象者,則無以制象"(《繫辭》注)。而理學并不排斥物象,認爲物象乃理表現自己的形式,所謂"理無形也,故假象以顯義"(《易傳·乾》),理和象不即不離,從而提出"體用一原,顯微無間"(《程氏易傳》序)命題,以理爲體,以象或事爲用,以體用無先後,說明二者在時間上亦無先後之序,又揚棄了老莊和玄學家以"無"先於"有"而存在的思維模式,完成了中國哲學中本體論的體系。其理事之辨,同樣基於形式邏輯思維,以理爲一類事物的內涵,以事爲其外延中的個別分子,認爲抽象的東西比具體的東西更有價值,但抽象的和一般的東西,乃一類事物之所以然或當然之則,並非無任何規定性的虛無概念,從而走上理本論的道路。理學家認爲哲學的任務是揭示天地萬物之所以然和當然之則,即研究個體事物所蘊涵的無形之理,如程頤所說:"隨事觀理,而天下之理得矣。天下之理得,然後可以至於聖人"(《遺書》二十五)。從而成爲形上學的積極倡導者。

宋明道學中的氣學派,其本體論的形成和發展,亦頗受玄學的影響。其奠基人張載,以氣爲天地萬物的本原,其淵源出自先秦道家的"一氣"說和漢唐的"元氣"說。但張氏不以元氣這一範疇,解釋氣,提出"太虛之氣",作爲世界的本原。"太虛"一語,出於《莊子》,以虛空深遠爲"太虛"。後來,《列子》又以氣"凝寂於太虛之域",解釋老子的"有物混成"。至唐孔疏解《易》,進而將太虛解釋爲虛無之氣,所謂"由太虛自然而有象"。"太虛"指陰陽二氣尚未分狀態,無形象可見。張氏的"太虛之氣",即出於此。他以太虛之氣解釋萬物的成毀,又是依莊子的氣有聚散說。他說:"太虛不能無氣,氣不能不聚而爲萬物,萬物不能不散而爲太虛"(《正蒙·太和》)。又說:"氣聚則離明得施而有形,氣不聚則離明不得施而無形。方其聚也,安得不謂之客?方其散也,它得遽謂之無"(同上)。由此得出結論說:"氣之聚散於太虛,猶冰凝釋於水,知太虛即氣,則無無"(同上)。這樣又將作爲原初物質的氣,解釋爲萬物存在的根據,將漢唐氣論中的宇宙形成論推向本體論。他將本原的氣同虛空融爲一體,從而揚棄了道家的虛生氣說,對氣論哲學的發展,作出了重要貢獻。他爲了論證氣爲物質性的實體,又提出"氣無形而有象"說,對道家提出的形上學原則作了新的解釋:形而上的東西,祇表示無形,並非無象。他區別形和象,認爲本原的氣,有其廣度、深度、運動和靜止的性能,即是氣之象。他說:"凡有皆象也,凡象皆氣也。"(《正蒙·乾稱》)。又說:"象若非氣,指何爲象"(《正蒙·神化》)。此種象氣統一觀,在於說明太虛之氣亦屬於形而上的領域,其爲實有,並非虛無。如其所說:"形而上者,得意斯得名,得名斯得象"(《正蒙·天道》)。是說,形而上的東西,既有名可以稱謂,就有其象;氣有其象,不防其爲形而上。按道家各派,往往形象不分,如王弼從義理無形,導出忘象說,從而走向貴無論。張載的形象之辨,可以說是從唯物主義的立場,闡述了形上學的原則。從而肯定了本原之氣的客觀實在性。他同樣認爲,哲學家的任務是探討形而上之道,但不是虛無本體或理世界,而是"窮神知化",即研究氣化的過程及其規律。從而爲氣學派的形上學和本體論奠定了理論基礎。

理學派和氣學派提出的形上學原則,南宋以來,哲學家們展開了熱烈爭論。到了明末清初,氣學派的殿軍王夫之,對此作了總結。他同理本論的斗爭中,提出"象外無道"和"氣外更無虛托孤立之理",以道和理爲氣化的條理或形式,否認其爲獨立自存的實體。因此,他提出"太和絪縕之氣"即陰陽二氣統一體作爲天地萬物的本體。但認爲此太和之氣,其作爲世界的本體,雖爲形而上,卻不離形而下的世界,即寓於一切有形的個體之中。他說:"冲和者行乎天地,而天地俱有之,相會以廣所生,非離天地別爲一物也"(《外傳·復》)。"冲和"即老子說的"冲氣以爲和",王氏理解爲太和之氣。又說:"陰陽行乎萬物之中,乘時以各效,全具一絪縕之體而特微爾"(《正蒙注·太和》)。爲了論證此種氣本論,他辯論了道器關係問題,提出"天下惟器"和"無其器則無其道"的命題。他說:"天下惟器而已。道者器之道,器者不可謂之道之器也"(《外傳·繫辭上》十二章)。關於形上和形下,他說:"形而上者,非無形之謂。既有形矣,有形而後有形而上。"又說:"器而後有形,形而後有上"(同上)。王氏此論,并不否認有形而上的道,而是認爲形而上的道依賴於形而下的器。哲學家的任務是即器求道。他說:"器盡則道無不貫,盡道所以審器。知至於盡器,能至於踐形,德盛矣哉!"(《思問錄·內篇》)王氏此說的理論意義是,一切抽象的原則,本原的東西,本質的東西,規律性的東西和一般的東西,祇能寓於有形有象的個體之中,離個體没有一般,離現象也無本體。從而對中國的形上學問題,作出了重大的理論貢獻。王夫之所以取得這一成就,除受其易學觀"非象則無以見易"說的影響外,同郭象的崇有論也是分不開的。他是玄學中崇有論的闡發者。關於有和無的關係說,他說:"就言有者之所謂有而謂無其有也。天下果何者而可謂之無哉!"(《思問錄·內篇》)此是取郭象義,以無爲數學上的零,即不存在之義,不以無爲實體。依郭象義,王氏還認爲一切客觀存在的東西都是"實有"。他說:"天下之用皆其有者也。吾從其用,而知其體之有"(《外傳·大有》)。此是對貴無賤有說的批評。關於"實有",他說:"誠者實也,實有之固有之也,無有弗然,而非有他耀也"(《洪範三》)。是說,一切客觀存在物都本來如此,"無所待而然"。因此,他同意郭象《莊子注》中的萬有自本自根說。其在《莊子解》中解釋《大宗師》的"本根"說:"天地日星山川神人皆寓之庸,自爲本根,無有更爲其根者。"又說:"觀渾天之體,渾淪一氣,即天即物,即物即道。則物自爲根而非有根,物自爲道非有道。"是說,一切個別存在物都是自爲本根,即獨立存在的客觀實體,所謂道,衹是個體事物的道,離個體的存在,别無所謂道。王夫之重視個體事物的立場,如其"天下惟器"說,萬有生而不妄説,當是受到崇有論的啓發。當然,王氏的崇有說,不盡同於郭象,他承認萬有有其共同的本質及其變化的規律,并非獨化論者。但他從肯定個體出發,探討本原問題,從而在本體論上,導出本體即寓於個體或現象之中的結論,也可以說是對魏晉以來的有無之辨作了一次總結。

總上所述,老子提出的有無之辨及其倡導的形上學原則,經過漢魏至宋明哲學家們的闡發、爭議、修正和補充,到王夫之終於結出豐碩的果實。可以看出,中國的形上學傳統,具有自己的民族特色,即從追求無形之上,最終落實於有形之中。這在其它民族的哲學史上是少見的。此種形上學和本體論,對人類科學思維的發展,有其重要的理論意義。

作者簡介 朱伯崑,1923年生,河北寧河人。1951年畢業於清華大學哲學系。現爲北京大學哲學系教授,博士生導師。著有《易學哲學史》等。

超越的思想理論之建構

——論道家思想對中華民族精神形成的傑出貢獻

王樹人

內容提要 在民族精神中，對現實的執着性與超越性是任何民族維繫生存和發展的兩個基本層面。道家的超越思想模式，把作爲理想目標的"道"看成既與現實隔離又能與之溝通。它對現實的否定，主要是揭露和批判"禮樂"文化的異化，並非完全否定"禮樂"文化；老子"小國寡民"的復古傾向不可取，然其揭露異化的意義深遠，作爲民族精神發展內驅力的千古之功不可沒。莊子作爲先秦道家集大成者，對超越思想理論的建構，有更深刻的貢獻。他的破"待"理論，不但不是完全否定客觀條件，而且是比老子更尖銳更深刻地批判了"禮樂"文化的異化。他的"逍遥遊"追求也不能以追求"絶對自由"簡單否定，而是在繼承老子"道法自然"思想基礎上，通過追求理想自由進一步發揮了能動性的超越思想。

任何民族的生存和發展，其精神都不能不包含兩個基本的層面。其一是對現實的執着性；其二是對現實的超越性。或者説，都不能不包括現實精神與超越精神。因爲，唯其有現實精神才能生存，唯其有超越精神才能發展。中華民族精神，當然也是如此。

但是，在近幾年的傳統文化反思中，不少學者由於爲儒家思想在傳統文化中的主流地位所囿，以致看不清中華民族精神中的超越性層面，有的學者甚至在與西方傳統文化對比中，得出中國傳統文化缺乏超越精神的結論。這樣,就提出一個重要的理論課題:在中華民族精神中,是缺乏超越精神還是未加以應有的發掘和評價?中華民族的超越精神如其存在,那麼它在與西方的超越精神比較時有哪些自己的特點?

其實,在流傳久遠的"儒道互補"看法中,對上述問題早已作出基本肯定的回答,就是說,在中華民族的精神構成中,儒家思想基本構成其現實的執着性層面,而道家思想則基本上構成其超越性層面。不過,"儒道互補"對於道家思想的上述肯定,還是抽象的和模糊不清的。例如把道家的清靜無爲思想簡單的歸結爲"出世"、"避世"、引導人們作山林隱士、無所作爲等等,就是抽象和模糊不清這樣觀點的表現。

因此,以民族生存和發展爲出發點,正面地對於道家思想中的超越精神作深入的探討,是一項具有重要價值的理論研究工作。顯然,這不是單項研究所能奏效的,而是需要從多角度、多層次作系統綜合的研究。其理由是,道家的超越思想,也像儒家思想一樣,滲透到中國傳統文化的各個領域,例如政治管理、倫理道德、哲學、宗教、藝術、軍事等等。就此而言,本文作爲一種嘗試,主要還是限於道家的超越思想本身,並且是從形而上學的理論角度來探索這一課題的,對於上述的系統綜合研究來說,本文的探索只不過是一種整體性的發問而已。

一、"道"的建構與超越思想

超越這個範疇,可以說得很玄,也可以說得簡單明瞭。首先,說超越總是指有什麼東西被超越,例如旅行者越過一座山等等。其次,超越某物後,總要達到一個目的地或理想的目標,例如旅行者越過一座山就達到他夢寐以求的聖地等等。可見,超越總是超越某物而達到某種理想目標。物質的超越是如此,精神的超越也是如此。

某些學者認爲西方的傳統文化具有很强的超越精神,而中國傳統文化缺乏超越精神。其論據是,西方自中古以來有基督教傳統,而中國没有。正是基督教建立起彼岸的"天國",作爲理想目標;同時把世俗的此岸王國歸結爲需要否定或超越的罪惡世界。不難看出,這種論據對於論證西方傳統文化具有超越精神是有相當説服力的。但是,由此而否定中國傳統文化具有超越精神,其説服力就顯得不足了。這裏的問題在於,除了基督教能建構起超越現實的理想目標,難道别的思想文化傳統就建構不起這種理想目標嗎?或者説,除了基督教這種超越方式,難道不能存在别的超越方式嗎?

事實表明,在中國傳統文化中,道家不僅建構起超越現實的理想目標,而且建構起不同於西方獨具特色的超越方式。就基督教而言,其理想目標即上帝及其"天國",具有以下規定性:其一,它是現實世界的創造者;其二,它是與現實世界隔離、處於"彼岸";其三,它是人的最終追求和歸宿。僅就理想目標的建構而言,同基督教所建構的理想目標相比,道家思想中的核心範疇—"道"之建構,也具有與基督教的理想目標類似的規定性。

首先,在道家宗師老子那裏,無論從本體論角度看還是從宇宙論角度看,"道"之建構,都是作爲現實世界的本原和創世之母的形態出現的。如説:"有物混成,先天地生。寂兮寥兮,獨立而不改,周行而不殆,可以爲天地母"(二十五章)。又如説:"道生一,一生二,二生三,三生萬物。萬物負陰而抱陽,冲氣以爲和"(四十二章)。同時,"道"又是化育萬物的理想王國和最高精神境界。"道常無名樸雖小,天下莫能臣。侯王若能守之,萬物將自賓"(三十二章)。"道常無爲而無不爲。侯王能守之,萬物將自化"(三十七章)。"道者,萬物之奥,善人之室,不善人之所保"(六十二章)。其次,這種"道"又被建構爲與可感的現實世界相對隔離的,是人的感性和常規理智所達不到的。所謂"道可道,非常道;名可名,非常名"(一章),是説"道"不可言説,亦不可用文字加以標定。所謂"視之不見名曰夷,聽之不聞名曰希,搏之不得名曰微。此三者不可致詰,故混而爲一。

其上不皦,其下不昧,繩繩兮不可名,復歸於無物。是謂無狀之狀,無物之象,是謂惚恍。迎之不見其首,隨之不見其後”(十四章),則把“道”對於人的感性和常規理智表現爲若有若無的相對隔離狀態,描述得淋漓盡致。在這裏,我們指出“道”與現實世界的相對割離的特點,也就是“道”與基督教作爲彼岸世界的上帝及其“天國”具有原則區别的特點。在基督教那裏,雖然現實世界是上帝所創造的,但是,這個被創造的現實世界卻與上帝及其“天國”根本不同、完全隔離。而在道家那裏,“道”與其所創生的現實世界,則既有隔離的一面,又有可溝通的一面;既有本體與現象的原則區别,又有其同一性。第三,既然“道”被規定爲理想王國和最高精神境界,很自然地,“道”也就被規定爲人生追求的最高精神境界和理想的歸宿。例如,“道常無名樸”,那麼,人生的追求和理想,就是努力“復歸於樸”。同樣,“道常無爲而無不爲”,那麼,人就要,“處無爲之事”,“爲無爲”。

從超越性這個角度看,上述“道”之建構的三種規定,在後來的《莊子》和《淮南子》中又有發揮。就“道”作爲本原和創世之母而言,莊子的描述是:“夫道,……未有天地,自古以固存。神鬼神地,生天生地”(《大宗師》);而《淮南子》的描述,除了發揮“道”之爲本原和創世作用,同時也展示了“道”作爲宇宙萬物動力的理想圖景;“夫道者,覆天載地。……山以之高,淵以之深,獸以之走,鳥以之飛,日月以之明,星歷以之行,麟以之遊,鳳以之翔……神託於秋毫之末,而大宇宙之總……節四時而調五行……夫太上之道,生萬物而不有,成化像而弗宰……”(《原道訓》)。在《莊子》和《淮南子》中,“道”作爲現象之本體、作爲變化多端的世界之動力和不變的永恒者,被描述得具體而玄妙,從而更增加了“道”在世人面前的魅力和吸引力,使人對於得道這種理想的追求或者説對於現實的超越更加强烈了。此外,在《莊子》和《淮南子》中,所謂玄妙之處,還在於對於“道”與現實世界既相隔離又能溝通、既相區别又能同一的二重性,也作了具體的發揮。如莊子所言:“夫道,有情,有信。無爲,無形。可傳,而不可受,可得而不可見。"(《大宗師》)。不難理解,莊子這裏的"有"與"無"、"可"與"不可"的規定,正是上述"道"既相隔離又能溝通二重性的一種具體寫照。《淮南子》對此以詩的形式吟咏道:"忽兮怳兮,不可爲象兮。怳兮忽兮,用不屈兮。幽兮冥兮,應無形兮。遂兮洞兮,不虛動兮。與剛柔卷舒兮,與陰陽俛仰兮……"。(《原道訓》)。顯然,這其中所説的"不可爲象"、"應無形","用不屈"、"不虛動",都是指"道"與現實世界相隔離、相區別原則的規定性;而"與剛柔卷舒"、"與陰陽俛仰",則是指"道"與現實世界溝通的同一性之規定性。

概括地説,上述"道"之建構,與基督教的上帝及其"天國"之建構相比具有三個原則不同的特點:第一,雖然兩者都是與現實世界不同的理想目標,但其内涵不一樣。基督教的理想目標,是指以人格化神即上帝爲首的理想社會,也稱"天國",在這個"天國"裏擺脱了人世間的一切苦難和罪惡。而"道"作爲理想目標,是指一種理想的精神境界和具有回天之力的功夫,人只要達到這種境界和具有這種功夫,作爲統治者可以使全社會消除苦難和罪惡,作爲個人則可以使自身免除苦難和罪惡,變成"至人""真人""神人"。第二,雖然兩者都要求超越現實世界,但對現實世界的性質及其與理想目標的關係所作的理解不同。在基督教看來,現實世界是一個苦海,充滿罪惡。因爲,作爲現實世界主要成員的人,是帶着"原罪"出生的。因而,現實世界與"天國"不僅原則不同,而且有一條完全隔離的鴻溝。道家也認爲,現實世界充滿了苦難和罪惡,但這樣苦難和罪惡的發生,并非人生而有"原罪"所致,而是原本與"道"一起的人,在"禮樂"文化帶給人的異化情況下,使人脱離"道"、與"道"隔離所致。老子所言:"爲學日益,爲道日損"(四十八章),即此之謂也。此外,老子不僅不承認人有"原罪",而且認爲,未脱離"道"的人,也表現了整體"道"之一端,如老子所言:"道大、天大、地大、人亦大。域中有四大,而王居其一焉"(二十五章),第三,基督教把人的理想歸宿,放在死後進"天國",而道家則把人的理想歸宿,放在消除苦難和罪惡的現實世界,使人返樸歸真,在道家思想裏根本不存在人死後可以進人的彼岸世界。

基於上述作爲理想目標的"道"之建構特點,就使得道家所提供的超越現實以達到理想目標的超越方式,也具有與基督教所提供的超越方式不同的特點。雖然兩者的超越都源起於現實世界與理想目標的隔離,但兩者的隔離卻具有不同的性質。基督教由於把現實世界看成永遠的苦海和罪惡場所,從而把理想目標與現實世界的隔離絶對化。這樣,基督教所提供的超越方式,就只能是以完全否定現實世界這樣方式實現超越。對於具體的人來說,這種超越的真正實現,就只能是所謂完全擺脱現實世界的死亡或"升天"。至於道家,雖然也認爲現實世界充滿苦難和罪惡,但這種種苦難和罪惡是由於背離理想目標即"爲道日損"之所致。"爲道日損"并不意味着"道"在現實世界特别是在人本身上的滅絶。因而,現實世界特别是人與作爲理想目標的"道",其間的隔離并非是絶對不可溝通或不可填補的。這樣,道家所提供的超越方式,就是一種使現實世界與"道"溝通從而得到淨化的超越。對於具體人來説,這種超越的實現並不是像基督教徒那樣等待死亡,而是在與"道"溝通的修練中成爲超凡脱俗而又長生的"至人"、"真人"或"神人"。

二、批判"禮樂"文化與超越思想

如果説"道"作爲理想目標的建構是從正面確立道家的超越思想,那麼,對於"禮樂"文化的批判,或者更確切地説,對於"禮樂"文化的異化之批判,就是從負面確立其超越思想。老子明確指出,"爲道日損",乃由於"爲學日益"。這裏的"學"其所指就是儒家承襲和發揚的"禮樂"文化。

從上一節"道"的建構可以看出,道家的理想目標,是使社會和人能夠與"道"溝通並與"道"一體化,從而使社會和人能從苦難、罪惡中擺脱出來。以達到超越現實之目的。爲了實現這種超越,除了使人明確“道”的意義，還必須使人明確被超越的現實及其何以必須被超越的性質。

在道家看來，社會和人本來是與“道”溝通并與之一體化的，所以，那時的社會和人都是純樸安樂的，没有後來那些苦難和罪惡。是何種因素破壞了社會和人的純樸安樂而使之陷入苦難和罪惡呢？道家認爲，這就是“爲學日益”的“禮樂”文化。就是説，正是“禮樂”文化，或者更確切地説，是“禮樂”文化的異化，使社會陷入苦難和罪惡的深淵，以致“爲道日損”，使原本與“道”溝通的社會和人，變得與“道”隔離起來了。因此，必須揭露和批判用“禮樂”文化外衣掩飾着的罪惡現實。老子指出：“大道廢，有仁義，智慧出，有大僞，六親不和，有孝慈，國家昏亂，有忠臣”（十八章）。對於“禮樂”文化中的“禮”來説，老子這段話既是一針見血又是辯證的深刻批判。爲什麼要那樣起勁地倡導仁、義、孝、忠？恰恰是因爲社會和人中間都太缺少這種品格了。或者説，在仁、義、孝、忠等“禮”的外衣掩飾下，乃是充滿欺詐、家族傾詐、國家混亂等苦難和罪惡的現實。爲什麼又説道家的這種批判的深刻性還在於揭露了“禮”的異化？這是指許多統治者在提倡上述種種“禮”的同時，就在褻瀆這些“禮”。所謂“智慧出，有大僞”，就深刻揭示出人類智慧發展二重功效的負面功效。一方面，智慧可以幫助人揭示和發展真善美。另一方面，智慧同時也可以幫助人掩蓋假醜惡，可以幫助人在“禮”等冠冕堂皇的外衣下作惡，使作惡變得無比奸詐狡猾。事實表明，中外歷史上許多作惡多端的統治者，都是這樣使用智慧的。如果把老子“有大僞”與他描述的仁、義、孝、忠聯繫起來，則似乎不難理解，老子所揭示的深刻内涵，就在於許多統治者所提倡的仁、義、孝、忠，往往是自欺欺人的“大僞”。用《莊子》一書中的話來説，這種“大僞”的典型事實，莫過於以“禮”的名義實行“竊鈎者誅，竊國者爲諸侯”（《胠篋》）。

“禮”作爲社會制度的某些規則，是帶有强制性的。如果這種强制性在合理的限度内，是社會得以維繫所必需的，是不應加以否定的。在道家看來,"禮"既爲上述,已經異化,成爲統治者亂施淫威的"大僞",因此,這種"禮"就得不到人民的信服和遵守。所謂"上禮爲之而莫之應,則攘臂而扔之"(三十八章),正好表現了人民不理睬"禮",而統治者硬要强加於人民的情形。同時,在道家看來,"禮"的强制性,是統治者在"爲道日損"的情況下借以維護其統治的最後一手。即所謂"故失道而後德,失德而後仁,失仁而後義,失義而後禮"(三十八章)。但是,對於社會和民衆單純訴諸强制性的"禮",其效果卻往往與統治者的主觀願望相反。統治者主觀願望是達到"禮"治,但結果卻是釀成社會的動亂。這是"禮"的異化,對於統治者必然產生的效用。其所以會如此,就在於統治者完全忽略了最終決定社會歷史發展的民心。如《莊子》一書中所言:"中國之君子,明乎禮義而陋於知人心"(《田子方》)。亦如老子所言:"夫禮者,忠信之薄,而亂之首"(三十八章)。

黑格爾曾正確的指出,認識到某物的局限,就超越了這種局限。我們借用黑格爾揭示的這個真理來看道家對於"禮"的批判,似乎也可以說,當道家認識到"禮"之異化,在認識上也就超越了"禮"之異化。那麼,道家所實現的這種超越,要超越到那裏去?前面已經指出,道家既然把社會的苦難和罪惡歸因於"爲道日損",因而其所實現的超越,就只能是與"道"溝通,恢復社會與"道"一體化的理想形態。按照老子的說法,其具體超越"禮"之異化所採取的辦法就是:"絶聖棄智,民利百倍。絶仁棄義,民復孝慈,絶巧棄利,盜賊無有。此三者以爲文不足。故令有所屬。見素抱樸,少私寡欲,絶學無憂"(十九章)。老子這段話常被簡單化而遭得到誤解,視爲完全否定文明的復古思想。其實,只要綜觀《老子》一書的全體,把各章相互聯繫、比較和辯證的分析,就不難看出,老子這裏所絶棄的"聖智"、"仁義"、"巧利",并不是一般的所指,即不是一概加以否定,而是特定的所指,即特殊的否定。因爲,在老子看來,只有符合"道"的原則即與"道"溝通和一體化,才有真正的"聖智"、"仁義"和"巧利",否則就是名不符實的"大僞"。在《老子》一書中,正面肯定的聖人，就是得“道”而具有“道”這種智慧的人。如說，“聖人處無爲之事，行不言之教”（二章）；又如說：“聖人抱一爲天下式。不自見，故明。不自是，故彰。不自伐，故有功。不自矜，故長”（二十一章）。即使對於“仁義”，老子從其合理内涵上也是予以肯定的，例如老子是崇尚“孝慈”的，把“民復孝慈”作爲與“道”溝通和一體化的表現之一，然而，“孝慈”正是儒家“仁義”的基本合理内涵。當然，老子在談及“道”“德”“仁”“義”“禮”的關係時，確實把“仁義”排在“道”、“德”之後，層次比較低。但是，當老子說：“上仁爲之而無以爲，上義爲之而有以爲”（三十八章）時，顯然，并不是對之完全否定。這與老子對於“禮”的態度是有本質區别的。如上所述，老子對於“禮”之異化，指出這種“禮”乃是“亂之首”，因爲“禮”是“忠信之薄”，即喪失“忠信”。但是“忠信”又是儒家“仁義”的合理内涵。可見，在老子對於“禮”之異化的否定中，辯證地包含着對於“仁義”的肯定。至於談到“巧利”，老子也決不是對於現實採取無動於衷和不食人間烟火的態度。我們看到在《老子》一書中，正面提倡和肯定巧智的方面也不乏其例，如說“將欲歙之，必固張之。將欲弱之，必固强之。將欲廢之，必固興之。將欲取之，必故與之。是謂微明”（三十六章），又如說：“以奇用兵”（五十七章），“圖難於其易，爲大於其細，天下難事必作於易，天下大事，必作於細”（六十三章），“善爲士者，不武。善戰者，不怒。善勝敵者，不與。善用人者，爲之下”（六十八章），如此等等可見一般。同樣，關於“利”，老子大談“貴以身爲天下，若可寄天下；愛以身爲天下，若可託天下”（十三章）；足以表明他首先是重視“大利”的，即差不多總是從國家和民族的“大利”出發來考慮問題，此外對於一般的物質利益，老子也很重視，他主張使人民“甘其食，美其服，安其居，樂其俗”（八十章）。

從上述老子在符合“道”的前提下對於“聖智”、“仁義”和“巧利”的具體肯定方面看，他對之“絶棄”的，只能是特定所指的，即與“道”隔離的陷入“大僞”那種“聖智”、“仁義”和“巧利”，也即屬於“禮”文化的異化方面。這種“大僞”的聖人所行的“仁義”、“智巧”，即《莊子》"盜跖"篇所痛斥的"巧僞人"。其妄稱"文武"妄作"孝悌"和"僥倖於封侯富貴者也"。

同樣,在"樂"文化方面,道家也就其異化給予尖銳的批判。如老子指出的:"五色令人目盲。五音令人耳聾。五味令人口爽。馳騁畋獵,令人心發狂。難得之貨,令人行妨"(十二章)。"樂"這個範疇,在中國傳統文化中有廣狹兩種含義。就"樂"的狹義而言,主要是指音樂和多種造型藝術,即老子這裏所説的"五色"和"五音"的領域。就"樂"的廣義而言,則除了上述領域,還包括今天稱之爲"飲食文化"、"酒文化"、"茶文化"以及體育運動等廣泛的生活領域,即老子這裏所説的"五味"和"畋獵"等,像前述對於仁義、智巧和利並不一概否定而主要反對其異化一樣,對於"樂"的諸領域,老子所反對的,也主要是其異化的方面,即"令人目盲"的"五色","令人耳聾"的"五音","令人口爽"的"五味","令人心發狂"的"畋獵"等。

當然,道家特别是老子,在解決這種異化問題所選擇的道路,確實是消極落後的,即向後看的復古主義傾向。例如他主張:"小國寡民,使有什伯之器而不用,使民重死而不遠徙。雖有舟輿,無所乘之,雖有甲兵,無所陳之,使民復結繩而用之"(八十章)。然而,歷史像江河不能倒流一樣,是不可能倒轉的。因而,像老子那樣解決社會異化的方法和道路,是行不通的。不過,我們卻不能因此而忘記或不重視道家揭露這種異化的重大歷史功績。

人類的文明或文化的發展,本身就總是具有二重性。一方面文明或文化的發展標志着社會和人本身的發展,給社會和人本身帶來幸福,但是,另一方面,文明或文化的發展,同時也産生社會和人自身的異化,就是説,某些文明或文化形態發展到一定程度後,又會從推動社會和人本身的發展轉過來束縛甚至扼殺社會和人本身的發展。在中國傳統文化中,以老莊爲代表的道家,正是揭露文明和文化産生異化的先知先覺者。如果講"儒道互補",那末,道家揭露和批判"禮樂"文化之異化以及由此所倡導的超越精神,正是不斷打破"禮樂"文化因異化而僵化的基本理論要素。因而,所謂"儒道互補”，就道家的作用而言，乃是以反異化打破儒家思想的僵化，以超越精神推進儒家思想的發展。事實表明，漢代董仲舒提出宏偉的宇宙論思想對於儒家思想的發展；特別是宋明理學以新儒學形態對於儒家思想的重大發展，其中都包含有融入道家思想從而能破除自身僵化這一重要理論因素。至於道家揭露文明或文化之異化對於整個中華民族精神發展的意義，是一個需要專門論述的“系統工程”。這裏，只能極其簡明地提出以下幾點。其一，從揭露異化就是在認識上超越異化來看，道家對於異化的揭露，幾乎成爲在封建專制制度下一代代知識分子擺脱“物役”獲得思想解放的重要酵母。其二，揭露異化而激起的超越精神，又是中國歷史上科學和文學藝術得以發展和創新的必要思想條件。其三，對於中國人的民族性格來説，上述的超越精神，正是中國人即使在長期殘酷壓抑個性的封建專制統治下，其心靈的自由之火也保持永不熄滅的思想條件。同時，這種超越精神，也是使中國人能不斷克服保守、墨守成規從而保有既堅韌又豁達性格的思想條件。如此等等。

三、認識的二重超越

在道家宗師老子那裏，已經明確地展示出道家關於認識二重超越的思想。一種是常規認識中的超越，一種是對於常規認識的超越。

所謂常規認識中的超越，是指從片面到全面或從局部到整體這樣辯證的超越認識。缺乏辯證思維教養的人，往往在認識中固執認識對象的某一方面，只識其一，不知其二，不能比較全面地認識和把握對象。這是一種在認識修養上缺乏超越意識的表現。老子正是在這方面，反覆提醒人們要加强自己的超越意識修養，或者説要發揮自己固有的超越意識，例如他指出：“天下皆知美之爲美，斯惡已；皆知善之爲善，斯不善已。故有無相生，難易相成，長短相形，高下相盈，音聲相和，前後相隨，恒也”（二章）。又説：“禍兮，福之所倚，福兮，禍之所伏。孰知其極，其無正也。正復爲奇，善復爲妖。人之迷，其日固久"(五十八章)。在這裏老子明確指出，事物的對立面，不僅是相反相成而存在，而且可能相互轉化。美與醜、善與惡、有與無、難與易、長與短、高與下、前與後等等，都是相反相成而存在的。所謂"相反相成而存在"，即指相反的任何一方的存在，都以另一方爲條件。就上述對立面而言，亦可清楚地看到，世界上絕不存在孤立的美、善、有、難、長、短、高、前、福、正等等。相反，他們總是與醜、惡、無、易、短、低、後、禍、奇等等"相反相成而存在"的。並且，這種對立的情形不是永恒不可改變的，相反，它們可能轉化，如老子前面指出福禍、正奇、善妖可能轉化那樣。

實際上，當人們在認識中達到上述對立面的任何一方的認識，都離不開對於相對立一方的比較，儘管這樣比較不言自明或無意識的。就是說，事物對立面的區別與聯繫包括其轉化，是客觀存在的事實，同時，人們的實際認識包含有對立面的比較(即使是無意識的)，也是客觀存在的事實。但是，爲什麼人們在實際的認識上又往往陷入固執一端的片面性?或者說，爲什麼對於上述兩種客觀事實會熟視無睹呢?這兩個問題的實質，在於由此而提出人自覺的辨證思維或辨證的超越認識如何可能的問題。老子對此問題的解答及其所顯示的中西傳統文化的本質區別，將在論及對於常規認識的超越之後再談。

在學術界注重辨證法的人，長期以來，一直停留在辯論老子的辯證法，即上述對立面相反相成而存在及其相互轉化，以及屬於唯心或唯物的分析與評價上。對於本文上面提出老子關於常規認識的超越如何可能的問題，則很少提及，至於關於老子對常規認識的超越問題，不是簡單的冠以神秘主義予以迴避，就是不予問津。其實，在認識的二重超越中，對於常規認識的超越，才是老子認識超越的核心思想。

在《老子》一書中，從認識論角度看，開始所提出的，就是對於常規認識超越的問題。"道可道，非常道，名可名，非常名。無，名天地之始，有，名萬物之母。故常無，欲以觀其妙，常有,欲以觀其徼。此兩者，同出而異名，同謂之玄，玄之又玄，衆妙之門”(一章)。不難理解，這段話中講的“可道”、“可名”、“觀其妙”、“觀其徼”、“謂之玄”，都是指認識的不同層次。“可道”與“可名”，當屬常規認識中的感性、知性、理性認識。由感性開始至理性認識的“可道”，顯然是借助感覺、知覺和語言思維的常規認識，而“可名”則是上述常規認識的語言或文字的表述。

道家追求的最高認識，是超越於上述常規認識的認識。這種認識就是老子上面指出的“觀其妙”、“觀其徼”、“同謂之玄”，也就是對於那個永恒“常道”之認識。道家從老子開始對於“道”的建構，使道家的哲學水準至今仍有其突出的世界高度。在道家那裏，“道”即“常道”，在本體論上是萬物的始基，在宇宙論上則是宇宙得以生成和發展的依據，在認識論上乃是人超越常規認識所追求的最高真理，在倫理學、美學等價值學説上則構成人所追求的善與美等的最高境界。

如果把道家對於常規認識的超越同西方某些思想家的思想比較一下，那麼我們可以看到，這種超越與康德講的先驗和超驗都不同，而表現出中國傳統哲學獨具的特色。康德的先驗，主要是講經驗認識之先或之前的必要條件，如他在範疇表中所列諸範疇都是這種認識的必要條件。康德所講的超驗，乃是指先驗條件與經驗認識結合(形成先天綜合判斷)產生認識這種能力所達不到的領域。如上帝、自由和永恒等。道家的超越認識，并没有這樣的區分。同時，老子的“觀其妙”、“觀其徼”、“同謂之玄”，其中的“觀”和“玄”字，其所指顯然與超越感、知的理性認識也是不同的，即不表現爲概念、判斷、推理、分析、綜合這樣的理性主義或邏輯主義。就其中的“觀”字而言，也許與謝林的“理智直觀”有某些共同點，但也有原則不同。謝林的“理智直觀”偏重於審美，而老子所講的這種“觀”，則不限於審美，而具有更爲深廣的内涵。

老子講的這種“觀”，可能與中國傳統氣功所講的“内視”有相通之處，就是説，這種“觀”并不是肉眼憑借光亮去看，而是一種高超的感悟或體悟。這是一種使人能與“道”所形成的宇宙萬物相通的高超認識。當人達到這種溝通時，就産生神妙感與豁然開朗感。因此老子把這種認識稱爲“觀其妙”、“觀其徼”，也即“同謂之玄”。可知，“玄”并非神秘得不可理解。它只不過是形容這種認識之高超和給人帶來的愉悦罷了。這種愉悦，也許就像“目送歸鴻，手揮五絃”那様吧？由此亦可知，老子所謂“玄之又玄。衆妙之門”，也就易於理解了。從認識論的角度看，這兩句話無非是説，當達到“玄之又玄”這種超越認識的高度，即使得人與“道”溝通，就可認識和把握萬事萬物的妙門。

道家提出超越常規認識的思想，與其提出超越現實的整體思想是一致的，并且是其核心的組成部分，具有重大的歷史意義與理論意義。當“禮樂”文化的異化使社會與人的現實變得僵化時，其嚴重性如其表現在物質方面，不如説表現在思想認識上。因此，從思想認識上破除異化所造成的僵化，對於推動社會與人的解放并繼續發展，是具有决定意義的。

思想認識因異化而僵化的主要表現，就是人的思想認識局限於僵化的現實，只注意看得見摸得着的東西，放棄了對於美好未來的具有永恒價值的東西之追求。可以説，道家關於超越常規認識的思想，正是針對這種思想僵化而提出來的。讓我們具體分析一下前面引證的老子如下描述：“視之不見名曰夷，聽之不聞名曰希，搏之不得名曰微。此三者不可致詰，故混而爲一。其上不皦，其下不昧，繩繩之不可名，復歸於無物。是謂無狀之狀，無物之象，是謂惚恍。迎之不見其首，隨之不見其後。執古之道，以御今之有。以知古始，是謂道紀”（十四章）。老子這段話，可以從純粹“道”體的角度理解，從而可知“道”的形而上學“超驗”等特性。但是，如果把這種“超驗”性描述與“禮樂”文化的異化使現實與思想認識僵化聯繫起來，則似乎還應從這段話的“弦外之音”理解其社會意義。爲什麼老子總是撇開看得見、聽得着、摸得到的現實，而反覆推崇那看不見、聽不着、摸不到的若有若無的東西?爲什麼老子把這種若有若無的東西歸結萬物之本體即“無物”? 爲什麼老子借這種若有若無之物盛贊無限與永恒,即所謂“迎之不見其首,隨之不見其後。執古之道,以御今之有”? 這似乎表明,老子對於可感的現實即因異化而僵化的現實已經絶望,而把希望寄托於對於現實社會還是若有若無的東西。這種所謂若有若無即“惚恍”的東西,實際上是最可靠,最真實的東西。在老子看來,這種東西就是“道”,它是萬事萬物的本體,他的特性是無限與永恒。爲什麼這樣一種“道”變得若有若無? 這除了由於它本身的無限與永恒同人本身的有限與暫時的反差所致,更主要的還在於“爲學日益,爲道日損”的異化,在社會同“道”之間所施加的隔離。因而,要縮小人與“道”反差,要消除社會與人同“道”之間的隔離,首先,就必須在思想認識上超越常規的認識。因爲,常規認識已被局限在不可救藥的異化而僵化的現實上,以致這種常規認識似乎也變得不可救藥。

從上述對老子關於超越常規認識的剖析中可以看到,道家倡導的這種超越,與其説是嚮往古代,不如説是對於追求理想未來和永恒價值的呼喚。爲什麼實現這種超越就能趨進或達到永恒那種理想境界? 這是因爲,“道”是永恒的真、善、美。當人經過修練,主要是通過超越常規認識,而達到與“道”溝通甚至與“道”一體化時,人也就在得“道”中達到永恒。如老子所言:“知常容,容乃公,公乃王,王乃天,天乃道,道乃久,没身不殆”(十六章)。就是説,在人得“道”即“知常”以後,縱然身亡,其精神也會與“道”一起長存,即所謂“道乃久,没身不殆”。

接下來的問題是,人如何得“道”從而實現超越常規認識?老子的回答是:“致虛極,守靜篤。萬物并作,吾以觀復”(十六章)。只有這樣,才能達到“知常”即得“道”,亦即超越常規認識。不難看出,道家這種得“道”或“超越常規認識”的方法,其關節點,可以歸結爲“虛”與“靜”,而且要讓人“虛”與“靜”到極致,如同莊子在發揮老子這種思想時所描述的“今者吾喪我”(《齊物論》)、“唯道集虛”(《人間世》)、“坐忘”(《大宗師》)等境界。這種方法或功夫,就如同作氣功,要求人意守丹田,排除一切雜念一樣。在氣功學說中有的修練功夫就是這樣:“鬆”即放鬆身心,“靜”即排除心中一切雜念,“定”即把上述身心任自然的虛靜狀態保持住,“慧”即出現特異功能,如所謂“開天目”、“內視”、自身清除病痛或能爲他人治病,求得“長生”等等。雖然,道家超越常規認識與氣功學都是從人出發,但兩者所要達到的目的,卻不盡相同。氣功學的目標是個體人的健身、長生,道家的目標則仍在作爲國家這個共同體的長治久安。儘管如此,兩者在達到超凡或超越常規認識途徑或方法上,卻有着相似之處或曰同一性。

如果與西方傳統智慧,及其獲得的方法相比較,那麼,正是在氣功達到“慧”與道家超越常規認識達到與“道”溝通的途徑或方法上,顯示出中西傳統文化的深刻區別。顯然,這又是一個大課題,需要專門論述。對此,本文也只能簡明地說明以下幾點:其一,兩種傳統文化不同的基本特徵是,西方傳統文化表現爲語言中心主義或邏輯中心主義,中國傳統文化則表現爲形象中心主義。其二,上述不同的基本特徵決定,兩種傳統文化在方法論上的原則不同。就西方傳統文化的語言中心主義或邏輯中心主義而言,其實質就是在本體論上以語言所表達的觀念爲本體;在認識論上以認識和把握觀念爲目的。因而,其方法論總是與語言或邏輯學相聯繫,表現爲理性主義。就中國傳統文化的形象中心而言,在本體論上具有“天人合一”的特徵;在認識論上則以把握“天人合一”的整體爲目的,因而整體性思維成爲基本思維模式,“陰陽”、“五行”、“八卦”皆然。其次,這種整體性思維的基礎,乃是直覺思維,或者更準確地說乃是“象”思維,即使老子超越常規認識的高妙認識也離不開“象”,所謂“無物之象”,最終也還要有其“象”。因而,其方法論總是與某種“象”相聯繫,表現爲非理性主義。

對於上述理性主義與非理性主義,我國大陸學術界在相當長時間裏,發生崇尚理性主義和貶低甚至否定非理性主義的理論傾斜。仿佛只有理性主義才是真善美的創造者,而非理性主義則只能產生假惡醜。這種理論傾斜的發生,有其可理解的原因,如西方現代化文明主要是與理性主義相聯繫的,中國缺乏理性主義傳統,而中國又恰恰在近代落後於西方國家。然而,從理論實質上看,上述理論傾斜與所謂"可理解的原因",都是站不住脚的。無論對於個體人的思維,還是作爲人類的思維,其具體過程,盡管有以理性或非理性爲主導的傾向,但在本質上兩者都是缺一不可的。例如科學家的創造性發現,如果首先没有靈感和活潑的想像力這種非理性的衝動,則是不可想像的,但在這種衝動中提出某種新原理,如果没有實驗證明和合乎邏輯的論證,也是不行的。另如,即使藝術家如畫家,其主要創作是借助觀察後的靈感和想像力,但當他形成其作品時,也總要遵循某種綫條、顔色、明暗等規則。對於社會的進步與發展,理性與非理性也都是不可缺少的。把中國近現代的落後,簡單地歸結爲非理性主義,是荒唐的。我們知道,西方的理性中心主義傳統,并没有使中世紀的西方發光,而中國非理性主義傳統,卻使中國在中世紀創造出舉世無雙的燦爛文化。就是説,從學理上看,理性與非理性并没有哪個高哪個低的價值區分。對於人和社會的發展,理性與非理性都是不可缺少的,并且是不可相互替代的。西方近代到現代理性主義被强調得過了頭,出現理性異化,如科學主義和技術主義使科學技術反過來統治人,壓抑人的全面發展,從而又有非理想主義思潮的興起,至今方興未艾。這就有力的證明,理性與非理性是不可替代的。因此,當今世界的重大理論課題之一,就是在人與社會發展中如何合理地協調理性與非理性的關係。就此而言,道家以非理性主義形態所建構的超越精神,不僅有重要的歷史意義,而且在中西文化互補上也有重要的現實意義。

四、人性復歸與超越思想

在道家那裏,人性復歸包含有恢復古代人那種天性純樸和忠信的人性。這種人性如同一塊未雕琢的玉。一個未成年的嬰兒那樣樸實而純真。但是,由此卻不能把道家這種人性復歸的思想簡單地歸結爲復古。其實,道家這種人性復歸,不過是針對"禮樂"文化異化在人性上的表現而提出克服異化和實現人性超越的一種模式。

人性異化,一般而言,也表現着人的本質的負面意義或內涵。人與動物根本不同的本質特性,就在於人是一種能使自己的本質對象化的動物。正是這種對象化的能力,使人類能夠創造出燦爛的物質文明和精神文明,從而使人能獨享日益豐富多彩的物質生活與精神生活。但是,人在從事這種創造的同時,也在受到自己的創造物之制約。這種人的創造物反過來制約人,在其達到一定程度時,就成爲人顯示真正自我及其創造性活力的束縛和桎梏,也就是出現了人的本質異化。人類歷史發展過程表明,人本身的發展,就是在這種對象化的創造中既產生異化又克服異化的過程。

道家在中國哲學史上的傑出貢獻之一,就在於首先發現了人的本質異化,并試圖探求克服異化的途徑。在這方面,尤其是莊子表現得最爲突出。當然,在莊子之前,老子已經借助許多現象揭示出人性異化。諸如由於"尚賢"而形成的民爭;由於"難得之貨"而引出的盜賊,等等,都表明人本身正受到自己精神和物質的創造物的強制而喪失其質樸與純真的人性。同時,老子也在揭露和批判這種人性異化時,提出了克服這種異化和使人返樸歸真的途徑。這種途徑,總起來說,仍然是以"無爲"、"功成弗居"、"功遂身退"等等形式,與"道"溝通以超越外物對於人本身的壓抑和統治,從而達到克服人性的異化,使質樸而純真的人性得以復歸。對此,我們可以從老子如下兩段話中得到證明。其一是:

> 知其雄,守其雌,爲天下谿。爲天下谿,
> 常德不離,復歸於嬰兒。
> 知其白,守其辱,爲天下谷。爲天下谷,
> 常德乃足,復歸於樸。(二十八章)

在這裏，所謂“復歸於嬰兒”、“復歸於樸”，是人性得以返璞歸真明白無誤的顯示。而達到這種人性復歸的根本前提，是“常德不離”或“常德乃足”，也就是得“道”與“道”一體化。至於“知其雄，守其雌，爲天下谿”和“知其白，守其辱，爲天下谷”，則是“得道”的方法和功夫。就是說，不僅要超越常規認識中的片面性，而且要超越常規認識，進入“爲天下谷”的境界，才能與“道”溝通而得“道”，才能恢復人的本真性。其二是：

載營魄抱一，能無離乎？
專氣致柔，能嬰兒乎？
滌除玄覽，能無疵乎？
愛民治國，能無爲乎？
天門開闔，能爲雌乎？
明白四達，能無知乎？（十章）

在這裏，老子所表達的恢復人的本真性，必需以與“道”溝通和一體化爲前提，也是很清楚的。在開頭兩句中所說的“抱一”“無離”，就是執着而不離開“道”，并且形象的比喻爲像“嬰兒”那樣，不爲外物誘惑，能“專氣致柔”地守“道”。這是恢復人的本真性前提。接下來的四句所講的人的本真性的四種具體表現：“滌除玄覽”、“愛民治國”、“天門開闔”、“明白四達”，正是以上述與“道”溝通爲前提的。其溝通的途徑也與“致虛極，守靜篤”相當的，即“無疵”、“無爲”、“爲雌”、“無知”這種悟“道”的途徑。

在人性復歸這一點上，老莊是一致的。但是，無論在揭露人的本質異化還是克服這種異化的問題上，莊子都深化了老子的思想，并在思想理論上達到一個新的高度。其具體表現，就是莊子所提出的“待”與“無待”的理論。正是莊子的這個理論，在大陸學術界曾遭到全盤否定，被戴上主觀唯心主義、虛無主義、阿Q主義等帽子。現在要問：莊子這個理論果真是如此一無是處嗎？

其實，莊子正是通過揭示“待”即人“囿於物”，集中揭露和批判了人的本質異化。他所提出的“無待”境界，乃是爲克服異化即由破

“待”而達到克服異化并進入自由王國的理想境界。從學術界已有的觀點看，這裏引起爭論的問題，首先集中在應當如何正確理解“待”這個範疇。以往學術界其所以發生全盤否定莊子這個理論。也正是基於對於“待”的片面理解。

在莊子那裏，“待”這個範疇實際上具有二重意義。其一，指客觀條件，包括物質與精神兩方面的客觀條件。其二，指這種客觀條件即人在對象化中所創造的物質文明與精神文明，反過來束縛人自身，成爲掩蔽真正自我或使之喪失的桎梏。那麼，由此進一步提出的問題是：莊子所要破除的“待”，是上述“待”的那一種含義？或者說，莊子所謂“無待”的含義何在？不難看出，全盤否定莊子這個理論并給其戴上如上三頂帽子的人，其所以如此，就在於他們把莊子的“待”簡單化地只理解爲人所依存的一切客觀條件。因此，“無待”也即簡單化地等於否定一切客觀條件。

事實表明，莊子對於作爲人所依存的客觀條件之“待”，是承認的。他所否定的，乃是作爲人的本質異化之“待”。如《逍遥遊》篇中皆寓指人的種種動物之描述，都承認其是有條件的。諸如鯤需依賴北冥，而當其化爲鵬，飛往南冥時，也要以“六月息者”即六月之風。蜩與學鳩，“決起而飛，槍榆枋而上，時則不至而控於地而已矣”，也是以榆與地之間爲其活動條件。一直到點出“一官”，“故夫知效一官，行比一鄉，德合一君而徵一國者”，也都有其職權範圍和對君主負責的規範。可見，莊子作爲一個具有深刻現實感的思想家，他從未否定人及其活動所必須依賴的客觀條件。在《齊物論》中，景對於罔兩之間所作的回答是：“吾有待而然者邪？吾有待又有待而然者邪？”影子賴於形成影子的事物這個比喻是意味深長的。它深刻地説明任何人的存在與活動，都必須依賴於一定的客觀條件。

莊子上述對於作爲客觀條件之“待”的承認，表明他所否定或批判的“待”，不是一般而言的客觀條件，而是使自身束縛在僵化現實牢籠不以爲悲和不能自拔者的精神。在《逍遥遊》中，莊子對於斥鴳譏笑大鵬而自安於小天地的描述，他的寓意所揭示和批判的，就是那種束縛在斥鴳那種精神境界不以爲悲的人。同樣,莊子關於"小知不及大知"的批判,也是直指束縛於井底之蛙眼界而胸無鯤鵬之志的人。

在莊子這裏,人的精神境界之重要性被提到很高的地位。作爲"待",可以成爲人所依賴的客觀條件,亦可成爲壓抑甚至扼殺人性的異化之刀劍。這其中的根本因素,就取決於人的精神境界如何,或者說取決於人能否既依賴於客觀條件而生存又能不爲其所囿而超越之。例如做官,如能"功成弗居"、"功遂身退"就可以避免"權力腐蝕"。否則就會爲官所囿,不僅會失去莊子所倡導的逍遥式的"自由",而且有時還會爲這種"權力腐蝕"的異化扼殺。在《莊子》的《列禦寇》篇對此有這樣的描述:"或聘於莊子。莊子應其使曰:'子見夫犧牛乎?衣以文綉,食以芻菽,及其牽而入於太廟,雖欲爲孤犢,其可得乎?'"這種把爲官者最終像祭獻的牛那樣遭到屠宰的命運之描述,真是對於"權力腐蝕"這種異化入木三分的揭露。

莊子及其學派,不僅揭示出作爲異化之"待"的現象,而且還接近於揭示出這種異化產生的必然性。在《秋水篇》中北海若說:"曲士不可語於道者,束於教也"。《徐無鬼》篇則更具體指出:"知士無思慮之變則不樂。辯士無談説之序則不樂,察士無凌誶之事則不樂,皆囿於物也"。《齊物論》既指出異化之"待"不可避免,又指出其使人終無所歸的悲苦:"一受其成形,不亡以待盡。與物相刃相靡,其行盡如馳,而莫之能止,不亦悲乎?終身役役不見其成功。苶然疲役,而不知其所歸,可不哀邪!"《讓王》更是一語道破"待"之異化的殘酷性:"今世俗之君子,多危身棄生以殉物,豈不悲哉!"在這裏,從"囿於物"到"殉物";從"終身役役""不知其所歸"到"危身棄生",深刻地揭露出異化之"待"的本質及其殘酷性。就是説,正是異化之"待"在摧殘人性,使人的本質在喪失,使人生變得没有歸宿。就此而言,可以説莊子早在兩千多年前,就提出了海德格爾關於"此在"(即個人),被抛在世上,經歷其茫然無家可歸的問題。

如果我們明確了莊子所揭露和批判的"待",并不是一般而言作爲人所依存的客觀條件，而是異化之“待”，并且這種異化之“待”主要表現爲人的精神境界爲物蔽、“物累”、“囿於物”以致“殉物”，那麼莊子“無待”的内涵就不言自明，乃是超越上述異化之“待”的精神境界，以求達到一種理想的精神境界。

關於超越所達到的理想精神境界爲得“道”的境界，在這一點上莊子繼承了老子的思想，與老子思想具有一致性。但是，關於這種理想精神境界的具體界定上，莊子在老子返璞歸真的基礎上又提出了理想自由的追求，把老子“道大、天大、地大、人亦大”中的“人亦大”，用“至人”、“真人”、“神人”等作了深刻的發揮。莊子所追求的“逍遥遊”式的自由，在學術界曾以其爲“絶對自由”論予以否定。其實，從道家超越思想理論建構的角度上看，莊子“逍遥遊”式的自由，如其説是“絶對自由”，不如説是理想自由。就是説，莊子不過是借此爲超越異化之“待”建構一個可以追求的理想目標。“絶對自由”是不現實的，但是，人類思想對於自由的無限追求，卻是現實的，并且就其不可終止而言，也可以説是絶對的。

莊子關於“無待”以及在“無待”境界中的“至人”、“真人”和“神人”的描述，似乎神奇得不可理解。但是，如果我們能把握住莊子建構理想精神境界這個基本角度，那麼，對於莊子種種虚幻神奇描述的“弦外之音”和“象外之意”，仍然是可以把握的。下面就讓我們引正莊子的若干描述予以分析説明之：

其一，莊子在《逍遥遊》篇回答惠子問題時説：

> 今子有大樹，患其無用，何不樹之於無何有之鄉，廣莫之野，彷徨乎無爲其側，逍遥乎寢卧其下。不夭斤斧，物無害者，無所可用，安所困苦哉！

其二，《逍遥遊》篇中連叔在回答肩吾關於神人時説：

> 之人也，之德也，將旁礴萬物以爲一，……物莫之傷，大浸稽天而不溺，大旱金石流、土山焦而不熱。是其塵垢粃穅，將猶陶鑄堯舜也，孰肯分分然以物爲事。

其三，在《齊物論》篇中王倪在回答齧缺時説：

至人神矣，大澤焚而不能熱，河漢沍而不能寒，疾雷破山飄風振海而不能驚。若然者，乘雲氣，騎日月，而遊乎四海之外，死生無變於己，而況利害之端乎！

從以上描述可以看到，在莊子所建構的理想精神境界中，最關鍵的建構是消除異化之“待”，或者說，消除或超越“物囿”、“物累”，即上述引文中所說的“不夭斤斧，物無害者”，“物莫之傷”、“死生無變於己，而況利害之端乎”。正因爲消除和超越了異化之“待”，所以纔擺脱了“物囿”、“物累”之苦，并在精神上得到解放和自由。至於引文中，所謂“無何有之鄉，廣莫之野”；“將旁礴萬物以爲一”；“乘雲氣，騎日月，而遊乎四海之外”，不過是寓指上述精神獲得解放和自由的一種心態而已。在莊子看來，這樣一種超越了異化之“待”而獲得解放的自由精神，是任何力量所不能毁壞的。也就是“大澤焚而不能熱，河漢沍而不能寒，疾雷破山而不能傷，飄風振海而不能驚”等描述之合理內涵。

同時，還必須指出，由於破除異化之“待”，并不否定人所依存的客觀條件之“待”，所以莊子也不是一概否定功名的。《逍遥遊》篇所説的“至人無己，神人無功，聖人無名”，并不是反對人建功立業，而是指人在獲得功名之後應具有的理想精神境界。就是説，“無己”、“無功”、“無名”，是與“有己”、“有功”、“有名”相比較而言的。只有首先建立起顯赫的功名，纔有其後“無功名”心的精神境界問題。事實上，莊子正是這樣主張的。例如他在《人間世》篇中指出：“古之至人，先存諸己而後存諸人”，又在《應帝王》篇中指出：“明王之治，功蓋天下而似不自己，化貸萬物而民弗恃，有莫舉名，使物自喜，立乎不測，而遊於無有者也”。在《逍遥遊》篇中，莊子還以堯爲例子具體説明這個問題：“堯治天下之民，平海內之政，往見四子藐姑射之山，汾水之陽，窅然喪其天下焉”。

當然，對於道家來説，得“道”是決定一切的關鍵。就得“道”作爲現實超越和達到理想目標的功夫或途徑而言，莊子同樣繼承了老子的思想，是與之一致的，但是，在這方面莊子也深化和發揮了老子的思想。在莊子看來,得“道”的過程,不僅是人性反璞歸真的過程,而且更是克服異化之“待”的過程,獲得精神解放和自由的過程。《養生主》篇中“庖丁解牛”的寓言所揭示的,就是得“道”的過程。莊子首先把得“道”的結果作了具體描述:

> 庖丁爲文惠君解牛,手之所觸,肩之所倚,足之所履,膝之所踦,砉然嚮然,奏刀砉然,莫不中音,合於桑林之舞,乃中經首之會。

把庖丁解牛如此描述成一種優美的藝術活動,給人以超出任何“物囿”、“物累”的審美享受,莊子這裏所展示的,正是一幅令人神往的克服異化之“待”從而獲得精神解放和自由的圖景。

當文惠君不勝驚奇,問庖丁何以能如此時,庖丁的回答是:

> 臣之所好者道也,進乎技矣。始臣之解牛之時,所見無非全牛者。三年之後,未嘗見全牛也。方今之時,臣以神遇而不以目視,官知止而神欲行。

在這裏借庖丁的回答,莊子明確指出,獲得上述精神解放和自由,都在於得“道”,而且,得“道”需經歷一個過程。所謂從見“全牛”、未見“全牛”到“以神遇而不以目視,官知止而神欲行”的過程,也就是從“物囿”、“物累”的逐漸克服到完全克服的過程。此外,在《大宗師》篇中關於女偊的寓言,也是一則與庖丁解牛類似的描述。其中所謂“朝徹”、“見獨”,是指人獲得精神解放和自由理想境界;而所謂“外天下”、“外物”、“外生”,則是指解除“物囿”、“物累”達到理想精神境界的過程。

但是,上述庖丁解牛與女偊兩則寓言,只是説明了得“道”的必要性和重要性,以及對於得“道”過程和結果的描述,尚未回答如何得“道”這個重要問題。那麼,如何得“道”?莊子在《逍遥遊》篇中有一則綱要性的回答。他指出:

> 若夫乘天地之正,而御六氣之辯,以遊無窮者,彼且惡乎待哉!

這裏,首先要問:何謂“乘天地之正”?顯然,這裏的“乘”字具有順應之意,而“天地之正”,對於道家來説,就是老子“道法自然”之

“自然”。老子說：“人法地，地法天，天法道，道法自然”(二十五章)，從根本上說，最終都要“法自然”。因此，莊子的“乘天地之正”，就是順應“自然”或“法自然”。就是說，要得“道”，首先就要順應“自然”或“法自然”。其次，何謂“御六氣之辯”？按照《說文解字》的解釋：“御”，“使馬也”。在這裏，“御”與“乘”的含義原則不同。“乘”是被動的，而“御”則是主觀能動的。那麼，這種“御”的主觀能動的對象即“六氣之辯”，其含義又如何？如果說“御”與“乘”原則不同，那麼“六氣之辯”與“天地之正”也原則不同。“天地之正”是指作爲本體的“道”及其本性“自然”，這是人只能順應而不能駕馭的，反之“六氣之辯”則是阻礙人與“道”及其本性“自然”溝通的現象，這種變化的現象，特別是異化之“待”卻是人能夠發揮主觀能動性破除其阻礙，以達到與“道”溝通的。第三，從“乘天地之正”與“御六氣之辯”作爲“無待”、“遊無窮”的前提，即克服異化之“待”和獲得精神解放和自由的前提，亦可以清楚地看到，莊子得“道”的途徑和方法，基本上包含順應“自然”或“法自然”以及破除現象阻礙(主要是異化之“待”)兩個方面。

從上述莊子關於得“道”的兩種基本途徑和方法看，前一種順應“自然”或“法自然”，是與老子完全一致的。但後一種破除現象阻礙(主要是異化之“待”)，即提出，對於理想自由追求的主觀能動性思想，則是莊子高於老子的新貢獻。當然莊子這種主觀能動思想與荀子這方面的思想是不同的。荀子面對客觀世界，提出制天宰物“與天地參”的主觀能動思想。莊子的主觀能動思想，則是面對主觀世界的。在這方面，莊子不僅確立了理想的精神自由之目標，而且通過對異化之“待”的批判，試圖探索向理想目標趨進的途徑和方法。總之，莊子以其確立的理想自由及其對於這一理想目標的追求，試圖探索在主觀世界或精神世界中實現其超越的本質問題。就此而言，莊子的偉大貢獻，不在於他是否或在何種程度上解決了這個問題，而在於他在兩千多年前就能深刻地提出這一長青的課題。

作者簡介　王樹人，1936年生，山東莒縣人。中國社會科學院哲學所研究員、教授、中華外國哲學史學會常務理事。著有《思辨哲學新探》、《歷史的哲學反思》等。

道家開闢了中國的審美之路

成復旺

内容提要　本文從中國美學的獨特而完整的思想體系出發，分析了道家學説在這一思想體系的形成中所起的作用。中國美學在美的問題上，認爲美在境界；在審美問題上，强調置身於物中的體驗；在審美形態問題上，以自然爲至美。而所有這些基本特徵，主要都是在道家學説的影響下形成的。因而可以説，中國的審美文化基本上是道家文化。

一

關於道家在中國美學史上的地位問題，學界已有所觸及。或認爲道家學説是中國美學的開端，或以道家思想爲中國藝術精神，或指出就純粹的審美而言，道家的貢獻遠大於儒家，等等。但這個問題還有待於從不同的角度進行專門的、系統的研究。

筆者試圖從中國美學的整個體系出發，觀察道家學説對這一體系的形成所起的作用。雖然各民族都有審美，但中華民族的審美卻有其獨特而完整的思想體系。若能説明道家學説同這個思想體系的關係，也就從一個角度説明了道家在中國美學史上的地位。

人們説道家（主要指莊子）的哲學就是美學。這樣説并不錯，但略嫌籠統。道家學説大致可分爲兩部分，即對人爲的否定和向天的回歸。對人爲的否定不能算是美學，因爲那同時也是對美的否定。

人所共知,“五味”、“五色”、“五聲”是由來已久而又普遍承認的三類審美對象;而老子卻說“五色令人目盲,五音令人耳聾,五味令人口爽”(十二章)。他們還有不少諸如“擢亂六律,鑠絶竽瑟”、“滅文章,散五彩”之類取消藝術的話。而且老子還提出了“聖人爲腹不爲目”、“虛其心,實其腹”的主張,這還有什麽審美?不過填飽肚子就得了。但是,如果説老、莊對人爲的否定同時就是對審美的否定的話,那麽他們向天的回歸則同時就是向美的回歸。他們所否定的主要是愉悦耳目之類的一般的、淺層次的美;而他們實際提倡的卻是獨特的、深層次的美。他們向天的回歸不是、至少不僅是抽象的理性思辨,而是一種感性的心理體驗,這其實就是他們的審美。而所體驗到的天地境界其實就是美,而且是境界之美,不是一般的形象之美。此外,他們回歸於天就是追求那種虛靜恬淡的自然人格,這又提供了一種真而淡的美的形態。這就是道家的美學,這就是他們的美學與哲學的銜接和部分重合。

向天的回歸也就是向道的回歸。道家之所謂“天”實質上并不是天空,也不是自然界,而是宇宙本體,即所謂“道”。所以,他們的道論就包含着他們的美論。而回歸於道需要一種特殊的心理活動方式,他們叫作“體道”,實際上就是審美的方式。所以,他們的體道論就是他們的審美論。而道作爲宇宙本體又具有一種特殊的本性,即所謂“淡然無極”。這實際上既是他們的人格理想,也是他們的審美理想、他們所提倡的美的形態。所以,他們的道性論就是他們的美的形態論、或曰審美理想論。這是他們的道的理論與他們的美學理論的關係。

我們將會看到,中國美學的思想體系就是在道家美學的幾個基本點上發育起來的。中國美學的主要特徵,其實就是道家美學的特徵。中國美學的那些精深獨到之處,大都是道家學説賦予的。一句話,道家開闢了中國的審美之路。

二

當老子把他的思緒沉入到無邊無際而又無始無終的宇宙中去的時候，他感覺到：在那異彩紛呈而又生生不息的萬物背後，應該有一個既化育了它們、又推動着它們、又擁抱着它們，從而使它們的存在成爲可能、并將它們統一起來的根本性的東西，否則宇宙就是不可理解的。這個根本性的東西，無以名之，他勉强地稱之爲“道”。道作爲宇宙萬物的根本，就不能是有限的，亦即不能是有形、有象的；但作爲宇宙萬物的根本，它又不能是絶對的、毫無内容的無。所以“道”必然是“有”與“無”的統一：“無，名天地之始；有，名萬物之母。故常無，欲以觀其妙；常有，欲以觀其徼”（一章）。正因爲“道”是“有”與“無”的統一，所以它就是一種恍恍惚惚的存在，或者説是以恍惚的狀態呈現出來的：

> 道之爲物，惟恍惟惚。惚兮恍兮，其中有象；恍兮惚兮，其中有物。窈兮冥兮，其中有精；其精甚真，其中有信。（二十一章）
>
> 視之不見，名曰夷；聽之不聞，名曰希；搏之不得，名曰微。此三者，不可致詰，故混而爲一。……是謂無狀之狀，無物之象，是謂恍惚。（十四章）

兩段話都是對“恍惚”的説明。第一段着重指出“恍惚”之所以爲恍惚，是因爲其中包涵兩種因素，即“象”與“物”和“精”與“信”。“形之可見者，成物；氣之可見者，成象。”（吳澄《道德真經注》）總之，都是可以由感官感知的形而下的存在。“精”即精神，在此指内在的生命力；“信”即信實、靈驗。總之，都是無法由感官感知的形而上的存在。這兩方面的有機結合與相互依存，就構成了恍恍惚惚、似有若無的狀態。第二段着重强調了“恍惚”的非實物性，亦即“視之不見”、“聽之不聞”、“搏之不得”的形而上的性質。但因爲這種形而上的非實物性又是同形而下的“象”與“物”結合着的，所以又不是純粹形而上的神意或理念。“夷”、“希”、“微”雖然都極其窈冥，但畢竟不是毫無迹象的"無"。故最後歸結爲"無狀之狀,無物之象"。

莊子更爲精當地辨析了道與物的關係。"道不可聞,聞而非也;道不可見,見而非也;道不可言,言而非也。知形形之不形乎?道不當名。"(《知北遊》)它是個純粹的形而上者,本身無所謂"恍惚"。問題在於,產生萬物的道又寄存在萬物之中,它無所不在而不能孤立地存在。這樣,道的存在狀態、道的呈現也就必然是道與物的結合、形而上與形而下的統一了:

> 視乎冥冥,聽乎無聲。冥冥之中,獨見曉焉;無聲之中,獨聞和焉。故深之又深而能物焉,神之又神而能精焉。故其與萬物接也,至無而供其求,時騁而要其宿。(《天地》)

"道"視之無形,聽之無聲。但無形之中又見明朗之象,無聲之中又聞至和之音。深而又深卻能化生萬物,神而又神卻能釀爲精氣。故至虛而供養萬物,至動而爲萬物之歸。這就是道的存在,它超越於物卻又不逃於物。因此,莊子提出了"渾沌"、"象罔"、"滑疑之耀"等等概念來説明道的存在和呈現:

> 南海之帝爲儵,北海之帝爲忽,中央之帝爲渾沌。儵與忽時相遇於渾沌之地,渾沌待之甚善。儵與忽謀報渾沌之德,曰:"人皆有七竅,以視、聽、食、息,此獨無有,嘗試鑿之。"日鑿一竅,七日而渾沌死。(《應帝王》)

"儵"即儵然以明,"忽"即忽然之暗。明與暗皆原於渾沌、依於渾沌。渾沌非明非暗、亦明亦暗,這就是道的存在狀態。破壞了這種狀態,也就破壞了道本身。

> 黃帝遊於赤水之北,登乎崑崙之丘而南望,還歸,遺其玄珠。使知索之而不得,使離朱索之而不得,使喫詬索之而不得也。乃使象罔,象罔得之。黃帝曰:"異哉!象罔乃可以得之乎!"(《天地》)

"玄珠"以喻道。由於道的存在既不是抽象的理念,也不是具體的實物,故靠智慧("知")、感官("離朱")、語言("喫詬")都不能索到,只有靠"象罔"。"象"則非無,"罔"則非有。"象罔"就是似有若無、朦朧恍惚的存在狀態。道是這樣存在、這樣呈現的,也就只能這樣去索得。

古之人，其知有所至矣。惡乎至？有以爲未始有物者，至矣，盡矣，不可以加矣。其次，以爲有物矣，而未始有封也。其次，以爲有封焉，而未始有是非也。是非之彰也，道之所以虧也。……是故滑疑之耀，聖人之所圖也。(《齊物論》)

道無分界、無是非。定分界、辨是非，道就會有所虧損而不成其爲道。所以"聖人之所圖"，"滑疑之耀"而已。王夫之解"滑疑之耀"曰："滑亂不定，疑而不決，恍惚之中，有其真明。"(《莊子解》)可知"滑疑之耀"即"恍惚"，即"象罔"，即"渾沌"。道就是"滑疑之耀"，人之得道也只能是"滑疑之耀"。此外，對於道與物的關係，莊子還有個比喻性的說法。他說促成宇宙萬物周而復始地運行的道，像個樞紐；宇宙萬物周而復始地運行，則像一個環。樞紐在環之中。立身於道，就是立身於環中，把握了樞紐，就可以主宰宇宙萬物的運行了。如《齊物論》稱："彼是莫得其偶，謂之道樞。樞，始得其環中，以應無窮。"如《則陽》篇云："冉相氏得其環中以隨成，與物無終無始，無幾無時。"無物、無環，即無所謂"環中"；而不超越於物、於環，也不能得其環中。因此，莊子屢屢提倡"忘"和"外"，從忘仁義、禮樂到忘我，從外天下、萬物到外生。這是從現象世界向本體世界的超越。

如上，是老、莊的道論，或曰道象論。但是，這僅僅是論道嗎？我們且看看後世的境界論。境界論誕生於中唐。戴叔倫云："詩家之景，如藍田日暖，良玉生烟，可望而不可置於眉睫之前也"(見司空圖《與極浦書》)。"詩家之景"就是審美境界。而這裏所說不正是一種似有若無、由實而虛的存在狀態嗎？不正是"恍惚"、"混沌"、"滑疑之耀"嗎？劉禹錫爲"境"下了中國古代的第一個定義，而這個定義就是："境生於象外"(《董氏武陵集紀》)。"境"雖不能離開"象"，但"境"又是對"象"的超越。正是這種對"象"的超越性、即"生於象外"，構成了"境"的特徵。因而"境"是實與虛、有與無、或曰有限與無限的統一。劉禹錫這裏對"境"與"象"的關係的論述同老、莊對"道"與"象"的關係的論述多麼相似啊！晚唐的司空圖，是境界作爲審美追求的主要目標的確定者。而司空圖的境界論，其實就是老、莊的道象論在美學上的貫徹。他的《二十四詩品》是以境界論詩美的劃時代的著作,而首尾兩品《雄渾》與《流動》又是歷來公認的統攝全書的理論綱領,我們也以這兩品爲例:

> 大用外腓,真體内充。返虚入渾,積健爲雄。具備萬物,横絶太空。荒荒油雲,寥寥長風。超以象外,得其環中。持之匪强,來之無窮。(《雄渾》)

> 若納水輨,如轉丸珠。夫豈可道,假體如愚。荒荒坤軸,悠悠天樞。載要其端,載聞其符。超超神明,返返冥無。來往千載,是之謂乎!(《流動》)

顯而易見,這是從道與象、體與用、無與有、虚與實的關係來論述問題的,而"道"、"體"、"虚"、"無"都是指"道";"象"、"物"、"用"都是指"象"。《雄渾》的"大用外腓,真體内充"是説天地萬物的千變萬化都是道這個宇宙本體的作用。而這是雄渾之美的本原,故只有"返虚入渾",才能"積健爲雄",即只有返回道這個宇宙本體,才能得到真正的雄渾之美。老子云:"有物渾成,先天地生,寂兮寥兮,獨立而不改,周行而不殆,可以爲天下母。吾不知其名,字之曰道。"(二十五章)此顯係"返虚入渾"之所本,"虚"即"寂兮寥兮","渾"即"有物渾成"。下文"荒荒油雲,寥寥長風"是雄渾之象;而欲達真正的雄渾之美,尚需"超以象外,得其環中"。"得其環中"是莊子的原話,整個這句話就是從莊子的"得其環中,以應無窮"化來的。《流動》的"若納水輨,如轉丸珠。夫豈可道,假體如愚",是説水車之運行、丸珠之圓轉雖具流動之象,但還不是真正的流動之美。老子云:"道可道,非常道;名可名,非常名"(一章)。水車之運行、丸珠之圓轉正是"可道"、"可名"者,以此類物象爲流動之真美便是以假爲真、非愚如愚了。那麼怎樣才能獲得真正的流動的美?即下文所云"荒荒坤軸,悠悠天樞。載要其端,載聞其符。超超神明,返返冥無"。莊子即稱道爲"天均"、"天樞",此處"坤軸"、"天樞"皆本莊子,也是指"道"。流動之象只是道的端倪、符號,欲達真正的流動之美尚需復歸於道,"返返冥無"。無論"雄渾"、"流動"、還是《二十四詩品》中的其他各品，司空圖都是把象同真正的美區別開來。他認爲真正的美必須是象與其背後的道的統一。而這種道與象統一的真正的美，就是“生於象外”的境界之美。所以他論美，總是言“象外之象”、“景外之景”(《與極浦書》)、“韵外之致”、“味外之旨”(《與李生論詩書》)，即從象向象外之道的超越。由於司空圖以道、象統一的境界之美爲真正的美，此後這樣的美就成了中國審美的自覺的追求目標。

如果説上文所談還只是老、莊的道象論與中國美學的境界論的理論聯繫的話，那麼我們再看看審美境界的實際。《莊子·田子方》描述了老聃“遺物離人”而“遊心於物之初”的情景。老聃沐浴之後，靜坐沉思，倏而入幻。這時他心目中的天道以及翱遊天道的景象便夢境般地栩栩如生地呈現在他的眼前。他“心困焉而不能知，口辟焉而不能言”，唯覺“至陰肅肅，至陽赫赫。肅肅出乎天，赫赫發乎地，兩者交通成和而物生焉。”要加以捕捉，卻抓不住任何確定的形體，忽生忽滅、時晦時明。只見日改月化，不斷變遷，卻看不到任何有目的的施爲。生有所乎始，死有所乎歸，循環往復而没有窮盡。事後孔子問他遊心於是的感受，他説：“夫得是，至美至樂也。得至美而遊乎至樂，謂之至人。”近人况周頤在《惠風詞話》中談到自己對審美境界的一次體驗，説：

> 人靜簾垂，燈昏香宜；窗外芙蓉殘葉颯颯作秋聲，與砌虫相和答。據梧冥坐，湛懷息機。每一念起，輒設理想排遣之。乃至萬緣俱寂，吾心忽瑩然開朗如滿月，肌骨清涼，不知斯世何世也。斯時若有無端哀怨棖觸於萬不得已。即而察之，一切境象全失，唯有小窗虚幌，筆床硯匣一一在吾目前。此詞境也。

况周頤這裏講的是“詞境”，前面莊子講的是“遊心於物之初”、即遊心於道。但從心理活動的過程、到所獲得的體驗、到這種體驗的無法言説的特點，都是極其相似的。能説况周頤所講的是審美境界、而莊子所講的不是審美境界嗎?面對這種精神上的一致性，還不能發現老、莊的道象論與後來的審美境界論的内在聯繫嗎？老、莊向天的回歸就是向審美境界的回歸，他們所追求的“至美”就是境界之美。後來的美學家們以道、象統一的境界之美爲真正的美,顯然是這種思想的延續。審美境界的深層含義,就是宇宙本體的呈現,就是人在沉思冥想的瞬間同宇宙本體的照面,就是人的心靈在體驗中同宇宙本體的融合。它的深不可測、妙不可言的魅力就在這裏。而這種深層含義、這種深不可測、妙不可言的魅力,正是道家思想賦予的。

審美境界論是否與道家之外的其他學説也有聯繫?不能説沒有聯繫,但需要具體分析。"境界"往往被稱作"意境",故給人一種與"意象"一脈相承的印象;而"意象"一詞又出自被認爲是儒家經典的《周易》,故而似乎是儒家思想的産物。這裏包涵一系列有待澄清的問題。一是,在孔、孟、荀等先秦儒家的著作中,缺乏通向審美境界論的理論思路。先秦儒學是一種政治倫理學,它的美學觀是一種倫理功利主義的美學觀。它無論在哲學上還是在美學上都局限於宗法社會的實際,沒有對形而上的宇宙本體的真正關注。而審美境界是一種具有形而上的意義的點。二是,《周易》不應完全視爲儒家著作,其中的"意象"論就顯然主要是來自道家。《周易・繫辭上》云:"子曰:'書不盡言,言不盡意。'然則聖人之意其不可見乎?子曰:'聖人立象以盡意,設卦以盡情僞,繫辭焉以盡其言。'"這是《周易》中有關"意象"問題的主要言論。但孔子的《論語》中沒有説過這樣的話,這些話基本上是從《莊子・外物》篇衍化而來(莊子此類言論後文將會提到)。此後魏晉玄學對言、象、意的討論更是在道家思想的基礎上進行的。三是,"意象"雖與"境界"有關,但屬於不同層次。"意象"大體上是如何表達、即所謂審美傳達論的問題,"聖人立象以盡意"的説法就極明顯。而"境界"是美本身、即美是什麼的問題。四是,以"意境"代替"境界"并不恰當。"意境"在大多數場合是指"意"與"境",包涵可分的兩項。而"境界"是個不可分的整體。所以,王國維雖然也用過"意境",但作爲晚年的定論用的是"境界"。總之,審美境界論與儒家思想的聯繫甚微。一提到"境界",更多的人想到的是佛學。佛學中有"境界"説,而且美學中的"境界"一詞的確是從佛學移植過來、並隨着禪宗的傳播而盛行起來的。但是,這裏的所謂"佛學"都應改爲"禪學",即禪宗哲學。而禪學作爲中國人的創造,完全是道家化了的佛學。從美學方面說,禪學的美學是道家美學的全面延長。所以,審美境界論與禪宗的關係,從思想實質上說還是審美境界論與道家的關係。

而講究"境界",是中國美學的一個基本特徵。前已提及,境界是中國美學對什麼是真正的美、即美本身的問題的回答。如果說西方美學是以形象爲美的話,那麼中國美學就是以境界爲美。以形象爲美,指向具體事物,指向對具體事物的精確再現,也指向與此相關的感官愉悅。從形象又發展出典型,而典型還是形象,不過是典型形象;雖然引入了現象與本質的關係,但也只是對形象的縱深考察,仍然没有超越具體事物。這就是以形象爲美的西方美學的大致思路。而中國美學則認爲,美雖然不離形象,卻不在形象,而在形象之外的意味深長的虛空。所以,它很早就超越了形象,超越了對具體事物的精確再現,也超越了與此相關的感官愉悅。老、莊在排斥耳目聲色之愉的同時,就提出了"味無味"(《老子·六十三章》)和神重於形(《莊子·在宥》等)的觀點。南北朝時期鍾嶸創立的"滋味"說,就已經是提倡作用於心靈的味外之味了。"境界"這個美學範疇正是這種審美追求的結晶。故中唐出現之後迅速漫延、發展,不僅詩、樂、書、畫,連新起的戲曲、小說也以"境界"相尚。以至於近人王國維以"境界"說總結了整個中國傳統美學。可以說整個中國古代審美追求的發展過程,就是"境界"的醞釀、產生與發展的過程,而對"境界"的追求又使中國美學走上了一條與西方美學迥然不同的思路。而從哲學上奠定了這種審美追求的基礎、確定了這種審美追求的方向的,主要正是道家思想。

三

既然道是"無狀之狀,無物之象",是不可聞、不可見、不可言的,那麼人怎樣才能感知“道”的存在？怎樣才能回歸於“道”？

老子有“觀”道說,即所謂“致虛極,守靜篤,萬物並作,吾以觀復”(十六章)。“復”,或解釋爲周而復始的運行規律,或解釋爲復歸萬物之本,總之都是指道。這裏的“觀”是什麼意思？有什麼特點？一是,欲“觀”,必須使心處於無意識狀態。“致虛極,守靜篤”這是觀的前提。《老子・十章》還提出“滌除玄覽,能無疵乎?”就是要求把心靈清洗得乾乾淨淨,無一絲塵埃。這樣的心才是心的自然本體,才能通向宇宙自然之道。二是,“觀”不是在外面觀察,而是從裏面觀照。“萬物並作,吾以觀復”,是要求把自身置於“萬物”之中,隨萬物一起運行,一起復歸其根。《老子・五十四章》有云:“故以身觀身,以家觀家,以鄉觀鄉,以邦觀邦,以天下觀天下。吾何以知天下然哉？以此。”也是指處身於事物之中,以心靈去親身感受,而不是站在事物之外,以智慮去觀察思考,如此方可獲得真知。三是,“觀”主要不是觀形而下之物,而是觀形而上之神。前面已經引述過“常無,欲以觀其妙;常有,欲以觀其徼”。道是無,故不可以觀;所可以觀者,不過是道的形迹、道的端倪。但觀道的形迹並不是目的,目的在於以有觀無、以物觀道。所以這是由形入神、由形而下到形而上的觀。“滌除玄覽”之所以稱“玄覽”,就是因爲這是形而上的觀照。這種形而上的觀照當然主要是靠心,而不是靠目。把上述這些特點綜合起來,排除心靈中的一切意念,置身於對象之中,由形而入神:這樣的“觀”是什麼？實際上就是心靈體驗。

莊子有“體”道說,更爲詳盡透闢地論述了達於道的方式問題。《知北遊》寫道:“知”問“無爲謂”曰:“何思何慮則知道?何處何服則安道?何從何道而得道?”但“三問而無爲謂不答也;非不答,不知答也。”又問“狂屈”,狂屈曰:“予知之,將語若。”“中欲言而忘其所欲言。”再問“黄帝”,得到的回答卻是:“無思無慮始知道,無處無服始安道,無從無道始得道。”這是什麼意思？這就是說“知”這種求知的、認識的方式是根本不可能達於道的,也就是説道是根本不能認識、不能從外面獲得的。認識的第一個前提是主體與對象的分離。

只有把人與物分離開來,使之處於相互對待的關係之中,然後纔談得到認識。但是,人能夠置身於宇宙之外,把自己同道分離開來嗎?“生非汝有,是天地之委和也;性非汝有,是天地之委順也”(同上)。人是道所化生,又身處於道的大化流行之中,如何能夠與道分開,站在道之外去認識道?所以人與道根本不可能建立認識關係。認識的第二個前提是部分與整體的割裂。認識只能從有限的具體事物開始。也就是說只有把某一事物、某一方面從宇宙整體中割裂出來才能夠認識。但是,被分割出來的部分已經不是原來的處於整體中的部分;各個部分再重新組裝起來也構不成原來的宇宙整體;更何况人根本不可能窮盡宇宙的各個部分。“分也者,有不分也;辯也者,有不辯也”。(《齊物論》)“不該不徧,一曲之士也。判天地之美,析萬物之理,察古人之全,寡能備於天地之美,稱神明之容。”(《天下》)認識的第二個前提等於在認識與道之間挖了一條不可逾越的鴻溝。因此,《知北遊》下文提出:

> 有問道而應之者,不知道也。雖問道者,亦未知道。道無問,問無應。無問問之,是問窮也。無應應之,是無内也。以無問待問窮,若是者,外不觀乎宇宙,内不知乎大初,是以不過乎崑崙,不遊乎太虛。

“道”本來就無可問、不當問,也無可答、不當答。以無可問問之,是提出虛假的問題。以無可答答之,是作出空虛的回答。陷入這種荒誕的問答之中,就會局限在有限、有形的範圍之内,外無以觀照無限的宇宙,内無以體悟自身的本原,因而永遠也達不到“太虛”、即道。

無法認識不等於無法達到。認識無法,但認識之外有法。莊子說:“夫道,有情有信,無爲無形;可傳而不可受,可得而不可見。”(《大宗師》)“可傳而不可受”就是可以心傳而不可以口受,“可得而不可見”就是可以意得而不可以目視。他還說“道”需要“以神遇而不以目視”(《養生主》)。那麼何爲心傳、意得、“神遇”?就是:

> 若一志,無聽之以耳,而聽之以心;無聽之以心,而聽之以氣。耳

止於聽，心止於符。氣也者，虛而待物者也。唯道集虛。虛者，心齋也。(《人間世》)

心志專一。不要讓耳目向外求索，那樣得到的只是耳目所及的外在形象。要用心去接觸，但也不要有意識地去捕捉，那樣得到的只是徒有其名的死物。要完全無意識地、平心靜氣地、自然而然地去接受、去感應，即所謂"虛而待物"。這種方式，用一句話來概括，就是"徇耳目內通而外於心智"(《人間世》)。"徇耳目內通"就是通過耳目等感覺器官把內在心靈與外在世界融爲一體，而不要站在世界的對立面向外觀察。"外於心智"就是不要用自己的智慮去分析思考，而是讓心靈在宇宙大化之中去自然體驗。所以莊子又把這種方式稱作"體道"："夫體道者，天下之君子所繫焉"(《知北遊》)。

老子的"觀"道，莊子的"體"道，實際上都是心靈體驗。而心靈體驗正是審美的方式。人與世界的精神聯繫有兩種，一種是認識，另一種便是體驗。在體驗中，主客體對立的認識格局被打破了，物不再是冷漠的對象，人不再是嚴厲的主體，雙方統一起來，成了親密無間的朋友；有體驗中，人不再置身物外，評說物的是非功過，而是進入物中，親身感受物的存在和生長；在體驗中，人以感性的心靈，同物進行情意綿綿的精神交流。體驗改變了人與世界的關係，從而也就在人的面前展現了一個新的世界。在這個世界裏，物對於人來說已經不是異己的、疏離的存在了，它們都具有了人的光彩，成了人的生命和心靈的載體；而人的生命和心靈也因此而在這個世界裏獲得了舒暢的實現；這時人會覺得恍然回到了渴望已久的真正屬於自己的家園，產生出一種無法言說的自由的快感。這個體驗中的世界就是審美境界，這種心靈體驗的方式就是審美。道家的一個重大貢獻，就是在理論上發現了體驗這種人與世界的新的精神聯繫，從而確立了人對待世界的審美的方式。

而强調體驗、把審美看作體驗，正是中國美學的又一突出特徵。繪畫、書法、音樂、詩歌，藝術的各個領域一致强調體驗：

觀夫張公之藝，非畫也，真道也。當其有事，已知遺去機巧，意冥玄化,而物在靈府,不在耳目。故得於心,應於手,孤姿絶狀,觸毫而出,氣交冲漠,與神爲徒。若忖短長於隘度,算妍蚩於陋目,凝觚舐毫,依違良久,乃繪物之贅疣也,寧置於齒牙間哉!(〔唐〕符載《觀張員外畫松石序》)

字雖有質,迹本無爲。稟陰陽而動靜,體萬物以成形,達性通變,其常不主。故知書道玄妙,必資神遇,不可以力求也;機巧必須心悟,不可以目取也。(〔唐〕虞世南《筆髓論》)

樂之道深矣。故工之善者必得於心,應於手,而不可述之言也。聽之善,亦必得於心而會以意,不可得而言也。"(歐陽修《書梅堯臣稿後》)

余嘗問詩於聖翁,其聲律之高下,文語之疵病,可以指而告余也;至其心之得者,不可以言而告也。余以將以心得意會,而未能至之者也。(同上)

在這些言論中,"遺去機巧,意冥玄化"、"物在靈府,不在耳目"、"書道玄妙,必資神遇"、"必須心悟,不可以目取"、"得於心而會以意,不可以言而告也"等等,皆似老、莊之所已言。"徇耳目内通而外於心智"的基本精神,貫穿在所有這些言論之中。可以説,在中國古人看來,審美就是體驗,唯體驗才是審美。中國美學有關審美心理活動的概念,有些直接來自道家,如"玄覽"、"虚靜"、"神遇";有些從道家思想化來,如"神思"、"品味"、"體會"。只有一個較爲重要的概念是從禪學移入的,就是"妙悟"。但《莊子》中已有"悟"的説法:"物無道,正容以悟之"(《田子方》)。而且所謂"妙悟"不過是體驗的一個階段,是在體驗中從現實世界向審美境界的飛躍。故有人云:"於平日須體認一番,才有妙悟"(〔明〕董其昌《畫禪室隨筆・評文》)。"體認"不就是體驗嗎? 在入道方式上,禪學與道家原屬一路。由"神遇"而"妙悟",正是自然而然的發展。我們説禪宗美學是道家美學的延長,此亦一例。而儒家之於審美,無論"以意逆志"(《孟子・萬章上》)、"知人論世"(《孟子・萬章下》),還是"君子比德"(《荀子・法行》),都帶有較重的有意比附和認知的成分。這不是中國美學的主流。

同西方美學比較，中國美學的這一以體驗爲審美的特徵是十分明顯的。雖然一般說來真正的審美都是體驗，但西方美學卻往往把審美混同於認識。例如亞里士多德在《詩學》中說："求知不僅對哲學家是最快樂的事，對一般人亦然，……我們看見那些圖象所以感到快感，就因爲我們一面在看，一面在求知，斷定每一事物是某個事物"。這就是把求知的快感混同於審美的快感，把認識混同於審美。正因爲如此，西方美學提出了"摹仿"說，認爲藝術就是對外在事物的"摹仿"。爲了準確地摹仿，又在藝術創作中引進了透視學、人體解剖學等科學認識原理。從而走上了一條與中國美學迥然不同的道路。以至於在一定程度上可以說：西方是以認知的態度審美，而中國是以審美的態度生活。僅就審美而言，顯然中國的審美是更爲純粹的審美。而這種審美的態度，亦即體驗的方式，正是道家確立的。

四

在道家看來，道的呈現就是美，因而道的特性當然也就是美的特性，或曰美的形態。那麼道的特性是什麼呢？老子說："人法地，地法天，天法道，道法自然。"(二十五章)這並不是說"道"之上還有"自然"，而是說"道"之法就是"自然"、就在於"自然"。這樣，"自然"就作爲道的根本性質確定下來了。莊子對於天道的種種追問，如"天其運乎？地其處乎？"雲者爲雨乎？雨者爲雲乎？""孰主張是？孰綱維是？"(《天運》)也都在於揭示"道法自然"的宗旨。故王夫之闡釋說："今既詳詰而終不得明言其故，則自然者本無故而然。"(《莊子解》)。

"自然"的具體含義又是什麼？莊子說："真者，所以受於天也，自然不可易也。故聖人法天貴真，不拘於俗"(《漁父》)。"法天貴真"亦即"道法自然"，可見"真"就是"自然"。他又說："汝遊心於淡，合氣於漠，順物自然而無容私焉，而天下治矣"(《應帝王》)。順"自然"就必須"淡"、"漠",可見"淡"也是"自然"。一曰"真",二曰"淡",這就是"自然"的具體含義。道如此,美亦如此。

先説"真"。在道家的觀念中,天道即真,凡得之於天道者就是真。故云"真者,所以受於天也"。因而,人道即僞,凡出之於人道者就是僞。老子説"智慧出,有大僞"(十八章),就是因爲"智慧"是人道、是人爲。這樣,真僞問題也就歸結到了天人問題。莊子《秋水》對"何謂天?何謂人?"的回答就是:"牛馬四足,是謂天;落馬首,穿牛鼻,是謂人。故曰無以人滅天,無以故滅命,無以得殉名。謹守而勿失,是謂反其真。"以得於天者爲真,以人之爲者爲僞,故道家反對一切外加的人爲的束縛和矯飾,提倡真情:"真者,精誠之至也。不精不誠,不能動人。故强哭者雖悲不哀,强怒者雖嚴不威,强親者雖笑不和。真悲無聲而哀,真怒未發而威,真親未笑而和。真在内者,神動於外,是所以貴真也"(《漁父》)。並以真情爲貴,批判了儒家所强調的"禮":"功成之美,無一其迹矣。事親以適,不論所以矣。飲酒以樂,不選其具矣。處喪以哀,不問其禮矣。禮者,世俗之所爲也。"(同上)但是,道家之真不僅反對外加的人爲,也排斥自身的人爲。人而有情,就有所追求,就要有所作爲;而在道家看來,這也是人爲,也是僞。這樣,道家之真就成爲提倡無情了。莊子説:"吾所謂無情者,言人之不以好惡内傷其身,常因自然而不益生也。"(《德充符》)"好惡"就是情,"益生"是情的出發點,否定"好惡"、否定"益生",也就否定了情。故莊子每每强調"有人之形,無人之情"(同上),"古之真人,不知悦生,不知惡死;其出不訢,其入不距;翛然而往,翛然而來而已矣。"(《大宗師》)可見"真"即"無情","真人"即"無情"之人。

一個"真"字,既是真情,又是無情,這不矛盾嗎?是有矛盾。但無情也就是"淡",所以我們先説"淡",然後再顧及這個矛盾。

"淡"比"真"難説。因爲道家很少單純提倡"淡",往往是把許多相近或相關的東西拉在一起提倡。歸納起來,"淡"、"漠"、"清"等大體同義;"素"、"樸"、"純"、"粹"等與之接近;"柔"、"弱"、"雌"等與之相關，而"靜"則似與上述幾組概念互爲因果。"淡"在道家學説中已經不是個簡單的概念，而成了個内涵豐富、外延廣泛的理論範疇。所以會如此，就因爲在"淡"的背後是道家哲學的一個基本思想："無爲"。道家如此用"淡"，我們也只好如此説"淡"。

老子説："道之出口，淡乎其無味。視之不足見，聽之不足聞，用之不足既"（三十五章）。"道常無名，樸"（三十二章）。"天下莫柔弱於水，而功堅强者莫之能勝，以其無以易之。弱之勝强，柔之勝剛，天下莫不知，莫能行"（七十八章）。"知其雄，守其雌，爲天下谿"（二十八章）。"道常無爲而無不爲，……不欲以靜，天下將自正"（三十七章）。"爲無爲，事無事，味無味"（六十三章）等等。"淡"、"樸"、"柔"、"弱"、"靜"，都是作爲道的特性提出來的，它們的共同根源都是"無爲"。此外，老子還根據道的無爲而無不爲的特性説過"大音希聲，大象無形"（四十一章）、"大巧若拙，大辯若訥"（七十五章）、"信言不美，美言不信"（八十一章）等，其意都是提倡"淡"。特別值得注意的是"味無味"這個説法。"無味"就是"淡"；但如果真的淡而無味，還"味"什麽？表面上淡而無味，深層裏一定蘊藏着某種更濃鬱、更悠長的味。《老子·七十章》還有一句話："聖人披褐而懷玉"。"褐"至賤至樸，"玉"至貴至美，"披褐而懷玉"就是外樸而内美、似淡而實濃，正是"無味"之義。也不能不如此。"淡"的背後是"無爲"；"無爲"而無不爲，"無味"豈能不是至味？所以老子絶不是提倡真的平平淡淡。

莊子更突出地論述了"淡"是天道的本性，是衆美之所歸。如云："夫恬惔、寂寞、虚無、無爲，此天地之本而道德之質也"。（《刻意》）"澹然無極而衆美從之。此天地之道也，聖人之德也"。（同上）此外如"嘗相與無爲乎！淡而靜乎！漠而清乎！調而閑乎！"（《知北遊》）"純素之道，唯神是守；……能體純素，謂之真人。"（《刻意》）"靜而聖，動而王，無爲也而尊，樸素而天下莫能與之爭美。"（《天道》）也是强調此義。《刻意》中還有一段話，明確地論述了"淡"與情的對立：

悲樂者，德之邪；喜怒者，道之過；好惡者，心之失。故心不憂樂，德之至也；一而不變，靜之至也；無所於忤，虛之至也；不與物交，惔之至也；無所於逆，粹之至也。

喜怒、哀樂、好惡之情，都違背了天道之德，都破壞了天道之"淡"。只有忘懷人世、"不與物交"，安時處順、"無所於忤"，"心不憂樂"、平息情感，才能復歸於"淡"。如果說道家之"真"就包涵着排斥情的一面的話，那麼道家之"淡"就成爲情的直接對立面了。這是因爲"真"包涵反對外加的人爲與自身的人爲兩方面，而"淡"則就是對自身的人爲而言的。老子論"淡"，也說過"無欲故靜"；"無欲"也就是無情，只不過没有莊子說的明確罷了。

這樣，本來存在於"真"的內部的真情與無情的矛盾，就因爲"淡"即無情而成爲"真"與"淡"之間的矛盾了。而"真"與"淡"又是"自然"的兩項具體含義，所以這個矛盾就又成爲"自然"這個範疇的內在矛盾了。至此，我們也就不能不認真地對待一下這個矛盾。就"真"而言，若以"無情"爲真，則凡情皆假，真情更假。這個"真"的內部矛盾表現在"真"與"淡"之間更加明顯。嚴格地說，只要有情就不"淡"。在不很嚴格的意義上說，情也可以有淡泊與熱烈之分。性情本來淡泊者，其"淡"即其"真"，無矛盾；而性情本來熱烈者，一定要讓他"淡"，他就只能作假，尚有何"真"可言？對於這種人說來，"真"即不"淡"，"淡"即不"真"。而"自然"又是兼包"真"與"淡"的。從"淡"出發，可以以性情淡泊爲"自然"；從"真"出發，也可以以壯懷激烈爲"自然"。而後者在前者看來，恰恰是反"自然"。這不是內哄嗎？

這種矛盾現象是怎樣造成的？這就涉及道家、尤其是莊子思想的一個內在矛盾了。當莊子批判"仁義"和文化對個體人的本性的約束的時候，表現了對人的真情的肯定和個性的尊重，即"性長非所斷，性短非所續"，"曲者不以鈎，直者不以繩，圓者不以規，方者不以矩，附離不以膠漆，約束不以纆索"（《駢拇》）云云。莊子思想通向情感自由和個性解放者在此。但是莊子又對衆人萬物的本性作了統一的具體規定，所謂“恬惔、寂寞、虛無、無爲，此天地之本而道德之質也”。物之不齊乃物之情也，人各不同，性情亦異。凡作此類統一規定者，都必然是對人的真情與個性的戕害。莊子批判儒家用“仁義”的尺子衡人是“削其性”、“侵其德”(《駢拇》)；那麼用“恬惔”的尺子衡人豈不同樣是“削其性”、“侵其德”嗎？這一點，非常明顯地暴露了道家思想的局限：他們是立足於天，而不是人，他們所提倡的“自然”是天的自然，而不是人的自然。道家“自然”這個範疇所包涵的“真”與“淡”的對立，是他們的思想體系的內在矛盾與局限性的產物。

説明了道家的“自然”範疇所包涵的矛盾，才好説明道家崇尚“自然”的思想對中國美學的影響。晚唐開始，美學理論界紛紛提倡“自然平淡”，“自然”與“平淡”結下了不解之緣，似乎只有“平淡”才是“自然”。顯然，這種思潮是對道家“自然”觀的繼承，不過是着重從“淡”的方面理解“自然”的。這種思潮哺育了宋元山水意境那樣的美，并凝聚成了“神韵”説這一在中國封建社會後期占有突出地位的美學理論。但是，它排斥激情，輕視壯美，有明顯的片面性，而且阻礙了要求自由抒發情性的文藝啓蒙思潮的發展。因此，當明代中葉文藝啓蒙思潮蓬勃興起的時候，代表這種新思潮的理論家們又起而割斷了“自然”與“平淡”的聯盟，建立了“自然”與真情、與個性的統一。他們提出：“性格清徹者音調自然宣暢，性格舒徐者音調自然疏緩，曠達者自然浩蕩，雄邁者自然壯烈，沉鬱者自然悲酸，古怪者自然奇絶。有是格，便有是調，皆情性自然之謂也。”(李贄《讀律膚説》)顯然，這種思潮也是道家“自然”觀的繼承和發展，但卻是着重從“真”、從真情方面理解“自然”的。着重從人的真情方面理解“自然”，使這種思潮克服了道家“自然”觀的內在矛盾及其局限性，把“自然”引向了人的解放與美的解放。

但是，“真”與“淡”雖然有矛盾，卻也有統一。統一於什麼？就是反對雕琢造作，提倡如化工生物。要“真”，就應該一派本色，不能文飾裝扮；要“淡”，就應該任其醜樸，不能粉飾塗抹。無論“真”與

“淡”在别方面有多大分歧，在反對雕琢造作、提倡如化工生物這一點上卻是完全一致的。而這一點才是“自然”的最基本的含義。老、莊無論在提倡“真”還是在提倡“淡”的時候，其實都具有這一層含義。老子說“希言，自然”（二十三章）。“悠兮其貴言，功成事遂，百姓皆謂‘我自然’。”（十七章）就是反對賣弄、做作、有意的表現。莊子反對“青黃以文之”（《天地》），要求忘記“非譽巧拙”（《達生》），稱贊“解衣槃礴”的畫史爲“真畫者”（《田子方》），也是輕蔑華彩、反對有意作爲。反對有意造作、賣弄人巧原是道家“無爲”思想的固有含義。而正是道家“自然”範疇的這一最基本的含義，在中國美學史上發生了最廣泛、最持久的影響。南北朝的鍾嶸標舉“自然英旨”（《詩品・序》），唐代的李白提倡“清水出芙蓉，天然去雕飾”（《經離亂後天恩流夜郎憶舊遊抒懷》），批判“雕蟲喪天真”（《古風・三十五》）。宋代主張平淡的道學家程頤，要求文章應如“化工生物”，“且如生出一枝花，或有剪裁爲之者，或有繪畫爲之者，看時雖似相類，然終不若化工所生，自有一般生意。”（《二程遺書》卷十八）明代主張真情的啓蒙思想家李贄，也提出：“今夫天之所生，地之所長，百卉俱在，人見而愛之矣；至覓其工，了不可得。……由此觀之，畫工雖巧，已落二義矣。”（《雜說》）清代的劉熙載是一位儒家學者，而儒家是比較注重人工的，他們的仁義禮樂就都是有意的人爲；但他卻以儒合道地說：“極煉如不煉，出色而本色，人籟悉歸天籟矣。”（《藝概・詞曲概》）“人籟”、“天籟”之說本出於莊子，“天籟”即天道自然之音。可以說，中國古代一切有見識的、較重要的理論家和藝術家，無不以出之自然、如化工生物者爲至美。出自人工的藝術，卻要滅盡人工的痕迹，使如天之所生、地之所長；不見文飾，只覺無限生意沛然溢出，又有無限情思依稀繚繞。如此，豈非“大巧若拙”、至味“無味”、“淡然無極而衆美從之”？

這也是中國美學的基本特徵嗎？我們且以園林藝術爲例。當一些歐洲人初到中國的時候，中國園林同西方園林的巨大差别使他們十分驚異。他們說：中國的園林“同歐洲的大異其趣”，“他們寧願去表現大自然的創造力”，而“把他們所使用的藝術隱藏起來”，“中國的花園如同大自然的一個單元”；而“我們追求以藝術排斥自然”，“不是去適應自然，而是喜歡脱離自然，越遠越好，我們的樹木修成圓錐形、球形和方錐形，我們在每一棵樹、每一叢灌木上都見到剪刀的痕迹。”① 這還不能説明問題嗎？

* * *

以境界爲真正的美，以體驗爲審美，以自然爲最高的審美形態。也許中國美學的思想特徵不只這幾點，但這幾點的確是中國美學思想的突出特徵，這大概是學術界可以較爲普遍地接受的。這其實也是其他學者陸續提到過的東西。按照現在通行的美學原理的理論體系，以上幾點分别屬於美論、審美論、形態論（亦稱範疇論）。而美論、審美論和形態論，是構成一種美學體系的主要部分。因此，以上幾點也就反映了中國美學思想體系的基本面貌。

而以上幾點，主要是在道家學説的孕育下形成的。也就是説，中國美學思想體系的基本面貌主要是由道家學説確立的。筆者同意這種觀點：儒道兩家的對立互補構成了整個中國傳統文化的主體。但筆者認爲，儒道兩家在中國傳統文化的各個方面的影響力并不是均衡的。大致説來，在社會的政治、倫理生活領域，儒家的影響要大一些；而在個人的精神生活領域、在審美領域，道家的影響是主要的。所以我們説，道家開闢了中國的審美之路。

作者簡介 成復旺，北京人，1939年生。現爲中國人民大學哲學系副教授。著有《神與物遊——論中國傳統審美方式》、《中國古代的人學與美學》等，合編《中國文學理論史》（五卷本），主編《中國美學範疇辭典》。

① 見竇武《中國造園藝術在歐洲的影響》，清華大學《建築史論文集》第三輯。

李約瑟的道家觀

董光璧

内容提要 李約瑟在三十七歲之後從研究生物化學轉向探索中國的科學技術與文明，重新發現了道家。他認爲，道家思想是宗教的、詩人的，但同樣也是方術的、科學的和民主的。道家思想提供了中國傳統科學的原型。這種前科學、原科學或準科學，主要是由於地理的、社會的和經濟的原因，未能在中國產生近代科學，但它的有機論世界觀是以相對論和量子論爲基礎的現代科學的先覺，它將爲未來科學的發展開闢道路。

李約瑟(Joseph Needham)自稱“名譽道家”①，取字“丹耀”，號“十宿道人”和“勝冗子”。這位西方文化環境中成長起來的生物化學家，在他三十七歲時皈依了中國文化，從此走上研究中國文化的道路并取得了舉世矚目的成就。在評論李約瑟有關中國文化研究的成就時，人們多把注意力放在他對中國科學技術史的詳實的記述方面，往往忽略他研究中國科學技術史的初衷：通過中國科學技術史研究理解中國人的世界觀，闡明他有關世界科學發展的思想。在中國人看來，由於李約瑟宣揚了自己民族的文化，而感激他。在西方人看來，由於李約瑟的巨著《中國科學技術史》使他們知曉了

① Henry Holorenshow, “The Making of an Honorary Taoist”, Mikulas Teich and Robert Young ed. ited, Changing Perspectives in the History of Science, London: Heinemann Educational Books Ltd, 1973.

一直所知甚少的古老而又神秘的中國文化,而贊揚他。在我看來,李約瑟對人類思想史的最大貢獻在於,他發現了道家思想的世界意義。

一

李約瑟用"皈依"這個宗教用語形容自己轉向中國文化。1975年5月,李約瑟在蒙特利爾舉行的加拿大亞洲研究協會會議上作了一個題爲《歷史與對人的估價——中國人的世界科學技術觀》演講①。其中他談到:"我曾通過多年前到我自己的實驗室和鄰近的劍橋大學實驗室攻讀博士學位的朋友,特別是我現在的主要合作者魯桂珍,而'皈依'(如果這種表達是許可的話)於理解中國的世界觀。"這裏,李約瑟對他的"皈依"經過講得很簡單,并且對使用"皈依"這個詞是否合適也還不十分肯定。1981年9月23日,李約瑟在上海所作的題爲《〈中國科學技術史〉編寫計劃的緣起、進展和現狀》② 中,對於他的皈依中國文化作了較爲詳細的叙述:

> 首先我要説明的是:我和中國或東亞之間并無家庭方面的聯繫,也無傳教活動的聯繫。在三十七歲以前,我對中國一無所知。當時我是一個生物學家兼胚胎學家,在劍橋大學弗里德里克·高蘭·霍普金斯(Frederick Gowland Hopkins)的實驗室裏工作。他是英國生物化學的奠基者,也是生物化學這門學科的奠基者,還是我的導師。
>
> 1937年,劍橋大學來了三位中國研究生,進修博士學位,有的就是從上海去的。我很榮幸地告訴各位,現在是我的重要助手的魯桂珍博士,正是這三位中的一位。其餘兩位,我也必須提一提。對其中一位,在座諸位都很熟悉,他就是王應睞,對我們的工作影響也很大。另一位是沈詩章,後來去了美國,在耶魯大學度過後半生。這三位都是産生過影響的人物。這就像胚胎學上的誘導作用

① 潘吉星主編:《李約瑟文集》第311—354頁,遼寧科學技術出版社,1985年。
② 潘吉星主編:《李約瑟文集》第5—35頁,遼寧科學技術出版社,1985年。

一様——誘導者對具有胚胎反應能力的組織產生了機化影響。

對我來說,過程是這樣的:首先我愛上了漢語和漢字。某些西方人也有同樣的經驗。我可以提供一個典型的例子:有個美國人,叫邁克爾·哈格蒂(Michael Hagerty),原來是裝訂書籍的。有一次,有人拿些中國書來請他裝訂。他就像《聖經》故事中的聖保羅,在去大馬士革的途中,改過自新皈依了真諦一樣,感到自己如果再不學漢語,看不懂漢文,就没法活了。這樣,他就投師請益,終於學會了漢語,結果當上了華盛頓美國聯邦農業部的首席漢語翻譯。我當年的過程和他相仿。我對漢語、漢文、漢字和自古以來傳播於中國的思想,產生了激情。它把我引入了一個我以往一無所知的新天地。

在 1985 年 1 月 11 日,李約瑟爲潘吉星主編的《李約瑟文集》中文版作序時,他又重覆了他的"皈依"説法:"後來我發生了信仰上的皈依,我深思熟慮地用了這個詞,因爲頗有點聖保羅在去大馬士革的路上發的皈依那樣。"

李約瑟 1900 年 12 月 9 日生於倫敦的一個職業醫生家庭,1914 年進昂德爾學校接受中學教育,1918 年入劍橋大學岡維爾—凱厄斯學院主修生物化學,1922 年又考取了研究生,1924 年完成學業獲哲學和科學雙博士學位并被薦舉爲岡維爾—凱厄斯學院研究員。1926 年他出版了他的第一部著作,書名仿波義爾(Robert Boyle,1627～1691)的《懷疑的化學家》把自己的著作叫作《懷疑派的生物學家》(The Sceptical Biologist)。1931 年出版了他的三卷本的《化學胚胎學》(Chemical Embryology),由於這一貢獻他被選爲皇家科學院院士。1932 年他又出版了《胚胎學史》(History of Embryology)這個領域的第一本歷史著作。因爲他的研究工作一直是在霍普金斯的影響和指導下進行的,1937 年李約瑟與格林(David Green)爲他們的老師出版了一本紀念册《生物化學展望》(Perspective in Biochemistry)。

魯桂珍等三位中國研究生的到達,引起李約瑟對中國文化的興趣,并開始研究中國科學技術史。1942 年秋天,作爲皇家科學院的代表，他被英國政府派往中國作英國駐中國大使館科學參贊，不久他又被委任組建"中英合作館"(Sino－British Science Cooperation office)。這個工作使得他有機會在中國工作近4年。正是這4年決定了他的研究工作的轉向。第二次世界大戰結束後，1946年3月，李約瑟受聯合國教科文組織第一任總幹事赫胥黎(Julian Huxley，1887～1975)的邀請任該組織的科學處處長，因此在巴黎工作近兩年。1948年他返回劍橋，但他不再從事生物化學研究，而是專事中國科學技術史研究。他與王玲合作執筆，先後於1954年、1956年、1959年出版了《中國科學技術史》的第一卷、第二卷和第三卷。第一卷作爲知識背景介紹中國社會的歷史和文字，第二卷討論中國的哲學和科學思想，第三卷是關於天文學、數學、氣象學和地理學的。這套書越寫越大，第一卷426頁，第二卷893頁，第三卷1124頁。第四卷始已不能單獨成册，而必須分若干册出版，合作者也逐漸增多。第四卷物理學及其相關技術分三册，第五卷化學及其技術分十三册，第六卷生物學、農學和醫學分六册。第七卷爲全書最後卷討論中國傳統科學與社會，也將分若干册。全書估計約三十册，現已出版十五册。

當第四卷的第一分册(1962年)和第二分册(1961年)問世後，李約瑟名聞世界。1966年他被委任爲岡維爾－凱厄斯學院院長，1968年在巴黎舉行的第十二屆國際科學史和科學哲學聯合會授予他"喬治・薩頓獎章"，1972年任劍橋校外東亞圖書館館長，1977年退休被授予岡維爾－凱厄斯學院榮譽院長。蓋利・沃斯基(Gary Werskey)把李約瑟概括爲：基督徒、馬克思主義者、科學家、歷史學家和中國文化熱愛者①。日本學者中山茂稱他爲"有機哲學家"②。李約瑟自己把他的哲學思想歸納爲三點：(1)人類社會

① Gary Werskey，"Understanding Needham"，Moulds of Understanding，pp.13—28，London：George Allen and Unwin Ltd，1976.

② Shigeru Nakayama，"Joseph Needham，Organic Philosopher"，S. Nakayama and N. Siven eds.，Chinese Science，pp. 23—44，Cambridge，Mass，and London，1973.

的進化一直是逐漸的,但真正的增長在人類闢于自然的知識和對外在世界的控制方面;(2)這個科學是一個終極的價值,它的應用形成不同文明的今天的統一;(3)沿着這個進步過程,人類社會朝着更大的統一,更複雜和更有機的方向發展。

當李約瑟還很年輕的時候就感到一個人絶對不能没有世界觀。1968年他曾回憶説:

> 那時(1910年),巴內斯(Bishop E. W. Barnes,1873~1953)是倫敦教堂的牧師。其結果是……我每個星期日都去聽闢於蘇格拉底哲學、中世紀經院哲學和各種不能進人説教的事情的討論;……巴內斯本人是一位數學家、皇家學會會員和最有鼓動性的説教者之一——或許人們最好把他看作講師——没有誰能像他那樣。①

我們祗要列舉一下1920—1930年代李約瑟那些涉及科學與哲學、宗教和社會的論著就足以領略他富足的哲學頭腦。例如,《生物哲學的化學基礎》(論文,1925年)、《機械論生物學與宗教意識》(論文,1925年)、《科學、宗教與現實》(編著,1925年),《生物學中的有機論》(論文,1926年)、《作爲哲學家的生物學家科羅里奇》(論文,1926年)、《化學心理學的希望》(論文,1927年)、《人,一部機器》(著作,1927年)、《生物哲學的最新進展》(論文,1928年)、《唯物主義和宗教》(著作,1929年)、《哲學與胚胎學》(論文,1930年)、《可稱贊的馬克思主義》(論文,1932年)、《從胚胎學史看科學發展的限制因素》(論文,1935年)、《近代科學的背景》(著作,1935年)、《基督教與社會革命》(編著,1935年)、《序和生命》(著作,1936年)、《闢於宗教的討論》(論文,1937年)、《基督教與社會主義》(論文,1937年)、《集合的水準;進步思想的革命》(著作,1937年)、爲普瑞南特《生物學與馬克思主義》寫的序(1938年),《17世紀英國的科學與社會》(論文,1938年)、《平等論者與英國革命》

① Joseph Needham, Moulds of Understanding, pp.15—16, London: George Allen Unwin Ltd, 1976.

(著作,1939年)。但是,他的自然哲學思想的深化是通過中國科學技術史的研究,并且他的多卷本的《中國科學技術史》是他關於科學與哲學和社會基本觀點的很合適的表達場所。

自1937年接觸中國留學生之後李約瑟就愛上了中國文化。在中國抗日戰爭最困難的1942年他來到中國,幫助中國科學家。也正是這個機會使他更深刻地理解了中國人民和中國的古老文化。爲他研究和寫作《中國科學技術史》奠定了基礎。他的這項工作的意義不僅在於詳細闡明中國人的偉大的發明和創造,更在於他强調了道家思想的世界意義。

李約瑟來中國之前已經有了一個寫作《中國科學技術史》的計劃。在1990年8月在英國召開的第6届國際中國科學技術史會議上,① 李約瑟談到這一計劃時說:

> 我去中國之前,曾經和這些朋友(指魯桂珍、王應睞、沈詩章)一致認爲應該對中國科學技術史進行研究;在各奔前程之前,還大致籌劃了《中國科學技術史》的寫作計劃,大有昔日那位在羅馬元老院奮起一再高呼:"不滅迦太基,則爲迦太基所滅"的氣概。

李約瑟帶着他對中國人民受日本軍國主義侵略的同情,帶着對中國文化的熱愛和嚮往,也帶着編寫《中國科學技術史》的計劃,在1942年秋,以科學參贊的身份來到了中國。李約瑟的中國科學技術史研究在"中英科學合作館"期間奠定了基礎。

李約瑟領導的中英科學合作館的這些工作,在極端困難的情況下,做得十分成功。通過這個組織,中國科學組織與英國、美國和印度保持了聯繫。李約瑟和他的合作館的同事們的足迹遍及中國18個省中的10個省,走訪了300多個研究機構。他們登錄的300多位中國科學家和工程師的名號和工作經歷可以稱得上《中國當代科學技術人員名錄》。合作館在支援科學資料方面最重要的是圖書和雜志,三年中向中國運送了6775册圖書和167種雜志,價值

① 李約瑟:《在第六屆國際中國科學技術史會議上的開幕詞》,《中國科技史料》第11卷(1990年)第4期,第1—3頁。

60000英鎊。這些圖書和雜志被分送到333個研究機構,并以各種方式被充分利用。通過合作館的努力,中國科學家的138篇論文在國外雜志上發表,其中124篇在英國雜志上發表,11篇在美國雜志上發表,另外3篇在印度雜志上發表。通過合作館中國的24名學者得以出國訪問,67名學生出國留學。李約瑟爲中國科學事業所作的這些貢獻,中國人民將把它記入史册。

李約瑟正是在他援助中國科學事業的過程中進一步了解了中國人和中國的文化與科學,收集了資料。特別是他的第一位長期合作者王玲就是在中國工作過程中巧遇的。在訪問暫遷四川李莊的中央研究院歷史研究所時,李約瑟結識了當時正在研究中國火藥史的青年學者王玲。從1947年—1957年王玲同李約瑟一起在劍橋合作十年,共同執筆完成《中國科學技術史》的前三卷。這是李約瑟的中國科學技術史研究的良好開端。

在華期間,李約瑟關於中國科學技術的基本觀點已經形成。這可以從當時中央研究院歷史和語言研究所所長北京大學代理校長傅斯年歡送李約瑟的告別辭中得到佐證。

> 李約瑟博士對中國科學和技術史深感興趣。他和我經常討論中文書和文字判讀問題,舉一個例子,李約瑟堅持認爲,在古代中國人中道家的自然知識最廣博。道家文獻不應被神秘主義地闡釋。道家的自然知識被興盛的儒家學派埋没。
>
> 李約瑟把這種倫理學派淹没自然主義哲學學派的原因歸爲漢代的政治和社會環境。我完全同意這一觀點。李約瑟相信,在中國發展近代科學失敗的原因應該歸結爲,中國的社會和政治結構以及環境不同於歐洲的,而完全不是中國人對科學有什麼固有的不適應。①

李約瑟在中國期間寫下的關於"中英科學合作館"的兩篇工作報告和若干介紹中國戰時科學現狀的文章現在都已成爲中國近代

---

① Fu Ssu-Nien, Farewell, Science Outpost, p. 285, edited by Joseph Needham and Dorothy Needham, London: The Pilot Press Ltd, 1948.

科學史研究的重要資料。在中國期間李約瑟所作的演講還表明他的"世界科學"思想的形成。在1943年5月3日他在西南聯合大學作了題爲《科學與社會》的報告,副題是"在和平與戰爭中科學的國際立場和責任"。他的這次演講在第二天的《中央日報》被報導。在這個演講中,李約瑟首先介紹了科學發展史,强調科學是人類合作和世代積累的成果,全世界人民都爲此作出了貢獻。他説古代中國在煉丹術和技術領域的貢獻特別大。在談到科學理論的誤用時,他强烈反駁用達爾文進化論支持强權政治。他在演講的最後説,納粹否定人類的共同性是絶對錯誤的。因爲科學對社會的效用是長遠的,當我們企圖建立一個新世界之時,我們應該深刻地認識這些。1943年7月,在中國科學社的年會上,他所作的《在戰爭與和平中的國際科學合作》演講更是致力於闡明國際科學合作。在結尾時,李約瑟説:"我們已經很好地知道,科學超越一切國界。未來會證明,各國政府也會被迫承認這個事實,并且以這種或那種形式的科學合作擴展它。"在1944年2月,在重慶中國農業協會會議上,李約瑟作了題爲《在中國和西方的科學和農業》的演講。在最後他强調説:"當然,今天的態度是,科學絶對是國際的。……祇有一個國際的人類科學——它是我們共同的財富。在將來也祇有一種可能的方式,人類通過合作發展科學。……在這個過程中,中國人和西方人是兄弟。"李約瑟正是以這種"世界科學"精神在中國辛勤工作的,並且"以中英科學合作館爲模式"① 在聯合國教科文組織工作。

抗日戰爭勝利後,他到聯合國教科文組織工作兩年,回到他的祖國後不久,就開始了他把全部餘生都傾注在其中的中國科學技術史的研究。連中國人都没有勇氣寫一部完整的科學技術史,一位原本同中國没有任何聯繫的已進中年的外國學者,竟然制定了一個令一般人生畏的研究計劃,并且堅韌不拔地付諸實施。果然,他獲得了舉世矚目的成功。

---

① 李約瑟:《在第六屆國際中國科學技術史會議上的開幕詞》,《中國科技史料》第11卷(1990年)第4期,第1—3頁。

李約瑟博士在中國科學技術史和中西文化交流方面爲人類所作出的重大貢獻，受到學術界的尊敬和贊頌。他先後獲得中國中央研究院和北平研究院外籍院士、英國學士院院士、國際科學史研究院院士、中國科學院和中國社會科學院名譽教授等頭銜。已經 90 高齡的中國科學技術史領域領導科學家李約瑟博士，仍在伏案寫作舉世無雙的《中國科學技術史》，他的這部巨著必定會，在創造一個東西方文化平衡的新的世界文化模式的努力中，給出一種巨大的歷史性的推動力。

二

查閱李約瑟的著作，我們可以看出，在 1937 年以前，他沒有談論過道家，就連中國也很少涉及。討論道家思想與科學的關係是他"皈依"中國文化之後的事情。在 1941 年題爲 Aspects of the World Mind in Time and Space 的文章中他講到道家的一些思想。

> 後來的儒家思想變得僵化成一個經院哲學的東西，道家反對那些東西。道家思想在某種程度上代表了人心渴望從整頓社會秩序回到自然界的沉思。老子關於反對"知識"的諸議論，更確切地說是反對儒家經院哲學的，并且像我們自己文藝復興時期神秘的神學家那樣，道家相信手工操作技藝的功效。許多科學史家發現，煉丹術起源於道家的巫術，探求長生不老藥。類似但更具理論性的傾向，在哲學家莊子的相對性的陳述中被看到。特別有趣的是"正靜"這個基本的道家概念，它很類似於伊壁鳩魯派的"寧靜"(ataraxy)。這種精神安靜來自對自然功力的一種沉思，由於一種估價而順從自然，這種思想今天仍然是科學世界觀的一個因素。對於消除對未知事物的恐怖，它爲研究未知事物并且最後地控制已知的事物鋪平了道路。①

這大概是李約瑟第一次公開他在皈依中國文化之後的研究心

① Joseph Needham, "Aspects of the World Mind in Time and Space", Moulds of Understanding, pp. 200—207, London: George Allen Ltd, 1976.

得。就這裏所提出的道家思想的現實意義來說，在世界學術界是較早的，儘管它不是專題論述。還是1941年李約瑟在《自由世界》上發表了他的討論中國思想的第一篇論文《中國人對科學人文主義的貢獻》，其中談到儒家和道家的思想。下面一段是他關於道家思想的評論：

然而，在某些方面，儒家思想太人文主義，雖然人文主義者是科學的。它一直對人類社會之外的世界沒有興趣。它妨礙這樣的興趣。因此有道家哲學家，朦朧的老子和光輝而又可愛的莊子的偉大反叛。道家討論的問題與地中海中部古人伊壁鳩魯(Epicurus，341—270B.C.)的類似。盧克萊修(Titus Lucretius，99—55B.C.)說了道家說過的同樣的話。因爲渴望理想的寧靜，防護一切不安(類似伊壁鳩魯的寧靜)，他們離開人類社會，并且爲了達到對自然的理解到山上去思考。由於渴望實現肉體不朽，或至少盡量延長生命，他們實行一切類型的奇特的養生之道，并且用食品和藥物進行實驗。在這個過程中，作爲所有近代化學根源的煉丹術誕生了。由於渴望人類的最終利益，他們對任何直接的議案都不感興趣，因爲他們感到，無論非常愛管閑事的儒家如何一再地嘮叨，在人類對其生活於其中的巨大的世界獲得某種理解之前，人類社會決不會變得很好。

這裏我們已經看到，李約瑟把儒家和道家作爲對立的學派，并且就自然科學發展角度他是揚道抑儒的。

李約瑟在其《中國科學技術史》第二卷中對道家思想作了充分的分析，僅《道家與道家思想》這一章就約15萬字。我這裏先將引言和結論部分的最重要論點摘引兩段。

在引言中李約瑟寫道：

必須指出的是，由於這樣或那樣的原因，道家思想曾幾乎完全被大多數歐洲翻譯者和作家誤解了。道家被人們所忽視，道家方術被視爲迷信而被一筆勾銷；道家哲學被說成是純粹的宗教神秘主義和宗教的詩歌。道家思想中屬於科學和"原始"科學的一面，在很大程度上被忽略了，而道家的政治地位則更加是這樣。誰也不想否認，古代道家思想中具有强烈的宗教神秘主義的成份，而道家的最重要的思想家都處在歷史上最出色的作家和詩人之列。但是,道家不僅退出了封建諸侯的宮廷——在那裏,儒家的人道主義說教與法家爲專制政體的辯護進行着鬥爭;而且還對整個封建制度展開了尖銳而激烈的抨擊。爲了弄清他們抨擊的確切內容,我將在下面加以闡明。但這種强烈的反封建特點,卻爲西方的以至大多數中國的道家思想注釋家所忽略。這裏,還有另一條理由說明道家哲學和方術的相結合,因爲如前所說,薩滿教的一些代表人物同古代大多數民間習俗有密切的聯繫,而對那種更爲理性的對於天和上帝的崇拜則具有幾分敵意。說道家思想是宗教和詩人的,誠然不錯;但是它至少也同樣强烈地是方術的、科學的、民主的,并且在政治上是革命的。①

李約瑟在這章的結論中,從歐亞兩大文明的比較的視角提示道家思想的世界意義:

歐洲思想史何以没有顯示出與道家的綜合體系真正相似的體系,這是一個耐人尋味的問題。我常常感到,如果我們對這個問題能有一個完整的答案,那末,歐亞兩大文明各自的機制大部分就會昭然若揭了。當然,歐洲歷史上也有過道家氣味的團體和個人,例如,作爲學派有畢達哥拉斯和諾斯替教派;作爲個人則有羅杰·培根、庫薩的尼古拉和布魯諾。17世紀中期在拉格利的康韋夫人(Lady Conway)周圍的一批人,其中包括范·海爾蒙特和基督學院的亨利·莫爾博士,在很多方面都是"道家"。後來的思想家中,威廉·布萊克(William Blake)在他的宗教自然主義上是極其"道家"式的,當我閱讀道家的作品時,布萊克的許多詞句很自然地就會涌現心頭。這種情況我遇到得太多了,以致出現了這樣一個問題,即布萊克是否由於任何機緣而可能曾經遇到過一些道家的思想方式——這似乎衹不過是一種可能性而已。儒家經典以及理學家們對它的詮釋,通過殷鐸澤(Intorcetta)和柏應理(Couplet)及其同行的名著《中國哲學家孔子》(1687年),對18世紀歐洲產生了巨大影響,這是大家所熟悉的——如果道家經典當時也

① 李約瑟:《中國科學技術史》第二卷,第36—37頁,科學出版社、上海古籍出版社,1990年。

被翻譯出來,其效果會是何等的不同啊!①

在這章的結論中,李約瑟以一個外國人的眼光看道家思想在當代中國的影響:

> 無論如何,儒家和道家至今仍構成中國思想的背景,并且在今後很長時間内仍將如此,德效騫(Dubs)說的好:"儒家思想一直是'成功者'或希望成功的人的哲學。道家思想則是'失敗者'或嘗到過'成功'的痛苦的人的哲學。"道家思想和行爲的模式包括各種對傳統習俗的反抗,個人從社會上退隱,愛好并研究自然,拒絶出任官職,以及對《道德經》中悖論式的"無欲"的話的體現,生而不有,爲而不恃,長而不宰。中國人性格中有許多最吸引人的因素都來源於道家思想。中國如果没有道家思想,就會像是一棵某些深根已經爛掉了的大樹。②

李約瑟在他的有關著作中反覆闡明道家思想對中國古代科學的作用,以及以道家思想爲原型的中國科學對世界科學的貢獻。雖然他明確,中國科學一般說與近代科學的最初興起没有關係,與文藝復興後近代科學的相應發展也没有直接關係,但是他確信科學的發展有如江河"朝宗於海",各民族的貢獻都源源不斷地注入了近代科學之海。他努力尋找中西方科學方面的"融合點"和"超越點"③。不僅如此,而且他還從中國文化與科學、技術以及醫學的關係,探討中國的價值觀的某些方面,對人類在當代所面臨的知識窘態會有些什麼幫助。從對"對抗文化"(Counter Culture)的分析,他看到了中國文化的特殊價值。李約瑟看到中國的有機論哲學曾經阻礙近代實驗科學在中國的産生,但是他認爲,在現代則相反,"中國人的冷静頭腦"可能是很需要的,并可用於把西方世界從它陷入的機械唯物論和唯科學主義的深淵中挽救出來。

---

① 李約瑟:《中國科學技術史》第二卷,第 176—177 頁,科學出版社、上海古籍出版社,1990 年。

② 李約瑟:《中國科學技術史》第二卷,第 178 頁,科學出版社、上海古籍出版社,1990 年。

③ 李約瑟:《世界科學的演進——歐洲與中國的作用》(1967 年),潘吉星主編,《李約瑟文集》第 194—216 頁,遼寧科學技術出版社,1985 年。

以羅札克(Theodore Roszak)爲代表的"對抗文化"運動受到李約瑟的注意。羅札克及其追隨者不滿足於技術帶給人類的惡果歸因於濫用,而是對科學本身進行批判。這種批判實質上是針對流行的科學觀——機械論的科學觀。李約瑟① 不贊成過火的反理性和反科學衝動,但是他注意到"對抗文化"背後的清醒的認識。他寫到:

> 我傾向於認爲,反科學運動後面的真正意義在於堅信不應該把科學看成是人類經驗的唯一有效形式。實際上,有些哲學家在過去很多年内對此已有懷疑,而且人類經驗的諸形式——宗教、美學、歷史和哲學,還有科學——曾在許多綜述中描述過。羅札克本人當他否認科學的客觀性可以是"真理的唯一可靠源泉"時,或當他説:"我們必須準備把真理看成一種多方面的經驗"時,均暗示了這點。

李約瑟對中國文化的現代意義的估價,正是基於他的承認人類諸經驗都是有效的這一哲學認識。因爲中國人没有歐美人那種唯科學主義的毛病,中國固有的有機自然觀和重道德價值結合的"有機人道主義",在他看來或許可以挽救當代世界的危局。

李約瑟對中國古代遺惠在當代的意義這個問題,在討論流行的"對抗文化"和"反科學"問題時,給與充分肯定的評價。1974 年 4 月 29 日,在香港大學所作的演講,《對於西方反科學的一個東方透視》②中,李約瑟用漢語説了一段話作爲結語:

> 我剛才所講的主要有兩點:第一點是關於現代自然科學的進步給人類帶來了各種道德上的問題;第二點就是我們要從中國文化所包含的偉大的傳統道德精神中取得對這些問題的解答。我的意思即是對"性本善"這一道德精神的信仰。"善行"乃是基於"善心",而非基於人爲的法律。
>
> 讓我借用 17 世紀末清初傑出的學者顧炎武與友人"論學"書

① 李約瑟:《歷史與對人的估價——中國人的世界科學技術觀》,潘吉星編《李約瑟文集》,第 309—354 頁,遼寧科學技術出版社,1985 年。

② Joseph Needham, "An Eastern Perspective on Wsetern Anti - Science", Moulds of Understanding, pp. 295—304, London: George Allen and UnwinLtd. 1976.

裏的一段話來結束我的演講：

> 耻之於人大矣！不耻惡衣惡食，而耻匹夫匹婦之不被其澤，故曰："萬物皆備於我矣"，反身而誠。嗚呼！士而不先言耻，則爲無本之人。

李約瑟這裏所說的"現代自然科學的進步給人類帶來的各種道德上的問題"與"對抗文化"及其中的"反科學"興起密切相關。1975 年 5 月李約瑟在蒙特利爾的演講完全是針對這一主題的。

> 我願意很快把話題轉到歷史方面，但在這之前，我還要提一下過去三十年内出現的第二個巨大變化——我指的是以所謂"對抗文化"爲特點的背離科學及一切科學工作的强大運動，而這正在目前西方世界青年中廣爲流行。人們發現，這不僅發生於西方，而且在某種程度上也發生於世界不發達的地區。我倒是傾向於把它稱爲對"大技術"的深刻心理反應，而正是科學導致大技術的產生。這種"不再着迷"於科學，跨過一切政治界綫的觀點，是因爲不論社會主義國家還是資本主義國家，已在某種程度上感受到以科學爲基礎的技術的殘忍性。對此，人們已經談論了很多，但同時我的同事和我願意表明態度，我們决没有對科學——作爲一種最高文化的組成部分，喪失信心。并且我們相信科學對人類所作的有益的貢獻遠勝於它的危害。確實，從最初發現火開始，科學的發展是一個包括整個人類的具有重大歷史意義的故事，而决不能分離成不能比較的斯本格勒式的文化實體。同時，過於明顯的是，近代科學與技術不論在物理學、化學還是生物學的領域裏，現在每天都在作出各種對人類及其社會有巨大潛在危險的科學發現。對它的控制必須主要是倫理的和政治的，而我將提出也許正是在這方面，中國人民中的特殊天才，可以影響整個人類世界。

三

李約瑟的道家觀最深刻地體現在著名的"李約瑟疑難"中。在他有關中國科學和文明的諸論著中，他力圖研究、理解并回答這樣兩個最基本的問題：爲什麼近代科學革命出現在西歐而不是出現李約瑟對中國科學與社會所提出的問題及其解答,受到世界範圍内的科學史學界和科學社會學界的普遍闕注,成爲"李約瑟疑難"。許多科學史家和科學社會學家從比較科學史的角度對此進行了種種討論。美國的雷斯蒂沃(Sal P. Restivo)曾經寫過一篇評述①。在這個評論結尾處他的一段話更富有刺激性:

> 我們這些期待"新科學"的人,不能肯定這種新科學會出現,也不能肯定它在什麼地方出現。但是,當我們爲了子孫後代而審視現在時,我們不能忽視意欲綜合利用其三法(洋法、土法和新法)的中國,有可能給未來的科學史家帶來這樣一個令人困惑的問題:從21世紀才開始認識的新科學何以出現在中國,而不是出現在美國或其他地方。

雷斯蒂沃的這話是從何説起的呢?這是因爲李約瑟認爲,傳統的中國科學思想未能促成產生自歐洲并持續發展到今天的近代科學,但卻有可能爲未來的新科學開闢道路。

李約瑟把科學的發展區分爲古代的、中古的和近代的三個階段。近代科學是科學發展的現階段,同古代科學和中古科學相比,它没有民族的印記,是普遍的世界科學。以這種科學爲參照,李約瑟把中國科學傳統描述爲前科學的、原科學的或準科學的。當他把中國科學傳統與相對論、量子力學相比較時,他發現中國古老的有機哲學好像是現代科學的一種先覺。在他看來,未來科學將會比以相對論和量子力學爲基礎的現代科學更全面地實現有機論思想,所以把中國科學傳統與未來科學相比較具有非常重要的意義。

李約瑟一直堅持認爲,不應把傳統的中國科學視爲近代科學的一個失敗的原型。他在其《中國科學技術史》第五卷第二分册的序言中説,道家思想保存着"内在而未誕生的、最充分意義上的科學",它的發展最終會導致現代科學。他認爲現在的科學不是終極的而是暫時的,今天的科學決不是未來的科學。在保持其普遍性和

① Sal P. Restivo,"Joseph Needham and Comparative Sociology of Chinese and Modern Science",Research in Sociology of Knowledge,Science and Art,vol. 2,pp.25—51,1979.

李約瑟對中國科學與社會所提出的問題及其解答,受到世界範圍内的科學史學界和科學社會學界的普遍關注,成爲"李約瑟疑難"。許多科學史家和科學社會學家從比較科學史的角度對此進行了種種討論。美國的雷斯蒂沃(Sal P. Restivo)曾經寫過一篇評述①。在這個評論結尾處他的一段話更富有刺激性:

> 我們這些期待"新科學"的人,不能肯定這種新科學會出現,也不能肯定它在什麼地方出現。但是,當我們爲了子孫後代而審視現在時,我們不能忽視意欲綜合利用其三法(洋法、土法和新法)的中國,有可能給未來的科學史家帶來這樣一個令人困惑的問題:從21世紀才開始認識的新科學何以出現在中國,而不是出現在美國或其他地方。

雷斯蒂沃的這話是從何説起的呢?這是因爲李約瑟認爲,傳統的中國科學思想未能促成産生自歐洲并持續發展到今天的近代科學,但卻有可能爲未來的新科學開闢道路。

李約瑟把科學的發展區分爲古代的、中古的和近代的三個階段。近代科學是科學發展的現階段,同古代科學和中古科學相比,它没有民族的印記,是普遍的世界科學。以這種科學爲參照,李約瑟把中國科學傳統描述爲前科學的、原科學的或準科學的。當他把中國科學傳統與相對論、量子力學相比較時,他發現中國古老的有機哲學好像是現代科學的一種先覺。在他看來,未來科學將會比以相對論和量子力學爲基礎的現代科學更全面地實現有機論思想,所以把中國科學傳統與未來科學相比較具有非常重要的意義。

李約瑟一直堅持認爲,不應把傳統的中國科學視爲近代科學的一個失敗的原型。他在其《中國科學技術史》第五卷第二分册的序言中説,道家思想保存着"内在而未誕生的、最充分意義上的科學",它的發展最終會導致現代科學。他認爲現在的科學不是終極的而是暫時的,今天的科學決不是未來的科學。在保持其普遍性和

---

① Sal P. Restivo,"Joseph Needham and Comparative Sociology of Chinese and Modern Science",Research in Sociology of Knowledge,Science and Art,vol. 2,pp. 25—51,1979.

連續性的前提下，科學還要變革。在設想科學變革命潛力時，李約瑟爲中國科學在產生世界新科學的過程中安排了更崇高的地位；中國科學傳統將爲科學的未來發展開闢道路。

李約瑟對中國科學傳統的這種估價，與他的有機論的世界觀察密切相關。1953年他在第七屆國際科學史大會上的報告《中國與西方在科學史上的交往》① 中，討論了中國有機論思想的意義及其對歐洲的影響。他批評了某些外國學者和中國科學家，他們把作爲中國原始科學基本原理的陰陽學說和“五行”理論作爲迷信而不屑一顧。李約瑟認爲，它們產生了一些代表文明的東西并且促進了其他文明的發展。他把中國的有機論思想稱爲“形態學的宇宙觀”：

> 1943年當我在蘭州最初讀到葛蘭言論述中國思想的著作時，我注意到他的這種說法：“古代中國人記下了事物各方面的變化，而不是觀察各種現象的秩序。如果他們認爲兩個方面似乎是聯繫在一起的，那不是由於原因和結果的關係，而是像某個物體的正面和反面那樣成“對”，或使用《易經》上的比喻，如象回聲與聲音，或者陰影與光綫。”我在空白處寫下：“一種形態學的宇宙觀。”但當時我絲毫没有想到這句話多麼正確。

當他尋求中國的有機論思想對歐洲的影響時，他特別推崇把道家的自然觀吸收到儒學中去的十二世紀中國的思想家朱熹(1130—1200)：

> 中國最大的思想家朱熹發展了一種比任何歐洲思想都更近似有機論哲學的哲學。在他身後，他有中國人的相關思想作背景；在他前面，他有萊布尼茨(Gottfried Willhelm Leibnitz，1646～1716)。

接着他列舉了歐洲學者在糾正牛頓機械論宇宙觀方面的一系列進展。懷特海(Alfred N. Whitehead，1861～1947)的有機論哲學、科勒(Wolfgang Kohler，1887～1967)的格式塔心理學、摩爾根(Lloyd Morgan)的突變進化論、斯馬茨(Jan C. Smuts)的整體論、

① 潘吉星主编：《李約瑟文集》，第125—193頁，遼寧科學技術出版社，1985年。

塞拉斯(Roy W. Sellars,1880～1973)的實在論,直到馬克思和恩格斯的辨證唯物論,然後他說:

> 現在如果沿着這條綫往回追溯,會上溯到萊布尼茨(如同懷特海歷來指出的),然後似乎消失了。但也許那不是因爲萊布尼茨深刻地研究過朱熹的理學學說吧?他是從耶穌會士的翻譯和信件中接觸到這些學說的。難道不值得考察使他在某程度上置身於其時代的歐洲思想發展主流之外的獨創性,是受了中國人的啓示嗎?……那麽,如果我們爲將來的研究提出一個假說,即有機論的哲學極大地受惠於萊布尼茨,而他的思想又受到中國人的關聯主義理學的啓示,幾個很有趣的觀點就會產生。

他所說的"很有趣的觀點"包括中國數學的代數特徵,中國首先發現磁石的指極性,都不是偶然的巧合:

> 在某種意義上講,道家的全部思想是一種力場的思想。一切事物都根據它們自己定位,不用任何指示,也不需用任何機械的强迫。

李約瑟對中國科學傳統充滿激情并且很有信心:

> 直到17世紀中葉,中國和歐洲的科學理論大約處於同等水平。僅僅在那段時間之後,歐洲思想才開始迅速向前發展。但是,引導其前進的笛卡爾、牛頓機械論觀點,不能持久地滿足科學的需要。把物理學看作是對更小的有機體之研究和把生物學看作對更大的有機體之研究的時代必將來到。那時,歐洲并且整個世界便能利用一種非常古老的、充滿智慧并且絲毫没有歐洲特色的思想模式。

我們必須指出,對中國科學和世界科學的關係以及未來的科學將是什麽樣的,學術界的看法并不一致。在本文即將結束之際我們摘引兩位美國學者的某些見識。我們看看雷斯蒂沃在其評論中對李約瑟的質疑:

> 存在一種自然科學嗎?它是科學探索分階段發展的結果嗎?李約瑟一直對這兩個問題持肯定態度,但卻由於設想如果近代科學出現在中國,它應當與西方出現的近代科學不同,而不得不發生矛盾。他說他設想的中國近代科學應當是"有機的、非機械的",

> 這是否意味着這種科學無需經過牛頓階段就可以達到愛因斯坦－普朗克階段呢？或者是否意味着它可以發展出一種不同類型的有機的科學呢？如果後者成立的話，李約瑟所主張的"自然界是一個自然界，自然科學趨於一種統一的科學世界觀"又怎麼解釋呢？

在他的這篇評論中，席文(N. Sivin)的看法也被介紹。對於在中國尋找新科學的起飛之翼，席文暗示要正視其可能性：

> 從當代危機的觀點看，我們能夠問的最有意義的問題之一，確切地說，是如何早一點兒使科學和文化的其他方面協調共存。……如果習慣、信念和知識有一種新的協調……它將來自一些我們遠没進化發育出來的新的適應模式。

作者簡介　董光璧，1935 年生，河北豐潤人。中國科學院自然科學史研究所副研究員兼中國管理科學研究院高技術與新文化研究所所長、教授。著有《易圖的數學結構》等。

莊子思想簡評

蔡尚思

内容提要 本文認爲,在道家思想史上莊子地位的重要高於老子,道家思想的優點多集中表現於莊子。本文從莊子對封建倫理的批判、莊子對哲學和文學的影響等方面論述了莊子思想的十大優點。同時也指出了莊子思想有宿命論、遊世與遊心方外等局限。本文還認爲,莊子的中心思想是相對主義的絶對化。

關於老莊的思想體系,我已有《中國古代學術思想史論》論述之。現在再來概括和補充一下。

在道家思想史上,莊子地位的重要實高於老子。儒家或可以衹述孔子而不必述孟荀二子,道家就不可以衹述老子而不述莊子了。所以我今衹論集道家思想之大成的莊子,而不多論爲道家思想之始祖的老子。

一、道家思想的優點多集中表現於莊子

據我看來,莊子思想的優點,約有:

1. 莊子獨能揭露世間主要黑幕和罪惡,這包括政治上、社會上、道德上的一切。他超過了中國與世界的任何一個思想家。陳鼓應先生在《老莊新論序》裏説:"莊子是整個世界思想史上最深刻的抗議分子,也是古代最具有自由性與民主性的哲學家。……莊子思

想之擴大人的思想視野,提升人的精神境界,是其他各家難以望其項背的。"這種評價,并非溢美。我從前也指出他認爲聖人與大盜同樣有道,大盜竊國爲諸侯、小盜竊鈎被誅死的顛倒是非輕重,成者爲王、敗者爲寇的太不公平,越原始越天真、越進化越虛僞的社會觀等等。我也曾有一個時期愛讀《莊子》。

2. 莊子很高潔。他既看不慣各種罪惡,就不願同流合污,他安貧樂道,連國相也辭而不就,與主張"事君盡禮",以至"干七十二君"的孔子大不同。假如有點莊子這方面的精神,一切常見的罪惡與不正之風,即使不會不發生,也可大大的減少了。因爲人們的官迷、財迷與爲官而不清廉,都是很不正常的。

3. 莊子反對禮教倫理。他不僅超過了先秦諸子,也超過了後來的佛學(詳見拙作《論佛教的三綱思想》一文)。近現代不少尊孔者都反對"五四"新文化運動時期的禮教吃人説,不知這在清末已經有人認爲"前儒所言之禮,不啻殘殺女子之具"(何震)。吃人與殺人,都是同指禮教的。我曾聽見一位尊孔教授在一個會上批評魯迅反對吃人的禮教而問:"禮教怎會吃人呢?"我在心中想:你爲什麼不批評孔子所説"苛政猛於虎"而問:"苛政怎會猛於虎呢?""吃人"和"猛於虎"都是形容和比方的。要知道無形的吃人與殺人,往往是甚於有形的吃人與殺人的。莊子的反對禮教倫理是包括有形和無形兩方面的。

4. 莊子不迷信君權與法律。這點是誰都知道的,不用説了。

5. 莊子不迷信鬼神。後世有些人混道家與道教爲一談,是錯誤的。道教托始於道家,而道家卻不是道教。

6. 莊子的本體論或宇宙觀,在先秦諸子哲學中最爲獨特。

7. 莊子的辨證法,也爲先秦諸子所少見,衹是不免夾雜在相對主義中而已。

8. 莊子最注重養生術。他認爲養生要學嬰兒與醉漢的無知,要神遊於四海六合之外,要忘利、忘心、坐忘、喪我,最忌勞形、虧精。中國古人言養生術,似無出其右者。

9. 莊子的博學 在他之前如孔子，在他之後如荀子，號稱博學，尚且難同他一比，其他的人更不必說了。

10. 莊子的散文在中國文學史上有最高的地位。《老子》五千言最簡而協韵，早就有人認它爲"哲學詩"。莊子的文章最雄奇生動，長於寓言、設喻和辯論，爲古來治文學者所必須首先精讀。

二、莊子思想也不可能没有缺點

較突出的缺點約有：

1. 莊子最有宿命論的觀點。他的宿命論超過儒家，而與墨家相反。可以這樣説：儒家的宿命論是相對的，莊子的宿命論是絶對的，墨家對宿命論是根本反對的。

2. 莊子常愛詭辯。他明知而裝糊塗，如莊周與蝴蝶，主觀推想，大比異類。

3. 莊子多遊世與遊心方外的思想。儒墨二家的思想都是入世的，佛教的思想多是出世的；莊子的思想是遊世的，遊心方外還没有出世的程度，似是入世與出世之間的。

4. 莊子主張回復到原始社會時代的人與物無差別，不僅不可能實現，而且原始社會時代的人與物也是爭得你死我活，而不可能和平共處，達到無差別境界的。如果真能像莊子所空想的那樣美滿，那就不致變成很黑暗的奴隸社會時代了。莊子的《齊物論》，無論"物"與"論"都要"齊"，皆絶對不可能；即在作此主張的莊子，也還是要明辨是非的。如果真要"齊""論"和"行不言之教"，老子就不應當有"五千言"，莊子也不應當有《莊子》一書，佛教也不應當有《大藏經》，尤其是禪宗更不應當有那麽多的"語錄"了。"論"尚且如此，"物"更無法"齊"了。

三、莊子的中心思想究竟是什麼?

我總覺得莊子的中心思想是相對主義的絶對化。從章太炎起的一些學者都把莊子的代表作《齊物論》看做平等的最大證據。其實不見得:《齊物論》是典型的相對主義而不是近代的平等主義。《齊物論》即章太炎所宣傳的《俱分進化論》,以爲人類社會與其善的一方面和惡的一方面都同時俱進,還不如善和惡兩方面俱不進。善惡雙方俱不進,有如算術的零減零等於零(0－0＝0);反過來說:善惡雙方俱進,有如算術的一減一等於零(1－1＝0),二者同是對消而結果同樣等於零的。這是認爲人類社會還是不進化不發展爲好的。原始社會和發達的國家是相等的。這也是莊子要恢復到人獸不分的原始社會時代的主要理由。

莊子反對儒家的親親("親親"的上"親"字是動詞即愛或孝,下"親"字是代名詞即父母)爲仁而說:"有親(父母)非仁","至仁無親","孝固不足以言之",固然是正確的,可他同時卻并反對墨家的主張"兼愛"爲"仁"而說:"兼愛無私","無私焉,乃私也"。無私就是私,這是什麼邏輯!《莊子・天下篇》批評墨子宋鈃處也有問題:莊子要以古先聖王的"貴賤有儀,上下有等"的禮樂來反對"備世之急","救世之士"的墨子"不與先王同"。又同樣反對宋鈃等"願天下之安寧,以活民命,人我之養畢足而止","其爲人太多,其自爲太少"的"救世之士"。這豈不與楊朱同樣主張"爲我"而不爲人、救世了麼?這正是俞樾所說儒近於楊而遠於墨,難怪蔡元培要認莊周與楊朱爲同是一個人了。

儒墨兩家主義相反,而莊子卻同樣加以反對,認爲他們都不正確。那麼正確的答案又是什麼呢?在他看來,正確的答案就是不爲私,也不爲公;不孝親,也不愛人。

莊子主張《齊物論》,即"道通爲一","萬物一齊",如大小,壽夭、長短、殘全、生死、善惡、是非、巧拙、美醜、苦樂、貧富、貴賤、好惡、水陸、香臭等等，相對主義倒是真的，平等主義卻是假的，至多也衹是以相對主義爲平等主義的。以相對主義爲平等主義，這是治莊子哲學者的共同誤會。

學者都公認莊子代表獨善派、隱士派，隱士派是消極性的。與隱士派相反，墨子代表救世派、勇士派，此派最富有積極性，敢於同罪惡分子和保守思想進行鬥爭。假使人人都像莊子不爲世用，與世無爭，就等於自動退出世界，讓罪惡者獨霸世界，世界就會越來越糟了。自以爲能獨善其身而不知“天下興亡，匹夫有責”，這是古來隱士派共同的一個缺點。

作者簡介 蔡尚思，1905年生，福建德化人。歷任大夏大學等校教授，滬江、復旦兩大學副校長。著有《中國思想研究法》、《中國文化史要論》等二十多部著作。

老莊哲學思維特徵

蒙培元

内容提要　老、莊二人都崇尚自然，以爲自然内在於人而存在，自然即是人的内在本性，人必須反回到自己的内心世界，認識自己的本性，實現自己的存在。這種反觀内照式的自反思維，排除了科學理性發展的最終可能性，造就了中國的人學本體論。他們又是中國哲學中最早建立形上學的思想家，把確立人的形而上的本體存在作爲自己的根本任務，從而奠定了自我實現、自我超越的形上思維。不離自我而又超越自我，在自我中實現"真我"，便成爲道家乃至整個中國哲學的最終目的。

以老、莊爲代表的道家哲學，是中國傳統哲學的重要組成部份，他們同儒家的最大區别是，試圖用自然主義代替儒家的倫理主義。但是，令人感興趣的是，他們與儒家具有基本相同的思維方式。這裏，我想從以下幾個方面談談老、莊哲學的思維特徵。

一

道家崇尚"自然"，這一點與儒家有所不同。老子説："人法地，地法天，天法道，道法自然。"(《老子》25 章)莊子對於自然的論述更多，以致於荀子批評説，"蔽於天而不知人"。但這些是不是以自然界爲對象的外向思維呢？就整體而言，並不能得出這樣的結論。

道家的自然主義，確實對中國古代科學技術的發展產生過積極作用，很多自然科學都和道家思想有關。特別是後來的道教，雖然是一種以求"長生不死"爲目的的中國式宗教，但其中包括許多科學技術知識，其中有一種改造自然的"逆天"思想，也有一種自發的科學思維。但是，就道家思維的主流而言，它所提倡的"自然"，並不是與人相對而存在的自然界及其外部事物的性質和規律，當然也不是作爲認識和改造對象的自然界。它衹是取其"自然"之義，以說明人的存在，以說明人性。"自然"是內在於人而存在的，"自然"就是人的內在本性。因此，道家的"自然說"，實際上是從"天人合一"出發，最後仍落到人的主體性問題上。

當道家把"自然"規定爲人的內在本質，變成人的本性時，所謂"自然"便不僅是外在的東西，而且是內在的東西，變成了人的存在範疇。老子的"自然無爲"說，就是如此。"萬物莫不尊道而貴德，道之尊，德之貴，夫莫之命而常自然"（五十一章）。"常自然"就是以自然爲常，既是天之"常道"，亦是人之"常性"。道、德之所以尊貴，不是因爲道、德對萬物有什麼命令或恩惠，恰恰是因它對萬物沒有任何外在的命令，而是萬物以自然之道爲常。這自然之道作爲人之常性是不爲而成的。人和萬物雖然產生於道，但既生之後，便具有內在的德，德是道的真正實現者，也就是道之在人者。這就是"道生之，德畜之"（同上）。因此，他主張"積德"，進行內在的自我認識和修持。"修之於身，其德乃真"（五十四章）。這個"真"，就是人的真性情。

修之於身，必須要反回到自身，認識自己內在的"常德"即自然之性。"知人者智，自知者明"（三十三章）。中國人常說的"自知之明"，就是從這裏來的。在老子和道家看來，能知人，這衹是智，有"知性"而已；能自知，則能通達明白，無所不通，這是更高的智慧，也是最根本的認識。可見，"明"是一種自我認識，不是一般的對象認識，就完成自己的人性而言，與其說是一種認識，不如說是自我呈現。他所說的"知常曰明"（五十五章），就是這樣的自我認識，也就是"自知之明"。所謂"常道"、"常德"、"常自然",都是一個意思,既是自然之道,又是人的本性。"自知"之明與"知常"之明也是一回事,不是在自身之外去認識什麼"常道",而是通過自我反思、自我體悟,掌握普遍而永恒的自然之道。這也就是"靜觀"。

應當指出的是,老子所說的"靜觀",並不是一般的直觀,而是自我反觀,它要實現自己的性命之常。這也就是老子所說的"見素抱樸"、"反樸還純"。很明顯,這正是道家所提倡的自反思維。

老子提出"爲學日益,爲道日損(四十八章)的著名論斷,實際上把認識論的對象思維同"體道"的內向思維作了明確的區分。"爲道"之所以不同於"爲學",就在於它不是建立在外部知識基礎上的對象思維,而是建立在直接體悟基礎上的主體思維,因爲它不需要語言作中界,不需要經驗作前提。這同孔子的"求仁"說一樣,共同奠定了中國哲學主體思維的基礎。道家思維的基本定勢是,從"自然"開始,又回到"自然",這一切都是通過主體的"反觀"之學實現的。

老子雖然反覆强調"自然"而不怎麼講到人,但他決不是不重視人,也不是把人和自然對立起來,而是把人變成"自然"的人,主張回到自身,通過"自知"之明,實現"自然"之性。正因爲如此,從道家學說中並沒有發展出對象化的科學思維,也沒有發展出概念化、形式化的理論思維。

老子提出的自反思維的一般原則,經莊子而得到進一步發展。

莊子把"自然"之道看作世界的最高存在,同時又是人的根本存在,"自然"就是人的真性。自然之道和神明之心是合而爲一的,神明之心便是自然之性。他的"虛室生白"(《莊子・人間世》)之說,就是主張神明之心能生出純白之性,從而實現道的存在,道家所說的"其道光明"就是指此而言的,它不僅是一種狀態,而且是一種存在。但這需要回到內心,保持"虛靜",排除外在的一切東西,包括自己的形體和聰明知識,才能實現。他所說的"坐忘",就是這樣的方法。如果使耳目心知向外求知,那就是"坐馳",而不是"坐忘"。"坐忘”則是忘掉肢體,𪗈絀聰明,“離形去智,同於大通”(《大宗師》)。“大通”就是“道通爲一”(《齊物論》)之通,也就是超越一切差别和對立,實現内外合一、物我合一的絶對統一者道。

莊子認爲,任何外在的知識都是有限的,也是相對的,以有生之年,孜孜向外求知,永遠得不到真正的認識,而祇能産生“成心”。對象性認識都是“有待”的,有待之知不是真知,有待之人不是真人。道内在於人而存在,因此,唯一的辦法,就是反回到自己的心靈,進行自我體悟,自我認識。所謂“至人”、“真人”、“神人”,都不是對外界事物有什麽特别的認識,而是忘掉外部知識,甚至忘掉自己的形體和聰明,進行自我反觀、自我體悟的結果。

所謂“至人”,作爲道家的理想人格,就是“不以心捐道,不以人助天”(《大宗師》)。這裹的“心”是指認知之心,或是非、善惡之心,而不是“虚室生白”之心;這裹的“天”,不是外在的自然界,而是自然之性,是“在内者”,不是“在外者”。這就是《秋水篇》所説,“天在内,人在外”的意思。“天在内”是以“自然”爲人的内在本性,“人在外”是以人的情慾、知識等等爲外在的東西,因爲這些都是以外物爲對象的,不是内在本性所固有的。换句話説,“天”(即“自然”)已經内涵在人的本性之中,變成了人的内部存在,所以是“在内者”。如果在人性之外求知其所不知,求得其所未有,那就是“人在外”,因爲離開自己的内在本性而另有所求,其所求者必是在外者。因此他又説:“無以人滅天,無以故滅命,無以得殉名,謹守而勿失,是謂反其真。”(《秋水篇》)“無以人滅天”,同“天在内,人在外”是同樣的意思,因爲人性是自然天成的,不需要人爲的活動去改變,如果硬要改變,那就是以“人”滅“天”,如同“鑿渾沌”的寓言故事所説。“無以故滅命”,是不以有意識的人爲活動破壞天命之性,這裹所説的“命”,其實就是“自然”,是在内者,不是在外者。“無以得殉名”,是不以有所得而喪失自己的性命以求“名”,他認爲“名”是外在的,不是内在的。“謹守而勿失”就是不要失掉自己的本性。這樣作了,就能“反其真”,即反回到自己的真性情。

他所謂"心齋"也屬於這種思維。心能虛靜而不爲外物所蔽，就能作到"惟道集虛"(《人間世》)，這不是説心外有一個道來集於心中，而是説，虛靜之心自能集道，同"坐忘"、"虛室生白"是同樣的意思，即在主體精神專一的情況下，內在的自然之性自然會實現或呈現出來。莊子的"反真"與老子的"反樸"一樣，都屬於自我反思式的內向思維。

《天地篇》所記載的"抱瓮而灌"的故事，就是這種自反思維的實際運用。運用機械可以節省時間，提高效率，發展生産，得到更多利益，這是顯而易見的。但是，道家學説的信奉者，並非不知這個道理，也不是作不到，而是"羞而不爲"。爲什麼呢？因爲在道家看來，要運用機械澆灌，就必有製造和運用機械的一套事情，既有機械之事，則必有機械之心即所謂"機心"。這實際上是知識、技巧、功利之心。有了這樣的"機心"，便求知不已，求利不已，勞心傷神向外追逐而"純白不備"。這所謂"純白"，正是"虛實生白"之白，也就是純樸自然的神明之心，無知無慾的自然之性。不是運用和發展人的聰明智慧，向外探索自然界的奥秘，而是反回到自己"無知無慾"的純白之心，自然之性，"體性抱神"，無爲素樸，實現自然之性，這就是道家所提倡的思維方式。這種思維，在中國歷史上産生了極大影響，具有社會普遍性和長期穩定性。

二

道家崇尚"自然"，以"自然"爲宗，故提倡"無情"、"無心"之説，但它決不是排除任何情感，更不是取消任何認識；它提倡"無情"之情，"無心"之心，從本體存在或神明之心出發，提倡個體化的自我體驗式的認識，同時卻又把個體和絶對本體、自我和非我完全統一起來了。

"道"作爲中國哲學的基本範疇，首先是由道家提出來的。按老子所説，道是無形無象、不可感知、不可言説的；按莊子所説，道是萬物的根源,萬物衹是道之"一偏","大全"之道,同樣不可言說,不可分析。總之,不能用一般方法去認識"道"。那麽,怎樣才能認識呢?用道家的話説,其根本方法就是"體道",即直覺體驗。

老子所説的靜觀,既不是通常所謂感性直觀,也不能理解爲單純的理性直觀,這裏包含着以内視反觀爲特徵的自我體驗。有人説,老子善於"冷眼旁觀",其實,老子認識事物的根本方法並不是或主要不是冷眼旁觀,它是要把自己"擺進去",在自我體驗中實現所謂靜觀。真正的"冷眼旁觀",應是客觀的或對象性的理智認識,無情感色彩,亦無主觀評價,更不否定一般知識。但老子在提倡虚靜的同時,卻反對一般知識,主張"無知無識"的特殊智慧。這種智慧的一個特點是,否定一切對象認識,直接把握道體。反過來説,衹有對象知識被否定之後,才能獲得"道"的根本認識。從一定意義上説,老子提倡一種否定性思維,通過對知識的否定,排除對象性認識,以此實現對於道的直接體認。但是從另一種意義上説,老子是從一個更高的觀點來"觀察"事物,這個觀點正是本體體驗。他所説的"致虚極,守靜篤"以及"滌除玄覽",實際上就是實現這種體驗的根本方法。

"致虚"、"守靜"是指主體的精神狀態,"玄覽"與其説是冷靜的直觀或理性直觀,毋寧説是一種寧靜的體驗或内觀。老子以靜爲根,以靜爲本,他正是後來"主靜説"的開創者。"夫物芸芸,各歸其根,歸根曰靜,是謂復命,復命曰常"(十六章)。這個根就是靜,也就是道。萬物都要復歸到靜根,這就是"復命"。這是不可言説的"常道",對此衹能在靜中體驗,不是一般的直觀所能認識的。這種體驗必須把自己放進去,以自己爲本位,作到"絶聖棄智","見素抱樸",無知無識,如同嬰兒一般,但實際上卻超越了一般的認識,達到一種無知之知。

道家的"體道"確實很少情感色彩,不像儒家那樣充滿了情感色彩,但同樣缺少邏輯思維,缺少概念的分析和推理。這是一種特殊的體驗型思維,其根本目的是實現人與天道合一。照道家所説,體道之人,“絶學去憂”,不須要學,“絶聖棄智”,不需要智,他的智慧是從“靜觀”式體驗中獲得的。

莊子公開提倡“無情”,主張“喜怒哀樂不入於胸次”(《田子方》),但他既不是一個宗教哲學家,也不是一個理智型哲學家。他極力反對儒家的道德情感,也反對禁慾主義的宗教情感,提倡一種人與自然合一的超倫理超功利的美學或情感體驗。“夫大道不稱,大辯不言,大仁不仁,大廉不嗛,大勇不忮,故知止其所不知,至矣。”(《齊物論》)“知止其所不知”,就是以知爲不知,以不知爲知,因爲大道是不能稱謂的,大辯是不能言說的,大仁不是儒家所謂仁,大勇也不是通常所謂勇,它已超越了一切是非善惡,是“無待”即絶對的存在。對大道的認識不能靠一般認識,祇能靠不知之知,不能靠一般語言,祇能靠無言之言。不知之知,是爲大知,無言之言,是爲真言。一句話,這是超言絶象的直覺體驗。他經常不是用正面論述的方式,而是用寓言故事說明他的哲學思想,就是運用這種思維方式的具體表現。

正是莊子,明確提出“體道”的問題。他說:“夫體道者,天下之君子所繫焉”(《知北遊》)他把“體道”看作是不同於一般認識的最高認識。但是何謂“體道”? 怎樣“體道”? 用今天的語言來說,就是取消名言和概念,取消相對而有限的對象認識,進行直接體驗,確切地說,是一種自我體驗。郭象注解說,“體道”者,“明夫至道非言之所得也,唯在乎自得耳。”這很符合莊子的思想。所謂“自得”,就是自我體驗之所得。自得之知,不需要外在的知識,祇是一種内在體驗。這是莊子和道家所一貫主張的。莊子說:“不知深矣,知之淺矣,弗知内矣,知之外矣。……如形形之不形乎、道不當名。”(同上)以知爲外,以不知爲内,說明知識和體驗是不同的,二者有内外主客之分。體驗是主體自身的事,知識則由對象決定。爲什麼“不知”比“知”更爲深刻呢?因爲體驗所得之知是無限的,絶對的,也是整體的,一般的對象認識則是有限的、相對的,也是部分的。

這是一種“無言之辯”、“無知之知”。事實上,一有辯論,便有是非；一有名言，便有分別，而大道既没有是非的分別，也没有主客、内外的分別，真所謂“天地一指，萬物一馬”，“天地與我並生，萬物與我爲一”。這是一種最高的體驗，在這樣的體驗中，内外之別，物我之分，統統都消失了，進入了真正的“天人合一”的境界。

這種主客合一、内外合一的内在體驗，是出於情感而又超情感的本體體驗，它以人的“自然”本性爲其内在根據，以主體的意向活動爲其内在動力。

莊子所謂“無情”，並不是真無情，而是反對世俗所謂好惡之情，因爲這種世俗之情，從某種需要和目的出發，具有强烈的功利性。有了這種功利性目的，便有好惡之情，有益於己者好之，無益於己者惡之，有了這種人爲的好惡之情，求之無已，反而能内傷其身，無益於自然之性。在莊子看來，儒家所提倡的道德情感也不例外，它也是一種求名求利之情，不是出於本性，而是出於人爲。真正的情應該是順其自然，不以世俗之情爲其情，而以順應自然爲其正，這就是超功利的“情之情”。“適來，夫子時也，適去，夫子順也，安時而處順，哀樂不能入也”（《養生主》）。他主張“哀樂不入於胸次”，實際是拒絶世俗的功利之情，並不是没有情，“安時處順”就是自然之情，也是人的真性情。有了這種自然之情，才能真正體驗到人的存在和人生的意義，實現真正的精神自由。否則，人來到這個世界上，不過是匆匆過客而已。有了這種體驗，就能夠超生死，超利害，没有人與己、内與外的分別，真正與大道合而爲一，這就是“體道”，這樣的人就是“體道”之人。

這也是一種認識，但不是以自然界爲客體，以心智之人爲主體的那種對象認識，這是建立在自我體驗、自我實現基礎上的存在認知或本體認知。

莊子所説的“魚之樂”，就是這種體驗的一個很好的例子。《秋水篇》記載，莊子與惠施遊於濠梁之上，莊子看見水中之魚“出遊從容”，便説這是“魚之樂”。惠施問道，你不是魚，何以知魚之樂？二人展開了一場辯論，莊子最後回答説：“子曰‘汝安知魚之樂’云者，既已知吾知之而問我,我知之濠上也。"人們都把這看成是莊子的認識論思想,可是怎麼也難以說清,這是一種什麼樣的認識論。實際上,這裏的問題,根本就不是一般認識論的問題,而是一個體驗的問題,這正是莊子思想的特質所在。

如果從對水中之魚"出遊從容"的觀察,單從認識論講,並不能得出"魚之樂"的結論,因爲很明顯,莊子和魚並不是同一類,他不能用人類的情感去衡量魚;如果他運用了擬人化的方法,那麼,他所謂樂衹能是一種"戲言",而不是認識。但莊子在這裏所說,並不是"戲言",而是表達了一個很重要的思想。事實上,他是通過自我體驗的方法,才得出這個結論的。魚有沒有樂,在認識上是一個無法解決的問題,但是在自我體驗中,完全可以說,魚有一種樂。在這裏,人不是與自然相對而存在,不是從外面去"觀察"和認識自然界的事物,而是把自己投入到自然界或"切入"自然界,從中體會出自然之樂。把這種樂投射到魚的生命活動中,就會感到魚也有一種樂。魚有沒有樂,完全是由人的情感體驗決定的。人在情緒情感極好的情況下,就會有這種體驗,甚至忘掉自己的存在,完全融化在自然界,感受到一切都在歡笑;但在情緒情感不好的情況下,就不可能有這種體驗,甚至會覺得一切都在痛苦之中,總之,魚之樂實際上是由人之樂的自然投射,而人之樂又是通過魚來體現的。

這種體驗的特點是人與自然合一。莊子的"逍遥遊",就是這種體驗的最高境界。他從自然界的各種現象,比如大鵬的自由遨翔,體驗出人與天地精神往來的自由境界,就是最好的例子。人並不能離開形體之軀,也離不開具體的生活環境,但是,如果有了如同莊子所說的那種"無待"的主體體驗,就能夠"出六極之外"而"遊無何有之鄉"、"獨與天地精神往來"。這也是一種最高的智慧,這樣的智慧,是"知之登假於道者也"(《大宗師》)。"登假於道"就是"體道"、"與道同體",克服了形體的限制,進入了絶對自由的境界。以莊子爲代表的道家,把追求一種絶對的精神自由看作是人生的最高境界,也是人的最高存在,但這種精神自由嚴格地說,是一種主體體驗,不是一種客觀認識。

三

道家關於自然之道的思想,在一定程度上促進了中國理論思維的發展,但是,道家並沒有建立起系統的自然哲學,也没有發展出科學理論,祇有道教中有某些科學的東西,但又受到極大的限制。因爲道家哲學從根本上説是一種以實現理想人格爲目的的實踐哲學。他們把他們的學問稱爲"道德"之學,實際上是講如何"得道"以成爲至人、神人或真人的學問,由於"得道"從根本上説是一個實踐的問題,因此,他們又稱他們的學問爲"踐道"之學,即訴之於主體實踐而後才能完成。

如果説,老子具有某些唯理論的傾向,那麽,莊子則是提倡實踐經驗型主體思維的重要代表。《莊子》中有許多例子説明,個人的實踐經驗可以達到純熟而運用自如的程度,可以得到一種真正屬於自己的知識,但是很難在理論上提出可普遍接受的原理。這樣的知識和技能祇能在個人的實踐經驗中體會,卻不能用一般理論語言來表達。

"庖丁解牛"就是一個最著名的例子。庖丁在其一生的實踐中,掌握了極其熟練的解牛技巧,可以作到"目無全牛",因爲他能"以神遇而不以目視",能夠"依乎天理",故能"以無厚入有間"。這所謂"天理",就是客觀規律;所謂"神遇",則是特殊體驗而不是一般認識。這種體驗祇能在個人的實踐中才能得到,不能通過任何間接的方法獲得。在他看來,"真知"凝結在個人的實踐經驗中,存在於具體事物中,離開個人經驗和具體事物,無所謂一般規律。更重要的是,莊子通過這個故事説明,人生的道理,就如同庖丁解牛,要能夠自由地生活在人世間,而不受到限制,自如地掌握人生道理而不遇到困難,唯一的辦法就是在個人的生活實踐中去體驗。

儒家所説的"真知",是關於道德的知識,道德知識體現在人倫關係之中，表現了人與人的和諧一致。因此，儒家主張在"人倫日用"的實踐中求得真知。道家所說的"真知"，是關於個人自由的知識(特別是莊子)，這樣的知識體現在個人同社會的關係之中，在一定程度上表現了二者之間的矛盾和衝突，因此，他主張在個人的非倫理的實踐中獲得"真知"，就如同"以無厚入有間"，在隙縫中求得生存和發展。但是，不管在那種情況下，强調個人的主體實踐則是最根本的。

我們已經指出，體驗型思維的特點，是不能用語言概念來表達；現在我們所關心的，是這種思維不能離開個人的實踐經驗。《天道篇》記載了"斲輪"的故事，就是最好的例子。"臣也以臣之事觀之，斲輪徐則甘而不固，疾則苦而不入，不徐不疾，得之於手而應於心，口不能言，有數存焉於其間，臣不能以喻臣之子，臣之子亦不能受之於臣，是以行年七十而老斲輪。古之人與其不可傳也，死矣。然則，君子所讀者，古人之糟魄矣。"輪人扁的知識技巧完全是靠個人實踐經驗積累起來的，祇能體會，不能言傳，更不能形成抽象的一般理論。這中間雖"有數存焉"，但是既不能用語言表達，也不能變成理論。他由此證明，所謂聖人之道祇能存在於聖人的實踐經驗中，而不在其著作中。聖人既然不存在，所謂"聖人之言"不過是糟粕而已，即使聖人存在，也不能從聖人那裏得到什麼，何況是寫在書上的東西。要知道什麼是聖人之道，祇能在你自己的實踐中去體會，在個人的經驗中去積累。這就是莊子告訴人們的道理。

不僅如此，一切理論學說，都不過是糟粕而已，真正的知識都要在個人的實踐經驗中去體會，就像庖丁和輪扁一樣。事物的規律決不能離開個人的實踐經驗而存在，它是具體的而不是抽象的，是特殊的而不是普遍的，在個別之中而不在個別之外。既然如此，就不能形成普遍的理論原則，也不能用一般語言去表達。

但是，如果認爲道家哲學僅僅停留於經驗層次，没有形而上的玄思，那就錯了。恰恰相反，形而上學正是道家哲學思維的特徵。但問題在於，道家並不重視建立一般的形而上學原理，它最終要建立一種人學形上學，即確立人的形而上的存在，並實現自我超越。這一點對後來的儒家特别是理學家，産生過重大影響。

老子提出："復歸於無極"的命題，就是這種形上思維的最高運用。他把"復歸於嬰兒"、"復歸於樸"與"復歸於無極"相提并論(見二十八章)，似乎是把自然素樸之性與道德本體混而爲一，實際上嬰兒之説衹是一個比喻，這同他的"大智若愚"之説具有同樣的意義。最高的智慧如同嬰兒，無知無欲，實際上是大知。至於"樸"，衹是説明道的未加雕琢的自然狀態，是一個不可分析的整體，"道常無名，樸"(三十二章)。正因爲道是絶對本體，因而不是名詞概念所能指謂的。無論是嬰兒、無極還是樸，其最重要的含義則是"常德"。"常德"就是人的形而上的本體存在，"復歸於無極"即是復歸於道德本體。問題在於無極之道不衹是自然界的根本存在和普遍原則，而且實現爲人的形而上的存在，這樣，老子所説的"復歸於無極"，就變成了人性的自我超越與自我復歸。

這也就是"歸根"、"復命"的本體思維。老子雖然没有區分形上與形下，但他所説的"根"，顯然是形而上者。"根"以靜和常爲其根本特點，靜是對動而言的，常是對變而言的，實際上靜和常是永恒的超時空的形而上者，所謂以靜爲根，就是以形而上者爲終極原因。不僅萬物如此，人也是如此，因爲人和萬物並不是對立的，"歸根"、"復命"從根本上説是要實現人的形上本體，實現"與道同體"的形而上的境界。老子主張"見素抱樸，少私寡欲"，用清淨無爲"寡之又寡"的方法實現自我超越，這一點同儒家不完全一致。但他們都主張超越感性自我，把形體感官之欲看作是某種限制，衹是道家追求個人的精神超越，追求精神自由，儒家强調群體或社會的存在，因而追求道德本體的超越。

道家集大成者莊子，是提倡自我超越的典型代表。他所理想的"真人"，正是實現了"真我"即自我超越之人。莊子把人心分爲兩種，一種是以外物爲對象的認知之心，被稱之爲"成心"。有"成心"之人是"有待"之人，"有待"之人由於同世界處在對立之中，因而並不自由。“夫隨其成心而師之，誰獨且無師乎？……未成乎心而有是非，是今日適越而昔至也”(《齊物論》)。換句話説，有“成心”之人不能超越對待，不能超越自我，因而不能“得道”，不能“得道”便不能成爲“真人”。

另一種是“無心”之心，即是超越一切是非、善惡等對待的宇宙之心。“是亦彼也，彼亦是也，彼亦一是非，此亦一是非，果且有彼是乎哉，果且無彼是乎哉？彼是莫得其偶，謂之道樞。樞始得其環中，以應無窮”(同上)。這種破除對待、泯除是非的“道樞”，就是超越“成心”的體道之心，也就是“道通爲一”的絶對精神。這樣的心“無成與毀”，超越了一切對立和有限，達到了真正的絶對和無限。

這樣的心又叫做“真君”、“真宰”，是真正的主宰而又無形迹可言，不隨形體的變化而變化，和宇宙精神實現了真正的統一。“非彼無我，非我無所取，是亦近矣，而不知其所爲使，若有真君而不得其朕”(同上)。我與彼的對立是存在的，莊子並不否定自我的存在。但是他認爲，在自我上還有一個“真宰”，它是使彼我相對而存在的使之然者，同時又超越了彼我的對立，這就是絶對無限的“真我”。“真我”就在自我之中，但又超越了自我，消除了主客體的對立，實現了人與自然的統一。“其有真君存焉，如求得其情與不得，無益損乎其真。……其形化，其心與之然，可不謂大哀乎！”(同上)形體有變化而“真君”無變化，形體有生死而“真君”無生死，無生死之心便是自我超越的“真心”。“夫哀莫大於心死”(《田子方》)。這裏所説的心，是指“真君”、“真宰”，即“真心”，而不是處於生死變化中的“成心”。

“真心”雖然存在於形體之內，卻不受形體限制，它同宇宙精神是合一的，但又不是通常所説的客觀精神。由於它存在於我的形體之內，就是我的心，因而帶有主觀性，但又不是純粹主觀的。它是主觀與客觀、主體與客體的統一。正因爲“真心”不離形體而存在，故容易受到形體的限制，如果隨形體而變化，則是最大的悲哀。真心的真正實現，就是除去形體的限制，超越與物相對的自我，進入絶對無限的精神境界，實現形而上的本體存在。

莊子所說的“支離”其形而“全德”之人，就是超越了形體的限制，實現了自我超越的人。這樣的人，雖不是完全脱離世俗生活，他照樣與世俗相處，然而卻具有不同於世俗之人的精神境界，因而不以世俗之事非爲是非，不以世俗之善惡爲善惡。這樣的人，也不是從“自我”的觀點去觀察一切，而是超越“自我”，達到自我與非我的統一，實現與道同體，就不會被仁義、是非之類所擾亂，進入絶對無限的境界。

“真我”與天合一，與道合一，我就是天，天就是我！没有主客、内外之分，因此，他不求與天相勝。“天與人不相勝，是之謂真人。”(《大宗師》)所謂“真人”(即“真我”)，就是天人合一，本無分别，人即天，天即人，怎麽能夠相勝？如果以人勝天，就是把人和天對立起來，以人爲此，以天爲彼，以此勝彼，就是以“成心”控制自然；如果以天勝人，就是把天和人對立起來，以天爲彼，以人爲此，以彼勝此，就是以外物控制“成心”。總之，二者都是“成心”，不是“真心”。“真心”則是實現了形而上的超越，消除了主體與客體、人與自然的對立與差别，再也没有天人内外之分。“庸詎知吾所謂天之非人乎？所謂人之非天乎？且有真人而後有真知，……登高不栗，入水不濡，入火不熱，是知之登假於道者也”(《齊物論》)。“真人”是實現了自我超越之人，“真知”是形而上的本體認知，也就是“無知”之知，它不以主客對立意義上的對象認識爲認識，而是以自我呈現、自我實現爲真知。不離形體而又超越形體，不離自我而又超越自我，這也是莊子形上思維的根本特點。

作者簡介　蒙培元，1938年生，甘肅莊浪人。現爲中國社會科學院哲學所研究員，著有《理學的演變》、《理學範疇系統》等。

論《莊子》内七篇

潘雨廷

内容提要　本文以《天下》篇和内七篇之相通概括《莊子》全書之要。以《齊物論》所云“天籟、地籟、人籟”爲綱，認爲七篇各有其旨：首三篇凡《逍遥遊》當天籟，《齊物論》當地籟，《養生主》當人籟。次三篇相應首三篇，凡《人間世》明人籟與人籟相接，《德充符》明人籟與地籟相接，《大宗師》明人籟與天籟相接，而終篇《應帝王》破待復鑿而貫通天地人。

明烏程潘良耜基慶作《南華會解》，其於《莊子》三十三篇重爲編目，乃以《天下》篇爲首，視爲莊子之自序；以下三十二篇，以内七篇爲主，且分列外雜篇於其後，詳示如下：

内篇	外篇	雜篇
逍遥遊	繕性、至樂	外物、讓王
齊物論	秋水	寓言、盜跖
養生主	刻意、達生	
人間世	天地、山木	庚桑楚、漁父
德充符	田子方、知北遊	列御寇
大宗師	駢拇	徐無鬼、則陽
應帝王	馬蹄、胠篋、在宥	說劍
	天道、天運	

此書编目之義似可推敲，而内七篇足以概括全書之旨，未可謂之無理。觀外雜篇中其義叢雜，不僅相應於内七篇中之某一篇。因内七篇每篇各有主旨，由標題可知，未可與僅舉篇首數字爲篇名之外雜篇並論。或以時代考之，外篇如《在宥》、《天運》，雜篇如《庚桑楚》、《徐無鬼》、《則陽》諸篇中之若干章節，義殊精深，惜尚未敷演成篇，故全篇之中心未明顯，似屬隨記思維之創見。一如累積素材，以促使内七篇成文，然則先有外雜篇中之若干章節，方有内七篇、亦有其義。唯莊子之所以成莊子，似當以内七篇爲主、必有標題之名，庶可論其文章之旨，庶可應其形象之實，庶可與《天下》篇所論之莊周相合。故與其説莊子之後學成内七篇，不如説莊子聞其風而悦之，在成内七篇之前，因已有如莊子之思者。

今論莊子全書，要在内七篇。七篇各有其旨，當以篇名求之。故首當理解以篇名概括全篇之大義何在，繼當求其七篇間之相應關係。唯能識其相應之次而一之，或可於不竭不蜕中，盡其芒昧乎？

於《齊物論》中，子綦答子遊曰："今者吾喪我，汝知之乎？汝聞人籟而未聞地籟，汝聞地籟而未聞天籟夫。"繼之子遊曰："地籟則衆竅是已。人籟則比竹是已。敢問天籟。"子綦曰："夫天籟者，吹萬不同，而使其自已也。咸其自取，怒者其誰邪。"以上摘引原文、其義既屬《齊物論》之旨，亦屬内七篇之旨，更可視爲莊子全書之旨。此所謂人籟地籟天籟，即莊子借子綦之口以言之，所謂重言寓言是也。"今者吾喪我"，爲讀莊子之基本觀點。或侷促於一己之經驗，百年而已，其何以見三籟之變。如能喪我而化吾於時、則知今之隱机者，非昔之隱机者。且當"人法地，地法天"，故有人籟地籟天籟之次。其後既述風氣，子遊已喻衆竅當地籟、比竹當人籟，然尚未知天籟之象而問之、因又有吹萬不同、怒者其誰之答。此義殊深邃，歷代讀者莫不嘆美之，唯未聞以此義貫及《齊物論》全篇，更未聞以之通貫全書，今試爲論述之：

此節之文，當《齊物論》之總冒，以下至篇末，未聞更及三籟。不知所謂《齊物論》者，全篇僅明有待之地籟，以下有曰："既已爲一矣，且得有言乎？既已爲一矣，且得無言乎？一與言爲二，二與一爲三，自此以往，巧曆不能得，而況其凡乎。”此所謂一猶天籟，二指風氣猶地籟，且衆竅之風氣屬無言，比竹之風氣其有言乎無言乎。是即“有成與虧，故昭氏之鼓琴也，無成與虧，故昭氏之不鼓琴也”，然則“一與言爲二”，言分有無以當天籟地籟之應，“二與一爲三”，三當人籟比竹之象。此猶以不鼓琴爲地籟，鼓琴爲人籟。所謂“天地與我並生而萬物與我爲一”之一，始爲天籟。《齊物論》中舉凡生死也，是非也，可不可，然不然，日夜之相代也，其畛八德也等等，莫非地籟，而曰真宰也，真君也，以明也，未始有物也，日夜之所萌也，其天籟乎。奈由地籟而未及天籟，能不芒乎，有待而惡乎待，吾所待者又有所待也。周與蝴蝶必有分矣，物化之境，其地籟之極則歟。準其義以求天籟，非《齊物論》可盡，宜此篇之前已有《逍遥遊》在。《逍遥遊》者，庶有天籟之象。由小而大，由宋榮子而列子，猶有所待者也。“若夫乘天地之正而御六氣之辯以遊無窮者，彼且惡乎待哉”方可屬諸天籟，是即“之二蟲又何知”之逍遥遊。故《齊物論》之總冒，蓋承前篇《逍遥遊》之象。鯤鵬南北之化、與“生物之以息相吹”，非“吹萬不同”乎。且三籟之象，既上承《逍遥遊》之天籟，又下啓《養生主》之人籟。觀夫庖丁之解牛，“合於桑林之舞，乃中經首之會”，猶昭氏之不鼓琴，遊刃有餘，可得養生之道。故緣督爲經，依乎天理，不啻圖南之遊、窮薪火傳，本諸物化、孰知自適之栩。圖南自適，可免有涯隨無涯之殆，則三籟之吹其同乎異乎。天籟無待之一，其萬不同乎，明乎芒乎，無言乎有言乎，可細味此三篇之旨，何必更吹。

以下三篇其旨尤精，然理當對上三篇之三籟有所認識，自然亦可迎刃而解。曰“人間世”者，明人籟與人籟相接。顏回將之衛，論君道。沈諸梁將使齊，論臣道。顏闔將傅衛靈公太子，論師道。君臣者，陰陽之象，即天籟地籟之義。師者，所以明天地陰陽，其間之消息萬千，人世之變幻莫測。“自無適有以至於三、而況自有適有乎。”然則有得於《逍遥遊》、《齊物論》、《養生主》之與未得者，其有辨乎。支離其德，迷陽卻曲，非其辯乎。此歌已見於《論語》，正見莊子之學宜屬於楚文化。

曰《德充符》者，明人籟與地籟相接。地籟之有辯於人籟，其外曰形，其内曰情，故尢述兀者王駘，申徒嘉、叔山無趾，哀駘它四人。如能忘形存德、兀者何失。由是衛靈公悦闉跂支離無脤，齊恒公悦甕㼜大癭，而視全人其脰肩肩，是謂誠忘，猶未存其真形。天刑難解，膠之與斲。眇乎謷乎，神其外乎，忘形忘情，德充而符。其唯道貎天刑之人乎。其人既由人籟之《人間世》入此地籟之《德充符》，又將進而登天籟之《大宗師》乎。

曰"大宗師"者，明人籟與天籟相接，天之於人其思曰象，其德曰真。真人真知，然後知天知人，象以離形、何患死生。真知以去有待之知，其師不爲仁義老巧，大而宗之，地二可復天一。猶聞於疑始以入寥天一，證於坐妄而同於大通，然則姑射山之神人、其貎乎、不貎乎，其由支離其形通於支離其德而無待，則人籟合天籟而一，此所以能"陶鑄堯舜"歟！

按儒家有内聖外王之道、莊子何嘗不可有。凡前三篇猶内聖，後三篇猶外王，唯聖王之實其有辨無辨、須慢嚼其文而細味之韵，何可下簡單之判斷。

末篇曰"應帝王"者，可以壺子滅神巫爲喻。破列子之待，復倏忽之鑿，何必圖逍遥之遊，何處來蝴蝶之夢。"紛而封哉，一以見終"。用心若鏡，虚而已矣。自印度法相學傳入，此非大圓鏡智而何？由識轉智，破鏡而虚，此禪機之第九識。達之慎之，願毋鑿莊子之渾沌。

舍其象而執其形，則此内七篇之名，實密合每篇之文義，由文義以究其連貫性、於三籟之辨爲天地人與人地天，亦確有所據。三籟即三才，一貫三曰王、是之謂應帝王，故七篇之次，截然有序。因以王字，示莊子之旨如下：

		(外)	(內)	
真人		大宗師——	逍遥遊	天籟
楚狂	人間世	壺子 ┼ 應帝	養生主	人籟
兀者	德充符		齊物論	地籟

雖然,未始出吾宗之虚以示之,何能免"自有適有"之譏。"無適因是","莫足以歸",其壺子之謂乎。

作者簡介 潘雨廷(1925——1991),上海人,1949年畢業於聖約翰大學教育系。生前任華東師大古籍研究所教授、中國《周易》研究會副會長、上海市道教協會副會長。著有《周易表解》及遺稿《讀易提要》、《道藏提要》、《易學史論文集》、《道教史論文集》、《易老與養生》等。

道家與海德格爾

熊　偉

內容提要　海德格爾爲現代西方存在哲學創始人。他的思路往往疏離西方哲學邏輯傳統，而與中國先秦“道可道，非常道”義理合拍。本文試寫此古今中西融通迹象。

我新近讀到 1989 年新出版的海德格爾 1962 年 7 月 18 日作的一篇講演，題爲《流傳的語言與技術的語言》。文中論及流傳語言與技術時代之失調導致吾人達於不可說之境，亦即技術盡量發揮物之有用，適以喚醒吾人從無用方面去體會物之意義。文中在此明說徵引一段老子的學生莊子的話：

> 惠子謂莊子曰：“吾有大樹，人謂之樗。其大本擁腫而不中繩墨，其小枝卷曲而不中規矩，立之塗，匠者不顧。今子之言，大而無用，衆所同去也”。莊子曰：“子獨不見狸狌乎？卑身而伏，以候敖者，東西跳梁，不辟高下；中於機辟，死於罔罟。今夫斄牛，其大若垂天之雲。此能爲大矣，而不能執鼠。今子有大樹，患其無用，何不樹之於無何有之鄉，廣莫之野，彷徨乎無爲其側，逍遥乎寢卧其下。不夭斤斧，物無害者，無所可用，安所困苦哉！”（見《逍遥遊》末段）

講稿在此還點到《莊子》書中另兩處正文，並指出其保有如此明見：勿需爲無用而憂慮。賴無用乃得無傷而久安。故望無用拘守有用之繩墨，乃悖道也。無用因其無所作爲而自有其偉力。如此無用乃物之意義。

講稿點到的兩處正文爲《山木》首段：

> 莊子行於山中，見大木，枝葉盛茂，伐木者止其旁而不取也。問其故，曰："無所可用。"莊子曰："此木以不材得終其天年夫！"
>
> 一上一下，以和爲量，浮遊乎萬物之祖，物物而不物於物，則胡可得而累邪！

海德格爾講到今天的技術時代與流傳語言之失調竟如此細致地引到老、莊的話，足見他的思想與道家共鳴之深。

海德格爾的高足兼全集主編之一的比默爾（Walter Biemel）教授今年九月來北京大學講學時講道："海德格爾專心致力於弄清中國世界，皆因其看法是，沒有中國語言的知識，沒有對中國世界的意境的明見，就不可能有真實洞察的通道。"

海德格爾喜將所講的真實洞察的通道與老子講的"道"相提並論。此次比默爾也提到海德格爾與蕭師毅共譯《道德經》時，蕭總喜歡講所知西方哲理以期印證，而海德格爾深願細聽老子及其語言之奧義以求深入。這是比默爾聽海德格爾親口講的對蕭不滿之處。

現敘一些蕭師毅所講與海德格爾相處情況如下（見内斯克編《馬丁·海德格爾紀念集》）：

蕭初見海德格爾於1942年，尚在戰中。戰後於1946年再見於弗賴堡。海德格爾告蕭，他的《存在與時間》中一段文字，戰中由納粹黨人指給他看，面告"由此可見你不是雅利安人"。同一段文字，戰後由法國佔領軍指給他看，面告"由此可見你是一個納粹"。蕭見海德格爾在此委屈心情中還要身受戰敗國被佔領區災民許多苦難待遇，就安慰他說："您的哲學將來還要受人熱情研讀，將盡偉大使命"，隨即念一段《孟子》給老師聽：

> 故天將降大任於是人也，必先苦其心志，勞其筋骨，餓其體膚，空乏其身，行拂亂其所爲，所以動心忍性，益增其所不能……然後知生於憂患而死於安樂也。（《告子章句》下）

海德格爾聽後顯然被這段針對其當時心境處境的話頗有感動，隨即邀約蕭共譯《老子》書。兩人於1946年整個夏季每星期六在海德格爾的托特瑙山莊共譯了《老子》81章的前8章。譯時海德格爾對《老子》的若干字句之深藏奥義的顛倒反覆總是毫不放鬆毫不含糊地深鑽細酌,直到尋得適當方位能以西方文字表達出中文的深層義理才罷。有時蕭亦擔心海德格爾的筆下或有超越譯理之處。但海德格爾始終是親自而未讓蕭執筆,成文亦從未示蕭。

1947年以後蕭因不能經常再聚而未再續譯,海德格爾深以爲憾。但老子的餘蔭已藏海德格爾心中,例如海德格爾在其論藝術與技術的講演中就説吾人必須用更新與更遠大的目光以視萬物;若僅賴迄今諸多論證以視上帝,則不如"道"之遠大了。此處海德格爾講的"道"是直接用中文道字的音譯(Tao),而非意譯爲德文。可見他是要直接承襲道家思想。

蕭師毅還寫道海德格爾要求他把《老子》第15章"孰能濁以靜之徐清,孰能安以動之徐生"兩句用中國字寫在硬紙片上,懸掛於他的山莊書齋牆壁。這説明他對中國道家思想人迷之深。

一次蕭隨帶一位德籍學技術的朋友往訪海德格爾。這一德友念了三段老子的話如下:"大道廢,有仁義"(18章);"兵强則滅,木强則折"(76章);"聖人後其身而身先,外其身而身存。非以其無私邪,故能成其私"(7章)。然後説:"教授先生,我作爲歐洲人簡直不懂老子説些什麼。"此時蕭師毅插話:"因爲我們中國人當時不知亞里士多德邏輯學。"海德格爾立即作答:"謝天謝地,幸虧中國人當時不知此道。"

另一次蕭帶一位香港來的尼姑往訪海德格爾。尼姑想聽海德格爾平常很少講的關於宗教的意見。海德格爾對她説:"人世間最大的過失是懶於運思。"

正是對此懶於運思的警戒促使道家還有所隨帶的中國思想進入真實洞察的通道,事隔兩千年,相距兩萬里,進入托特瑙山莊,還將進入更爲廣遠的未來。

作者簡介 熊偉,1911年生,貴州貴陽人。1933至1936年在德國弗賴堡大學師從海德格爾教授。現任北大外國哲學研究所教授。

我讀《老子》書的一些感想

葉秀山

内容提要　老子書中的“道”類似古代希臘前蘇格拉底哲學中的“水”，是“質料”之所以爲“質料”的特性，因而不同於希臘那個時期的“邏各斯”。“邏各斯”爲“尺度”，而“道”是“不可測”的。“邏各斯”爲“明”，而“道”爲“暗”。就西方現代哲學言，老子書的“道”又類似於海德格爾那個没有“Da”的“Sein”。“Sein”爲單純的“是”，但尚未“是”“什麼”(Da)。“質料(性)”爲“樸”，自身無“形”、無“狀”、無“名”，但却爲一切有“形”、有“狀”、有“名”之本；“樸”“什麼”也不是，但爲一切“什麼”(器)之本。

“道”、“大”、“虚”、“静”……强調保持一種“可能性”，有“道”爲有“前途”，有“希望”。守“道”爲守住那種“可能性”；“功成身退”，“退”到那本源處，故總是有“希望”，總是有“前途”。

中西文化，就歷史傳統言，因社會生活條件之不同，各自有許多不同的特點，硬加比附，不能説明問題；但就其精神實質言，又有許多可以溝通的地方，尤其是在哲學思想方面，因爲大家都在想那最基礎、最本質的問題，道理上就更有相通之處，有些地方，其類似的程度，竟可令人驚嘆不已。

大家知道，西方哲學作爲一門學科言，起於古代希臘的伊奥尼亞學派，這個學派的創始人叫泰利士，一般都承認他是西方哲學之“父”。他的哲學學説衹一句話，“‘萬物’的‘始基’爲‘水’”。而這句話還是根據後人的記載，他自己並無"書"留下。羅素勸學(西方)哲學史的人不要爲這句話感到"泄氣"，原來深奥的"哲學"竟以這樣不太"像樣"的話開始。當然，"泄氣"是不必的，因爲這句話有三個範疇都是哲學裏最基本的。人們會問，"萬物"和"始基"固然可以説是哲學很基本的概念，範疇，"水"這樣普通的東西，也有什麽哲學意思嗎？於是，西方的哲學史家就努力在這個"水"字上做文章，説這裏的"水"不是真指具體的"水"，而衹是一種"特性"等等，這方面的材料，在英國格思里(W. K. C. Guthrie)所著多卷本《希臘哲學史》裏有不少介紹，可以參閲。史家的工夫當然没有白下，這些研究都是很有價值的，但在義理上似還要一番闡述，而這個闡述的工作，就不僅僅是哲學史家的事，而且更是哲學家本身的事。現代的史家和哲學家已有較多的合作和比較一致的看法：泰利士這個"水"，就是他的學生説的"ἀπ∈lpov"和"氣"，確是取其"特性"而言，不過不僅是"無定"、"無限"，而且還是"黑"的，"暗"的，是物質(質料)之所以爲物質(質料)的那種"性"(materiality)。這個意思是西方人琢磨了好久才琢磨出來的，這方面可以參看希臘哲學史專家康福德(F. M. Cornford)和當代法國哲學家列維納(I. Levinas)的著作。從這些研究成果來看，"'萬物'的'始基'爲'水'"這句話就可以理解爲：包括"人"在内的"萬物"都來自於(源於)"黑"的、"暗"的"materiality"(ἀπecpov)，又復歸於它。這是古人的基本思路，而現代西方人儘管"説法"豐富得多，但仍在這條"路"上。

在這條思想的道路上，西方的泰利士比起我國的老子來，真是"小巫"見"大巫"了。老子書洋洋五千言，儘管有一些錯落、重複的地方，但思想要比泰利士、阿那克西曼德、阿那克西曼尼深入和豐富得多。

《老子》書的核心爲"道"，如果問"道"是"什麽"，那末可以回答："道""不是""什麽"。因爲"什麽"是那"萬物""顯示"給我們的那些可以命名的、可以"名狀"的東西，而"道"卻没有"名"。那末，"道"是不是絶對"什麽"也没有？也不是如此。"道"不但不是"什麼”也没有，而且正是那“什麼”之所以爲“什麼”的根和本，是一切“物”(萬物)之所以爲“物”之本，用西方的話來説，就是那個“materiality”。

這個最原初的“materiality”並不是像後來西方哲學所理解的那樣是人的“思想”、“意識”的產物，似乎這個“物”之“性”(—ality)是抽象的概念，祇“在”“思想”裏。在原初的時候，人們理解“materiality”仍是在“物”本身，因而它也像大千世界一樣向“人”“顯現”出來的，是“道”，是“軌迹”；但它不像有“名”的“萬物”那樣“清楚”、“明白”，而是“暗”的、“黑”的、“玄”的。“道”很“深”，很“遠”，但確真是實實在在的，可以“通”(行)的。這樣，“道”就不是“思想性”的，而是“存在性”的，“實在性”的，所以，它又不是西方哲學後來所謂的“本質”與“現象”分離的那個“本質”，也不是躲在“後”面的“本質”，那個分離了、躲起來的“本質”是以“思想”與“實在”分離爲前提的，這種分離，是西方哲學發展的獨特道路。所以，在古代希臘哲學中，有與伊奧尼亞學派對立的南意大利學派，倡“數”、“邏各斯”、“火”之説，要使事情“明”起來，而“邏各斯”中心論，統治了西方哲學兩千多年。在這個意義上説，老子的“道”，不是希臘哲學的“邏各斯”則是很明顯的事。如果要對比的話，那末，如前所説，老子的“道”更接近那個以“水”、“áπ∈lpov”爲“始基”的伊奧尼亞學派。老子説，“上善若水”，“水”“幾於道”，在這方面的思路非常相近，相近到真令人驚訝。

具體來説，在老子心目中，“道”是最真實的東西，它之所以没有“名”字，正是因爲它是一切“名”的基礎和根本。

“道之爲物，惟恍惟惚。惚兮恍兮，其中有象；恍兮惚兮，其中有物”(二十一章)。“道”爲“恍”、“惚”之“物”，故“道”爲“幽”，爲“冥”，爲“玄”，但其中有“象”，有“物”，有後來一切有“形”、有“名”，有“狀”之“物”。

老子用“樸”來説“道”，“道常無名樸”(三十二章)，這是非常有智慧的説法，它的意思很接近希臘的“質料”(üλη，matter)。但希臘人把“質料”與“形式”(μορφή,form)對應起來,似乎有一個獨立於“質料”以外的“形式”。“形式”在“思想”裏,是“思想”“賦予”的;而中國人是將“樸”和“器”對應起來,没有抽象的“形式”,“器”是實實在在具體的“物”,衹是不名“樸”根本。這在日常的生活中,是非常容易理解的,是最普通,因而也是最基本的道理。

在這個意義下,老子雖說“道”爲“玄”、“奥”、“幽”,但並不“神秘”,衹是它尚未成“器”,未曾進入人的生活的世界,“無名”、“無(規定之)形”。這個“樸”使人想起萊布尼兹那未經雕刻的大理石,“象”即在其中,而不是“人”主觀地“賦”加上去的。我們看到,中國人早就説未雕之玉爲“璞”了。中文的“樸”,是希臘文的“質料”,也是拉丁文的“實體”(substance),但都不是“抽象”出來的“概念”。在中國人看來,如果説“抽象”的話,那些“器”反倒是從“樸”中“抽”(abstract)出來的。這樣,關係似乎就顛倒了過來:不是先有一個個具體的“物”(器),然後“抽象”出“實體”(質料)的“概念”(本質)來,而是先有那個無名之“樸”,先有那個“質料”或“實體”(本體、本質),然後才有那些具體的“物”(器),這個過程不是“抽象化”、“概念化”的過程,而是“具體化”的過程。

“器”來自“樸”,是“樸”(本、根、源)“生長”出來的。“道”爲“生長”之“道”,是“自然而然”的“道”。不錯,“樸”由“人”“加工”爲“器”,但這種“加工”、“改變”,不能違反“樸”之本性、原性,而是因其本、原之性而使成“器”。“瓢”可取“水”,“穴”可“居住”,都循其自然之性;那個“雕像”原就在“大理石”之中。這叫“因勢利導”,“道”就是“導”,是順其“自然”的事,不僅是“人爲”的事。所以老子説:“人法地,地法天,天法道,道法自然”(二十五章)。

老子的“自然”,不是西方哲學後來意義上與“意識”、“思想”對立的“自然(界)”,而是“自然而然”,是自身“生長”——是希臘文本意上的“φύσις”。現在哲學史家和哲學家都同意這個“φύσις”原義爲“生長”。海德格爾説,後來拉丁文用“natwra”來譯它,就譯壞了,把“φύσις”凝固化、僵硬化了。但拉丁文 natura 原義也是“生長”,衹是後來羅馬的哲學家把它理解成與"思想"對立，成了"思想"的"對象"，從而失去原初的意義。

"生長"是"自然而然"的，不能"拔苗助長"。莊稼人可以有各種"經營管理"，但"莊稼"還要自己去長。"自然""生長"，這就是"道"，是"樸"之"道"，"樸""生長"之"道"。

這裏的"道"、"樸"既然"自然而然"，"自己生長"，是不是就沒有"人"的作用了呢？當然不是的。在老子心目中，"人"當然會"參與"這種"自然而然"的"生長"活動，所以他說："道大，天大，地大、人亦大，域中有四大，而人居其一焉"(二十五章)。"人"要合"道"，是"道"的一部份，不是"天""人"合一，而是"道""人"合一。

"人"原本也是一"道"，一"樸"。從母體生長出來的是一個"嬰兒"，還不是"孩童"。"嬰兒"已是"人"，但你不能問"是""什麼""人"？"嬰兒""是"，但卻"不是""什麼"。"嬰兒"是"人"之"樸"，"人"之"本"，"人"之"根"，以後的"'什麼'人"，是從這裏"生長"出來的——所以"人"可以"自謙"爲"僕"，即"我"可以"爲你"做"一切"之事，"我"是"你"的"僕"。"人"可以爲"帝王"、"將相"，爲"販夫"、"走卒"，這時你可以問一個"什麼"，因爲這時"人"已成了"器"，但這個"器"卻來自那個"樸"(僕)——"嬰兒"。你可以爲"王侯"，也可以爲"囚徒"，"名"、"器"的那個"什麼"，是可以改變的，但你必爲"嬰兒"，則是不可變更的，所以那個"樸"(僕)人"、"道人"，爲"真人"。

這樣，"道"、"樸"、"自然"，都是"生長"的根、本、源，包括"人"在內的"器"，都是從這個根、本、源中"自然而然""生長"出來的。這樣，在老子的學說中，"道"、"樸"、"根"、"本"、"源"等都在"生長"的"必然性"中有較多"可能性"的意思在內，而純粹的"必然性"是古代希臘人從原初的"正義性"轉化過來的範疇，他們認爲"生長"是"必然的"，其意思是說，那"根"、"本"、"源"與後來的"物"之間有一種"必然"的聯繫。恩培多克勒的"四根"說，阿那克薩哥拉的"種子"說，都含有"骨"、"肉"由"小骨"，"小肉""組成"(或"長成")的意思在内,而老子書卻並未强調“必然”的這層意思,而是强調“可能”的這層意思。

《老子》書强調這種“可能性”可以從它主張或希望“保持”這種“可能性”這個立場中看出來。我們知道,“生長”的觀念和“生命”的觀念密切相關,而“生命”是“活”的。“活”有一個“過程”,即由“生成”到“成熟”,到“衰亡”。“生命”的“理想”在於長久地“保持”這種“活”的“可能性”,總希望“青春”長駐。這樣,“幼稚”的東西儘管爲“樸”,爲“拙”、爲“愚”、爲“柔”,但卻具有很久遠發展的可能性。“物壯則老,是謂不道,不道早已”(三十章)。“老”了,前面就没有多少“道”可“走”了,“没有”“道”(“不道”),“生命”就停止了,“活”的就“死”了。老子還説:“活”的東西,是“柔軟”的,而“死”的東西就“僵硬”了,由此就産生了以“柔”克“剛”,以“弱”勝“强”……等非常深刻的辯證法思想。而天下之至柔者,莫過於“水”,這樣,“水”就成了“道”的象徵,象徵着有無限的“可能性”,象徵着最爲典型的“樸”,這些義理,細想起來都與“生命”、“活”、“可能性”的觀念密切相關。這樣,《老子》書的“自然”,就和希臘巴門尼德所謂“必然性”的“大箍”完全不同,而是從“生命”(生長)的“可能性”這個角度把“自然”與“自由”結合了起來。

“可能性”是“自然的”,也是“自由的”,《老子》書的理想在努力保持住這個“可能性”,從而保持住這種“自由”、“自在”的“靈活性”和“生命力”。所以,道家的理想在“守拙”、“守愚”、“守護着”那個“嬰兒”(“真人”),使之“青春”“常駐”,“長生”,“不老”。這個“理想”,在老子書中並没有迷信的意思,那種“修鍊”的迷信,是後來的事。老子説的是學理上的事,而永遠保持住一顆“年輕的心”和那“天真”的“赤子之心”,至今還是很美好的境界,而那“老天真”、“老小孩”(“老”“子”),也不全是貶義。

另一方面,所謂“虚”、“静”這類意思,也和强調“可能性”有關。“虚”是“空”的,好像一個杯子那樣,當中是“空”的,才能“容”物。所以在老子心目中,“道”之爲“物”,是既“大”而“空”,這樣才能“涵蓋

(養)”“一切”(萬物)。這個“空”,並不是牛頓式的“絶對空間”。牛頓的“絶對空間”是“抽象思維”的産物,而老子的“虚”是“具體思維”的産物。“具體思維”是一種基礎性的、經驗性的思想方式,而那“抽象式的”、“概念式的”思想方式是在這種“具體思維”的基礎上發展出來的。西方也並不是生來就是用那“抽象概念”式的思想方式來考慮問題的。至少早期希臘哲學還有很重的“具體思維”的色彩。前面提到過的“水”、“ἀπ∈ορcν”和“氣”,都是“具體”的。根據海德格爾的説法,甚至那個“邏各斯”最初的含意也還是很具體的,是一種“收集”、“綜合”的意思,後來才發展成“邏輯”的。古代希臘早期的“空間”觀念也還是很具體的。爲了使巴門尼德的“鐵板一塊”的世界活動起來,希臘的原子論者認爲需要給“原子”以一個“活動”的“空間”。所以原子論者挖出的“始基”是兩個:一個爲“原子”,一個爲“虚空”。“原子”之所以爲“原子”——“不可分”,是因爲它中間没有“縫隙”,它是“實”的,就像我們平時説的,是“實心兒”的,而“虚空”當就是那個“縫隙”,是“虚”的,“空”的。這樣,所謂“虚空”,實即一種“活動”“場所”的觀念。“萬物”(原子)總要有個“地方”(場所)“容”它們,“裝”它們。這個“地方”和“場所”老子常用“盅”、“谷”這些很具體、很形象的詞來説它。老子覺得,這些“盅”呀、“谷”呀的,衹有讓它們常“空”着,才有“地方”來“容”“物”;如果已經“裝”“滿”了,“裝”“實”了,就再也“容”不得“物”了,這樣就不靈活,没有生命力,就“死”了。“實”了,就是“死”了,所以,老子的理想是要“守”住那個“空”和“虚”,使其永遠“不滿”,而“留有餘地”。

“道”是那最大的“容器”,而且永遠是“空”的,所以,在這個意義上,“道”是最大的“空器”。“大器”、“空器”實際上就是“道”。最大的、最空的“器”,是不容易“看”到的,所以才“惚兮恍兮”。同時,因爲它是最大的,所以也不可能完全“裝滿”、“裝實”,而永遠是“虚”的,永遠有“裝”的“可能性”。

“道”如作“路”來講,也同樣可以通上面這個理。“路”要是“空”的,才能“走”;如果擠滿了“人”,或堆滿了“物”,就“走”不通了，就没有“路”，也就“不道”，“不道則已”，是一條“死路”，“死胡同”。老子的“道”是最大的“路”，所以“大道”永遠是“空”的，永遠是可以“通行”的，永遠有“通行”的“可能性”。

這樣，“道”的本性是“空”，是“虚”，而不是“實”。這個義理，是很具體的，並没有太抽象的地方。

從這個“空”、“虚”的思路發展開去，“道”又是“静”的，因爲“空”、“虚”是“静”的，不是“動”的。“路”上有“人”，南來北往，則是“動”的，“鬧”的，而“空”的“路”，則是“寂静”的，“鬧市”聽不見美妙的音樂；“寂静”的山林，才能“聽到”鳥鳴唧唧和水流潺潺。

然而，“生長”的“生命”不是“動”的嗎？所以老子的“虚”、“静”之“道”，是爲了“動”，爲了“生長”和“生命”，是爲“動”而留有餘地，是“保持”“動”的“可能性”。

從這個思路，老子對那個“道”，又提出另一種説法，即“道”爲“小”。我們已經知道，“道”爲“根”，“根”爲“静”、而“根”雖（唯）“静”而“生長”萬物。本來，“根”、“樸”都是一個意思，是未成形但會成形的東西。“樸”與“器”對，“根”與“樹”對，“樸”散爲“器”，“根”生爲“樹”，而“樹大根深”，“根深”則“樹大”，故“道”、“根”都在“深”、“遠”，在“黑暗”、“幽冥”之中；但“根”還有一個特點，就是“樹”爲“大”，“根”爲“小”，“樹”爲“粗”、“根”爲“精（細）”。“事物”都是由“小”到“大”，由“精”、“細”到“粗”、“壯”。這個道理和由“虚”到“實”是一樣的，但在這個意義上，“道”就不是“大”，而是“小”、“精”、“細”，“守”“道”就是“守着”那“小”的、“精”的、“細”的。所以，“惚兮恍兮”的意思除了“大”而“空”外，還有一層，即：“視之不見，名曰夷，聽之不聞，名曰希，搏之不得，名曰微。此三者不可致詰，故混而爲一。其上不皦，其下不昧，繩繩兮不可名，復歸於無物，是謂無狀之狀，無物之象，是謂惚恍”（十四章）。

太大的東西看不清，太小的東西也看不清，都是“恍恍惚惚”。“道”就其“小”、“精”、“微”而言，很像古希臘哲學早期理解的“靈魂”（ψuxy′）。這個“ψuxy′”原初是指人的“（呼吸）氣”，被認爲是最精細、可以“穿透”一切“縫隙”的東西，因而看不見，而“(呼吸)氣”是與人的“生命”聯繫在一起的。另一方面，“道”就其小而言，又類似希臘原子論的“原子”，希臘哲人認爲“原子”因爲太小而不可分、看不見。這樣，老子的“道”就將希臘原子論兩個“始基”集於一身，也是“混而爲一”：“道”是既“大”又“小”，既“虛”又“實”，既“動”又“靜”。這樣一種辯證的思想方式，基於“生命”、“生長”的“過程”，而不像古代希臘早期的辯證法那樣側重於“冷”“熱”、“明”“暗”……等感性的或概念的對立，而真的是“活”的辯證法。

這種“活”的、與“生命”、“發展”結合起來的辯證法，在西方哲學中一直到黑格爾才完備起來的。黑格爾的“絶對”，有點像老子的“道”。“絶對”是大千世界的“種子”，人的現實的、生活的世界是從這個“絶對”發展出來的，但這個“絶對”是“精神”，這就是他的“精神現象學”。“現象”是“精神”“顯現”的“過程”，而所謂“顯現”又是“生長”、“發展”的過程。“絶對”之所以有這種“能動性”(可能性、自由性)，是因爲“精神”是能動的、自由的。德文Geist原就有“活力”的意思在內。但無論古代希臘的“靈魂”、“原子”，或黑格爾的“精神”(精力)，都是“看不見”的，而老子的“道”，則是“看得見”的，衹是“看不清”而已。“視而不見”、“聽而不聞”就是指的“看不清”、“聽不清”的情形；“大象無形”、“大音希聲”也都是指這個意思，而並不是真的指“不可視”、“不可聽”。從這方面，也可以看出，老子的思想並不像西方有些哲學家那樣把問題説得那樣“絶(對)”，“看得見”就“看得見”(物質)“看不見”就“看不見”(思想)，“物質”、“感性”就是“物質”、“感性”，“思想”、“理性”就是“思想”、“理性”，而是承認有一種“東西”(物)，“可見”“與不可見”、“靜”與“動”、“自然”與“自由”……是統一的。如前文所説，西方現在有人把它叫做“物質性”(materiality)的東西，這個“materiality”不因爲其有個“-ality”就成了“抽象概念”性的，而是實實在在的東西，衹是這個東西是黑的、暗的，因而“看不清”。

其實，這個“東西”就是海德格爾想要説的那個“Sein”。海德格爾早年從“Dasein”來看“Sein”,是爲其學説奠定基礎的地方,認爲自從世上出現了“人”這個“Dasein”之後,“Sein”的問題就提出來了,是“Dasein”使“Sein”“明”起來;而晚年,他就專門來思考那有關“Sein”的問題。法國的列維納很崇拜海德格爾,但他指出“Sein”如果没有“Da”,就“明”不起來。他説“Sein”、“ilya”、“there is”,是“黑”的,“暗”的,先有一個“Sein”是“materiality”。我以爲列維納强調這一點很要緊。没有“Da”的“Sein”,“ilya”、“there is”,是“純有”、“純是”。“是”和“有”如果没有“什麽”“規範”着,則就“明”不起來。我覺得,如果實在“明”不起來,與其硬要它“明”——這是西方許多年“形而上學”的經驗教訓——,不如就讓它“暗”着,而“保留”一個“使之”“明”的“權利”和“可能性”,這樣才有“餘地”,才可以“等待”(期望)着“明”,才有“盼頭”。

“Da”是“什麽”?“Da”是那人類已經創造了的一切文化和文明,包括各種科學、技術和制度。海德格爾特别指出那“語言”、“歷史”和“思想”、“詩歌”,認爲這些都是和“Sein”分不開的“Da”。“Sein”因爲它們才“明”起來。思想、歷史、詩歌——語言是Sein的存在方式。海德格爾説,“語言”是“存在”的“家”,這就是説,“Sein”就“住在”那個“Da”裹,在“Da”那裹,可以“找到”、“遇到”“Sein”。這些説法,當然是老子所不具有的。

然而,就老子的思路來説,他强調“守着”那個“Sein”,而反對那個“Da”。所以,我以前説,老子書裹缺乏那個“Dasein”的度;現在我想借此機會補充説明的是:老子書之所以没有那個“Dasein”的度,是因爲他認爲“Sein”根本不必、也不應與“Da”聯繫在一起,相反,“Sein”要努力掙脱“Da”的“限制”、“規定”,“保留”着“Sein”的一切“可能性”。因爲,如果一“是”了“什麽”,就不能再“是”“别的”“什麽”;一“有”了“什麽”之後,就“僵化”了,就“死”了,所以要“有而不持”,光有個“是”,而“是”爲“虚”、爲“静”、爲“樸”、爲“根”,“虚”着那個“什麽”,使這個“什麽”爲“無”,則“什麽”都可以“是”,可以“有”。這就是“虚位以待”,“虚”其“位”,以“等待”一切的“什麼”。這是老子的思路和理路。這個思路和理路你可以不同意而另闢蹊徑,但不能説是“不通”的“路”。

在老子心目中,那個“Da”就是當時社會現實的制度和當時佔主導地位的儒家的仁、義、禮這些道德倫理“規範”(限制)。

以孔子爲代表的儒家是中國文化傳統中的另一大支柱,它的思想,就其本意來看,也的確涉及到相當根本的問題,即人倫方面的問題。就原初形態言,我們不能説孔子不講自然,就像不能説老子不講人倫一樣,但二者的側重點是不同的。用現代的哲學語言説,孔子學説側重在人與人之間的關係,老子的學説則側重在人與自然之間的關係,可能大體不會太錯。不過這個比較,需要進一步的發揮。

孔子學説核心爲“仁”。“仁”爲“兩個”“人”,而不是“三個”“人”。兩個人的關係是很接近、很親密、很直接的、是“我”和“你”的關係,而“我”和“你”的關係原本是一切倫理、道德的基礎,所以“仁”也是基礎性的概念,不是派生出來的禮、義這類形式化了的概念。“仁”的概念原本是“活”的,不是“死”的。孔子的“仁”像老子的“道”一樣,孳生着一切人倫規範,“仁”就是那個“Dasein”的“Da”的本源性、基礎性的意義。

然而,不同的是“道”爲“一”,爲“一”“大容器”,而“仁”爲“二”,“兩個”“人”;“仁”比“道”“多出”一個“一”,“Dasein”比“Sein”“多出”一個“Da”,“善”比“真”“多出”點“什麼”。“正義”(διkη′)比“真理”要“多”出“什麼”,所以海德格爾説,希臘文“真理”爲“揭蔽”(aλη′θ∈ιa),要把那“多餘的”東西(什麼)“揭去”。這也許就是他晚年要把那“Da”擱置起來,專門想那個“Sein”的緣故。

我們看到,海德格爾這個工作,我們的老子早就在做,而且做得很有成績。老子不但要“去掉”那些“文飾”的東西,而且也更進一步要人積極主動地去“守護”那“虛”、“靜”、“本”、“根”的東西。要“守”那個“道”。循用海德格爾的話來説,就是不僅要“揭蔽”,而且有“守真”,“守護”那“真理”(真實,Wahrheit);而我們知道,“守真”

即“守道”。海德格爾曾經說過,“人”是“Sein”的“守護者”,使“Sein”不要失落掉,遺忘掉,並批評現代資本主義社會爲“存在(Sein)的遺忘”。所以,從一種意義看,他和我國古代老子的確有很相似的思路,而所用語言,竟也有驚人的相似之處。

老子要人“絶仁”、“棄智”、“絶仁棄義”、“絶巧棄利”,就是要“揭”去“Da”那個(些)“蔽”;“絶”“棄”掉那個(些)“Da”,則“Sein”自現。“自現”爲“自然”、“自由”之“道”,“絶”“棄”那個(些)“Da”,“自然”就“見素抱樸,少私寡欲,絶學無憂”。(十九章)。爲了“得”“道”,連“學”都要“棄絶”掉。爲什麼?“學”也在那個“Da”的度中,細想起來,這個道理不是涉及到哲學思想中一些根本的問題嗎?

上文説過,“Dasein”比“Sein”“多”了一個“Da”。“多”出來的東西就不是“自然”的東西,不是“自然而然”就“有”的,因而就是要“學”得的。所以要認識那個“Da”,就要“學”,所以叫“學”“文化”,“文化”都是要“學”來的。“學”從哪裏來?從“師”來,從“别人”那裏“學”來。所以“Dasein”(人)與另一個“Dasein”(他人)之間的關係就包括了“教”與“學”的關係。孔子説,“三人行必有吾師”,他老先生説得太謹慎了些,其實衹有兩個“人”,就有“教”和“學”的關係,前文説,“仁”衹要“兩個”人就可以了;而世上如衹有一個人,則自無所謂“仁”、“義”,道德。現在,老子要把那個“Da”“絶”“棄”掉,所以就反對“學”那些“仁義道德”的“規範”(Da),他甚至説“爲學日益,爲道日損”(四十八章)。就是説,那個“Da”越是“厚實”,“積累”得越多,則“道”就被“掩蓋”得越深。

這些道理,似乎都是和海德格爾相通的,但是老子並不認爲“絶棄”了那個“Da”之後,“道”就真的“明”起來,而認爲“道”總是“暗”、“幽”、“深”、“遠”的。所以我推想,我們的老子説不出“語言”是“存在”的“家”這種話來,好像“道”是“住在”“語言”裏;恰恰相反,老子反對一切的“Da”,而“語言”就在“Da”的度中,因而也會把“語言”當作一種“遮蔽物”看待,所以他主張“行無言之教”。就這方面説,我認爲老子比海德格爾還要“徹底”些,而正是在這一點,或基於這一點，海氏被西方"後結構主義"或"後現代派"批評爲"語言(音)中心論"。

很長時期以來，西方人都"相信"那個"存在"會"澄明"起來，即：是可以"説""清楚"，"説""明白"的，於是才有"ontology"這門學問。這就是説，許多西方哲學家認爲，可以有一門"學問"(科學)來把那個"存在"("道"、"全"、"無限"、"絶對"，Sein，being，"ὀν")用概念、語詞的"體系"(系統)"説""清楚"，這樣，人們"學"了這門"存在論"(本體論)，就"明白了"、"懂得了"那個"存在"("道"……)是"什麽"。"存在論"(本體論)"可教"、"可學"，成了一門與其它經驗知識一樣的"科學"(science)。這個思路，一直到康德才被冲擊到要害。康德説，那個無限、絶對、大全衹是一些"理念"，而不能用知識的"範疇"來説清楚的，就這個意義説，"它(們)""不可知"；當然"它(們)"是"可以思(想、議)"的，不是"不可思(想、議)"的，對"它(們)"的"思"，是一種"信念"(信仰)，在實踐(理性)中，是有其合理的地方的。康德不承認有"ontology"，衹承認有"epistomology"，它的"對象"不是"Sein"，而是經驗的Seiende。在康德哲學中，Seiende就是Dasein，而不專指"人"。"棄絶"掉那個"Da"，"Sein"不是知識、科學的"對象"，不可"教"，不可"學"。康德這個思路，在一定意義上，也是過得硬的。但到黑格爾，那個"大全"、"絶對"，經過矛盾的發展過程，又在"哲學"的思想體系中，"明"了起來。事實上，在黑格爾思想中，在那"真理"、"絶對"、"大全"位置上的"Sein"已經有"Dasein"的意味，因爲作爲"起點"的"Sein"，是"抽象"的、没有"内容"的，衹有到了"終點"，最初抽象的、形式的"Sein"("有"、"存在")，才"具體"起來，所以叫"具體的共相"。"Da"使"Sein""明"起來，這個思路，黑格爾已經有了。但黑格爾的哲學，一直有許多人不滿意，而其中最基本的問題之一是：並不能説黑格爾的"哲學"就窮盡了一切"真理"，學了他的哲學，就"明白了"(學會了)"真理"。

從這個意思看，我覺得，這些很有智慧的哲學思想倒不如我們的老子平實地堅持他所説的"道"是"幽"、"玄"、"深"、"遠"，是"暗"

的,不是"明"的,也不可能讓它真的"明"起來。爲什麼説這個道理是很"平實"的?設想你要"走"一段漫長的"路程",儘管有一本很詳細的"地圖",或者竟是一本"軍事地圖",你"看到"的衹是一些"標記"和"符號",真正的"路",你卻是"看不清"的。你可以"看清"你眼前的一段,但"遠"處的,就衹能"惚兮"、"恍兮"。你當然可以"登高""望遠",但也是"恍兮"、"惚兮"。所以經驗的知識,概念的體系,語詞的組織,都不能使你真的"看清""道",按老子的思想來説,你"應該""守道","你"也可以"得""道",但你卻不能"明"("看清")"道"。"棄絶"那個"Da",你"得到"了那個"Sein",但正因爲你"棄絶"了那個"Da",你就"看不清"那個"道",因爲一切的"文""明",包括理智、科學、仁義、語言等等,都在那個"Da"的度内,"Da"是那"光","棄絶"了"光",當然"看不清""什麼"。

"光"使人"明",但"明"的衹是"象"(現象),那個"本質"、"根",卻"看不到"或"看不清"。"光"揭示(顯現)了"什麼",也"掩蓋"了最大的、最根本的"什麼"("大器"、"大道")。人類"文明史"、"文化史",是"光"的"歷史",是"光"的"記載",因而也是"象"和"現(顯)象"的記載,像"電影"一樣,是那個"Da"的記載,是"意識"、"思想"的"記載",這樣,那個"Da"很可能會"脱離"那個"Sein"成爲一個"影子"(影象)。"文化史"、"思想史"、"意識史"弄不好是無"根"之"本",無"源"之"水",是"脱離""實際"的東西,是"人爲"的,"僞"的、"仿制"的(simulated),而不是"自(天)然的"、"真"的東西。這樣,"Da"與"Sein"並不能真的"混爲一體",而始終會有矛盾的,不能合起來成爲"絶對",從而能在某種思想體系、哲學體系,或某種"學問"中得到"澄明",然後"教"給人們,似乎可以使人人都能"學"而後"明"。

"真正的""道",要你自己去"走",要實際地"走",才能説你"得"了"道";而當你"走"到"頭"時,你以爲"得"了"道",卻實際上又"失"了"道",没有"道"可以"走"了,這樣你又得"走""回來",不斷地"周而復始",你才能"守"得住這個"道"。

没有人能“教”你“得”“道”，這樣，一切可教、可學的仁義禮智，都衹能“損”“道”。真正的“聖者”，不把那些仁義禮智的規範和技巧(Da)强加於人（他人），而是“爲無爲”，讓人（他人）“自爲”，自己“走”自己的“道”，自然而然地相處在一起，這就是老子的“無爲而治”，是他把他關於“道”的想法，引伸到社會治理方面來，就其本身的思路來説，也是自然而然的。

“無爲而治”是老子從其“道”、“樸”、“無”、“柔”、“微”、“暗”、“隱”、“静”、“拙”、“愚”……這些基本的出發點“自然”引伸出來的學説，是要“聖者”、“王者”也要（或者“更要”）“守”着那個最根本、最有前途的“道”，這是和那當時以“主體”“自我”爲核心、把道德實踐“知識化”、“制度化”要大家來“遵守”的儒家思想完全對立的，而老子這種“清静無爲”的主張，本與那君主的統治欲求相抵觸的，但在中國古代政治思想上卻保持着相當的影響，倒也是發人深思的。

就統治者來説，他不僅需要“君臨天下”、“以天下爲己任”的意欲和手段，也要有寬容和度量，即要有“實”的一面，也要有“虚”（空）的一面，這是他維持自身統治的需要。

“社會”之所以成爲“社會”，“社會”之所以要“治理”，有一個事實上的前提爲：“社會”不僅有“我”，而且還有“你”，也有“他”。從康德所謂的“實踐理性”來看，“社會”並不是“我”一個人、或一群人的“自由”“組合”，而是每個“人”在道德上都是“自由”的，因而每人都要有“（負）責任（心）”。儒家把這種“自由”集中在“聖王”一個人或一群人身上，而將其他人（“他人”）都當成“服從”這個“自由”（意志）的“工具”和“臣民”（奴隸），這樣在事實上當然是不可能真的做到。這種不可能性可分兩個方面來看，一方面，作爲各種等級奴隸的“人”是不可能真的“服從”“一個”或“幾個”“人”的“意志”的；另一方面，如果真的衹有“聖王”才有“自由”（意志），那末，也就衹有他才有“責任”，事事都要他來“管”，來“負責”，一是管不好，二是非累死不可。所以古代儒家的皇帝或大臣，除非當“昏君”或“貪官污吏”，要想當“明主聖君”、“賢臣良將”，則是很“吃力”的，因爲他們不相信老百姓會自己管理自己，事要躬親，到頭來，祇能是“鞠躬盡瘁，死而後已”。

老子的社會思想就不同，他主張老百姓自己管理自己，而“聖王”祇是因勢利導，順其自然地去做自己該做的事。老子書有一段話，說得很精采：“太上不知有之；其次親而譽之；其次畏之；其次，侮之。信不足焉，有不信焉。悠兮其貴言。功成事遂，百姓皆謂‘我自然’。”（十七章）意思是說，最好不要有“統治者”，有了也要讓百姓“親”你、“譽”你，不要讓百姓“畏”你、“侮”你。關鍵在那“我自然”這句，說得很是徹底。本來，“社會”、“生活”、“世界”是向每個人都“開放”的，每個人前面都有“可能性”，如果大家都自覺到這一點，則相互之間自然就會來“調節”這些“可能性”，就像“瓢”用來汲水那樣發展、利用“瓢”的可能性，而不必拿“瓢”當“板凳”來坐。當有人坐在“瓢”上時，該有人提醒他，讓他坐到“樹根”上去，而當那個人坐到“樹根”上去後，他會意識到他本就該那樣做。社會的管理當然會比這個問題複雜得多，但社會的管理者同樣也是因勢利導地使“社會”保持着和諧、穩步的發展，而不把自己的“主觀意志”强加於“（他）人”。

所以，老子的“無爲”並不是真的不要“事”、“功”，他祇是强調“事”、“功”本也是“自然而然”的。因爲“我”作“事”是“順其自然”的，所以“我”作成的“事”也是“自然而然”的，“事”成之後，“我”就没有了，祇剩下“事”。“事”不能“保存”“我”。所以老子强調“功成身退”。

老子的“功成身退”是從那“不持”、“不有”、“不居”的思想出發，不以“事功”“累”“身”，而永遠保持“我”的這種“可能性”，和“守愚”、“守拙”、“守靜”……的思想是一致的。但是，他把“事”與“人”分開來說的思路，卻是很深刻的。“事”是“人”做的，但“事”大於“人”（我），“事”不能使“人”（我）“永恒”。這不正是當代西方從結構主義及解釋學、後結構主義等等這些學派所討論的“作者”問題嗎？當然，當代西方的討論，背景和材料都複雜、豐富得多，有許多問題、說法、想法是老子書中所未曾涉及的，但基本的問題和道理卻在老子書中已經有所討論，這可也是白紙黑字的事實。《老子》書沒有明確的“作者”、“誰”的問題，但他的與“道”相關的一些說法，確已接觸到問題的關鍵。

現代的西方人認爲，“人”是暫時的、要死的，即使署上了“名字”的“作品”，也不能使“作者”“永存”，而“後人”會因爲“作者”已沒有“發言權”（不能再“說話”）而按自己的意思來“理解”（解釋）你的“作品”，從而不僅你的“肉體”不能長存，而且你的“思想”也不能長存。《老子》書當然沒有涉及這樣複雜、細致的問題。但關於“作者”（我）的問題，《老子》書也還有一層意思，是西方學者未曾涉及的，即“功成身退”對“作者”（我）自己還有一層“保護”作用、“我”的“事”不能使“我”“永生”；但祇要“我”“活”着，就不要讓“事”“束縛”着“我”，使“我”“未老先衰”，使“我”“早亡”（“早已”）。於是，“我”“退”出了“事”、“功”（即使是“我”做的），則“我”可不爲“事”、“功”所“累”、所“縛”，而可保持着自身的“可能性”，則爲“自由”之“身”，而有前途，有希望，有未來，有青春活力，至少，有一顆“赤子之心”。

對“人”來說，“守愚”、“守拙”、“守靜”、“守虛”……，就是“守”着那“自由”；一切從“0”開始，永遠向“前”看，用老子書裏的話來說，這就叫“有道”，即“有路”。從“0”開始，意味着不爲“過去了”（已成）的“事”、“功”、“作品”所“累”。譬如“我”已是“帝王”、“將相”，一方面當然要盡那“帝王”、“將相”的“義務”，同時更重要的是要“保持”那“地位”和“身份”，而“義務”也是一種“概念”和“限制”，即要做那“帝王”、“將相”之所以爲“帝王”、“將相”的“事”，“保持”那“符合”“帝王”、“將相”“本質”的“權利”。這樣，到了“極位”，也就到了“頭”，沒有“道”（路）可走了。老子並不是說不可爲“王”爲“相”，而是要人能“退”得出來，用現在的話說，叫“能上能下”，而最要緊的是“能下”，“退回”到那最“底下”的“基礎”處去。在那裏，“我”（你）本“不是”“帝王”，也“不是”“將相”，“我”（你）“什麼”也“不是”。正因爲“我”（你）“什麼”也“不是”，所以才有可能“是”一切的“什麼”。

“無爲無不爲”。“我”(你)“不是”“帝王”、“將相”,“我”(你)才要去做“帝王”、“將相”的“事”,“將來”才有可能“是”“帝王”、“將相”;永遠處於“不是”的地位,才有可能不斷做那“帝王”、“將相”該做的“事”,而不先想着“保持”(“居”、“持”)已有的“地位”;如果要“守”那個“地位”,使那個“地位”“實”起來,則就會“失”去那個“地位”。這樣,“帝王”、“將相”同樣、或更要“守虛”、“守靜”、“爲無爲”,才能長治久安。“聖王”爲“大僕”,是“最大的”“僕人”,是“公僕”,爲“他人”作“事”,而“自己”則“什麼”也“不是”。

就這方面來看,《老子》書中的道理從某些側面又和西方實存論者關於“自由”、“虛無”(“不存在”,“不是”)的思想相通起來。當然,西方的實存論側重在“意識”、“實存”、“個體”之“自由”“創造”“意義”,從而進入道德責任之不可推卸性以區別於“自然”;老子則没有自由與自然、道德與必然、意識與存在……那種完全分立的思想,而是在一種基礎的、原初的層次上表現了它們的和諧一致,所以老子的“道”、“無”、“樸”、“拙”、“暗”、“靜”、“虛”……都是“自然”的,也是“自由”的,老子的“自然”包含了“自由”的意思在內,而不像西方哲學傳統那樣衹認爲“思想”是“自由”的。

《老子》書中“有”、“無”之辨,固然包括了近代哲學中“存在”與“思維”的辯證關係,但並不完全是這種關係。老子的“無”也可以理解爲“思想”、“意識”、“意義”等“內在”的東西,但需要進一步的闡述,而不能直接得出來。老子的“無”,是“無‘限定’”,“無名”,“無形”,就其“物質性”言,是實實在在的“有”,是最基本的“有”。從這個意義説,從近代西方哲學的觀點看,也可以説老子書中“思想”、“意識”的度,並不很突出。他没有想到,正是那個“思想”、“意識”是“最大的”“容器”,“最大的”“空”,是真正的“無”。“思想”爲“無”,則才能“容”“萬物”。世上任何具體的“容器”都是“有限”的,衹有那“思想”,才是“無限的”“容器”。這是西方哲學近代以來的基本思路,而在“existentialism”中表現得最突出,但果如是,則它那個“existence”就不能譯成“實存”,而恰恰是“空存”了。

將問題拉回到老子書來，以上所述，是不是就意味着老子不要"思想"、"智慧"，而將"人"降爲"動物"了呢？表面上看，似乎真有這種危險。但我認爲不是這樣的。首先那個"無"，衹有"人"才能體會出來的，"動物"不可能有"無"的度，對"動物"來説，一切皆"有"，那才是巴門尼德的"鐵板一塊"的"存在"。衹有"人"才能提出那個"無"的度來，也就是説，"動物"衹能"看見"它"看得見"的"道"——儘管鷹可以看得"很遠"；而衹有"人"，才能"看見"那"惚兮"、"恍兮"的"道"，衹有"人"才有可能"看得見"（但"看不清"）那"天地"、"宇宙"、"世界"之"無限"。換句話説，衹有"人"才有可能"看得見"那"黑暗"，"感覺到"那"黑暗"。西方近代哲學中的"無限"是"（思）想"到的，而老子書中的"無限"則是"看"到的。"（思）想"到"無限"固然需要"智慧"，而"看"到"無限"同樣需要"智慧"；我們甚至可以説，"（思）想"到那抽象的、概念式的"無限"，有"小智慧"就行了，但要"看"到那具體的"無限"，則非有"大智慧"不可。不過無論如何，"動物"不需要嚴格意義上的"智慧"，因爲它衹需要"看見""光明"。

所以，老子不但不反對"智慧"，而且提倡"智慧"；不過他所提倡的是"大智慧"，是"看得見""黑暗"的"智慧"，而不是"小聰明"、"小技謀"。"看得見""光明"並不希奇，要"看得見""黑暗"才算有本事。"人"可以並應該有"大智慧"，所以比任何"動物"都"看得""遠"，"看得""深"，他能"看得到""幽冥"。

"大智若愚"，是爲"大智守愚"。不僅老百姓要"守愚"，人人要"守愚"，"統治者"更要"守愚"，因此老子書没有提倡"愚民政策"，或者説，不僅是"愚民政策"，而且是"愚王政策"；這顯然不是"上智下愚"的觀念，而那才是真正的"愚民政策"。"聖王""守愚"，使民"不爭"，而不是"自作聰明"地"挑動群衆鬥群衆"。

有"大智慧"的人才"敢於""直面"那"黑暗"，因而有"大智慧"必有"大勇氣"，"敢於"在那"恍兮"、"惚兮"的"道"上"探索"、"創造"；有"大智慧"、"大勇氣"者也必有"大品德"，"功成身退"，不求"名"，不求"利"。

“功成身退”在老子書中並沒有要人遁入深山當“隱士”的意思，這個意思當是後來發展出來的。老子書可以讓人得出那個思想來，當然也有一部分責任；不過書中所强調的還是反覆“進”、“退”，“退”出來是爲了“進”，使“進”有可能。當“隱士”不希奇，也不需要“大智慧”。當“隱士”還意味着：以爲那個“道”他都“看清楚”了，以爲“看透”“一切”了，而這恰恰是和老子關於“道”的學説完全相反的。“看破”“紅塵”固然也有些道理，但那是另一番道理，不是《老子》書中説的道理。一輩子無所事事去當“隱士”，當然也有一定的難度，要有一點決心，但那“成了”“大功”、“大事”的人能夠“退”出來，仍然“從頭做起”、“從0開始”，剛才真的需要“大智慧”、“大勇氣”和“大品德”才行。

《老子》書是我國古代有很高深思想的哲學書，它涉及到哲學方面最基礎性的問題，而它的論述不僅要比西方古代哲人的片言祇語豐富得多、系統得多，而且也和現代西方某些學派所説的道理、所思考的問題，有可以溝通的地方；就中國哲學思想的歷史發展來説，老子書的影響也不應僅限於“藝術”、“審美”方面，而是貫通於社會生活的各個方面的。

作者簡介　葉秀山，1935年生，江蘇鎮江人。中國社會科學院哲學研究所研究員。著有《前蘇格拉底哲學研究》、《蘇格拉底及其哲學思想》等。

以海德格爾爲參照點看老莊

鄭 湧

内容簡介 本文主要想借助海德格爾等所特别强調的語言問題和時間問題,來談談老莊哲學的思想觀點和思維方式,談談它與當今世界哲學發展趨向的關係。並順便介紹一下一些著名德國哲學家對老子的了解和評價。

一

從 1987 年起,我在德國海德堡大學哲學系與伽達默爾(H.G. Gadamer)教授一起從事解釋學(Hermenensik)的哲學研究。特别是當我們討論到海德格爾(M. Heidegger)的哲學思想時,話題常常要轉到中國古代的老子、莊子的身上來。老子、莊子,而不是孔子,成爲我們的主要討論對象。碰到其他一些德國的和别國的同行,他們在哲學上對老、莊的興趣普遍大於孔子,對老、莊的評價也普遍高於孔子。這種情形可以追溯到黑格爾。在《哲學史講演錄》中,黑格爾曾談及孔子,他説:"孔子和他的弟子們的談話,裏面所講的是一種常識道德……孔子衹是一個實際的世間智者,在他那裏思辨的哲學是一點也没有的——衹有一些善良的、老練的、道德的教訓,從裏面我們不能獲得什麼特殊的東西"①。

① 黑格爾:《哲學史講演錄》,第一卷,第 119—120 頁,127—128 頁。三聯書店,1956 年版。

在黑格爾看來,孔子思想衹不過是一種常識性的道德觀念。而與此成鮮明對比的是,他卻把老子及其創立的道家學說看成是一種真正的哲學。不僅如此,還特别地把老子思想同歐洲人老祖宗的哲學相比較,承認它們之間有着重要的共同之處:《老子》書中"説到了某種普遍的東西,也有點像我們在西方哲學開始時那樣的情形"①。顯然,黑格爾尊崇老子哲學如同古希臘哲學,把它們視爲人類哲學的淵源。

以後的德國哲學家,有很多都持類似看法,如海德格爾。海德格爾説:"'途徑'這個詞,很可能是語言的一個最初的詞,它是進行思維的人所具有的。道,是老子詩性思維中占主導地位的詞,它的'根本'意思是途徑"。"道,很可能就是,那種使所有那些我們由此才能思考的東西活躍起來的途徑。根據什麽我們才能思想,這也就是理性、精神、意義、邏各斯本來(亦即出於它們的本性)所想説的意思。在'途徑'亦即道這個詞中,也許隱匿着思想進行的説的所有秘密的秘密,如果我們讓並能夠讓這些稱謂回到它們没有被説出的東西中去的話。……"② 海德格爾後期,着眼於對語言問題的哲學思考,以此去改造胡塞爾(E. Husserl)所創立的現象學。海德格爾把言詞看作是思維得以進行的必要前提,即有了言詞人們才能進行思維。言詞是最初的、本源的東西,正是這種最初的、本源的東西使得其他的一切具有了生命、活動起來。海德格爾認爲,老子的"道"就是海德格爾所要尋找的那個最初的、本源的詞,這種詞是人們思維得以可能的淵源。海德格爾在哲學上目空一切,即便是對於歐洲哲學,他也試圖推翻以往已有的一切結論,回到蘇格拉底之前去、回到哲學之前的事實中去重建哲學。但是,他對老子卻甚爲折服,視老子哲學爲源頭活水。這種現象是十分罕見的,值得人們深思。

---

① 黑格爾:《哲學史講演錄》,第一卷,第 119—120 頁,127—128 頁。三聯書店,1956 年版。

② 海德格爾:《在通向語言的途中》,全集第十二卷,第 187 頁,德文版。

海德格爾和黑格爾都十分重視老子道家，前者是出於借助存在問題和語言問題來改造胡塞爾現象學的需要，後者則是爲了確定哲學史的邏輯起點、確立思辨哲學系統。值得注意的是，黑格爾的哲學在某種意義上也是一種現象學，正如他那本爲他自己哲學體系奠定基礎的書名《精神現象學》所清楚表明的那樣。重視並強調起源問題、正本清源，恰恰是現象學的宗旨所在，儘管黑格爾、胡塞爾、海德格爾等人對現象學的理解和解釋各不相同，由此而確立的各自的哲學體系也大相徑庭。

綜上所述，海德格爾、黑格爾對老子哲學的重視與他們各自的現象學傾向有關。本文接着要講的是老子哲學本身的傾向問題。

長期以來，在中國哲學史的研究方面形成了一定之規，那就是對有史以來的中國各家各派的哲學思想，都從本體論、認識論以及方法論等角度去研究。本文想換個角度。理由不外兩個；一，哲學本身是不斷發展，新的哲學思路層出不窮。對老莊哲學以及整個中國哲學史的研究角度，也應隨之變化。作爲一個中國哲學史的研究者，要能跟上這種哲學思路的變化，才能使自己的研究常有新意。給我印象極深而影響極大的是，當代德國的那些研究康德或黑格爾的最有成就的學者，他們首先是最新世界哲學流派的最有成就的研究者、甚至本人就是一個新學派的創始人。這正是德國的康德或黑格爾研究不衰常新的基本原因。對中國哲學的研究也應如此。二，從老莊哲學本身來看，其主題、主要不是本體論、認識論和方法論的，主要是非本體論、非認識論、非方法論意義上的。借用歐洲當代哲學中的一個術語來說，是現象學的。但不是胡塞爾的、更不是黑格爾的現象學，而是比較接近於海德格爾的現象學。所謂“接近”，是指老莊哲學與海德格爾現象學之間仍有距離，並不相同。下面，就從這種角度來談談老莊哲學中的一些主要哲學思想。

二

首先,談一談語言問題在老莊哲學中的地位。海德格爾與胡塞爾的一個根本區别,就在於他把語言問題擺到了現象學的中心位置。把海德格爾的現象學作爲參照點來考察老莊哲學,就必須首先弄清語言問題在老莊哲學中的地位問題。

其實,這個問題中國的一些老莊哲學的研究者早已提出過,儘管不是從現象學的哲學意義上提出的。俞正燮就曾在其《癸巳存稿》中極力主張,老子哲學的根本問題是語言問題。他認爲,老子的"道"就是"言詞"、"名"就是"文字"。他還旁徵博引,以證明他自己看法的正確。關於老子的名句"道可道,非常道。名可名,非常名",俞正燮解釋説:"《老子》此二語'道'、'名',與他語'道'、'名'異。此云'道'者,言詞也,'名'者,文字也。"這種説法還有着以下諸多根據。例如,《文子·精誠》中説:"名可名,非常名;著於竹帛,鏤於金石,皆其粗也。"《上義》中説:"誦先王之書,不若聞其言,聞其言,不若得其所以言,故名可名,非常名也。"《淮南子·本經訓》道:"至人鉗口寢説,天下莫知貴其不言也。故道可道,非常道;名可名,非常名。著於竹帛,鏤於金石,可傳於人者,其粗也。晚世學者博學多聞,而不免於惑。"《周官》:"外史掌達書名於四方",《注》釋:"古曰名,今曰字。"《論語》:"必也正名乎",《義疏》引《鄭注》:"謂正書字,古者曰名,今世曰字。"①

錢鍾書先生批評了俞正燮祇重"道"的"言詞"義,而不顧"道"的"道理"義、祇重"名"的"文字"義,而不顧"字非皆名也,亦非即名也"②。這一批評是十分正確的。正如錢鍾書先生所指出的,古希臘的"邏各斯",兼"理"與"言"兩義③。因此,"邏各斯"就可以譯成

① 以上引文,均轉引自錢鍾書《管錐編》第二册,第403—404頁。
② 同上,第409頁。
③ 《管錐編》第二册,第408頁。

“道”,因爲從“道可道,非常道”這句話來看,“道”就兼有“道理”和“道白”兩義①。所不同的是,歐洲的啓蒙運動以來的許多哲學家,與俞正燮相反,走的是另一個極端,即衹重“邏各斯”的“理”義,而不重其“言”義。所以,海德格爾等人要糾正的是與俞正燮不同的那種偏頗,因而特別地强調了“邏各斯”的“言”義。

當然,海德格爾等人之所以特別强調“邏各斯”的“言”義,還有一些別的原因。例如,他們認爲,“邏各斯”這個詞的古希臘原義,首先是“言”,即説話、説過的話(即語言)。由此引申開去,才是“理”即“理性”的意思,“理”不過是“言”的引申義。這樣看來,把“邏各斯”説成是“理性”而不顧其“説話”的本義,實在是本末倒置、源流錯位了。恢復“邏各斯”的“説話”本義,就成了歐洲哲學思想和哲學史中一件十分重要的正本清源的工作。這就是説,如果仍把“邏各斯”作爲歐洲哲學的中心議題,那就應該主要討論“語言”,而不應該像以往的歐洲哲學那樣去主要討論“理性”。在這個哲學的根本點上,啓蒙主義者、科學哲學家們乃至胡塞爾,都搞錯了。胡塞爾提出了正本清源這一現象學的基本思路,但由於他把“意識”而非“語言”作爲本和源,所以遭到了海德格爾和伽達默爾的批評。從對“語言”問題的哲學思考,形成了海德格爾的“源”的哲學着眼點及其正本清源的思路。這是海德格爾現象學這條龍的龍眼所在。再如,現代的生物學、宇宙學進一步强調了這樣一種觀點,即人衹不過是自然演化中的一個部分、是自然演化的一種結果,而決不是像文藝復興以來的一些思想家所説的人是宇宙的中心。而人與動物的區別,就在於人有語言,有了語言,人才能發展智慧、流傳知識,使人類不斷進化。這樣一種觀點,也曾通過嚴復傳到中國:“昔英人赫胥黎著書名《化中人位論》,大意謂:人與獼猴爲同類,而人所以能爲人者,在能言語。蓋能言而後能積智,能積智者,前代閲歷,傳之後來,繼長增高,風氣日上,故由初民而野蠻,由野蠻而開化也”②。顯然,自然科

① 同上,第409頁。
②《嚴復集》第一册,第92頁。

學的發展也進一步證明了人與動物的區别首要在於語言,而不是過去所説的首要在思維;而且,思維的發達又是以語言爲前提的。這就是説,海德格爾等人把語言問題擺到哲學的中心位置,以取代以往理性的所占地位,是有自然科學的依據的,而不衹是詞源方面的依據。等等。

不過,海德格爾雖然十分重視老子的哲學思想、並認爲可以把"道"譯成"邏各斯",但是,他(黑格爾也曾)不去從"説"的角度去討論"道",根本不觸及"道"所應有的"説話"這層意思,而衹是着重於從"道路"(前面譯爲"途徑")的角度去闡發"道"的哲學意義。我把這一點看作是海德格爾的一個失誤,並在一九八九年四月於西德波恩召開的國際海德格爾哲學大會的發言中指了出來。然而,不能用"道白"即"説話"的意思去理解老子的"道",不僅僅是海德格爾。伽達默爾也是如此。他曾問過我,中文裏有没有與德文"説話"相應的詞,我回答説,有幾個,例如"言"、"説話"等,還有老子的"道"也有這層意思,老子的"道"除了海德格爾所譯的"道路"之外,還有"説話"的意思。但是,他並没有重視我的説法。在上面提到的那次關於海德格爾的國際討論會的發言中,伽達默爾仍把"道"説成是"道路",而且認爲這個"道路"(即"途徑")也就是古希臘人所説的"方法"的意思。這種對"道"的理解,並没有超出海德格爾的範圍。他們之所以如此去理解"道",或許是受到了日本、南朝鮮一些學者的影響。在許多日本、南朝鮮的學者看來,老子的"道"並不具有"説話"的意思。在那次海德格爾的國際哲學大會上,一些日本、南朝鮮的學者就不同意我的説法,不同意"道"有"説話"的這層意思。總之,海德格爾等人也許根本不知道老子的"道"有"言"、"説話"這層意思。語言、文化傳統等造成了一定的障礙。不過,這就扯得太遠了。

再重新回到語言問題在老莊哲學中的位置這一話題上來。即便視俞正燮的觀點爲走極端、不全面,確定老子的"道"有"道理"和"道白"兩義;那麼,語言問題在老子哲學中占有重要地位,則是可以肯定的。儘管馬王堆漢墓中的《老子》版本《德》篇在上、《道》篇在下，至今《道德經》(即《老子》)的研究者大多仍認爲《道》篇在上、《德》篇在下。如果此說可以成立，那麼，"道可道，非常道。名可名，非常名"。就成了《老子》的首句。首句開宗明義，表示此書的宗旨就在於揭示可言與不可言、可書不可書的哲學意義，這當然是語言哲學的問題。

語言哲學中，還有一個口語和文字的關係問題。從《道德經》的這個首句來，口語(即"道")在前，文字(即"名")在後。按後人對老子思想的解釋來看，口語比文字更原始、更重要("誦先王之書，不若聞其言")。嚴復也曾從進化論的角度談論過口語與文字的關係："當未有文字時，衹用口傳。故中文舊訓以十口相傳爲'古'，而各國最古之書，多係韵語，以其易於傳記也。孔子言：'言之無文，行之不遠'。有文無文，亦謂其成章可傳誦否耳。"(同上)嚴復在這裏說得十分明白：一，口語在先，文字在後；二，古書多韵語，也是受口傳的影響。《老子》這部書本身以詩的形式出現，確是一個重要佐證。哲學最初又是詩的。

從老子思想中所具有的這樣一種口語和文字的關係來看，似與歐洲語言哲學中的重口語派的傾向相同。也可以說，老子與伽達默爾重口語的傾向相同，而與德里達(J. Derrida)重文字的傾向相反①。另一方面，老子又不同於伽達默爾等人。老子視"不言"、"不可言"爲根本，亦即在口語問題上仍以"無"爲根本。儘管老子的這一思想已經引起了伽達默爾等人的高度重視；但是，伽達默爾等人的側重點仍在"言"和"可言"上，在"有"上。這與古希臘的哲學傳統有關。如果依據老子的哲學思想，中國哲學家可以寫出一部不同於歐洲哲學家的語言哲學、現象學來。

做過守藏史，在當代歐洲的哲學家們看來，是可以被看作是老子在哲學中爲什麼重視語言文字問題、以及爲什麼最終留下了五

---

① 參閱拙作《旅歐哲學印象》，原載《哲學動態》1991年第10期。

千字的根據(同樣,想當並且後來當了“隱君子”,也許可以由此理解老子崇尚“無”、“無爲”的傾向)。這大概與歐洲長期以來科學家“改行”從事哲學有關。甚至,在有些歐洲哲學家看來,如果一個人不首先是一個傑出的科學家並曾在本學科中做出過貢獻,那他就没有資格當哲學家,也當不好哲學家。所以,很長時期以來,正是那些首先是傑出的數學家、物理學家、心理學家、語言學家等科學家的人,他們對各自所取得的理論成果進行哲學思考,在哲學領域内建立了許多有影響的嶄新學派。這一點,並不被那些以哲學爲生計而不懂自然或人文、社會科學中任何一門具體科學的人所重視。對於伽達默爾,如果人們不了解他在古希臘文等方面的學歷和功力以及人文科學方面的造詣,那是無法準確把握其解釋學哲學的主要特徵的。對於老子,或許也是這樣? 遺憾的是,老子的事蹟現在已很難得知。

三

其次,我們再來看一看老莊哲學對哲學的基本問題和一些基本關係的見解。

從以往的歐洲哲學史來看,受重視的是:思維與存在、一般與個別(一與多)、主體與客體、原因與結果等關係。這些關係,首先是一種統轄與隸屬的關係,即一個決定另一個、這一個服從那一個的關係。與此不同,老莊哲學所注重的則是:源與流、始與終、先與後、古與今等關係(隱與顯的關係由另文介紹)。這些關係,不是那種統轄與隸屬的關係。這從老莊關於“有”與“無”關係的討論中可以清楚地看出:

老子說:“無,名天地之始;有,名萬物之母”(《老子·道篇》着重點引者所加,下同)。“天下有始,以爲天下母”(《老子·德篇》)。“有物混成,先天地生……可以爲天下母,吾不知其名,字之曰道”(《老子·道篇》)。“天下萬物生於有,有生於無”(《老子·德篇》)。

這幾段話告訴我們,"有"與"無"乃至"道",都是老子給本來沒有名字的事物所起的名字;從這些名字來看,"道"與"無"是表示那種最初的、最原始的東西,這是本原、起源。因此,"無"與"有"的關係就是一種始與終、先與後、源與流的關係。

根據老子所揭示的上述關係,莊子又從"無"與"有"中推演出一種古與今的關係,並且着重論述了古與今、始與終的那種循環互釋關係。他說:"有始也者,有未始有始也者,有未始有夫未始有始也者"(《莊子・齊物論》)。"未有無地可知耶? ……曰:可,古猶今也。……無古無今,無始無終,未有子孫而有子孫可乎?"(《莊子・知北遊》)。這是說,想硬要找出一個開始、一個最初,是很難的。因爲,當你說這是開始的時候,這個開始就"有"了;而"有"生於"無",那就是說,這個開始之所以"有",是因爲還有一個在這開始之前的東西,這樣,開始之前的那個東西也"有"了……這樣不斷地追究下去,是沒有窮盡的。而這種追究的結果,原來最初所說的那個開始就不再是最初的了,而是其次的了或終了。古與今的道理也是這樣,古也就是今了。後人曾進一步發揮說:"昨日之夜,今日之晝耳"(《朱子語類》)。"夜之終,晝之始也"(蔡九峰《洪範皇極内篇》)。這就使我聯想起海德格爾說過的一句名言:過去之日正是現在之時,這就是時間。這句話也說出了類似的意思。

科學時代之後的海德格爾與科學時代之前的老莊說了意思差不多的話。海德格爾着重討論了"存在"(Being)問題並且把它又歸結爲"語言"問題,揭示了時間性,換句話說,海德格爾是用時間性去解釋"存在"和"語言"問題的。老莊也是如此,也是用時間性(古今、先後等)來解釋"道"的語言文字問題的。老子的這些前科學的、未經科學干擾過的哲學意識和思維方式,受到了海德格爾等人的高度重視,成爲他們反對科學至上、理性至上的重要理論依據。這一點,在伽達默爾和我的談話中也經常指出過,並且寫入了他爲我譯的《美的現實性》中譯本所寫的序言中①。《美的現實性》照伽達默爾本人的估價，其重要性僅次於《真理和方法》。

一般認爲，古希臘不怎麼討論"無"，所注重的基本關係是：一般與個別。關於一般與個別關係的討論，後來發展成形式邏輯的系統。在文藝復興時期，科學實驗中得出的因果關係經過哲學的總結，成爲歐洲近代哲學研究的主題。形式邏輯系統和因果關係，被認爲是歐洲文化的兩個偉大成就，而自然科學和技術就是以這二者爲基礎得以產生和發展的。而這兩種東西都不是中國的老莊哲學所要關心的。老莊哲學的側重點既不是因果關係，也不是形式邏輯，而是源流關係，是先後、古今等時間性。老莊哲學這樣一種與歐洲哲學根本不同的思路，正好迎合了海德格爾改變以往歐洲哲學思路的需要。

老莊注重源與流的關係並且强調正本清源，這種思路的特徵可以概括爲：還原（用老子的話來說即是"復歸其根"（《老子·道篇》），用莊子的話來說即是"復其初"（《莊子·繕性》）。還原法，是胡塞爾所創立的現象學的基本思路和方法，也被海德格爾加以改造後所採用。胡塞爾所說的"還原"是，回溯本源。同時，强調對本源的直覺。除此之外，十分有趣的是，胡塞爾所用的"還原"這個詞，在德文中不僅有回溯本源的意思，而且還有着老子所說的"爲道日損"的那個"損"字的意思。以上這些，可以看作在"還原"這個問題上，胡塞爾與老莊的相同之處。

但是，他們之間還有一些帶有根本性的不同點。首先，胡塞爾的"還原"是，通過對經驗的反思、弄清客體實在性的在意識中的構成、回到作爲認識世界的出發點的"純粹意識"，一切認識包括科學在內，都始於這種意識，意識就是胡塞爾要回溯的本源。而老子所要回溯的本源不是意識，不是那種認識、邏輯的基礎，而衹是那最初的、最先的東西，或者是"有物混成，先天地生"的"道"，或者是先

① 伽達默爾：《〈美的現實性〉中譯本前言》，載於《外國美學》第七輯。

於“有”的那個“名天地之始”的“無”。另外、胡塞爾所說的純粹意識“先”於一切認識的這個“先”,在這裏顯然是邏輯意義上的;而老子所說的那個“先”,是時間意義上的。“還原”如果作爲一種方法來看,那麼,胡塞爾强調的是:人爲重建,老子强調的是:自然生成。胡塞爾的做法是,把意識之外的東西用括號括起來,把意識分離出來,使作爲認識的始基的純粹意識得以重建。但是,老子不同。老子說:“復歸於樸”(《老子・道篇》)。老子又說:“道常無爲而無不爲”(《老子・德篇》)、“道法自然”(《老子・道篇》)。這些都清楚地表明,老子反對人爲,主張無爲,他提倡的那種“復歸”是一種自然生成,而非人爲重建。甚至,老子認爲,“道”據以爲法則的自然生成,是人類最初的也是最高的境界,他主張人們回到這種境界(“甘其食,美其服,安其居,樂其俗,鄰國相望,鷄犬之聲相聞,民至老死不相往來”(《老子・德篇》)中去,這是老子“還原”本來就有的社會政治意義。

最後,談一談老子的與他復歸本源這個哲學主題有關的另一個觀點,即:要按事物的本來樣子去看待事物。這就是老子所說的:“以身觀身,以家觀家,以鄉觀鄉,以邦觀邦,以天下觀天下”(《老子・德篇》)。要做到按事物的本來樣子去看待事物,就必須不借助任何別的工具、媒介,例如人的感覺器官或語言文字之類。借助這類媒介、工具所得到的東西,因其不是直接顯現、直接把握的,就不是那些東西的本身。因此,老子說:“道可道,非常道;名可名,非常名”(《老子・道篇》)。見諸語言文字的“道”,已不是“道”本來的樣子。所以,不能按語言文字中所見的“道”去看待“道”本身;換句話說,應該按未形諸語言文字的“道”去看待“道”本身。

爲什麼?按莊子的說法,是因爲:“道不可聞,聞而非也;道不可見,見而非也;道不可言,言而非也”(《莊子・知北遊》)。這就是說,“道”是超出人的各種感官和語言的世界和能力之外的。因此,在人的感官或語言中所出現的“道”,不是本來樣子的那個“道”,或者說,已不再是“道”了。

既然,"道"的獲得並不借助任何人的或人爲的東西;因此,"道"的獲得便是一種直接所得,是在"道"的直接自我顯現基礎上的直接所得。這種直接所得,也正如海德格爾所説的,人對自己的死亡的經驗,這種經驗是任何别的人都不能代替的,而且是一次性的;不可復得的。

"道"的顯現,當然也不借助任何人的或人爲的東西,"道法自然";因此,"道"的顯現就是"自然"而然的,是"道"的直接的自我顯現。從這個意義上去理解海德格爾的一些話,就比較好懂了,其含意也顯得很深刻了。例如,海德格爾曾經説過,是"話"在説,而不是"人"在説。海德格爾這句話的意思是説,人講出的話,往往是超越説話人原來的意圖的;所以,不是話跟着説話人的意圖去説,而是説話人跟着話走;因此,衹有撇開講話的人(的意圖),話才會有直接的自我顯現,話也才會被直接地把握。

這樣的一種直接的"顯現"觀和"獲得"觀,早已被一些自然科學家和科學哲學家們抛到了九霄雲外。他們提倡着另一種觀點和方法。這種觀點和方法,正是建立在對直接"顯現"觀和"獲得"觀的否定的基礎之上的。按照他們的觀點和方法,假設、工具、觀察、實驗等那些人的感官或人爲的東西,對於自然現象的顯現或把握都是不可缺少的了。在他們看來,衹有那些在理論假定、工具操作和觀察、實驗基礎上產生的對事物的知識,才是真正真實可靠的。這樣一種知識、理論觀,因爲是依賴工具、崇尚工具的,所以被稱爲是工具性的知識、理論或工具理性。海德格爾等人所反對的正是這種工具性。不過,現代自然科學的發展本身也對上述知識的真實性、可靠性提出了質疑。例如,在量子力學中就提出了這樣一種看法,一種物理現象的出現或獲得,如果是借助工具的結果,那麽這種物理現象中就包括了工具干預的因素,由此而獲得的物理現象就不是物理現象自身。換句話説,在使用工具的情況下,既不能有事物的自我的直接顯現,也不會有對事物的直接的本身的把握。在這樣的基礎上產生的對事物的知識,當然很難説是真實、可靠的。

四

哲學,這個名稱是西文中譯。何謂哲學?中國學者也大多依據西方的規範。過去,歐美哲學家把本體論、知識論、方法論等作爲哲學的基本內容或基本類型,因此,中國的哲學研究者們,也大多按照這些內容或類型去看待老莊或孔子。本文則試圖根據作者自己比較熟悉的海德格爾和伽達默爾的哲學(即以語言問題爲中心的現象學)思路,去對老莊哲學的貢獻和影響作出評介。

哲學雖是西文中譯,但是,中國哲學不能永遠停留在西文中譯的水平上,不應永遠按西方哲學的規範來辦事。正是在這個意義上,本文特別提到和介紹了海德格爾等人。因爲,這樣一些開一代風氣的世界哲壇大家,正是在中國一些傳統哲學(即老莊哲學)的影響下提出自己哲學的新思路的。這一事實清楚地告訴人們:並非祇有西方哲學才能影響中國哲學,中國哲學反過來也能並且已經影響了西方哲學在現代的發展。中國的哲學工作者由此應該感到鼓舞,並提高自己的自信心,以加快建立和發展足以獨立於世界哲學之林的中國現代哲學體系的步伐。

也正是在這個意義上,本文之重視老莊遠勝於孔子。在中國傳統文化的範圍內,老莊所建立的東西比孔子的不僅遠合乎西方關於哲學的規範、受到了西方哲學大師高得多的評價,而且,更重要的是,老莊哲學反過來又重大地影響了西方某些大的哲學學派的建立,這也是孔子思想所望塵莫及的。這些,是我從黑格爾、海德格爾書中和直接從伽達默爾等人那裏得到的啓示。

作者簡介　鄭湧，1944年生，江蘇海門人。1968年畢業於中央美術學院美術史系。現爲中國社會科學院哲學所副研究員。1986——1990年曾在西德美因茲大學、海德堡大學從事胡塞爾哲學和解釋學哲學研究。

稷下道家精氣説的研究

裘錫圭

内容提要　在稷下道家的著作,《管子》的《心術》上下和《内業》篇裏,精(也稱精氣)是被論述的一個重要主題。"精"的性質跟文化人類學上所説的"馬那"相似,本來是比"上帝"原始得多的帶有神秘意味的一種觀念,在稷下道家那裏卻成了用來反對那種認爲上帝鬼神是人類主宰的傳統宗教思想的工具。但是由於這種觀念的性質,稷下道家的精氣説不可避免地帶有神秘性。有人把精氣説看作一種唯物主義的思想,是有問題的。《心術》、《内業》中的"道"就指精氣。這種"道"的概念似乎應該早於《老子》的"道"的概念。

郭沫若在1944年所寫的《宋鈃尹文遺著考》,是先秦思想史方面的一篇很重要的論文①。他認爲《管子》中的《心術》上下、《白心》、《内業》四篇是宋鈃、尹文的遺著。這一意見並未成爲定論。但是確如馮友蘭在《先秦道家所謂道底物質性》一文中所説的那樣,"指出這四篇在哲學史上的價值,並加以仔細的考訂分析,這個功勞屬於郭沫若先生"②。蒙文通在四十年代曾主張《心術》等四篇爲

① 此文收入1945年出版的《青銅時代》,見《郭沫若全集·歷史編1》547—572頁,人民出版社,1982。

② 馮友蘭《中國哲學史論文集》127頁,上海人民出版社,1958。

愼到、田駢的學説①。我在七十年代也發表過跟蒙説相似的，以《心術上》和《白心》爲愼到、田駢學派著作的意見②。現在看來，無論把《心術》等四篇定爲宋鈃、尹文學派著作，還是定爲愼到、田駢學派著作，證據都嫌不足。

蒙文通在寫於1961年的《略論黄老學》一文中説：

> 《管子》中的《心術》、《内業》、《白心》等篇，我以前認爲是愼到、田駢的學説，也有同志從"白心"二字着眼，認爲這幾篇是宋鈃、尹文的學説，如果從或使論來看，也可以説是接子的學説，《白心》一篇把"或使"理論闡發得很明透，已見前論，此不贅述(引者按：見《楊朱學派考》，《古學甄微》256—257頁)。總的來説，這些學者都是黄老派，他們同在稷下，必然相互影響，説這幾篇書是黄老派的學説就可以了，似不必確認其爲何人的書。③

這是很審慎也很合理的看法，可以爲我們所接受。蒙氏在這裏所説的"黄老派"，指他認爲出自楊朱的"北方(齊)的道家"。以莊子爲代表的道家，則被他稱爲"南方(楚)的道家"④。從學術源流的角度看，蒙氏分道家爲南北兩派的意見是很有價值的。郭沫若在《十批判書》裏提出了"稷下黄老學派"的名稱⑤，他所説的黄老學派就是道家。馮友蘭在《中國哲學史新編》修訂本裏，也把《心術》等篇包括在"稷下黄老之學"裏⑥。但是他把"黄老之學"定義爲"道家和法家的統一"⑦，含義跟郭沫若所説的"黄老學派"有別。我們不主張用"黄老"和"道家"這兩個名稱，來區分一般認爲都屬於道家的不同學術派别⑧，所以本文把《心術》等四篇的作者們稱爲稷下道家。

在《心術》等四篇中，《心術下》的内容基本上都見於《内業》。郭

① 見《楊朱學派考》，收入《蒙文通文集第一卷·古學甄微》，巴蜀書社，1987。主要看252—254頁。他的這一主張在《儒家哲學思想之發展》一文中已發其端，看上引書79頁。

② 見《馬王堆〈老子〉甲乙本卷前後佚書與"道法家"》，《中國哲學》第二輯80—83頁。參看第九輯388—389頁。

③ 注①所引書281頁。此文在蒙氏生前似未發表。

④ 同上284頁。參看同書的《楊朱學派考》。

⑤ 見《稷下黄老學派的批判》，《郭沫若全集·歷史編2》155—187頁。

⑥ 《中國哲學史新編》第二册(1983年修訂本)199等頁，人民出版社，1984。

⑦ 同上195頁。

⑧ 同注2所引拙文76頁。

沫若認爲前者是後者“另一種不全的底本”[1]，是很正確的。在這兩篇裏，“精”(有時也被稱爲“精氣”、“靈氣”等)是作者論述的一個重要主題。《心術上》所說的“神”，跟“精”也是一回事。郭沫若在《宋鈃尹文遺著考》和《稷下黄老學派的批判》二文中，對《内業》《心術》等篇中關於精的思想有所論述，但說得比較簡單[2]。馮友蘭在上文已經提到過的、發表於 1954 年的《先秦道家所謂道底物質性》一文中，對這種思想作了很詳盡的論述。他在 1964 年出版的《中國哲學史新編》第一册第十章和 1984 年出版的《中國哲學史新編》修訂本第二册第十七章中的有關論述，基本上是根據這篇文章的，不過在某些問題上觀點有變化。最重要的變化是，1954 年的論文認爲《老子》的時代晚於《心術》等四篇[3]，《新編》的意見則與此相反。在《新編》修訂本裏，馮氏把稷下道家關於精的思想稱爲“精氣說”。本文沿用這一名稱。下面我們在郭、馮二氏的工作的基礎上，對精氣說作進一步研究。

爲了討論的方便，我們先把《内業》和《心術》中關於精氣說的重要文字分段摘錄出來，前面加上序數，以便引用。次序不一定按原文，主要着眼於使讀者易於理解文義。所錄文字以《四部叢刊》影印宋本《管子》爲據，譌字後用尖括號注出正字，補入的脱文外加方括號，其他錯誤隨文注明，外加圓括號。釋義之語也外加圓括號。所作校改一般都是以郭沫若《管子集校》所收各家意見爲據的。

先錄《内業》篇的有關文字。《心術下》跟《内業》相應的文字，一般不錄，有參考價值的隨文注出：

1. 凡人之生也，天出其精，地出其形，合此以爲人。和乃生，不和不生。

2. 精也者，氣之精者也。氣道乃生，生乃思，思乃知，知乃止矣。凡心之形(《心術下》作“刑”。《内業》尹注訓“心之形”爲“安心

---

① 《郭沫若全集・歷史編 1》562 頁。
② 同上 562—564 頁，又《郭沫若全集・歷史編 2》164—165 頁。
③ 前引馮友蘭《中國哲學史論文集》141 頁。

之法”,可知《内業》原文也作“刑”),過知失生。

3.凡物之精,此則爲生。下生五穀,上爲列星。流於天地之間,謂之鬼神。藏於胸中,謂之聖人。是故民〈此〉氣,杲乎如登天,杳乎如人於淵,淖乎如在於海,卒乎如在於己。是故此氣也,不可止以力,而可安以德;不可呼以聲,而可迎以音〈意〉。敬守勿失,是謂成德。德成而智出,萬物果〈畢〉得。

4.摶〈摶〉氣如神,萬物備存。能摶〈摶〉乎?能一乎?能無卜筮而知吉凶(當從《心術下》作“凶吉”)乎?能止乎?能已乎?能勿求諸人而〔得〕之已乎?思之思之,又重思之。思之而不通,鬼神將通之。非鬼神之力也,精氣之極也。四體既正,血氣既靜,一意摶〈摶〉心(“摶心”讀爲“專心”),耳目不淫,雖遠若近(《心術下》作“專於意,一於心,耳目端,知遠之證”)。

5.天主正,地主平,人主安靜。……能正能靜,然後能定。定心在中,耳目聰明,四枝(通“肢”)堅固,可以爲精舍(精舍即精氣的館舍)。

6.敬除其舍,精將自來。精想思之,寧念治之。嚴容畏敬,精將至〈自〉定,得之而勿捨。耳目不淫,心無他圖。正心在中,萬物得度。

7.凡食之道,大(通“太”)充,傷而形不臧(丁士涵謂當作“形傷而不臧”);大攝(尹注:謂過於飢),骨枯而血沍。充、攝之間,此謂和成,精之所舍,而知之所生。

8.精存自生,其外安榮。内藏以爲泉原,浩然和平,以爲氣淵。淵之不涸,四體乃固。泉之不竭,九竅遂通〈達〉。乃能窮天地,被四海,中無惑意,外無邪菑(通“災”),心全於中,形全於外,不逢天菑,不遇人害,謂之聖人。

9.凡人之生也,必以其歡。憂則失紀,怒則失端。憂悲喜怒,道乃無處。愛欲靜之,遇〈愚〉亂正之。勿引勿推,福將自歸。彼道自來,可藉與謀。靜則得之,躁則失之。靈氣在心,一來一逝。其細無内,其大無外。所以失之,以躁爲害。心能執靜,道將自定。得道之人,理丞(通“蒸”)而屯泄,匈(通“胸”)中無敗。節欲之道,萬物不害。

據前引第2條,可以知道精跟精氣(見第7條)是一回事。第9條的

“靈氣”無疑就指精氣。這一條“道”字五見,除“節欲之道”一例外,從上下文看也都應該理解爲精氣。“心能執靜,道將自定”可與第6條“嚴容畏敬,精將自定”對比。此外,《内業》篇中還有不少可以理解爲精氣的“道”字,如:

10.夫道者,所以充形也,而人不能固。其往不復,其來不舍。謀乎莫聞其音,卒乎乃在於心。冥冥乎不見其形,淫淫乎與我俱生。不見其形,不聞其聲,而序其成。謂之道。

11.凡道無所,善心安愛〈處〉。心靜氣理,道乃可止。彼道不遠,民得以産(訓“生”)。彼道不離,民因以知。是故卒乎其如可與索,眇眇乎其如窮無所。彼道之情,惡音與聲。脩心靜音〈意〉,道乃可得。

第10條説:“夫道者,所以充形也”。《心術下》有“氣者,身之充也”語,《淮南子·原道》有“氣者,生之充也”語,馬王堆漢墓出土的竹書《十問》有“以精爲充,故能久長”語①,可證這一句的“道”應該理解爲精氣。同條中形容道的“卒乎乃在於心”,跟第3條中形容精氣的“卒乎如在於己”同意。第11條的“心靜氣理,道乃可止”跟第9條的“心能執靜,道將自定”同意;“彼道之情,惡音與聲。脩心靜意,道乃可得”,跟第3條的“是故此氣也……不可呼以聲,而可迎以意”同意。

下面再錄《心術上》的有關文字。此篇的前部是經,後部是解。引錄時以解附經,解文前加*號:

12.虛其欲,神將入舍。掃除不絜(通“潔”),神乃〈不〉留處。

*世人之所職者,精也(尹注:職,主也。言所稟而生者,精也)。去欲則宣,宣則靜矣。靜則精,精則獨立(此字衍)矣。獨則明,明則神矣。神者,至貴也。故館不辟除,則貴人不舍焉。故曰:不潔,則神不處。

13.絜(通“潔”)其宮,開〈闕〉其門,去私毋言,神明若(訓“乃”)存。

*潔其宮,闕其門。宮者,謂心也。心也者,智之舍也,故曰宮。

① 《馬王堆漢墓帛書〔肆〕·十問釋文注釋》147頁,文物出版社,1985。

潔之者,去好過(惡)也。門者,謂耳目也。耳目者,所以聞見也。

"精"、"神"二字,對文有别,散文可通。把第12條跟上引《内業》文第5、6兩條對照一下,就可以斷定前者所説的"神"跟後者所説的"精"是一回事。第13條的"神明"可以直接理解爲精氣,也可以理解爲精氣産生的高度智慧。

14.虚無(而)無形謂之道,化育萬物謂之德。

*天之道,虚其無形。虚則不屈(訓"竭"),無形則無所位(低)迕("低迕"讀爲"抵牾")。無所位(低)迕,故徧流萬物而不變。德者,道之舍。物得以生,生知得以(張佩綸謂當作"生得以知",可從。上引第11條説"彼道不遠,民得以産。彼道不離,民因以知",可以與此對照),職道之精(尹注:主由稟道之精也)。故德者,得也。得也者,其謂(當作"謂其")所得以然也。以(此字衍)無爲之謂道,舍之之謂德。故道之與德無間,故言之者不别也。間之理者,謂其所以舍也。

"德者,道之舍"的"舍",不少人認爲應該當館舍講。其實這個"舍"字跟第5、6、13等條的"舍"字不同義,而跟第7條的"所舍"和第12條的"入舍"、"不舍"的"舍"字同義。馮友蘭解釋爲"停留"①,是正確的。"德者,道之舍",意思就是説,道停留在物之中的那部份就是德。下文緊接着説:"物得以生,生得以知,職道之精"。可知物從道那裏得到的德就是精。《莊子·天地》説:"物得以生謂之德。"《韓非子·解老》説:"身以積精爲德"。可與此文參照。《黄帝内經靈樞·本神》:"天之在我者,德也。地之在我者,氣也。德流氣薄而生者也。故生之來謂之精,兩精相搏謂之神。"所謂"德"也應指天的精氣。

《内業》篇中也有以"德"指精之例:

15.形不正,德不來。中不静,心不治(《心術下》作"中不精者心不治")。正形攝德,天仁地義,則淫然而至。神明之極,照(通"昭")乎知萬物。中義(此字衍)守不忒。不以物亂官(指耳、目等器

① 前引《中國哲學史新編》第二册207頁。

官),不以官亂心。是謂中得(以上一段,《心術下》作:“正形飾——讀爲‘飭’——德,萬物畢得。翼然自來,神莫知其極。昭知天下,通於四極。是故曰:無以物亂官,毋以官亂心。此之謂内德。”)有神自在身,一往一來,莫之能思,失之必亂,得之必治。

這一條“德不來”的“德”,顯然跟第14條的“德”同義。“神明”(《心術下》作“神”)指由於積精多而達到的智慧極高的一種境界,參看第13條。《莊子・天地》“立之本原而知通於神”,也指這類境界,可參考。“有神自在身”的“神”,似乎應該理解爲精氣。

16. 人能正靜,皮膚裕寬,耳目聰明,筋信(通“伸”)而骨强。乃能戴大圜(尹注:天也),而履大方(尹注:地也),覽於大清,視於大明。敬慎無忒,日新其德。徧知天下,窮於四極。敬發其充(尹注:充謂道也),是謂内得。然而不反(通“返”),此生之忒(尹注:若不反守於道,則生有差謬也)。

“内得”顯然就是第15條所說的“中得”。“日新其德”的“德”,可以理解爲精氣的積累,即身體内的精氣的總體。《老子・五十九章》:“治人事天莫若嗇。夫唯嗇,是謂早服。早服謂之重積德。”《韓非子・解老》解釋說:“……知治人者,其思慮靜。知事天者,其孔竅虛。思慮靜,故德不去。孔竅虛,則和氣日入。故曰:重積德。夫能令故德不去,新和氣日至者,蚤(通“早”)服者也。故曰:蚤服是謂重積德。”《淮南子》的《本經》和《俶真》兩篇都有“天含和而未降,地懷氣而未揚”之語。《俶真》又說:“交被天和,食於地德。”高誘注:“和,氣也”。《解老》的“和氣”應該就指天的精氣。《内業》的“日新其德”,跟《解老》的“新和氣日至”是一個意思。

《白心》說:

故曰:欲愛吾身,先知吾情。君親(俞樾以爲“周視”之誤)六合,以考内身。以此知象,乃知行情。既知行情,乃知養生。左右前後,周而復所。執儀服象,敬迎來者。今夫來者,必道(訓“由”)其道。無遷無衍,命乃長久。和以反(通“返”)中,形性相葆。一以無忒,是謂知道。

馮友蘭認爲這裏所說的“來者”,就是“要來到我們的身體以内的精氣";"形性相葆"的意思,就是"精神和形體""互相保持,不相分離"①。這應該是正確的。

關於《内業》和《心術》中出現的"精"的各種異名,郭、馮二氏都已作過論述。我們在上文中吸取了他們的很多意見,爲了行文方便,没有一一注明,在這裏説明一下。

現在我們根據上面的那些引文,極爲概括地綜述一下《内業》《心術》所代表的稷下道家的精氣説的内容。這些稷下道家認爲天有一種特别精微的氣,叫做精。物得到精氣才能有生命,人得到精氣才能有思維。鬼神就是流動於天地間的精氣形成的。人爲了保持精氣,並不斷得到新的精氣,應該正靜寡欲(第 9 條説"節欲",第 12 條説"去欲"),不要過分用心(第 2 條説"過知失生"),不要爲憂悲喜怒等情所擾,飲食也要有節制。這樣精氣才會進入他的身體,停留在他的心中,他才能健康聰明。精氣積累到某種程度,就會成爲其智若神而且不會遭逢天災人害的聖人。

在先秦著作裏,除了上面已經提到過的《韓非子》,在《莊子》、《呂氏春秋》等書中,也可以看到跟稷下道家精氣説很相似的一些説法。例如《莊子·知北遊》説:

> 齧缺問道乎被衣。被衣曰:"若正汝形,一汝視,天和將至。攝汝知,一汝度,神將來舍。德將爲汝美,道將爲汝居。……"

"天和"就是天的精氣,前面已經説過了。"神將來舍"的"神",跟上引第 12 條《心術上》"神將入舍"的"神"同義,也指精氣。被衣所説的使精氣來舍的方法,也跟《内業》《心術》所説的十分相近。《莊子·人間世》説:

> 夫徇耳目内通而外於心知,鬼神將來舍,而況人乎!

上引《内業》文第 3 條説精氣"流於天地之間,謂之鬼神",第 4 條説:"思之而不通,鬼神將通之。非鬼神之力也,精氣之極也"。此文"鬼神將來舍"的"鬼神"應是雙關語,實際上指的是精氣。"徇耳目

① 前引《中國哲學史新編》第二册 214 頁。

內通而外於心知”,陳鼓應《莊子今注今譯》翻譯為“使耳目感官向內通達而排除心機”。① 上引《內業》文第 6 條說“耳目不淫,心無他圖”,《心術上》文第 13 條說“潔其宮(指心),闕其門(指耳目),去私毋言”,文義都與此相近。

《呂氏春秋·盡數》說:

> 精氣之集也,必有入也。集於羽鳥,與爲飛揚。集於走獸,與爲流行。集於珠玉,與爲精朗。集於樹木,與爲茂長。集於聖人,與爲夐明。精氣之來也,因輕而揚之,因走而行之,因美而良之,因智而明之。

這一條可以跟上引《內業》文第 3 條對看。由這一條可以知道,即使是珠玉等無生物,也接受精氣。鳥獸接受精氣,就能飛得快或跑得快。樹木接受精氣,就能長得茂盛。珠玉接受精氣,就顯得精朗。聖人接受精氣,就格外聰明。

《盡數》篇是講養生之道的。作者告誡人不要以“大甘、大酸、大苦、大辛、大鹹”“充形”,以“大喜、大怒、大憂、大恐、大哀”“接神”,以“大熱、大燥、大溼、大風、大霧”“動精”,飲食的量也要適度(“凡食之道,無饑無飽”),認爲這樣才能不生疾病,“精神安乎形,而年壽得長。”這些思想跟《內業》也是相合的。在上面引過的“精氣之集也”一段話之後,緊接着有一段主張人應該運動的話:

> 流水不腐,户樞不螻,動也。形氣亦然。② 形不動則精不流,精不流則氣鬱。……

《內業》也有“飽而不疾動,氣不通於四末(指四肢)”的話。《盡數》和《內業》兩篇簡直可以看作一家眷屬。

此外,在《楚辭》的《遠遊》等篇和《黄帝内經》裏,也都可以看到不少跟稷下道家精氣說很相似的說法。限於篇幅不能介紹了。請

① 見該書 121 頁,中華書局,1983。

② “形氣”當指形與氣,因爲後面緊接的兩句是把“形”和“氣”分開說的。《黄帝内經》屢以“形”與“氣”對言。《素問·上古天真論》:“形勞而不倦,氣從以順。”同書《生氣通天論》:“形弱而氣爍。”《靈樞·根結》:“合形與氣,使神内茂。”同書《壽夭剛柔》:“形與氣相任則壽。”馮友蘭認爲“形氣”是跟“精氣”相對的,“指構成形體的氣”(《中國哲學史新編》第二册 248 頁),恐怕有問題。

讀者參看馮友蘭《中國哲學史新編》第二册(1983年修訂本)第十八章的四、五兩節。

以上所說各書中關於精氣的思想,跟稷下道家的精氣説並不是全然有同無異的。例如:《遠遊》中的精氣思想跟神仙家思想有關。《吕氏春秋》講養生的有些篇章和《黄帝内經》,强調精氣依靠形體、血液,才能發揮自己的作用,這是對精氣説的一種發展。

任何一種新的學說首先得從在它之前已經積累的思想資料出發。稷下道家精氣說是以哪些已有的思想資料爲出發點的呢?郭、馮二氏都没有認真討論這個問題。這是一個很大的缺陷。

祝瑞開在1981年出版的《先秦社會和諸子思想新探》一書中,認爲"《心術下》派的'精氣'說,是古代'氣'的學說,特别是鄭子産的'物精'說的繼承和發展。"他說:

> 子産曾用所謂"物精"來説明人的"靈魂"及其來源。他説:"人生始化爲魄,既生魄,陽曰:'魂'。用物精多則魂魄强,是以有精爽,至於神明。"(原注:《左傳》昭公七年》)古代衹是用"氣"以及陰陽變化來説明萬物和生命的起源,對於生命和精神現象如何產生並没有回答。子産認爲物質中有所謂"精"即"精華"構成生命和精神現象,這就把問題推進了一步。這是素樸的唯物主義觀點。
>
> 《老子》反對子産的觀點,認爲"精"存在於本體"道"之中……
>
> 《心術下》派則反對《老子》。他們在吸收當時自然科學的成果,和繼承古代唯物主義哲學的基礎上,在鬥爭中,使"精"和物質的"氣"結合起來,指出這是"氣之精者也",是"天出"。這就捍衛、發展了古代"氣"和子產"物精"的唯物主義哲學,取得了更加精緻、完整而統一的形態。……①

祝氏在古代關於氣的思想之外,還把子産關於物精的話跟精氣說聯繫起來。這是很有意義的。但是他似乎把物精說看作子産的創造,這卻是有問題的。他對物精説和精氣説的理解和評價,我們認爲也是不妥當的。由於後面還要詳細闡述我們對物精說和精氣說

① 見該書205頁,福建人民出版社出版。祝氏認爲《心術上》和《心術下》分屬兩個學派,但證據並不充分。

的看法，這裏就不談這方面的問題了。

金春峰在 1987 年出版的《漢代思想史》裏，由於討論王充思想的需要，對古代關於精氣的思想作了較多的論述。他說：

在中國傳統思想中，什麼東西都可以成精，有木精、石精、水精、老鼠精、狐狸精等等。這些精都有它的物質基礎，都是由物精發展而成的。其奧秘就是積聚的物精甚多，超出了正常的水平。如《左傳》昭公七年，子產說："人生始化曰魄，既生魄，陽曰魂。用物精多，則魂魄强，是以有精爽，至於神明。匹夫匹婦强死，其魂魄猶能馮依於人，以爲淫厲。"就是說，魂是精氣構成的。精氣依附形體，表現爲人的聰明智慧。人死了；如果生前積聚的精氣多，魂魄强，就可以成爲神明（引者按：金氏把"至於神明"理解爲死後成神，是不妥當的。前面解釋第 15 條引文時已經說明，"神明"可以用來指由於積精多而達到的智慧極高的一種境界。古書中這種用法屢見。除前面已引者外，《國語・楚語上》"昔殷武丁能聳其德，至於神明"也是一例。子產的這句話也應該是就人生存時的情況說的。古人既以"神"指鬼神，又以"神"指人之神智。"神明"一詞也既可用於鬼神又可用於人。這顯然是由於古人認爲鬼神和人的神智都是以精氣爲其基礎的緣故。"神"可以直接用來指精氣，也說明這一點）。

《國語・楚語》說："昭王問於觀射父曰：'《周書》所謂重黎寔使天地不通者何也？若無然，民將能登天乎？'對曰：'非此之謂也。古者民神不雜，民之精爽不攜貳者，而又能齊肅衷正，其智能上下比義，其聖能光遠宣朗，其明能光照之，其聰能聽徹之，如是，則明神降之，在男曰覡，在女曰巫'。"這裏，精爽與神明有内在的聯繫，民之精爽不攜貳者，就是明神。精爽、神明都是立足於精氣之上的（引者按："爽"可訓"明"，"精爽"和"神明"義近。"神明"用於人時，跟"精爽"祇有水平高低之分，金氏認爲二者都立足於精氣之上是對的。但是觀射父說的是民神關係問題，"明神降之"的"神"用的是鬼神一義，金氏理解有誤）。

《管子》說：

能專乎，能一乎，能毋卜筮而知凶吉乎？能止乎？能已乎？能

毋問於人而自得之於己乎？故曰思之，思之不得，鬼神教之，非鬼神之力也，其精氣之極也。（原注：《心術下》）

凡物之精，此則爲生。下生五穀，上爲列星，流於天地之間，謂之鬼神。藏於胸中，謂之聖人。（原注：《內業》）

《大戴禮・曾子天圓篇》說：

陽之精氣曰神，陰之精氣曰靈。神靈者，品物之本也。

五穀、列星、萬物、鬼神、聖人都被認爲是由精氣構成。

中國古代關於祭祀的基本原理也是認爲，精氣是人、鬼聯繫的橋梁。（引者按：此下引《管子・五行》"貨曋神廬，合於精氣"，解釋牽强，從略。）……

《禮記・郊特牲》說，"魂氣歸於天，形魄歸於地，故祭求諸陰陽之義"。《祭義》說："氣也者神之盛也，魄也者鬼之盛也。合鬼與神，教之至也。""衆生必死，死必歸土，此之謂鬼。骨肉斃於下，陰爲野土，其氣發揚於上，爲昭明。焄蒿悽愴，此百物之精也，神之著也"。

所以，在中國古代，一方面是像西方那樣的上帝觀念不能持久存在；另一方面，淫祀妖異之說卻有長久而深厚的根基，一直到宋明理學，所謂"鬼神者乃二氣之良能也"，也仍然一方面是無神論的命題，一方面又是有神論和淫祀的基礎。①

金氏指出精氣觀念是中國傳統思想中一種根深蒂固的古老觀念。這對研究稷下道家精氣說很有幫助。顯然，精氣觀念不但不是稷下道家的創造，而且也不是子產的創造。不過有一點需要指出，在時代較早的子產的話裏，衹提到"精"而没有提到"精氣"。明確地把精看作一種氣的思想，也許是稍晚一些才出現的。所以祝瑞開認爲"《心術下》派""使'精'和物質的'氣'結合起來"的意見，是需要重視的。當然，即使承認精是一種氣的思想出現得比較晚，也不能就肯定這是稷下道家首先提出來的。他們完全有可能衹是繼承了這種思想。

爲了正確理解和評價稷下道家的精氣說，有必要對古書中跟

① 見該書 516—518 頁，中國社會科學出版社出版。

精氣有關的資料作進一步的發掘和探討。

我們先來看一下古書中跟《內業》所說的"天出其精,地出其形,合此以爲人"相類的說法。在古書中,天地合而生萬物一類話是很常見的。如《禮記·郊特牲》說"天地合,而後萬物興焉",《大戴禮記·哀公問於孔子》說"天地不合,萬物不生"。有的明確說精屬於天形屬於地。如《素問·陰陽應象大論》說"故天有精,地有形……故能爲萬物之父母",《淮南子·精神》說"夫精神者所受於天也,而形體者所稟於地也"。跟這種思想相應的,是人死後神歸天形歸地的思想。《淮南子·精神》:"是故精神天之有也,而骨骸者地之有也。精神入其門,而骨骸反其根(高注:精神無形,故能入天門。骨骸有形,故反其根,歸土也),我尚何存?"這段話正可用來說明這兩種思想的關係的。

關於神歸天形歸地的思想,金春峰在我們上面引錄的那段文字裏,已經引了《禮記》的《郊特牲》和《祭義》的兩段話。同類意思的話還見於同書的《檀弓》和《禮運》。《檀弓下》記延陵季子葬其長子,"既封,左袒右還其封且號者三,曰:'骨肉歸復於土,命也。若魂氣則無不之也,無不之也'"。《左傳·昭公二十五年》說:"心之精爽,是謂魂魄。"可見魂氣也就是精氣。《禮記·問喪》:"故曰:辟踴哭泣,哀以送之。送形而往,迎精而反也"。也以"精"稱呼死人的魂魄。這跟《內業》精氣流於天地而爲鬼神的說法是一致的。《禮運》說人死後"……故天望而地藏。體魄則降,知氣在上"。把魂氣稱爲"知氣",跟稷下道家認爲有精氣而後能思能知的思想相合。《黃帝內經》也認爲人是依靠心中所藏的神即精氣去"知"的,如《靈樞·五色》說:"積神於心,以知往今。"

《逸周書·祭公》記周穆王大臣祭公病重時的話說:"朕身尚在茲,朕魂在於天,昭王之所。"《祭公》屬於《逸周書》中時代可靠的少數篇之列。從殷周時代的甲骨卜辭和銅器銘文以及《尚書》《詩經》來看,殷周統治者都認爲他們死去的先人是在天上的,是在上帝左右的。可見魂歸於天的思想極其古老。殷周統治階級又都厚葬死者，這説明他們也有形魄歸地的思想。由此看來，天出精地出形合而爲人這類思想應該也是很古老的。不過在殷周時代的傳統思想裏，天跟上帝是合二爲一的，天是有意志的宗教的天。在戰國時代道家等派的思想裏，天基本上已經是自然的天了，因此天出精的意義也就有了變化。此外，前面已經説過，把精明確看成一種氣的思想，究竟是原來就有的還是後起的，也有待研究。我們指出稷下道家精氣説跟較早的有濃厚宗教意味的思想觀念的聯繫，並不是想把二者等同起來，而是爲了更好地認識前者，弄清楚前者究竟包含哪些新的東西。

精氣説認爲人之外的生物和無生物也都可以有精氣，這種思想的根源大概更古老。除了祝、金二氏都引過的，子産關於物精的話(這段話裏有兩句很重要的話，即子産説死後成爲厲鬼的伯有，在生前"其用物也弘矣，其取精也多矣"。兩家都没有引出)，以及金氏所引的《祭義》説"焄蒿悽愴，此百物之精也"的那段話，在古書裏還有不少有助於説明這一問題的資料。《周禮》和《禮記》屢次提到祭祀百物的事。《越絶書・越絶外傳枕中》有萬物皆有魂魄的説法："越王問於范子曰：'寡人聞人失其魂魄者死，得其魂魄者生。物皆有之，將人也？'范子曰：'人有之，萬物亦然。……，"《易・繫辭上》："精氣爲物，遊魂爲變。"遊魂就是遊離於物的精氣。《周易正義》解釋上引的話説，精氣"積聚而爲萬物"，"極則分散。將散之時，浮遊精魂去離物形而爲改變，則生變爲死，成變爲敗，或未死之間變爲異類也"。《祭義》所説的"焄蒿、悽愴"，大概就包括在《繫辭》所説的"遊魂"裏。可見物皆有精是古代極爲普遍的思想。

這種思想的古老程度，可以從古人對玉的態度上看出來，古人十分重視玉。其重要原因之一，就是他們認爲玉含有的精多。《國語・楚語下》説："聖王……帥其群臣、精物以臨監享祀……玉、帛爲二精……"精物就是含精多的物。玉經常被用作祭品，或製成各種禮器以用於祭祀等儀式，就是由於它是精物。《吕氏春秋・盡數》説精氣"集於珠玉，與爲精朗"。《淮南子・俶真》説："譬如鍾山之玉，炊以爐炭，三日三夜，而色澤不變，則至德天地之精也（此末句《藝文類聚》卷 85 引作"得天地之精也"，《太平御覽》卷 805 引作"得天地之精"。今本"至德"二字當爲"玉得"之誤）。"《初學記》卷 27 引《地鏡圖》說："玉，石之精也。"《越絶書·越絶外傳記寶劍》說："夫玉亦神物也。"《初學記》卷 27、《藝文類聚》卷 83 引晉傅咸《玉賦》說："萬物資生，玉稟其精。"可見玉爲精物的思想是深入人心的。玉顯然是由於它的精朗美觀而被認爲含有特別多的精的。

據子産關於物精的話來看，古人認爲人所食之物的精是能爲人所吸收的。《黄帝内經》也常說到"水、穀之精氣"對人的重要性①。古人有食玉之法。《周禮·天官·玉府》："王齊（齋）則共（供）食玉。"鄭玄注："玉是陽精之純者，食之以禦水氣。鄭司農云：王齊當食玉屑。"所以要食玉，應該是由於玉的精多，禦水氣的說法恐怕是後起的。《尚書·洪範》："惟辟作福，惟辟作威，惟辟玉食。臣無有作福、作威、玉食。"注家一般認爲"玉食"比喻食物美好，其實很可能也是指食玉而言的。由於玉的精特别多，所以衹許君主食用而不許臣下食用。《離騷》有"精瓊靡以爲粻"之語，王逸注："……精鑿玉屑以爲儲糧，飽食香潔，冀以延年。"漢以後神仙家有的也食玉，其淵源是很古老的。

《山海經》記載了黄帝等食玉的神話，同時還說明了古人佩玉的目的。《西山經·西次三經》：

> 又西北四百二十里曰峚山……丹水出焉，西流注於稷澤。其中多白玉，是有玉膏。其原沸沸湯湯，黄帝是食是饗。是生玄玉。……黄帝乃取峚山之玉榮而投之鍾山之陽。瑾瑜之玉爲良。堅栗精密，濁澤而有光。五色發作，以和柔剛。天地鬼神，是食是饗。君子服之（按：此"服"非服食之"服"，當訓"佩帶"），以禦不祥。

郭璞注最後一句說："今徼外出金剛石，石屬而似金，有光彩，可以刻玉，外國人帶之，云辟惡氣，亦此類也。"

---

① 如《素問·痹論》"榮者，水穀之精氣也"、《靈樞·平人絶穀》"故神者水穀之精氣也"、同書《玉版》"人之所受氣者穀也"。

漢以前,士以上幾乎無人不佩玉。這種習俗的原始意義,顯然是想借精物之力以禦不祥。古人認爲"玉在山而草木潤,淵生珠而崖不枯"①。《國語・楚語下》説:"玉足以庇廕嘉穀使無水旱之災則寶之。"一般認爲《楚語》所説的,是用於祭祀以求豐年的玉。其實,説這句話的人很可能認爲含精特别多的玉本身就有庇廕嘉穀的作用。玉能潤草木庇嘉穀的思想,跟佩玉能辟不祥的思想相類。很可能古人還有玉能潤身的想法,即認爲通過佩玉可以把它的精吸入體内。喪葬中用玉匣、玉琀等物,也是想借玉這種精物保護死者,並防止尸體腐爛。(用珠琀與用玉琀同意,珠也是精物)。古書中屢見的、以君子比德於玉來説明佩玉等習俗的意義的説法,乃是這類習俗的原始意義已經不被人重視,甚至已經被認爲荒謬以後②,讀書人想出來的一種"合理化"解釋。

總之,古人對玉的重視是建築在玉是精物的認識之上的,至少在較古的時候没有問題是這樣的。在我國的很多新石器時代文化中,重視玉的風氣就已經形成了。河姆渡、大汶口、良渚、紅山、龍山等文化的遺址,都出土過精美的玉器,而且數量相當多。由此可見,"精"的觀念是多麼古老了。

我們認爲古人所説的"精"和"精氣"可以跟文化人類學者所説的"馬那"相比較。

按照文化人類學者的研究,在比較原始的人們中間,往往存在着對一種神秘的"力"的信仰。對這種"力",不同地方的人有不同的叫法。美拉尼西亞人稱爲"馬那"(或譯"馬拉"、"摩那")。北美印第安人中的達科他人稱爲"瓦坎"(或譯"瓦干"),易洛魁人稱爲"歐倫達"(或譯"奥倫達"),亞爾貢欽人稱爲"馬尼突"。一般以"馬那"作爲它們的通稱。林惠祥在《文化人類學》中介紹關於馬那的學説時,對馬那的性質作了很概括的簡單説明。他説:

---

① 見《荀子・勸學》。同類語屢見他書。

② 《論衡・儒增》:"男子服玉,女子服珠,珠玉於人,無能辟除。"這就是對佩玉的原始意義的一種批判。

……這新說(引者按:指關於馬那的學說)是以"力"爲最初崇拜的對象,以爲萬物的活動都是由於這種魔力注入其中,即精靈本身也是因爲這種魔力附於其上方能靈動。這種魔力像一種渾渾沌沌的氣,彌漫於宇宙之間,無論何物,得之便能靈動,不得便不能;他衹能憑附於萬物以自表現,自己本身是非人格的①。

這種被稱爲"馬那"的"力",跟古人所說的"精"和"精氣"顯然很相似。

80 年代去世的社會學家李安宅,在 30 年代翻譯馬林諾夫斯基的《巫術科學宗教與神話》時,曾提示人們,我國古代所謂"氣",性質跟"馬那"相似。現在把有關的譯文和他的按語抄在下面(譯文括號內文字略去):

……關於……"瓦坎"的描寫,說:"一切生命都是瓦坎。任何表現力量的東西,也都是瓦坎——不管這力量是在天上風雲底積極行動,或是在路旁漂礫底消極持久。……它包含一切神秘,一切密能,一切神性。"關於伊洛夸(引者按:即易洛魁)語的"歐倫達",我們所知道的是這樣:"這種力量認爲是一切東西底德能……(此處省略號爲原有)如石、水、潮、植物、動物、人類,以及風、雲、雨、雪、雷,電之類……(此處省略號爲原有)在原始腦子裏面,它乃是一切現象一切迴圍的活動所有的主動原因。

譯者按:這與"氣"怎麼樣?②

這是非常有啓發性的意見。不過用"氣"跟"馬那"相比,顯然不如用"精氣"跟"馬那"相比妥當。

林惠祥書中所引的一篇研究亞爾貢欽的馬尼突的文章提到,有一次一隊亞爾貢欽人在戰爭中殺死了一個義勇無比的戈曼浙人。他們割取這個人的心,各人分食一塊。因爲"亞爾貢欽人以爲馬尼突是非人格的超自然的一種元素,而心臟裏卻貯有馬尼突,所

① 商務印書館大學叢書本 356 頁。
② 商務印書館漢譯世界名著本 93 頁。四川人民出版社 1990 年出版的《李安宅社會學遺著選》收此譯本於《巫術的分析》册中,上引之文見 151 頁。上引譯者按之後本文未引的一段文字是原書正文,《巫術的分析》誤排成按語。李氏在上引之文前,在對原書討論巫術的靈力的一段文字所加的按語裏,曾比較詳細地談了他對我國古代所謂"氣"的一些看法,請讀者參閱。文見商務本 90—91 頁、四川人民本 148—150 頁。

以吃了心臟便可以獲得馬尼突。這樣亞爾貢欽人以爲這個戈曼浙人所以這樣義勇是由於他心臟裏的馬尼突的緣故,所以吃他的心,分得他的馬尼突便能夠像他一樣的勇敢,而且這些新馬尼突和他們心裏原有的馬尼突混合起來,效力更爲偉大"①。這種想法跟我國古代認爲所食之物的精能爲食者吸收的想法如出一轍。信仰馬那的人認爲一個人身中的馬那越多,能耐就越大。子產說"用物精多則魂魄强,是以有精爽至於神明",意思也差不多。跟亞爾貢欽人認爲心臟裏貯有馬尼突一樣,我國古代也把心看作藏精的主要器官。如《黄帝内經》就說:"夫心者,五藏(臟)之專精也"②。"心藏神"③。"神氣舍心"④。"心者,神之舍也"⑤。在前面引過的《内業》和《心術》的有關文字裏,也可以清楚地看到這一點。

在比較原始的人們中間,認爲某些特殊的石頭有魔力的思想相當普遍。《金枝》說:"在美拉尼西亞的一些地方……認爲某些神奇的石頭由於它所具有的特殊形狀而被賦與不可思議的魔力。……美拉尼西亞人並不將這種奇異的魔力歸之於石頭本身,而是歸之於其内在的靈氣"⑥。這裏所說的"靈氣"就指美拉尼西亞人所說的馬那⑦。英國考古學者柴爾德認爲古埃及人重視孔雀石,"是因爲那裏面具有神秘的特質或是'馬拉'(引者按:即"馬那"的異譯)"。他還說:"生金和沙漠中那些發亮的圓卵石——紅玉髓、貓眼石和瑪瑙——以及藍寶石和琉璃之類罕見石子,其得被珍視,不僅是因爲它們光滑玲瓏,同時也是因爲它們具有魔力。寶石具有魔力,在古代著作中,常被提到;這些舊觀念,即在歐洲,也存留到了整個中世紀。因此,想要得到寶石,並不僅祇是爲了要作裝飾品,同時也是爲了要作一種取得成功、富庶、長命、多子的實際工具。從這

---

① 見該書 361—362 頁。
② 《素問·解精微論》。
③ 《素問·經脈别論》、《調經論》、《靈樞·九針論》。
④ 《靈樞·天年》。
⑤ 《靈樞·大惑論》。
⑥ 弗雷澤著、徐育新等譯《金枝》上册 51 頁,中國民間文藝出版社,1987。
⑦ 參看林惠祥《文化人類學》357 頁。

種觀點去看,它們不是奢侈品,而是必需品了"①。如果把我國古代視玉爲精物的觀念跟上引論述對照一下,就更可以相信"精"跟"馬那"是同類性質的了。

《金枝》説:"古代人賦予寶石以種種不可思議的特性,我們確實有許多理由可以認爲這類石頭在人們作爲裝飾物佩戴之前很久很久是被作爲護身符使用的"②。美拉尼西亞人獲得馬那的方法之一,"是用一塊石頭掛於頸上"③。這種石頭當然是被認爲含有較多馬那的石頭,挂上它顯然是爲了使其中的馬那傳入自己體内。可見我們認爲古人佩玉的原來目的,是想借重玉的精來抵禦不祥,或把玉的精吸取到自己身上來,是合理的。在美拉尼西亞人看來,"如所養的豬能夠繁殖或園圃所產能夠獲利,那也不是由於主人的勤勞,而是由於他所有的滿貯馬那的石頭發生影響於豬及植物"④。這跟我國古代認爲玉能使草木潤並庇廕嘉穀的想法也很近似。

根據以上所述,似可斷定"精"和"精氣"是跟"馬那"同類的觀念。這類觀念相當原始。很多文化人類學者認爲馬那觀念是比鬼神觀念更爲原始的一種思想。按照我們根據古人對玉態度而作的推論,在我國古代,精的觀念至晚在新石器時代就已經形成。擬人的鬼神觀念可能比它出現得晚,上帝觀念無疑出現得更晚。上帝鬼神出現後,精的重要性當然降低了。但是精的觀念大體上仍然保存了下來,而且仍然普遍流行。當然,變化是不會没有的。上帝既然主宰天地間的一切,精當然也必須受他支配。此外,從前面引過的子產的話和《禮記》等書裏的一些話來看,精的觀念跟擬人的鬼神觀念大概早就緊密聯結起來了。精既然爲天地間所固有,既可存在於生物之中,也可存在於無生物之中,而且可以從一物轉到另一物(如食物和玉的精爲人所吸收),本來應該跟馬那一樣,"本身是非

---

① 柴爾德著、周進楷譯《遠古文化史》105頁,群聯出版社,1954。
② 前引《金枝》上册 51—52頁。
③ 同前引林惠祥書 358頁。
④ 同上。

人格的"。古人一方面認爲人的鬼魂就是精氣,一方面又承認擬人的鬼神的存在。這似乎說明精的觀念已經由於鬼神觀念的影響而有所變化。後世認爲物精能變爲人形,兩種觀念就混淆得更厲害了。其他方面的思想也有可能對精的觀念發生影響。如果真的像前面說過的那樣,在早期,精並未被明確看作一種氣;精氣觀念的出現,就應該是精的觀念受到古代關於氣的思想的影響的結果。

稷下道家爲什麼需要精氣說呢?比較容易看到的原因,是他們要講養生之道。道家的先驅楊朱,是以"全生保真,不以物累形"爲宗旨的①。道家有不少派別,但是注重養生是他們的共同特點②。在古人看來,要養生就要保住天所給予的精氣。稷下道家在這方面取積極的態度。他們不但要保住精氣,還要不斷積累精氣;不但想使自己長壽③,還想成爲徧知天下萬物、不逢天災人害的"聖人"。

積累精氣可以有種種辦法。有人主張多吃精氣豐富的食物、藥物以至金、玉等精物,後來形成神仙家的服食一派。有人主張直接從空氣中吸取精氣,後來形成神仙家的吐納一派。這些方法都爲漢以後的道教所吸收,但卻不是道家的方法。在《漢書·藝文志》裏,道家和神仙家截然有別,前者在諸子略,後者在方技略(《漢書》本劉向歆的《七略》)。《莊子》的寓言裏雖然有類似神仙的至人、真人,莊子本人卻主張同死生,並無神仙思想。《莊子·刻意》篇首所批評的五種人裏,就有"吹呴呼吸,吐故納新,熊經鳥申,爲壽而已矣"的"導引之士、養形之人",對神仙家無疑是鄙棄的④。

稷下道家的精氣說主張人應學習天地的正靜(參看前引《內業》《心術》文第5、9、13、15、16等條),"虛其欲"(第12條),"潔其宮"(第13條。宮指心)、"去私毋言"(第12條),"耳目不淫、心無他

① 《淮南子·氾論》:"全生保真,不以物累形,楊子之所立也,而孟子非之"

② 參看馮友蘭《中國哲學史新編》第一册(1980年修訂本)第九章《道家的發生與發展和前期道家》,人民出版社,1982。再參看注⑧所引書195、198及214—215頁。

③ 《管子·內業》:"平正擅匈(胸),論治(理)在心,此以長壽"。

④ 馮友蘭認爲"黃老講治身是要保持身體以達到長生不死,白日飛升"(《中國哲學史新編》第二册198頁),恐怕有問題。這樣就把神仙家跟道家混淆了。

圖"(第 4、6 等條),"不以物亂官,不以官亂心"(第 15 條),不爲憂悲喜怒好惡等情欲所擾(第 9、13 等條),也不過飢過飽(第 7 條)。他們認爲衹有這樣做,才能使精氣願意在身中停留,才能不斷爭取到新的精氣。這種思想並沒有包含什麼很高深的哲理,可能產生得相當早。稷下學派可能是從前輩道家那裏把這種思想繼承下來的,當然也可能是既有繼承又有發展的。不過對傳統的關於精氣的思想來說,這種思想無疑是有創造性的,"道"本來有方法的意思。從這一意義來說,稷下道家精氣說所主張的使精來舍的一套方法,就是他們的道。

提倡精氣說還有反傳統宗教思想的意義。馮友蘭說:

> 他們(引者按:指稷下道家)認爲所謂鬼神祇不過是宇宙中流行的精氣,實際上是不承認鬼神是有人格的主宰,把鬼神也看成物質的產物。他們還認爲人有了精氣,就有高度的智慧,用不着依賴鬼神了。《内業》篇說:"摶氣如神,萬物備存,能摶乎?能一乎?能無卜筮而知吉凶乎?……思之思之,又重思之。思之而不通,鬼神將通之;非鬼神之力也,精氣之極也。"
>
> 這實際上是對鬼神權威的否定①。

這段話說得相當好。但是有一點應該指出。前面已經說過,古人一方面認爲人的鬼魂就是精氣,一方面又承認擬人的鬼神的存在。稷下道家認爲鬼神所以"神"是精氣在起作用,人也可以通過積累精氣而成爲其智若神的聖人,不需要鬼神的任何幫助,所以他們否定鬼神的權威。至於他們是否完全屏棄了擬人的鬼神觀念,我們還無法肯定。

道家不承認上帝,不承認宗教的天。"精氣"跟"馬那"相類,本來是比"上帝"更原始的帶有神秘意味的一種觀念。在稷下道家那裏,它卻成了用來反對那種認爲上帝鬼神是人類社會的主宰的傳統宗教思想的工具。這是很有意思的現象。

但是,精氣觀念的原始性,畢竟給稷下道家的思想帶來了嚴重

---

① 《中國哲學史新編》第二册 213 頁

的負面影響。馮友蘭指出：

……他們把精氣看成是帶有一種生命的活力，或是有精神的性能，因此，又稱精氣爲"靈氣"或"神"。在他們看來，日、月、星、辰所以能發光，植物所以能生長，鳥獸所以能飛走，人所以能有智慧，都是由於精氣具有這種性能的結果。用這種精氣來說明萬物的構成，就會導致物活論。……①

他還指出：

在他們的思想中也還有宗教中的某些思想的殘餘。《國語》記載楚國的觀射父的話說："古者民神不雜。""民"中有特別聰明智慧的人，"則明神降之。在男曰覡，在女曰巫"(《楚語下》)。這就是說，"神"就"附"在這些人的身體上，而這些人也就更加聰明智慧。稷下黃老之學似乎也承認，有很多的"神""附"在身體上的人有更多的聰明智慧。但是稷下黃老之學認爲所謂鬼神不過是流行宇宙間的精氣，它可以"人於胸中"，使人成爲"聖人"。"聖人""德成而智出"，能使一切東西各得其所，"萬物果得"。這種超人的"聖人"思想，正是宗教思想的殘餘的表現②。

馮氏指出的這些缺點，是建築在跟馬那類似的觀念上的精氣說所不可避免的。馬那顯然帶有神秘性，精氣怎麼會没有"神"性呢？稷下道家認爲積累精氣到某種程度，就能成爲超人的"聖人"。這跟信仰馬那的人認爲身中的馬那越多能耐就越大的想法，也是一致的。

這裏需要指出上引馮氏第二段話裏的一個問題。《内業》"流於天地之間謂之鬼神，藏於胸中謂之聖人"這兩句是並列的。如果爲它們補出主語，兩句都應該補上"精氣"。馮氏似乎認爲"聖人"句的主語應是"鬼神"，這是不妥當的。

馮氏雖然指出了精氣說的上述缺點，卻仍然主張把這種思想看作是唯物主義的。他說：

稷下黃老之學認爲人的精神意識是由物質的原素——精氣組成的。精神能力的强弱決定於體内貯藏的物質原素——精氣的

① 《中國哲學史新编》第二册 212 頁。
② 《中國哲學史新编》第二册 213—214 頁。

多少。這實際上是肯定物質現象是第一性的,精神現象是派生的,第二性的①。

他的意見似乎得到了絕大多數思想史研究者的同意,但是我們不同意這個意見。把跟"馬那"類似的帶有神秘性的"精氣"跟"物質原素"等同起來,無論如何是不妥當的。稷下道家精氣說中"精氣"的"神"性和"聖人"的超人性,都是精氣觀念本身所決定的,而不是稷下道家闡述一種基本上是唯物主義的思想時的失誤所帶來的。我們沒有時間討論在某些方面有進步意義的、稷下道家的認識論。但是我們可以肯定,認爲精氣積累到某種程度就能無所不知的思想,決不是唯物主義思想。從來沒有人把關於馬那的思想看作唯物主義思想。相反,卻有不少人把它看作最原始的宗教思想。我們怎麼能把建築在跟"馬那"相類的觀念上的精氣說,看作是唯物主義的呢?

《老子》的思想究竟是唯物主義還是唯心主義的問題,曾經引起過激烈的討論。任繼愈主編的《中國哲學發展史》,在這個問題上採取了一個新的立場。該書作者說:"老子提出的取代上帝的最高發言權的'道',是精神,是物質,他自己沒有講清楚。就人類認識的水平來看,他也不可能講清楚。"② 因此他們不主張給《老子》貼唯物主義或唯心主義的標簽。這樣做很有道理,值得我們借鑒。我們認爲,對稷下道家的精氣說,可以肯定它的反傳統宗教思想的作用,而批判它的神秘傾向,但是不應該給它貼唯物主義或唯心主義的標簽。

《心術》、《內業》這一派稷下道家的"道"的概念,跟他們的精氣說是緊密聯繫在一起的。前面說過,他們時常直接以"道"來指稱精氣。這在其他道家的著作裏是看不到的,可見在他們那裏,"道"除了用於規律、方法等意義外,是被當作精氣或精氣的總體來理解的。

① 《中國哲學史新編》第二册 211 頁。
② 《中國哲學發展史》(先秦)266 頁,人民出版社,1983。

馮友蘭既承認"在《内業》等四篇中,道就是精氣",① 又說:"稷下黄老之學認爲'道'就是'氣';萬物都是從'氣'生出來的。……從物質現象到精神現象都是'氣'構成的,一切事物都是氣的變化的結果。"② 他似乎認爲這兩種說法並無矛盾,③ 其實不然。《内業》等篇裏確有把精氣簡稱爲"氣"的情況,但是我們不能因此就在精氣和一般的氣之間劃等號。一般的氣没有精氣的那種"神"性,但是單靠精氣也構不成萬物。例如按《内業》等篇的説法,精氣在人胸中能使人聰明,但是人的形並不是天的精氣構成的,而是地之所"出"。《内業》等篇講到"道"的時候,用了"萬物以生,萬物以成"一類話,這衹是爲了說明道,也就是精氣對萬物的重要性。不能由此推出萬物完全由道構成的結論。《内業》説:"化不易氣,變不易智,惟執一之君子能爲此乎?"意思跟同篇"聖人與時變而不化,從物而不移"相近。這是就君子、聖人的修養和應物之道來説的。馮氏卻引"化不易氣"來印證他的"一切事物都是氣的變化的結果"的説法。④ 這是不合理的。總之,根據《内業》等篇本身,是得不出道就是氣和道構成一切的結論的。

《易・繫辭上》説"精氣爲物",《正義》解釋爲精氣"積聚而爲萬物"。如果《正義》的理解正確,這裏所説的精氣就應是兼指天和地的精氣的。前面解釋第 14 條引文時引過的《靈樞・本神》,説"天德""地氣"相薄而生人,又説"兩精相搏謂之神"。"兩精"似乎就指天和地的精氣。金春峰引過的《大戴禮記・曾子天圓》那段話説:"陽之精氣曰神,陰之精氣曰靈。神靈者,品物之本也"。大概也是天地之精氣合而生萬物的意思。但是《内業》等篇的"精氣"明明衹指天所出的精氣,僅僅用這種精氣是構不成萬物的。

《心術》《内業》這一派稷下道家所説的"道"既然指天的精氣,

---

① 《中國哲學史新編》第二册 207 頁。
② 同上 203—204 頁。
③ 馮氏還説過"稷下黄老之學……認爲'道'就是'氣'或精氣"那樣的話(同上注 203 頁)。
④ 《中國哲學史新編》第二册 203——204 頁。

其位置就祇能在“天”之下,而不能像老、莊所說的“道”那樣居於“天”之上,真正成爲宇宙的根源。祝瑞開說,《心術》、《内業》“認爲‘道’在天地之内(如說:“道在天地之間也。”——原注:《管子·心術上》——“道滿天下,……蟠滿九州。”——原注:《管子·内業》——等)”①。這是有道理的。《心術》、《内業》的作者對道十分推崇。他們講到道時所用的很多話,跟《老子》、《莊子》所用的也很相似。但是他們把道置於天之下的思想,仍然是很明確的。例如《心術上》說:“道在天地之間也,其大無外,其小無内。”僅從“其大無外,其小無内”來看,道似乎可以包裹天地。但是開頭既然已經說明道在天地之間,當然就不能這樣理解了。《内業》對靈氣也用“其細無内,其大無外”來形容。靈氣就是天的精氣。又如《心術上》說:“虛而無形謂之道。”這裹說的“道”如果從句子的字面看,也可以跟老、莊的“道”等同起來;但是這一句的解文說“天之道虛其無形”,可見仍是從屬於天的。

劉笑敢在《莊子哲學及其演變》一書中指出,在屬於《莊子》外篇的《天道》、《天地》、《在宥》等篇裹,道通常被放在天之下②。他把這些篇看作莊子後學中的黄老派的作品③。這一派可能受到了稷下道家的影響。

馮友蘭認爲《白心》篇“天或維之,地或載之”一段話裹提出來的、可能起着維天載地的作用的東西,雖然没有點出名稱,實際上就是道④。這個意見是可以考慮的。可能在稷下道家那裹,已經出現了想把地位在天之下的道提升到天之上去的企圖。馮氏還認爲《管子·宙合》篇所說的包裹天地的“宙合”也就是道⑤。《宙合》跟《心術》等四篇的關係還有待研究。

指精氣而言的、地位在天之下的“道”,跟老、莊所說的作爲宇

---

① 前引《先秦社會和諸子思想新探》201頁。
② 該書305頁,中國社會科學出版社,1988。
③ 同上299等頁。
④ 《中國哲學史新編》第二册209頁。
⑤ 同上208—209頁。

宙根源的、地位在天之上的"道",其出現究竟孰早孰晚呢? 一般認爲前者比後者出現得晚,並認爲前者體現了稷下道家對《老子》思想所進行的、向唯物主義方向的改造。我們已經指出,精氣説並不是唯物主義的。他們所説的道當然也不是什麼唯物主義的概念。從哲學思想發展的水平來看,《老子》關於道的思想是高於道即精氣的思想的。我們懷疑前者的出現晚於後者,是在後者的影響下形成的。《老子》説"道""窈兮冥兮,其中有精。其精甚真,其中有信"。這是否反映了道即精氣的思想的影響呢?《莊子》書中對那些得道的至人、真人的描寫,是否也有精氣説的影子在裏面呢?例如《莊子·達生》説"至人"所以能"潛行不窒,蹈火不熱,行乎萬物之上而不慄",是由於"純氣之守"。這不是跟稷下道家認爲積累精氣的聖人能不逢天災人害的思想頗爲相近嗎?

最後還需要説明一點。我們認爲《老子》關於道的思想比道即精氣的思想出現得晚,並不意味着我們認爲《老子》成書的時代一定比《心術》等四篇晚。前面已經説過,稷下道家的精氣説很可能是從前輩道家那裏繼承下來的。他們的"道"的觀念當然也可能是這樣的。即使《心術》等四篇的成書時代確實比《老子》晚,道即精氣的思想也仍有可能比《老子》關於道的思想出現得早。

作者簡介 裘錫圭,1935年生於上海。復旦大學歷史系畢業,現任北京大學中文系教授,著有《文字學概要》及古代語文、歷史等方面的論文多篇。

西漢國家宗教與黄老學派的宗教思想

王葆玹

内容提要　本文認爲西漢文、景、武、宣之際以郊祀爲核心的國家宗教,都是以太一爲至上神。文中又以《鶡冠子》等書爲例,説明西漢黄老學派一方面在哲學方面"主之以太一",另一方面又在宗教方面編造了一個以太一爲核心的多神系統。這種巧合表明,西漢時期的奉祀太一的國家宗教體制,乃是以黄老學派的宗教理論爲其思想基礎。並論證東漢道教思想乃是直接起源于西漢黄老學派的宗教思想。

現在有些學者作出了一項有意義的嘗試,即將道教的起源上溯到戰國秦漢的道家學派,甚至上溯到春秋時期乃至三代以前。然而在這裏,有一個必須解決的問題:西漢黄老學派乃是老子以後、道教形成以前的最後一個道家學派,這一學派與道教究竟有着怎樣的聯繫呢?或者説,我們怎樣使西漢黄老學派的發展史與道教史銜接起來,以實現道家與道教的貫通呢?迄今爲止,談到這一問題的論著極爲罕見,可説是中國傳統文化研究中的一項空白。其所以出現這樣的空白,可能是由于人們往往忽視西漢黄老學説中的宗教思想内容,甚至誤以爲這一學派與宗教無關。其實,黄老之學發展到漢代,已有很大的改變。在西漢前期和中期,統治者傾向于將自然界與社會看作一個龐大的系統,並將宗教放到這一系統中的重要位置上,因而如何建立一個極具崇高感與神聖感的國家宗教,以及如何解釋這種宗教,便成爲當時學者所共同面臨的課題。在這情況下,黄老學派改變了自己原有的那種否定傳統宗教的思想傾向,建立了一種既包含哲學也包含宗教理論的龐大的思想體系。這一體系中的哲學,大旨是尊崇道德與“太一”,提倡無爲;這一體系中的宗教思想,大致是虛構一種以“太一”爲至上神的多神系統,並爲相應的宗教設施與祭祀程序提供方案與解釋。在這裏,哲學中的“太一”範疇與宗教中的至上神觀念的重合,是這體系中哲學與宗教思想的聯結點。過去人們說,西漢文景時期的國家宗教祇奉祀五帝,未奉祀“太一”,這是個誤會,其實“太一”在漢文帝時已成爲國家宗教至上神的名稱,在景武之際依然是如此。當然,這種宗教後來轉變爲帶有儒家特色的國家宗教,但這轉變不是發生於以尊儒著稱的漢武帝時期,而是遠在武帝以後。在西漢成帝年間,儒者開始對這具有黄老特色的國家宗教進行改革,逐漸剝奪了黄老學派在官方學術中的地位,使這學派的一些後繼者窮極思變,在本派舊説的基礎上創立新説,以與儒家相抗衡。甘忠可的《包元太平經》就是這樣問世的,道教的早期思想醖釀活動就是這樣開始的。

一

西漢文帝和景帝崇尚黄老,老子學派則“主之以太一”,這都是公認的。然而長期以來,人們一直以《史記·封禪書》爲依據,認爲西漢文景時期的國家宗教祇奉祀五帝,未奉祀“太一”,倒是那位以貶黜黄老而著稱的漢武帝,纔開始尊奉“太一”爲至上神。這種見解實際上歪曲了西漢宗教與學術的關係,是不合史實的。我們若將《封禪書》與《漢書·郊祀志》中王莽的奏表對照一下,便可看出《封禪書》的記載過於簡略,以致竟遺漏了一件重要的事,即文景時期國家宗教的至上神並非五帝,而是“太一”。

爲説明這個問題,有必要將西漢國家宗教體制的形成過程作一簡單論述。當時國家宗教的祭典,以郊祀和封禪最爲隆重。郊祀是常規性的祭祀天地的活動,一般由天子親自主持,漢代多數皇帝都舉行過這種典禮儀式,或三年一次,或一年一次,由于祭祀的地點通常是在首都之郊,故以“郊”爲名。有人說郊是祭天,祀是祭地,可能不對,因爲西漢後期和東漢時期祭天與祭地的設施都稱爲“郊”,祭天在“南郊”或“天郊”,祭地在“北郊”或“地郊”。封禪是非常規性的祭祀天地的大典,也必須由天子主持,而且必須是在泰山和泰山下的小山上舉行,例如秦始皇、漢武帝在泰山“築土爲壇,報天之功”,故稱其爲“封”。一般來說,封禪大典的舉行必須是在改朝換代或朝廷取得重大成就的時候,它的隆重程度大大超過郊祀,但由于整個西漢時期僅武帝舉行過封禪儀式,所以反而不如郊祀重要。當時還有宗廟祭,以皇室的祖先和先帝爲祭祀對象,它的重要性也不如郊祭。例如董仲舒說:“郊重於宗廟,天尊於人也。”(《春秋繁露·郊事對》)意思是說,郊祭的對象是天,宗廟祭的對象是人,由於“天尊於人”,郊祭應比宗廟祭更加隆重。他又說:“所聞古者天子之禮莫重於郊”(同上);漢成帝時匡衡等儒臣也說:“帝王之事莫大乎承天之序,承天之序莫重於效祀”(見《郊祀志》),都認爲郊祭在國家宗教中處於核心的地位。

漢初的郊祭制度,是由秦代發展來的。據《史記·封禪書》的記載,秦人在雍地先後建立了鄜畤、密畤、上畤和下畤,分別供奉白、青、黃、炎四色上帝,被稱爲“雍四畤”。後來漢高帝增立北畤,供奉黑帝,以便應合“天有五帝”的傳說,從而湊足了“雍五畤”之數。西漢惠帝及高后時期的郊祭,一直沿襲着這“雍五畤”的體制。這體制的缺陷是顯而易見的,它所奉祀的最高神靈竟有五位,因而未能達到神界的統一。到漢文帝前元十五年(公元前165年),人們試圖彌補這一缺陷,當時朝廷採納趙人新垣平之議,在長安東北建立了渭陽五帝廟。據《封禪書》,此廟的建築格式是“同宇,帝一殿”,張守節《正義》引《宮殿疏》說,五帝廟“一宇五殿”,分別供奉五色上帝。由於《封禪書》未提五帝廟是否供奉高於五帝的神靈,因而後人以爲,漢文帝所崇拜的神靈以五帝爲最高。

然而,漢文帝既將五帝的神位集中在一起,自然應在五帝中間設置一個中心。《呂氏春秋》和《淮南子》都講一種五帝的系統,以黄帝位居中央,青赤白黑四帝分居四方。渭陽五帝廟是否也以黄帝居中呢?答案衹能是否定的。《史記·封禪書》現存各本都這樣寫道:"於是始作渭陽五帝廟,同宇,帝一殿,面各五門,各如其帝色。"其説五帝廟"面各五門",意謂全廟當有二十門或二十五門,這在中國古代建築史上頗爲罕見,再説漢初的建築技術尚不發達,能否造出這樣的廟宇是十分可疑的。東漢人荀悦在《漢紀》卷八中説:"於是始作渭陽五帝廟,同宇五殿,五門各如其帝色。"根據這話,可知五帝廟僅有五門,每一面僅有一門,而非每面各有五門。班固在《漢書·郊祀志》中抄錄《封禪書》這段文字,缺一"各"字,全句可讀作:"同宇,帝一殿,面五,門各如其帝色。"意思與荀悦的説法一致,則《史記》中的"各"字當爲衍文。不過在這裏還有一種可能,張守節《史記正義》説:"按,一宇之内而設五帝,各依其方帝别爲一殿,而門各如帝色也。"試將這話與荀悦"五門各如其帝色"一語相對照,可知今本《封禪書》中的"面"字可能爲"而"字之誤,荀悦與張守節所見的《封禪書》文字可能是這樣的:

同宇,帝一殿。而五門各如其帝色。其中"五門各如其帝色"一句與《封禪書》下文"五帝各如其色"的句式相仿,極似太史公原來的手筆。不論這裏的哪一種推測是真實的,據班固、荀悦、張守節等人所説,都可得出明確的結論:五帝廟並非每面五門,而是共有五門,每面一門。也就是説,此廟共有五面,而非四面。其中青、赤、白、黑四帝分居東南西北,多出一個黄帝,位居西南而不在中央。漢武帝時建立的泰畤以黄帝位居西南,當是沿襲五帝廟的先例。五帝廟既未採用黄帝居中的格式,那麼中央的位置自然應由一位更高的神靈來佔據,這神就是太一。

湊巧的是,在西漢平帝元始五年(公元5年),王莽曾上奏追述渭陽五帝廟中的祭祀情况:

> 高皇帝受命,因雍四畤起北畤,而備五帝,未共天地之祀。孝

文十六年①用新垣平，初起渭陽五帝廟，祭泰一②、地祇，以太祖高皇帝配。日冬至祠泰一，夏至祠地祇，皆並祠五帝，而共一牲，上親郊拜。後平伏誅，乃不復自親，而使有司行事。(見《漢書・郊祀志》)

王莽在這表文裏追述西漢高、武諸帝的郊祀活動，均與《史記》相合，唯稱五帝廟奉祀太一之事不見於今本《史記》。關於這一點，有兩種可能，其一，《史記》可能原有關於文帝祭祀太一的記錄，後來佚失了，王莽所述可能是依據《史記》原本。其二，《史記》的作者對當時人們熟習的著作和事件往往從略，例如在管、晏、申、韓、孫、吳等傳中說，這些人的著作世人"多有"，故而"不論"，即是一例。他對於五帝廟可能衹看重"五帝同宇"這一突出的特點，而忽略了今人所重視的"太一"至上神的問題。王莽對宗教祭祀問題極爲關注，曾"開秘府，會群儒"以研究典禮儀式的程序(見《漢書・王莽傳》)，他對五帝廟的了解不會遜於太史公。當然，王莽出於改制的需要，有時會作僞，但渭陽五帝廟曾被匡衡等儒臣奏請罷廢(見本文第三節)，王莽繼匡衡之後，也對此廟持否定的態度，他完全没有必要對這廟中的情況加以美化或誇張。過去學術界很少有人重視王莽這段話，大概是由於考慮到漢武帝時謬忌曾提出"天神貴者太一，太一佐曰五帝"的郊祀方案。人們以爲，謬忌此說意謂着奉祀"太一"自武帝始，因而王莽說文帝祭"太一"便無人注意了。然而據《封禪書》所說，武帝在長安近郊籌建祭天的設施，本已採納了謬忌"天神貴者太一"之議。後來，武帝到甘泉籌建泰畤，有人提議："五帝，太一之佐也，宜立太一"，這與謬忌之議全同，武帝卻"疑未定"，衹是在經過一番討論之後，才在甘泉照搬了謬忌的"祠太一方"。由這件事可以看出，武帝是喜歡革新的人，他即便是採用已實行過的郊祀方案，也需要有人重新提議並加以討論。那麼謬忌向武帝提議郊祀

① 五帝廟本是建於文帝前元十五年，而在此廟首次舉行郊祭儀式則在文帝十六年。

② "泰一"即"太一"、"泰"、"太"古通用。

“太一”並以五帝爲佐一事，絶不意味着類似的方案未在文帝時期實行過。我們絶不能根據謬忌之議，來懷疑王莽關於文帝曾祭“太一”的説法。

以上各種情况表明，漢文帝曾在渭陽五帝廟祭祀“太一”是可以肯定的。到漢景帝時，五帝廟仍是最重要的宗教設施，那麼可以説，在崇尚黄老的文景時期，國家宗教是以“太一”爲至上神，以五帝爲太一之佐。建議修建此廟的新垣平是趙人，在景武之際干預朝政並以尊崇黄老而聞名的竇太后也是趙人。《史記·孟荀列傳》説趙人愼到“學黄老道德之術”，曾爲稷下先生；《樂毅列傳》説久居趙國的樂瑕公與樂臣公都傳習黄老之學，樂臣公曾到齊國傳授蓋公，蓋公即是在漢初實行黄老之治的名相曹參的老師。建議修建五帝廟的新垣平，可能即是戰國末期趙國黄老學派的後繼者。

二

漢武帝時，郊祀一般是三年舉行一次，主要地點是甘泉的泰畤和汾陰的后土之祠。下面即以泰畤及與此有關的謬忌太一壇、封禪大典和明堂爲例，來説明武帝時的國家宗教與文景時期的宗教的關係。

武帝元朔五年（公元前 124 年），按亳人謬忌之議，建立了一座太一祠壇。因“亳”字或寫作“薄”，此壇常被稱爲薄忌太一壇。這壇與渭陽五帝廟的共同點，是兩者都以“太一”爲至上神，以五帝爲“太一”之佐，而其中的區别，是此壇位於長安東南郊，五帝廟則在長安東北。到元鼎五年（公年前 112 年），武帝仿照謬忌壇的樣式建立了泰畤，把它當作郊祀的正式設施來使用。與謬忌壇相比，泰畤與渭陽五帝廟更爲相似，兩者都以“太一”居中，以五帝環居在“太一”的周圍，而且泰畤在長安以北的甘泉雲陽之地，與五帝廟位於長安東北這一點存在着一致性。泰畤初成，武帝便在這裏舉行了祭祀“太一”的儀式，“列火滿壇”，以致夜間泰畤上空出現了“美光”，到白天出現了“黄氣”,于是引起熱烈的反應。《封禪書》説:“太史公、祠官寬舒等曰:‘神靈之休,祐福兆祥,宜因此地光域,立太畤壇以明應。令太祝領,秋及臘間祠。三歲天子一郊見。’”這裏的太史公即司馬談,他與寬舒等人建議在出現“美光”、“黄氣”之地再建太畤壇,與漢文帝在建立渭陽五帝廟之後再建長門五帝壇的宗旨相同。由此可以看出,司馬談對于泰畤的建立以及在泰畤舉行的祭祀“太一”的典禮儀式,曾極表稱贊並試圖加以發揚光大。司馬談是西漢黄老學派的重要代表人物,他對泰畤的稱贊顯然可以代表當時黄老學派的意見。

在泰畤建立的前後,武帝已開始了關於封禪的籌備工作。當時群儒“莫知其儀禮”,“不能辨明封禪事”(《封禪書》),武帝於是“盡罷諸儒不用”(同上),將“郊祀太一之禮”用到了登封泰山的典禮之中(同上)。武帝還按照公玉帶所獻的“黄帝時明堂圖”,在泰山東北址修建了明堂,“祠太一、五帝於明堂上坐”(同上),“拜明堂如郊禮”(同上)。可見封禪大典與明堂所供奉的神靈系統,仍以“太一”最高,五帝次之。公玉帶是齊地濟南人,有可能是戰國齊湣王臣屬公玉丹的後裔,他所獻的“黄帝時明堂圖”,可能是出自田齊黄老學派的杜撰。

總之,漢武帝時國家宗教所奉祀的神靈,主要是“太一”和五帝,這和漢文帝時的情况是相似的。漢文帝在奉祀太一、五帝的同時,還崇尚黄老,而武帝之祭祀太一、五帝,得到了黄老學派代表人物司馬談的支持,這也是相似的。儒家對文景郊祀制度的改革,絶未發生于武帝時期。

三

在西漢元、成之際,國家經濟極度惡化,郊祀與宗廟祭祀的耗費頗多,在這時已成爲一種不堪忍受的經濟負擔。而且這種祭祀體制與董仲舒以來的儒學不合,這在儒家地位日益上升的情况下已被朝廷看作是一種缺點。於是，在元帝時，儒臣翼奉提出了兩項要求改革的建議，其一是改定宗廟寢園方面的祭典，由於有貢禹的附議，這項建議在元帝時便得到了實施；其二是改革郊祀制度，這種改革的難度較大，因而在元帝去世、成帝即位之後才得到實施。在這當中，郊祀制度的改革的意義較大，且與本題密切相關，不能不就此作一簡單的論述。

《漢書・郊祀志》記述了這次改革的詳情。漢成帝建始元年（公元前 32 年），擔任丞相的名儒匡衡和御史大夫張譚奏言，甘泉泰畤與汾陰后土祠的方位與儒家推崇的禮制不合，建議將這畤祠所供奉的天地神位遷到長安。多數朝臣支持這一奏議，成帝遂在長安建立了南郊（天郊）和北郊（地郊）。建始二年，匡衡等人又建議罷廢雍五畤及陳寶祠，得到實施。在這之後，匡衡等人又將改革的規模擴大，罷廢國家宗教設施六百餘所。《漢書・郊祀志》和荀悅《漢紀》都提到這事，《漢紀》卷二十四說：

> 丞相匡衡又奏："郡國候神方士使者所祠凡六百八十三所，其二百八所應祀，或疑無明文，不可奉祀；其餘四百七十五所不應祀，請罷之。"又奏："高帝、武帝、宣帝所立山川群祀凡百二十餘所，非典，皆罷之。"候神方士使者副佐本草①，待詔七十餘人皆罷歸②。

匡衡等人所奏罷的畤祠，竟是西漢高帝以來國家宗教設施的大多數，甘泉泰畤、汾陰后土祠、渭陽五帝廟等均在其內。改革之後，出現了多次反覆，反覆的原因主要是成帝"無繼嗣"，哀帝"寢疾"，疑心是改革之事觸怒了甘泉等地的神靈（見《郊祀志》）。到平帝元始

---

① "副佐本草"，原作"副使"，今據《漢書・郊祀誌》校改。

② 有的學者說，這裏所謂"候神方士使者副佐本草待詔七十餘人皆罷歸"，祇是匡衡奏罷"山川群祠凡百二十餘所"時免職的人員，這恐怕是不對的。因爲在匡衡發起的歷次改革中，僅奏罷四百七十五所神祠時涉及到"候神方士使者"，而所罷一百二十餘所群祠當中，包括薄忌太一壇及三一、冥羊、馬行諸祠，這些都由太祝祠官管理，不由方士負責。由於這兩次罷免的人員遠不止七十之數，故應在"副佐本草"處斷句，意謂七百七十五所畤祠的"候神方士使者"都由神職人員變爲世俗的醫藥人員，僅待詔七十餘人被罷免。這七十餘人顯然就是文帝以來的"待詔博士"，他們是文景之際國家宗教的官方解釋者，在這種宗教體制被否定時，理應"罷歸"。

五年(公元五年),王莽又將匡衡等人發起的改革重做了一遍,並稍有變動,致使南北郊的體制得以長期延續,而甘泉泰畤、汾陰后土祠及薄忌太一壇等則永久地罷廢了。

匡衡等儒臣罷廢甘泉泰畤及汾陰后土祠的理由,是這兩者不合儒家的禮典。怎樣不合呢?支持他們的五十位朝臣作了具體的說明。他們根據《禮記》,提出"郊處各在聖王所都之南北"的原則,主張祭祀天地應在長安的南北郊(見《郊祀志》)。甘泉泰畤在長安以北,后土之祠在長安以東,亦即匡衡所云:"郊見皇天反北之泰陰,祠后土反東之少陽"(同上),自然與《禮記》不合。在這裏,南郊祭天、北郊祭地與中國古代關于南方屬陽、北方屬陰的傳統觀念是一致的,而武帝在長安以北祭祀太一,在長安以東祭祀后土,卻是不容易理解的。匡衡說:"孝武皇帝居甘泉宮,即於雲陽立泰畤,祭于宮南",但這解釋很勉强,因爲當時所謂"郊"乃是長安之郊,而非甘泉宮之郊。實際上,武帝所祭的太一並非陰陽之陽,而是統攝陰陽的至上神。"太一之居"並不在南方,而在北極或紫宮,亦即宇宙的中心位置。我們祇要查閱一下《淮南子·天文訓》和《史記·天官書》,便可證實這一點。至于后土之祠在長安以東,乃是出自司馬談等人的建議,司馬談是戰國田齊黃老學派的後繼者,田齊曾在泰山梁父"祠地主"(《封禪書》),位在長安東方,這就無怪乎司馬談要慫恿武帝,到長安以東去建立后土之祠了。大致上可以說,武帝所建泰畤等等的方位,是以源于田齊的黃老之學爲依據的,而儒者所倡議的南北郊的方位,是以儒家禮學爲依據的。

根據《史》、《漢》所載武帝的祝文和詔文,文景武宣時期國家宗教至上神的全稱即是"太一"。至于儒者所議立的南郊的至上神全稱,史書没有明言。據《郊祀志》,王莽在恢復南北郊之後,又上奏說:"今稱天神曰皇天上帝泰一,兆曰泰畤,而稱地祇曰后土,與中央黃靈同,又兆北郊未有尊稱。宜令地祇稱皇墬后祇[①],兆曰廣

① 墬,爲古"地"字。

時。"由此可知"皇天上帝泰一"這一名稱不是出於王莽的杜撰,而是王莽由匡衡等人繼承來的。匡衡等人將"太一"改爲"皇天上帝泰一",有由崇拜高於天地的神靈轉變爲尊天的趨向,這一趨向發展到東漢,便是至上神僅稱皇天上帝,太一兩字被除掉了。如果説轉而尊崇皇天上帝代表着漢代儒家的思想主張,那麼尊崇太一便可説是體現着黄老學派的思想傾向。

講到這裏,可以得出一個結論:在漢代宗教領域,由黄老學派所支持的國家宗教向儒家所支持的國家宗教的過渡,竟不是發生于漢武帝時期,而是發生於漢成帝時期。

四

那種尊崇"太一"的國家宗教,在西漢文、景、武、宣時期受到黄老學派代表人物的支持,在成帝時受到儒者的反對,這一情況會使我們聯想起西漢學術界儒道對峙的格局,而産生一種推測:西漢黄老學派可能不是那種與宗教無關的哲學派别或政治學派别,而是一種頗爲複雜的思想派系。如果説《禮記》所講的郊禘之禮是儒家所主張的宗教禮儀,那麼上述尊崇"太一"的國家宗教便應是西漢黄老學派的宗教理論的實施。這一推測可由《鶡冠子·泰鴻篇》的論述得到印證,亦可由《史》、《漢》關於西漢方士的活動的記載而得到證實。

《鶡冠子·泰鴻篇》有一節極爲重要的文字:

> 泰一者,執大同之制,調泰鴻之氣,正神明之位者也。……九皇殊制,而政莫不效焉,故曰泰一。泰皇問泰一曰:"天地人事,三者孰急?"泰一曰:"愛精養神,内端者所以希天。……"……東方者萬物立止焉,故調以徵;南方者萬物華羽焉,故調以羽;西方者萬物成章焉,故調以商;北方者萬物錄臧焉,故調以角。中央者太一之位,百神仰制焉,故調以宮。道以爲先,舉載神明,華天上揚,本出黄鐘,所始爲東方,萬物唯隆。以木華物,天下盡木也,使居東方主春;以火照物,天下盡火也,使居南方主夏;以金割物,天下盡金

也，使居西方主秋；以水沉物，天下盡水也，使居北方主冬；土爲大都，天下盡土也，使居中央守地。

這話當中有兩個要點，可使我們聯想到西漢郊祀太一的情況。第一，這話以五材、五方、四時相配，但卻未像《吕氏春秋》、《淮南子》那樣强調黄帝居中，而聲稱"中央者太一之位"，這在現存戰國秦漢典籍的各種五行説當中頗爲罕見，是一種特殊的説法；而西漢郊祀制度規定五帝分居四方，黄帝位於西南，"太一"位於中央，正與《泰鴻篇》的特殊説法相合。第二，《泰鴻篇》採用泰一與泰皇問答的體裁，明確以泰一高於泰皇，這在戰國秦漢時期也是罕見的；而西漢官方在奉祀太一之際，一般未將太一與"泰皇"或"泰帝"相混淆，例如武帝時群臣説：泰帝"興神鼎一"，黄帝"作寶鼎三"，禹"鑄九鼎"，都是爲了"鬺享上帝鬼神"（見《郊祀志》），這證明泰帝（類似於泰皇）在武帝君臣看來要低於上帝，位在太一之下。那麽，武帝所祭的"太一"與《泰鴻》所謂的泰一，應有相同的階次或地位。

有人可能會問：《泰鴻篇》中的"泰一"乃是高於天地的範疇，而西漢郊祀"太一"卻是祭天，這怎麽能扯到一起來呢？的確，這從表面看來似有矛盾，但這矛盾卻是西漢黄老學説所固有的。西漢黄老學派認爲"太一"有雙重性質：在天地分判以前，太一即已存在，因而它是天地的起源；在天地分判以後，太一便處於天地的中心，亦即北極或紫宫的位置，因而它又是天神的領袖和代表。例如，《淮南子》認爲太一或"一"是天地未分的渾沌狀態，又説紫宫是"太一之居"，就是認爲太一既先於天又代表天的矛盾説法。考察武帝祭祀太一時的祝文和詔文，既將祭太一與祭上帝看作同一件事，又未直接地將"太一"與"天"、"上帝"相混淆。武帝曾祭"天、地、太一諸神"，又祭"三一"（天一、地一、太一），這裏的太一與天似有關聯，但又不完全相同。《漢書・禮樂志》説，漢武帝組織學者撰作了《郊祀歌》十九章，用於甘泉的郊祀儀式，"使童男女七十人俱歌，昏祠至明"。十九章的第七章説："惟泰元尊，媪神蕃釐，經緯天地，作成四時。"顏注稱"泰元"爲天，似誤。"元"即是一，"泰元"即太一①，此章原意是説太一"經緯天地"，在天地之上，爲天地的統治者和代表者。此章明確地表達了漢武帝關於太一的看法，而這看法與《泰鴻篇》是非常接近的。

關於《鶡冠子》的成書時代，過去爭議很大。考察書中《泰鴻》、《泰錄》兩篇内容相關，措辭相似，顯然出自同一作者。兩篇提到"九皇"、"元氣"，在先秦古書中頗爲罕見；兩篇又屢見"政"、"正"兩字，不避秦諱；由此可見這兩篇成於西漢，是後期黄老學派的作品。②西漢文景武帝時期的郊祀體制與《泰鴻篇》的一致性，意味着這種體制乃是晚期黄老學派的宗教理論的實施。關於這一點，還有許多旁證，例如，《莊子・天下篇》介紹先秦各家學派的宗旨，唯有老子一派是"主之以太一"《文子》與《淮南子》均屬黄老一派，兩書都有"帝者體太一"的命題。五經、《論》、《孟》、《墨子》及漢代《春秋繁露》等書，均無關於太一的論述。《荀子》偶言太一，但不是指世界本原。《禮記・禮運》提到"禮必本於太一"，但可能是因道家影響所致，至少應肯定篇中關於太一"官於天地"的議論是襲用道家之言。有人説，秦代群臣所説的天皇、地皇、泰皇即西漢人所説的天一、地一、太一，這説法肯定不對，因爲《泰鴻篇》中的泰皇與泰一明顯不同。《漢志》著錄了幾部托名泰壹（即太一）的著作，褚少孫還説西漢占家有太一家，我們當然不能把這些論説太一的著作和流派都歸入黄老的系統，但可以推斷它們都以黄老學説爲其思想根源。《封禪書》説："壽宫神君最貴者太一，其佐曰大禁、司命之屬"，這是巫者所崇拜的神靈系統，有些像是《楚辭》中的東皇太一、大司命等；宋玉《高唐賦》提到方士"禮太一"，也可能與楚人"東皇太一"的説法有關。東皇太一與西漢官方尊崇的位居中央的太一有所不同，不

---

① 吳仁杰《兩漢刊誤補遺》就此考證頗詳，可參考。

② 這兩篇有些字句略同於馬王堆帛書《黄帝書》，後者已被公認是黄老學派的經典作品。再説《漢志》中《鶡冠子》在道家類，而這兩篇的道家色彩在今本十九篇中又是比較突出的。

過楚地也是黃老之學的流行地域，楚人即便也尊崇那種位於中央的太一，也不會妨礙我們得出這樣的結論："主之以太一"是黃老之學的特點，西漢官方宗教之奉祀太一在基本上體現着當時黃老學派的思想主張。

當然，先秦黃老學派未將太一看作神靈，但這學派發展到漢代，思想有了變化，其所謂太一有時是指根本的法則，即如《泰錄篇》所云："定制泰一之衷，以爲物稽"；有時又指神靈，例如《泰鴻》所謂泰一便略帶有人格神的意味。若對這種太一加以崇拜，便是現實宗教中的至上神了。而將理論上的太一落實爲現實宗教的至上神的工作，是由方士完成的。方士又稱"方術士"，所謂方術不是抽象的理論，而是可以施行的、帶有宗教迷信色彩的具體方案或方法，例如《封禪書》所講的方術，或是"祠太一方"一類的關於宗教設施與祭祀程序的設計方案，或是"神怪奇方"、"鬼神方"一類的降神術，或是"卻老方"一類的追求長生成仙的方法。方術也有自然科學的內容，但往往與宗教迷信的東西混在一起。《漢志・方技略》包括神仙家、房中家和醫家，其中的醫家雖不屬於宗教範圍，但在一些古代學者看來卻可歸入神仙家、房中家之列，與宗教發生聯繫。《後漢書・方術傳》提到"風角、遁甲、七政、元氣、六日七分、逢占、日者、挺專、須臾、孤虛"及"望雲省氣、推處祥妖"之術，多數有宗教迷信的色彩。秦漢方士可能分屬於儒、墨、陰陽及黃老等不同的學派，上述謬忌等人即是黃老學派的宗教理論的施行者。當然，也有一些黃老學者，既從事宗教理論的研究，又參與這種理論的施行過程，例如司馬談就是這樣的人。

黃老學派在西漢時期發生變化，與當時的歷史背景有關。在西漢文、景、武時期，統治者傾向於將自然界與社會看作一個龐大的系統，並要求學者們對這系統作出全面的解釋。在當時的統治者看來，宗教在這系統中應佔據重要的位置，因而如何建立一個極具神聖感與崇高感的國家宗教，便成爲當時學者所面臨的重要課題。黃老學派原有的那種否定傳統宗教的思想傾向，在這時不再適應時代的需要,因而不能不有所變更。《淮南子》各篇分別論述自然科學、人文學與宗教的許多問題,即是在這新的思想需要下作出的理論建樹。這種理論的特點,是構成一個龐大的思想系統,以與自然界與社會的系統相適應。黄老學派的哲學思想以及這一學派爲西漢郊祀服務的宗教思想,乃是這種思想系統中的兩個重要的組成部份。而黄老學説中的太一範疇與至上神觀念的重合,是這兩個組成部份的聯結點。這種思想體系在今人看來可能是粗糙的,然而考慮到當時的儒家學派連這樣的成就也没有,他們在漢武帝時還不能爲郊祀與封禪的宗教設施與典禮儀式提供較爲圓滿的設計方案,那麼應承認西漢黄老學説的體系在當時顯得非常成功,這一體系具有寬容性、開放性等優點,與西漢中葉的文化繁榮當有密切的關聯。

五

過去人們意識到,西漢黄老之學與東漢興起的道教有關,但迄今爲止,人們還未能確切地説明這是一種怎樣的關係。大家都知道,東漢的太平道的經典主要是《太平經》,《太平經》的前身是西漢的《包元太平經》。然而《包元太平經》的思想淵源如何,尚不十分清楚。現在辨明西漢國家宗教與當時黄老學派的密切關係,頗有助於這些問題的解决。

《漢書・李尋傳》説:"初,成帝時,齊人甘忠可詐造《天官曆》、《包元太平經》[①] 十二卷"。"包元"的意思是什麼呢?《春秋繁露・重政篇》説:"《春秋》變一謂之元";何休《公羊解詁》也説:"變一爲元,元者氣也";《春秋元命苞》説:"元年者何? 元宜爲一"(見《文

① 《抱朴子・遐覽篇》提到《太平經》、《包元經》兩個書名,則甘忠可所撰《包元》、《太平》當爲二經。我們由此更可堅信,甘忠可確爲陸續成書的《太平經》的最早的作者。不過《包元》、《太平》兩書内容相關,按戰國秦漢通例又可説是一部書,因爲當時的子書大多是由某人或某一學派的許多不同論著纂集而成的。

選・東都賦注》)。可見以"一"爲"元"乃是公羊學的通義。公羊學在西漢極爲興盛,因而"太一"在當時常被稱爲"太元",例如漢武帝在《郊祀歌》第七章聲稱"泰元"可以"經緯天地"(見上文),又在泰山明堂致祭上帝說:"天增授皇帝太元神策,周而復始。皇帝敬拜太一。"其中"太元"均指太一。"元"、"一"兩字的通用在西漢是如此普遍,可見"包元"即是"包一"。這裏的"包"字原是道家的術語,例如《莊子・徐無鬼篇》說:"聖人並包天地";《天下篇》引田駢等人說:天不能載,地不能覆,大道則"能包之而不能辯之";《淮南子》多用"包裹"一詞,例如說大道可"包裹天地"、"包裹宇宙"等。顯而易見,甘忠可所說的"包"即是"包裹","包元"即是"包裹三一"。這三一即是漢武帝所祭祀的對象,亦即天一、地一和太一(見《封禪書》)。湊巧的是,《雲笈七籤》卷六正好這樣來解釋道教太平部典籍的宗旨:"太平者,三一爲主",又引《太平經鈔》甲部說:"學士習用其書,尋得其根,根之本宗,三一爲主。"這樣看來。《太平經》從西漢成帝至東漢靈獻之際陸續成書,它的基本思想一直是承襲西漢黄老學派與漢武帝關於三一(天一、地一、太一)的理論。

辨明了這種思想上的承繼關係,甘忠可等人的一些特點便更值得注意。甘氏及其弟子夏賀良、丁廣世都是齊人,而西漢黄老學派的人物可能也以齊人爲多。甘忠可撰《包元太平經》是在西漢成帝時期,而正是在這一時期,儒家開始對那種尊崇太一及三一的國家宗教進行改革。成帝由於一度支持這一改革,被儒臣定謚爲"成",意思是說他與西漢文帝、武帝的關係,猶如周成王與周文王、武王的關係,這種評價顯然是很高的。而甘忠可的弟子夏賀良恰有對成帝的貶辭:"成帝不應天命,故絶嗣。"(見《李尋傳》)與儒者的態度形成鮮明的對照。可以推測,甘忠可等人乃是西漢黄老學派的繼承者,漢成帝時的宗教改革剝奪了黄老學派在官學中的地位,他們便對黄老一派的學說加以改造,撰成《包元太平經》,以新學派的面目出現,以求與日益得勢的儒家相抗衡。太平道的經典的前身,就是這樣形成的。

太平道的理論既受西漢黄老學派的影響，那麼後來的一些道派也不能例外。《雲笈七籤》卷四引《上清源統經目注序》提到"上清三一之法"，卷六又説道教太清部的典籍是以"太一爲宗"，似都與西漢黄老學説有一定的關聯。由於道教的起源可以上溯到西漢文景武時期，因而後代的道士常把這一時期看作道教的發展階段，例如唐代道士杜光庭撰《歷代崇道記》説："漢文帝、竇太后並好黄老之術，造宫觀七十二所"；"孝武帝奉道彌篤，……並造觀三百餘所"。這些話將文景武時期的國家宗教説成是道教，將當時的國家宗教設施説成是道教的宫觀，固然是荒謬的，但這荒謬的記述也不全是憑空的揑造，而不過是誇大了西漢前期至中期的國家宗教與東漢道教的聯繫。

作者簡介　王葆玹，1946 年生，北京人。中國社會科學院哲學研究所副研究員，撰有《正始玄學》等。

董仲舒與"黄老"之學

——《黄帝四經》對董仲舒的影響

余明光

内容提要　董仲舒爲漢代儒學宗師,前人探究其思想來源,多從儒家及陰陽家入手。本文則依據七十年代出土的帛書《黄帝四經》,從無爲之道論、人君南面之術及陰陽形德理論等方面,論述了董仲舒思想與黄老之學之關係,對於全面把握董仲舒思想具有很大意義。

董仲舒約生於漢文帝初年,卒於漢武帝太初元年(公元前179年——前104年),是西漢時期著名的儒學宗師。他以研究《春秋公羊傳》著稱於世。然其儒學大異往舊,他以陰陽五行學説和黄老刑名思想非常深刻的改造了先秦舊有的儒家學説,從而重新建構了儒學的新體系,使儒家學説得以更新,成爲漢代的官方哲學,終於取代道家黄老之學而獨尊於朝廷。

構成董仲舒的思想因素是多方面的。但近世學者在探求他的思想淵源時,多從儒家或陰陽家追踪,很少從道家的角度作研究,因之對董氏的思想缺乏全面的了解。自從馬王堆漢墓"黄老帛書"出土以後,才使我們對董氏思想的形成和淵源有了新的認識。

我在拙著《黄帝四經與黄老思想》一書中曾經指出,西漢初年流行的黄老思想,實際上就是道家黄學的思想,也就是帛書《黄帝四經》中的思想。而生活在這期間的董仲舒,不能不受道家此種思想强烈的熏陶和影響,在其思想上打下深深的烙印。但董氏爲學之精,卻在於吸收黄老之要,以論儒學之真。從而使儒學在理論上有個新發展。

董仲舒的著作流傳到現在的祇有《舉賢良對策》,即後人所稱的"天人三策"(見《漢書·董仲舒傳》)和《春秋繁露》十七卷八十二篇,其餘著述均已失佚。今據上述著作,以探其道家思想因素,特别是分析黄老思想對其學説的形成和影響,以考其思想之原,明其"道論"之要。

悉"道論"之精英　通"無爲"之大道

西漢鴻儒,著書立説,多取道家"道德"之意,發揮義理,以成新説,陸賈、賈誼皆然。而董仲舒上接荀、陸之學,大採黄老精英,取其道論精華,以説儒家經典。其所著《春秋繁露》數十篇,究天人之際,窮事物之理,無不滲透道家的思想因素。而其"道論"——歸於無爲。無爲之用,又繫之人主。而其術——以虚無爲本,以因循爲用。這些都是道家理論的精要,而董氏爲之融會貫通,鑄爲一爐,成其新説。

董氏的"道論"集中在《春秋繁露》中的三篇文章:《離合根》、《立元神》和《保位權》。其它散見各篇者,亦不出此三篇所論範圍。兹就其致治之本、政理之原,分析於下:

一、以無爲爲道,立無爲之位。

董氏尊孔説經,然論及大道則取道家"無爲"爲上,《離合根第十八》爲論曰:

> 天高其位而下其施,藏其形而見其光。高其位,所以爲尊也;下其施,所以爲仁也;藏其形,所以爲神;見其光,所以爲明。故位尊而施仁,藏神而見光者,天之行也。故爲人主者,法天之行。是故内深藏,所以爲神;外博觀,所以爲明也。任群賢,所以爲受成;乃不自勞

于事,所以爲尊也。泛愛群生,不以喜怒賞罰,所以爲仁也。故爲人主者,以無爲爲道,以不私爲寶。立無爲之位,而乘備具之官。足不自動,而相者導進;口不自言,而擯者贊辭;心不自慮,而群臣效當。故莫見其爲之,而功成矣。此人主所以法天之行也。

董氏以上所論,即司馬談論道家所説的:“道家無爲,又曰無不爲”,“至於大道之要,去健羡,絀聰明”(《史記·太史公自序·論六家要旨》)的理論發揮。道家精微之旨,悉在其中,其要點爲:

(1)“無爲”是天的法則。天高而尊,無形而神,有光而明,這就是天無爲的功效。

(2)人主應該法天之行,以無爲爲道,以不私爲寶;立無爲之位,乘備具之官,實施無爲之治。

(3)人主所謂“無爲”之道,就是“内深藏”以爲神,“外博觀”以爲明;所謂立“無爲”之位,就是“任群賢”以爲“備具之官”,君主即可“足不自動”,“口不自言”、“心不自慮”,一切具體的事都由臣下去做,君主仰成而已。

二、爲人君者,其要貴“神”。

董氏所論無爲之道,重在“君道”,他在《立元神第十九》中對君道的無爲,叙述得極爲入微具體。他説:

> 爲人君者,其要貴神。神者,不可得而視也;不可得而聽也。是故視而不見其形,聽而不聞其聲。聲之不聞,故莫得其響;不見其形,故莫得其影。莫得其影,則無以曲直也;莫得其響,則無以清濁也。無以曲直,則其功不可得而敗;無以清濁,則其名不可得而度也。所謂不見其形者,非不見其進止之形也;言其所以進止,不可得而見也。所謂不聞其聲者,非不聞其號令之聲也;言其所以號令,不可得而聞也。不見不聞,是謂冥昏。能冥則明,能昏則彰。能冥能昏,是謂神人。

又説:

> 深居隱處,不見其體,所以爲神也。(《天地之行第七十八》)

董氏上述所論,即司馬談所論道家云:“其術以虚無爲本,以因循爲用。……何事不成,乃合大道,混混冥冥……凡人所生者,神也。所托者,形也。……故聖人重之。"① 的理論發揮。故其論爲君之道,在於使人不見其形,不聞其聲。使臣下摸不到主上的行爲和見解,猜不着主上的意圖和主張,使人感到人君高深莫測。而臣下的一言一行,一舉一動,人主卻了如指掌,因而也就能更有效的控制臣下。從這裏看,董氏的所謂"貴神",已經包含有"術"的思想在內了。

三、居無爲之位,行不言之教。

人君居無爲之位,並不是不理國政,放任臣下自流。而是讓臣下各司其職,更有效的管理國家,也讓臣下更好的服從主上,以達到政治之極,董氏在《保位權第二十》中寫道:

> 爲人君者,居無爲之位,行不言之教。寂而無聲,靜而無形。執一無端,爲國源泉。因國以爲身,因臣以爲心。以臣言爲聲,以臣事爲形。有聲必有響,有形必有影。聲出於内,響報於外。形立於上,影應於下。響有清濁,影有曲直。……故爲君虛心靜處,聰聽其響,明視其影,以行賞罰之象。其行賞罰也,響清則生清者榮;響濁則生濁者辱。影正則生正者進,影枉則生枉者絀。擥名考質,以參其實,賞不空行,罰不虛出。是以群臣分職而治,各敬其事,爭進其功,顯廣其名,而人君得載其中,此自然致力之術也。聖人由之,故功出於臣,名歸於君也。

董氏以上所論,即司馬談所論道家云"虛者,道之常也;因者,君之綱也。群臣並至,使各自明也。其實中其聲者,謂之端;實不中其聲者,謂之窾。窾言不聽,奸乃不生。賢不肖自分,白黑乃形"的理論闡述。董氏在此把無爲之君道,講得極爲明白:

(1)人君居無爲之位,行不言之教,衹需處靜執一,不需事必躬親。

(2)要以臣言爲聲,臣事爲形。把一切具體的事都交給臣下去做。主上衹需聽其聲而觀其形就可以了。因爲有聲必有響,有形必有影,因此是非曲直、善惡美醜都可根據響的清濁、影的曲直加以

① 《史記·太史公自序·論六家要旨》。

判斷,臣下的榮辱進絀也就可以據此加以定奪。

(3)所謂聲響形影的契合,也就是形名參同的權術,因此對各級官吏都可採取循名責實的辦法予以考核,以決定賞罰。

(4)最後的一切事功雖都是臣下做出來的,可一切名譽都應該歸功主上。

從以上三篇文章我們可以看到,董仲舒講的都是道家的"君人南面之術"(《漢書·藝文志》)。真可謂悉道論之精英,通帝王之權術。道家文化的精華,盡爲之所吸取。後世學者多以仲舒爲儒者宗師,目其學爲神學,殊不知其所論啓道,適足以輔世主以臨馭天下,於政治有着實際的意義與價值。唯劉向深知其奥,故贊其"有王佐之材,雖呂伊亡以加,管晏之屬,伯者之佐,殆不及也"(《漢書·董仲舒傳贊》)。劉向所贊,未爲言過。下面我們將深究其"道論"的淵源。

董仲舒所述道論,重點在"無爲"之啓道,其文雖稱引孔子之言,不過徒爲掩飾而已,考其道論思想淵源,則歸本於黄老之學。

董氏反覆申論無爲之道的最大特點就是:啓無爲而臣有爲;啓處靜而深藏,臣處動而盡職。這一特色,正是道家黄學無爲的標志。

道家崇尚無爲,但黄學和老學卻有別。我在拙著《黄帝四經與黄老思想》一書中,曾深辨黄與老關於無爲之差異①。老學的無爲完全是順從自然的意思,而黄學的無爲卻是在法治條件下的君上無爲而臣下有爲所構成的無爲之治,用刑名參同的辦法以保證無爲政治的實現。《黄帝四經·十六經》在揭示這種無爲而治的本質時說:"欲知得失,請必審名察形,形恒自定,是我愈靜,事恒自施,是我無爲。"即一切在法令秩序的條件下各自做好自己的本職工作;才能構成上層統治階級的無爲。《經法篇》也指出:"故執道者之觀于天下也。無執也,無處也,無爲也,無私也。"董仲舒反覆申論的"以無爲爲道,以不私爲寶"即本於此。

① 見該書第38—41頁。

道家的這種無爲，給後世學者以極爲深刻的影響。最早闡發這種無爲思想的是齊國稷下的黄學家慎到，他在《民雜篇》中說："君臣之道，臣事事而君無事，君逸樂而臣任勞。臣盡智力以善其事，而君無與焉，仰成而已。"後來的《管子》①、《荀子》②直至韓非都繼承了這一思想，並加以發揮。如韓非在《解老篇》至爲精辟的解釋黄學這種無爲的理論時說："人啓無爲、臣下無不爲。"漢儒陸賈③、賈誼④之流也無不遵循這一思想，以論無爲之道。董仲舒生活在黄老之學高漲時期，他上承荀、陸之學，吸取黄老之要，以論無爲之道也就是很必然的了。故董氏所述道論，實歸本於道家"黄學"。

究帝王之權術 取黄老之精華

董仲舒的"道論"，前面已經指出，已經包含有"術"的思想在內了。而"術"的思想最早也見之於《黄帝四經》，其文曰："不知王術，不王天下。"這一思想，後來經稷下黄老學者至周末的荀、韓之流的發揚光大，乃成專門之學⑤。至漢初乃被實際運用於政治之中。董氏之學，即承前代之學，會通於其經學之中。

何謂"術"？根據韓非在《定法篇》中的解釋是："術者，因任而授官，循名而責實，操生殺之柄，課群臣之能者也。此人主之所執也。"在《難三篇》又說："術者，藏之於胸中，以偶（遇）衆端，而潛御衆臣者也。故法莫如顯，而術不欲見"。可見"術"是一種駕馭群臣的秘密的統治權術。

在董仲舒的"道論"中，卻把黄老這種統治權術都吸收在其中，並反覆爲之申論。今次第分析於下：

---

① 《管子·君臣上》："上之人明其道，下之人守其職。上下之分不同任，而復合爲一體。"

② 《荀子·王霸篇》："人主者，以官人爲能者也；匹夫者，以自能爲能者也；人主得使人爲之，匹夫則無所移之……"

③ 見陸賈：《新語》一書中的《無爲》、《道基》諸篇。

④ 見賈誼《新書》中的《道術》篇。

⑤ 見拙著《黄帝四經與黄老思想》第178—182頁。

一、操生殺之柄,執權以樹其威。

道家黄學非常重視人主的權柄,認爲有了權就有了一切,没有權就一切談不上。《黄帝四經·經法篇》説:

貴賤有恒位,畜臣有恒道。(《道法》)

主失位,臣失處,命曰無本,上下無根,國將大損。(《六分》)

主執度,臣循理者,其國霸昌。(同上)

主上者執六分以生殺,以賞[罰],以必伐。(同上)

爲人主,南面而立。臣肅敬,不敢蔽其上。(同上)

帝王者……執六柄以令天下,審三名以爲萬事,察順逆以觀於霸王危亡之理,知虚實動靜之所爲,……然後帝王之道成。(《論》)

以上强調的都是人主要牢牢掌握自己生殺予奪的統治大權,才能鞏固自己的統治地位和駕馭自己的臣下。這些思想在儒家看來,也許是異端,而董仲舒卻盡爲之吸取。他説:

爲人主者,居至德之位,操生殺之勢,以變化民。(《威德所生第七十九》)

又曰:

國之所以爲國者,德也;君之所以爲君者,威也。故德不可共,威不可分;德共則失恩,威分則失其權;失權則君賤,失恩則民散;民散則國亂,君賤則臣叛。故爲人君者,固守其德以附民,因執其權以正臣。(《保位權第二十》)

又曰:

故明王視於冥冥,聽於無聲,天覆地載,天下萬國,莫敢不悉靖其職……由此觀之,未有去人君之權能制其勢者也,未有貴賤無差能全其位者也,故君子慎之。(《王道第六》)

以上所引,與《四經》對照,意義完全相同,可見董仲舒的操生殺之柄以樹人主之威的"保位權"的思想,完全來自道家黄學。

二、因任以授官,集賢以用智。

道家黄老無爲之旨,要在君無爲而臣有無,君靜而臣動,君執要而臣用詳。故君之駕馭群臣必以其能而授官,集衆賢以用群智。

這就是董氏所言“乘備具之官”,君主才可以“足不自動”“口不自言”“心不自慮”。(皆見《離合根第十八》)一切仰成而已,以達到無爲而治的目的。

道家黄學關於選用賢能,任用群智的思想,見之於《黄帝四經》者有如下論述:

貴賤有恒位,畜臣有恒道……畜臣之恒道,任能毋過其所長。(《經法·道法》)

王天下者,輕縣國而重士,故國重而身安;賤財而貴有智,故功得而財生;賤身而貴有道,故身貴而令行。(《經法·六分》)

士不失其處,任能毋過其所長,去私而立公,人之稽也。(《經法·四度》)

伐亂禁暴,起賢廢不肖,所謂義也。(《十六經·本伐》)

以上講的都是君主任用賢能,吸取群智以致無爲的道理。

董仲舒深通道家之要,故襲黄學之人主深藏而不用私智,選賢能以爲百官,君主則“乘備具之官”以達無爲之治的目的,故其反覆申言:

臣聞堯受命以天下爲擾,而未以位爲樂也,故誅逐亂臣,務求聖賢……衆聖輔德,賢能佐職,教化大行,天下和洽……(《天人三策》見《漢書本傳》)

量材而授官,錄(視也)德而定位。(同上)

在《春秋繁露》中又反覆申述:

故爲人主者,法天之行,是故内深藏所以爲神,外博觀所以爲明也,任群賢以受成,乃不自勞於事,所以爲尊也。(《離合根第十八》)

聖人務衆其賢……衆其賢而同其心……是以建治之術,貴得賢而同心。(《立元神第十九》)

賢積於主則上下相制使……上下相制使則百官各得其所……百官各得其所然後國可得而守也。(《通國身第二十二》)

爲人君者……任賢使能,觀聽四方所以爲明也;量能授官,賢愚有差,所以相承也;引賢自近以備股肱,所以爲剛也。(《天地之行第七十八》)

董氏以上言論與黄學之論兩相對比可知,董氏的思想與道家黄學完全一致,故其思想源於黄學無疑。

三、循名以責實,據實以賞罰。

道家黄老之術,用以駕馭群臣的辦法,其最有效的莫過於循名責實。此一理論經稷下黄學家申不害、慎到之流大力倡導,而韓非乃集其大成,至漢初幾爲所有各學派採用。故董仲舒亦承前代之學,雖有所發明,然其本則歸於黄老。

儒家孔子雖有正名之説,但發展爲循名責實的治國理論,則出自《黄帝四經》,今撮其要,引述於下:

> 帝王者……執六柄以令天下,審三名以爲萬事□,察逆順以觀於霸王危亡之理,知虛實動靜之所爲,達於名實相應,盡知情僞而不惑,然後帝王之道成。(《經法·論》)

> 三名:一曰正名立而偃,二曰倚名廢而亂,三曰强主滅而無名。三名察則事有應矣。(同上)

> "名實相應則定,名實不相應則靜。物自正也,名自命也,事自定也。三名察則盡知情僞而不惑矣。有國當昌,當罪先亡。(同上)

《十六經》又説:

> 欲知得失,請必審名察刑(形),形恒自定,是我愈靜。事恒自施,是我無爲。

《四經》其它各篇尚有一些循名責實的論述,茲不一一列舉,而董仲舒承其論,亦視循名責實確爲帝王之術,故其説:

> 爲人君者……以臣言爲聲,以臣事爲形。有聲必有響,有形必有影,聲出於内,響報於外;形立於上,影應於下。響有清濁,影有曲直。響所報非一聲也,影所應非一形也。故爲君虛心靜處,聰聽其響,明視其影,以行賞罰之象……擘名考質以参其實,賞不空施,罰不虛出,是以群臣分職而治……。(《保位權第二十》)

這裏所謂聲與響,形與影也就是名與實相參同的問題。我們把這段文字與《經法·名理》中的一些文字相對照,即可知董氏此論,乃直接採自《四經》。《名理》篇説:

> 天下有事,必審其名……審察名理終始,是謂究理。……形名

出聲，聲實調和，禍災廢立，如影之隨形，如響之隨聲……故唯執道者能虛靜公正，……乃得名理之誠。

上引諸文，兩相對照，即可知董氏所論，實源於黄學《四經》。至於考核臣下，則更不能偏離此道。他說：

考績絀陟、計事除廢，有益者謂之公，無益者謂之煩。循名責實，不得虛言，有功者賞，有罪者罰……賞罰用於實，不用於名……故是非不能混，喜怒不能傾，奸軌不能養，萬物各得其冥，則百官勸職，爭進其功。（《考功名第二十一》）

董氏認爲，衹有循名責實，並把重點放在"實"字上，才能做到是非分明、賞罰恰當。才能做到"百官勸職，爭進其功"的顯著效果。所以在他的著作裏，特別强調這一點，並把這個理論看成是"治天下之端"。他說：

治天下之端在審辨大，辨大之端在深察名號，名者，大理之首章也。錄其首章之意，以窺其中之事，則是非可知，逆順自著，其幾通於天地矣。"

又說：

欲審曲直，莫如引繩；欲審是非，莫如引名。名之審於是非也，猶繩之審於曲直也。詰其名實，觀其離合，則是非之情不可以相讕已。（《深察名號第三十五》）

上述所引，可知董氏循名責實的治國之術，與《黄帝四經》所論幾乎同出一轍，由此可見，董氏的理論，實來源於道家"黄學"。

述陰陽刑德　源之《黄帝四經》

在董仲舒的著作中，有相當大的一部份是論述陰陽刑德學說的。如《春秋繁露》中的第十一、十二、十三、十四卷共二十多篇文章反覆討論這個問題。其主旨當然是圍繞他的"天人感應"學說和論證儒家的倫理道德出於"天意"和治國尚德不尚刑而發的。但究其思想淵源來說，則和道家黄老有關。

關于董仲舒的陰陽刑德的思想，學術界普遍地認爲它是來自齊國稷下的鄒衍，其實這是很成問題的。真正與鄒衍有關的衹是五行學說，而陰陽刑德學說似與鄒衍無關。今據史籍文獻，予以辨證。

一、《漢書·藝文志》著錄《鄒子》四十九篇和《鄒子終始》五十六篇。今兩種著作均已亡佚，故無從考察其內容。比較可靠的是《史記·孟子荀卿列傳》中有關鄒衍事蹟和其學術思想的記載，其文曰：

> 鄒衍睹有國者益淫侈，不能尚德，若《大雅》整之於身，施及黎庶矣。乃深觀陰陽消息而作怪迂之變，《終始》、《大聖》之篇，十餘萬言。其語閎大不經，必先驗小物，推而大之，至於無垠。先序今以上至黃帝，學者所共術，大並世盛衰，因載其禨祥度制，推而遠之，至天地未生，窈冥不可考而原也。先列中國名山大川，通谷禽獸，水土所殖，物類所珍，因而推之，及海外人之所不能睹。稱引天地剖判以來，五德轉移，治各有宜，而符應若茲。以爲儒者所謂中國者，於天下乃八十一分居其一分耳……其術皆此類也。然要其歸，必止乎仁義節儉，君臣上下六親之施，始也濫耳。

《史記》這段關於鄒衍學術思想的記載，談到陰陽的衹有一句話：即"深觀陰陽消息而作怪迂之變。"而重點卻在"五德轉移，治各有宜，而符應若茲"。——這纔是董仲舒真正直接繼承的東西。至於陰陽，鄒衍並未作專論，他衹是考察了陰陽兩者之間的相互消長變化的現象，並未就陰陽與倫理、與治亂、與政治、與軍事等方面的關係發表任何議論。因此在後人的著作中我們找不到鄒衍關於陰陽學說任何具體的記載，而他的五德終始，符應禨祥之類的專論，卻可見其詳。如《呂氏春秋》中的《應同篇》、《蕩兵篇》以及《史記集解》中的一些話均可見其逍文詳論，而這些又與董仲舒所論相一致，所以我們衹能說董仲舒承襲了鄒衍的五德終始和五行思想。而陰陽刑德之說卻不來自鄒衍。那麼，董仲舒的陰陽刑德的思想源於何處呢？據現有的資料看，應該說，它來自於道家的《黃帝四經》。下面我們將分別予以考辨：

陰陽二字在商周以前本是就日光的背向而言的一種極普通的自然現象。使陰陽二字具有深邃的哲學意義則始於道家老子。其爲文曰："萬物負陰而抱陽。"把陰陽學説用之於政治倫理等方面，則始自《黄帝四經》。《稱》篇曰：

凡論必以陰陽明大義。天陽地陰，春陽秋陰，夏陽冬陰，晝陽夜陰。大國陽，小國陰。重國陽，輕國陰。有事陽而無事陰。伸者陽而屈者陰。主陽臣陰，上陽下陰。男陽女陰。父陽子陰。兄陽弟陰。長陽短陰。貴陽賤陰。達陽窮陰。娶婦生子陽，有喪陰。制人者陽，制於人者陰。客陽主人陰。師陽役陰。言陽默陰。予陽受陰。諸陽者法天，天貴正……諸陰者法地，地之德安徐正靜，柔節先定，善予不爭。

從以上我們看到，陰陽已被廣泛地運用在各個方面：

1. 用之於天地、四時、晝夜；
2. 用之於大小、强弱之國家；
3. 用之於伸屈的方法與策略；
4. 用之於君臣、上下、師生、男女、貴賤之等級；
5. 用之於父子、兄弟、長少之親倫；
6. 用之於生死、達窮之命運；
7. 用之於言默、予受的一般生活領域；
8. 用之於領導與被領導的關係。

最後概括爲"諸陽者法天"，"諸陰者法地"。

由此可見，把陰陽學説加以推廣運用的是始自道家黄學。

由于陰陽學説具有極大的寬廣性，它幾乎可以無所不包，從陰陽消長來説，它可以解釋時空内的一切變化，表徵一切事物的物理以至倫理的相反相成的屬性；從時間上來説，它可以由四時推至每一個農事節氣，也可以細分到十二干支；從空間系統而言，它可以由四面八方推至宇宙六合等等……。總之，它可以在各方面無限的延伸、比附，因而便於發揮、擴展。董仲舒正是利用了這一特點，把《黄帝四經》中的陰陽思想，發展到一個空前的新領域。如他把陰陽與五行配合以論其孝子忠臣之義。(見《五行之義第四十二》)就是董氏的新發展。

董氏承襲《黄帝四經》陰陽思想最明顯的有以下數端：

1. 以陰陽論天地、四時晝夜。

《四經》曰："天陽地陰，春陽秋陰。夏陽冬陰，晝陽夜陰。"（《稱》）

董氏曰："天地之常，一陰一陽。"（《陰陽義第四十九》）又曰："春夏之陽，秋冬之陰"，（《天辨在人第四十六》）又曰："數日者，據晝而不據夜，數歲者，據陽而不據陰"。（《陽尊陰卑第四十三》）董氏所論與《四經》所述大體相同。

2. 以陰陽論尊卑男女貴賤之等級。

《四經》曰："主陽臣陰。上陽下陰。男陽女陰。父陽子陰。兄陽弟陰。長陽少陰。貴陽賤陰。"（《稱》）

董氏曰："君臣父子夫婦之義，皆取諸陰陽之道。君爲陽，臣爲陰，父爲陽，子爲陰，夫爲陽，妻爲陰。陰道無所獨行"。（《基義第五十三》）

又曰："天下之尊卑、隨陽而序統。幼者居陽之所少，老者居陽之所老，貴者居陽之所盛，賤者居陽之所衰。……不當陽者，臣子是也；當陽者，君父是也……陽貴而陰賤，天之制也"。（《天辨在人第四十六》）

又曰："丈夫雖賤皆爲陽，婦人雖貴皆爲陰。……諸在上者皆爲其下陽，諸在下者皆爲其上陰。"

"陽始出物亦始出，陽方盛物亦方盛，陽初衰物亦初衰，物隨陽而出入，數隨陽而始終，……以此見貴陽而賤陰也。"（《陽尊陰卑第四十三》）

以上所引與《四經》對照，董氏之論與《四經》同出一轍，並無二致。

3. 以陰陽論刑德生殺。

《四經》曰："今始判爲兩，分爲陰陽……其明者以爲法，而微道是行。""贏陰布德……宿陽修刑……不靡不黑，而正之刑與德。春夏爲德，秋冬爲刑，先德後刑以養生。"（《十六經・觀》）

又曰:"四時有度,天地之理也。……三時成功,一時刑殺,天地之道也。"(《經法·論約》)

董仲舒承之曰:"天地之常,一陰一陽。陽者天之德也,陰者天之刑也。"(《陰陽義第四十九》)

"陰陽理人之法也。陰,刑氣也;陽,德氣也。陰始於秋,陽始於春……。是故天數右陽而不右陰,務德而不務刑。"(《陽尊陰卑第四十三》)

"天以陰爲權,以陽爲經……前德而後刑也。故曰陽,天之德;陰,天之刑也。……陽氣生而陰氣殺。"(《王道通三第四十四》)

上引與《四經》對照,持論無異。

由此可見,董仲舒關於陰陽刑德之説,決不是來自鄒衍,今列其辭,究其論,考其原,與《黄帝四經》對比研究,則可知其陰陽刑德思想實來自道家黄學。近世學者所惑,當可釋然矣。

綜上所述,可知董仲舒在西漢雖爲儒學的一代宗師,然其學説,尤其是他的道論,則與黄老之學密切相聯。他以道家之精要,解説儒家的經典,既充實了儒家的理論基礎,建構了新的理論框架,又使其學説在治國治民方面不致落入空談,有着實際的應用價值。與舊有的"儒者博而寡要,勞而少功,是以其事難盡從"和"主倡而臣和,主先而臣隨……主勞而臣逸"(《史記·論六家要旨》)相比,自然要高明得多,故其學説爲漢武帝所首肯也就不是偶然的了。

作者簡介 余明光,1935年生,湖南長沙人。1960年中山大學歷史系畢業。現任湖南湘潭大學歷史系主任,副教授。著有《黄帝四經與黄老思想》等。

《淮南子》的易道觀

周立升

內容提要　《淮南子》認爲,《周易》的內在精神不是它的筮占性質,而是它的窮道通意。就思維層面說,《淮南子》深入闡發了《周易》的從應變出發,强調和諧,側重於把握事物功能的整體性。就價值層面説,《淮南子》進一步發揮了《周易》的"天人和諧"之"太和"境界的價值理想論。

《淮南子》又名《淮南鴻烈》,是漢初淮南王劉安延攬天下英才俊士,由他主持集體編纂而成的一部學術巨著。

從《漢志》的著錄看,劉安主編的著作,除《淮南子》外,尚有七、八種之多。其中列入《六藝略》的有《淮南道訓》二篇,班固自注云:"淮南王安聘明《易》者九人,號九師説"。從篇名看,此書乃着重闡述易道的。可惜書已亡佚,具體内容已不得而知。本文祇能就現存《淮南子》關於運用和闡釋《周易》之處,予以條分縷析,以窺視其《易》道觀之一斑。

一

何謂易道? 自《周易》成書以來,在兩千多年的悠悠歲月中,學者們即在殫思極慮地索求着這個問題。儘管人們所處的時代不同,學術觀點有異,對《易》道的理解,彼此之間也存在着一定的距離。

但把《易》道看作是《周易》的靈魂是其思想精髓或內在精神，可謂是有其共識的。至於這個靈魂或精髓的具體内涵是什麼，易學家們都有自己的一套見解，然而，最終卻都要歸結到《易傳》那兒。《易傳》對《易》道的概括，最有代表性的是《繫辭下》的一段話。它說："《易》之興也，其當殷之末世，周之盛德邪？當文王與紂之事邪？是故其辭危。危者使平，易者使傾，其道甚大，百物不廢，懼以終始，其要無咎，此之謂《易》之道也。"簡而言之，"其道甚大，百物不廢"，"危者使平，易者使傾，懼以終始，其要無咎"，乃是易道的要義。具體說來，"危者使平，易者使傾"，即是要有變易觀念。萬物生生不息，但始終要維繫整體的和諧與穩定。所謂"懼以終始"，即是要有憂患意識。祇有居安思危，戒慎警懼，才能成就光輝的盛德大業。所謂"其要無咎"，則是要人預測未來，進行決策，趨吉避凶，免除禍災。不難看出，《易》道實含有三大要素：一是變易觀念，它體現爲思維模式；二是憂患意識，它體現爲價值觀念；三是實踐手段，它則呈現爲彰往知來，進行決策，使主客觀符合，從而趨吉避凶，轉禍爲福，以成就一番事業。《易》道的三大要素是三位一體的，祇是從不同的角度來凸顯同一主題，形成爲《易》道的立體架構。

《淮南子》的易道觀，進一步發展了《易傳》的思想，更加突出了《易》道的核心地位，同時對《易傳》的神秘成份加以過濾並予以摒棄，使它向着道家的思想領域拓展，將《易》《老》相通提昇到一種爐火純青的境地。

首先，它對《周易》的性質作了明確的界定。它說："今《易》之乾坤，足以窮道通意也，八卦可以識吉凶知禍福矣。然而伏犧爲之六十四變，周室增以六爻，所以原測淑清之道，而捃逐萬物之祖也"。(《淮南子・要略》)，以下引文凡出自《淮南子》者，祇注篇名）在《淮南子》的作者看來，《周易》的本質屬性不是它的筮占功能，而是它的"原測淑清之道"和"捃逐萬物之祖"。道是道家哲學的最高範疇，也是《易傳》的最高範疇。它"覆天載地，廓四方，拆八極，高不可際，深不可測，……舒之幎於六合，卷之不盈於一握"(《原道訓》)。這也就是《易傳》所謂的"其道甚大,百物不廢"。道是萬物之祖,百事之根,它"生萬物而不有,成化象而弗宰"(同上)。宇宙萬物依賴道而正常運行並發揮着自己的功能。這也就是《易傳》所謂的"範圍天地之化而不過,曲成萬物而不遺"(《繫辭上》)。但《淮南子》中的道又與《易傳》之道有別。《易傳》之道乃是主體(即聖人)設立的,往往表露出人的精神和情感特徵;而《淮南子》的道則是客體的存在,它既不主宰萬物,也不施行賞罰,沒有任何超自然的特徵。這說明《淮南子》的作者,在理解《易傳》之道時,已經作了唯物主義的改造,揭去了罩在《易傳》之道上面的神秘面紗,還它以道家之道的面目。所謂"原測淑清之道而捃逐萬物之祖",完全是站在道家立場說話的。

其次,《淮南子》認爲,任何事物發展到極端就會向反面轉化。"天地之道,極則反,盈則損"(《泰族訓》)。他舉例說:神農製琴,是爲了使人精神清明;一旦"及其淫也,則反其天心"。蒼頡造字,是爲了"辯治百官,領理萬事",一旦走入歧途,會被惡人用來"奸刻僞書,以解有罪,以殺不辜。"帝堯舉用禹、契、后稷、皐陶,使正教和而奸人息,獄訟止而衣食足;"及至其末,則朋黨比周,各推其與,廢公趨私"。(同上)《周易》也不例外。當人們正確理解《易》道的時候,是把它作爲"探賾索引,鈎深致遠","原始要終,以爲質也"(《繫辭下》)。即以探求事物的本質爲主旨。然而,一旦背離《易》道,失卻《易》旨,就會陷入迷津,此即《淮南子》所說的"《易》之失也卦。"(《泰族訓》)。這兒所謂的卦,包含兩層意思。一指大衍筮法的演卦;二指占驗吉凶的占卦。就大衍筮法的演卦說,它是揲蓍運數以求卦的一種具體操作程序,它所重視的是"數",運用"演蓍"手段所求得之卦,祇表明運數是成卦的根據,並不反映客觀事物的本質及其必然性和規律性。所以《淮南子》說:"卜者操龜,筮者端策,以問於數,安所問之哉?"(《說林訓》)就占驗吉凶的占卦說,它是根據變占法則以確定吉凶休咎的一種運作過程,它所重視的是"術",祇有掌握了"術"才能斷占。可見,斷占的根據並非事物自身,而是卦、爻的變化。所以《淮南子》說:"不用適然之術,而行必然之道"(《主術訓》)。

衹有得道、體道，才能耳聰、目明，言公、事從，才能真正預知一切，使視聽言動無過失。“其言略而循理，其行侻而順情，其心愉而不僞，其事素而不飾。是以不擇時日，不占卦兆”(《本經訓》)。

再次，《淮南子》也不否認《周易》的卜筮性質，它說：“八卦可以識吉凶知禍福矣”(《要略》)。但是，它從《易》道的高度把“識吉凶”，“知禍福”的層次提昇，定位爲認識的手段。

《周易》的預測功能是建立在經驗論基礎上的類推法。《繫辭下》說：“夫易彰往而察來，而微顯闡幽，開而當名，辨物，正言，斷辭，則備矣。其稱名也小，其取類也大。”從《周易》的認識功能來說，它能從彰明過去的軌迹中，考察未來的變化，通過顯示細微，闡明幽隱之事。所以它開釋卦爻之義，總是名當其實，物辨其類，言中其理，斷以吉凶，這些都是完備無缺的。儘管它稱道事物的名稱微小，而用以取類推比之事卻很大。對此，《淮南子》是充分肯定的，它說：“清明條達者，《易》之義也”(《泰族訓》)。但是，《易傳》在解釋《易經》時，並沒有徹底清掃其卜筮巫術的迷信成份，而是給鬼神保留了一定的地盤。它的功勞是將《易經》的卜筮哲學化了，故爾，它的哲學仍帶有相當濃厚的巫術色彩。如果以虔誠的態度對待神鬼，過分强調它的神秘性，認爲它不僅表現“人謀”的效能，而且是“鬼謀”的結果，那麼就會背離《易》道，違反《易》旨，陷入神秘主義，衹能在香火中爬行。所以《淮南子》說：“《易》之失，鬼”(《泰族訓》)。“失本則亂”，“其失在權”(同上)。《淮南子》認爲，鬼神觀念的産生同人們的知識膚淺與神志混濁有關。“物之所爲，出於不意，弗知者驚，知者不怪”(《說林訓》)。當人“心平志易，精神内守，物莫足以惑之”。(《氾論訓》)世俗所流行的鬼神崇拜，並不說明它真有效驗，而是在位者“借鬼神之威以聲其教”。對此，愚者受蒙蔽，“以爲吉祥”；狠者不理會，“以爲非”；“唯有道者能通其志”(同上)。在此基礎上，《淮南子》進一步否定了鬼神具有降福消禍的職能，認爲“禍之來也，人自生之；福之來也，人自成之”(《人間訓》)。它還發揮《周易》的“積善之家必有餘慶，積不善之家必有餘殃”(《坤・文言》)的思想，認爲"有陰德者必有陽報,有陰行者必有昭名"(《人間訓》)。但這種善惡報應,並非什麼鬼神在操縱,而是一種自然的因應,"樹黍者不獲稷,樹怨者無報德"(同上)。因此,它提出"君子不謂小善不足爲也而捨之,小善積而爲大善;不謂小不善爲無傷也而爲之,小不善積而爲大不善"(《繆稱訓》)。《淮南子》的作者,看到禍與福不僅互相連接,而且極易向反面轉化。對於這種情況,鬼神又怎麼能夠祐助呢?因此它提出了從根本上消除禍患纏繞的辦法。它說:"動靜得則患弗過也;受與適則罪弗累也;好憎理則憂弗近也;喜怒節則怨弗犯也。故達道之人,不苟得,不讓(祈)福;其有弗棄,非其有弗索;常滿而不溢,恒虚而易足"(《氾論訓》)。

由此可見,《淮南子》的《易》道觀的確不同凡響。就是在今天看來,其境界也是頗高的。

二

就《易》道的思維模式看,《淮南子》不僅抓住了它的精華,而且從新的意境上加以詮釋、闡發和運用,進一步凸顯了中國傳統思維方式的特質。這主要表現在如下三方面:

(一)崇尚天道、天人互濟、以開物成務爲歸宿的致思傾向。

剛健有爲,自强不息;柔順中正,厚德載物,是《易傳》的主導精神。而這一切都是從效法自然之天地而來。"大哉乾元,萬物資始,乃統天"(《乾·彖傳》)。"至哉坤元,萬物資生,乃順承天"(《坤·彖傳》)。有的論者提出,《易傳》的思想與道家是對立的:道家法自然,《易傳》效聖人;道家尚天道,《易傳》重人際;道家主無爲,《易傳》主有爲。我們認爲這衹是看到了問題的一面即它們之間差異的一面,而没有看到二者統一的一面。所謂"自然",並非哲學上的實體性範疇,而是指事物以自身爲根據,自然而然,本然如此的天然狀態。此乃萬物之本性,宇宙根本之道。《繫辭上》說:"易無思也,無爲也,寂然不動,感而遂通天下之故。"此所謂易,亦指自然之道。自然之道,分而言之,即爲天道和地道。天道"能以美利利天下,不言所利,大矣哉!"(《乾·文言》)"地道'無成'而代有終也"(《坤·文言》)。"天地變化,聖人效之"(《繫辭上》)。所謂"不言所利",所謂"無成有終",均指"無爲"而言。人祇能順應自然,效法自然,體認萬物的本性,而不能强加干涉。"聖人""大人"就是這樣的。《易傳》說:"夫大人者,與天地合其德,與日月合其明,與四時合其序,與鬼神合其吉凶。先天而天弗爲,後天而奉天時"(《乾·文言》)。《淮南子》的"聖人"與《易傳》中的"聖人""大人"基本同意,也是體認天道、效法自然的最高理想人格。它說:聖人"不爲善,不避醜,遵天之道;不爲始,不專己,循天之理;不豫謀,不棄時,與天爲期;不求得,不辭福,從天之則"(《詮言訓》)。因此,效"聖人"也就是法天道。儒家和道家都究天人之際,不過二者的側重面有所不同。《易傳》的天道觀不屬於儒家,而屬於道家。它的人道觀儒家成份比較濃重,但也抹有道家的油彩。它的"三才之道",最終是要落腳於人道的。但是,它說的人道乃是天道的投影,即把天道的自然規律看作是人道的合理性的根據。這就使它有別於儒家而趨同於道家了。《淮南子》在理解和運用《周易》時不是照搬,而是進行加工製作,使之消融在自己的體系中。它在講乾卦九三爻辭"君子終日乾乾,夕惕若厲,無咎"時說:"'終日乾乾',以陽動也;'夕惕若厲',以陰息也。因日以動,因夜以息,唯有道者能行之"(《人間訓》)。天道健行,動而不怠,是其自身的內在根據所使然,是無以爲而爲。人也應效法天道,把握陰陽之變、動靜之機,以體現天道自强不息的精神,如若背道妄爲,必然招禍引咎。足見《淮南子》所說的無爲,並非消極地無所作爲,而是效天道,法自然,棄矯飾,疾虛妄。以"無爲"爲爲,以便實現"觀天地之象,通古今之事,權事而立制,度形而施宜,……以統天下,理萬物,應變化,通殊類"(《要略》)的目的。這也就是《易傳》所謂的"開物成務""以化成天下。"這種借天道以明人道的思維模式,充分體現了中國傳統哲學的本質特徵之一。

(二)重視系統,强調和諧,側重於把握事物功能的整體思維。

作爲體現《易》道的思維模式，其另一特點則是統貫天人、强調和諧的整體系統思維。道家和《易傳》都强調超越有限存在的"大全一"論。所謂大、全、一，乃指統攝萬物的道或天道所具有的大化流行的連續整體性。《繫辭傳》說："夫易，廣矣大矣！以言乎遠，則不禦；以言乎邇，則靜而正；以言乎天地之間，則備矣。"又說："天地之道，貞觀者也。日月之道，貞明者也。天下之動。貞夫一者也"。天地運行，日月普照，總是遵循着它的恒常之道，人和萬物作爲宇宙的一部份，也應本着同樣的道理，去體現作爲天地本性的道。因此，把握宇宙、社會和人生的着眼點不應放在具體事物的細枝末節上，而應超越有限的存在，將宇宙萬物視爲一個相互關連的整體，着重把握那支配無限過程的最高主宰——道(易)或天道。所謂道或天道，一是指演生萬物的本原，一是指統攝萬物的理則。這也就是《淮南子》所說的"淑清之道"和"萬物之祖"(《要略》)。道的這兩重含義是緊密相連的。因爲宇宙萬物無不以道爲最高本體，無不稟受道而息息相通。道既是萬物自身之性，又存在於萬物之中。因此，在宇宙萬物之間，在人與萬物之間，不存在絶對的界限，而是相互映現，相互貫通，相互作用，相互感應，自然無間融爲一體的。《繫辭上》說："'鳴鶴在陰，其子和之，我有好爵，吾與爾靡之。'子曰：君子居其室，出其言，善則千里之外應之。況其邇者乎？居其室，出其言，不善則千里之外違之，況其邇者乎？……言行，君子之所以動天地也，可不愼乎。"《淮南子》進一步發揮了這一思想。他說："天設日月，列星辰，調陰陽，張四時；日以暴之，夜以息之，風以乾之，雨露以濡之。……夫濕之至也，莫見其形而炭已重矣；風之至也，莫見其象而木已動矣；日之行也，不見其移而日在前矣。故天之且風，草木未動而鳥已翔矣；其且雨也，陰噎未集而魚已噞矣。以陰陽之氣相動也。故寒暑燥濕，以類相從；聲響疾徐，以音相應也。故《易》曰：'鳴鶴在陰，其子和之'"(《泰族訓》)。宇宙是一個整體系統，萬物無不被道所統攝，萬物又以自己的獨特功能來體現道。在這個系統中，物物相連，天人相通，渾然一體，和諧均衡。萬物祇有相連而存在，相通而變化，脱離整體或系統，就會遭受厄運。

（三）從應變出發，着眼于整體的穩定和完善的辯證思維。

辯證思維是中國傳統哲學中最精彩的部分。以《老子》和《周易》爲代表所形成的辯證思維傳統，在處理矛盾關係時，不是强調對立面之間的排斥和鬥爭，也不是二者之間的聯合或妥協，而是注重對立面之間相承相應、相比相得、相和相通、相濟相成的互補關係。《老子》説："有無相生，難易相成，長短相形，高下相盈，音聲相和，前後相隨"（《道德經·二章》）。《易傳》也説"寒暑相推"，"屈伸相感"（《繫辭下》），"山澤通氣，雷風相薄，水火不相射"（《説卦》），足見對立的雙方，互濟爲用，各依對方作爲自己存在的根據，每一方又都包含着自己對立面的種子。陰中包陽，陽中含陰，禍中倚福，福中伏禍。對立的雙方在運動變化中，不是一方克服、消滅另一方，而是相反相成，矛盾雙方的功能恰恰體現在推動對方的發展中。《淮南子》的作者，對此領會頗深。它説："動而有益。則損隨之。故《易》曰：'剝之不可遂盡也，故受之以復'"（《繆稱訓》）。剝卦和復卦屬於十二消息卦。陰陽消息，陰消陽則陽復生，陽息陰則陰復成。陰陽推移，變化無窮。因此，動而得益時，那末損也會跟着來的。在講對立面的相應相成時，《淮南子》説："聖人在上，化育如神。太上曰：'我其性與？'其次曰：'微彼其如此乎！'故《易》曰：'含章可貞'。動于近，成文於遠"（同上）。聖人内含章美之質，守正以治，動於近即可波及於遠，當然也就"化育如神"了。如若違背辯證法，"動於上不應於下者，情與令殊也。故《易》曰'亢龍有悔'"（同上）。一般釋"亢龍有悔"爲事物發展到窮高至極，則必有悔吝。《淮南子》卻從性情不感，上下不應的角度予以詮釋，的確頗有新義。

同時，傳統的辯證法認爲，生生不息是天道的根本功能，對立諸因素在相克相生中雖有損益，但不會導致總體的破壞或失衡。事物祇有在往來屈伸中才能生生不息、綿延不絶，這是對天道變化圓滿性的體現。《淮南子》對此也作了進一步的申説。它説："天地所包，陰陽所嘔，雨露所濡，化生萬物。……故陰陽四時，非生萬物也；

雨露時降,非養草木也。神明接陰陽和,而萬物生矣"(《泰族訓》)。還說:"能有天下者,必不失其國;能有其國者,必不喪其家;能治其家者,必不遺其身;能修其身者,必不忘其心;能原其心者,必不虧其性;能全其性者,必不惑於道。……故《易》曰'括囊,無咎無譽'"(《詮言訓》)。《淮南子》將坤卦六四爻辭"括囊"解釋爲得道後便能囊括一切,從而即可維繫整體的穩定狀態。充分表現了中國的辯證思維乃是從應變出發並着眼於整體的穩定和完善,以"不化以待化"(《齊俗訓》)的特徵。

三

價值學説在中國傳統哲學中,一直處於核心的地位。儘管各家哲學的主題有異,但都把致思的終極目標歸結到世界對人的意義上,定位於人對價值理想的追求上。如果拋開門户之見,以實事求是的態度審視《周易》,那麼《易傳》的價值觀,乃是以儒、道爲間架並融冶戰國時代的百家之學而出現的產物。《淮南子》基本上沿着《易傳》的走向,對作爲《易》道之重要内容的價值觀,又作了進一步的闡發。

第一,居安思危、戒慎警懼的憂患意識。憂患意識是一種具有高度的歷史自覺性和敢於正視現實的社會責任感所凝結成的一種高尚的道德意識。它是價值論中一個特有的道德價值概念。《易傳》的作者把憂患意識濃縮爲《易》道的内容之一,並强調指出"安而不忘危,存而不忘亡,治而不忘亂",做到"吉凶與民同患"乃是其根本要旨。

"吉凶與民同患"作爲道德價值的内容,絶非局限於個人的禍福,而是一種時代意識。不同的時代或同一時代的不同時期,憂患意識是不同的。但是《易傳》作者把它提升爲"乾乾夕惕"、"窮困而通"、"外内使知懼"、"吉凶生大業",則具有普遍的意義和價值。

在《淮南子》中,憂患意識表露的特別明顯和突出。作者的意圖就是要總結上古、三代乃至秦漢以來治亂興衰的經驗教訓，探尋天道、人事的發展規律，爲劉氏王朝的長治久安，提供一個周密而完備的理論學説。它一方面繪製治國方略，另一方面又注重修身立本之道。力圖實現《易傳》所提出的"身安而國家可保"的目的。人往往是在陶醉於安定中，忘記危險；在舒適長存的情況下，忘記滅亡；在治安良好的環境中，忘記混亂。因此，《淮南子》提出"良醫常治無病之病，故無病。聖人常治無患之患，故無患"(《説山訓》)。祇有防患於未然，纔能消除禍患而無患。

爲實現天下至治，《淮南子》還着重探討了如何治國興邦的問題。它認爲，亂國之源在於君，治國之本在於民。它説："國主之有民也，猶城之有基，木之有根；根深則本固，基美則上寧。"(《泰族訓》)但是，祇有民而無賢者治理也是治不好的。故爾他引《易》説："'豐其屋，部其家，窺其户，閴其無人'。無人者，非無衆庶也，言無聖人以統理之也"。(同上)因此，它明確主張任人唯賢。對于"賢"，它也提出了自己的精到之論，即應取其大體而略其小疵，"小惡不足以防大美也"(《氾論訓》)。如果以人之小過而掩其大美，那麼天下也就不會有聖君賢相了。它説："《易》曰：'小過，亨，利貞'。言人莫不有過，而不欲其大也"(同上)。金無足赤，人無完人。"誠其大略是也，雖有小過不足以爲累。若其大略非也，雖有閭里之行，未足大舉"(同上)。對於賢人，要"方正而不以割，廉直而不以切，博通而不以訾，文武而不以責"(同上)。祇有這樣，他們纔能擔當大任，成就偉業，國興邦治，久安長存。歷史上那些"不能存亡接絶者"，原因何在？不就是由於"小節伸而大略屈"(同上)嗎？《淮南子》的這些精闢論述，今天讀來，仍有發人深省、啓人智慧之處。

第二，"循理而舉事，因資而立功"的價值取向。《易傳》所謂之"易"，既是必然之則，又是當然之則。作爲必然之則，它呈現爲規律；作爲當然之則，它表現爲價值。《易傳》的最高價值取向是"天人和諧""天地合德"。將"天人和諧"、"天地合德"作爲價值取向，就是讓人以此作爲追求的目標，以此作爲人生的境界，以此作爲安身立命之所。它在解乾卦辭"元亨利貞"時說："元者，善之長也；亨者，嘉之會也；利者，義之和也；貞者，事之幹也。君子體仁足以長人，嘉會足以合禮，利物足以合義，貞固足以幹事"(《乾·文言》)。在"三才之道"中，人道的根本原則是仁與義。因此，祇有體仁，纔足以領導他人；祇有利物，纔真正符合道義。所謂利物，即施利於萬物。在價值取向問題上，《淮南子》與《易傳》基本上是契合的。它說："若吾所謂無爲者，私志不得入公道，嗜慾不得枉正術；循理而舉事，因資而立功；推自然之勢，而曲故不得容者；事成而身弗伐，功立而名弗有"(《修務訓》)。《淮南子》將"無爲"界定爲"去私去欲"、"循理舉事"、"因資立功"。這就與《易傳》所說的"備物致用"以利天下的"盛德大業"相一致了。把符合當然之則、具有無上價值、合理正當的行爲界定爲"無爲"，也有別於先秦老莊的"無爲"觀。實際上，這裏的"無爲"成了一種特定的有爲。因此，《淮南子》反對那種違背自然規律和社會規律，任意妄爲的所謂"有爲"。它說："今霜降而樹穀。冰泮而求獲，欲其食則難矣。故《易》曰'潛龍勿用'者，言時之不可以行也"(《人間訓》)。霜降樹穀，冰泮求獲，如同"以火熯井，以淮灌山"(《修務訓》)一樣，是沒有價值的，祇有負價值的報應，因爲它"用己而背自然"，即單憑主觀想像，違背了客觀規律。

對於義利問題，《淮南子》表現出某種重義輕利的傾向，但它也不是排斥利，而是要求"利"必須合於"義"。它說："凡萬物有所施之，無小不可爲；無所用之，碧瑜糞土也。人之情，於害之中爭取小焉，於利之中爭取大焉"(《繆稱訓》)。利的大小，要看其價值，沒有價值，如糞土一般。但是，"利"最終是由"義"來規範的。"君子時則進，得之以義，何幸之有？不時則退，讓之以義，何不幸之有？"(同上)有義者不可欺以利，如果祇貪利而不顧義，那就是小人了。因此它說："君子思義而不顧利，小人貪利而不顧義。"(同上)這裏，明顯地表現出一種揚儒絀道的傾向。但是，《淮南子》的作者又力圖彌合儒道之間的隙縫，往往以道家思想統領或抑制儒家，使儒家思想成爲道家的補充。如它說："《易》曰：'即鹿無虞，惟入於林中。君子幾，不如捨，往吝。'其施厚者其報美；其怨大者其禍深。薄施而厚望，畜怨而無患者，古今未之有也。……聖人之道，猶中衢而致尊邪？過者斟酌，多少不同，各得其所宜。"（同上）顯然，這是道家的價值取向論了。

第三，"至德之世"和"聖人之治"的價值理想。任何一種價值哲學，不僅有現實的價值取向，而且有理想的價值追求。《周易》的價值理想集中概括在《乾·彖傳》的一段話中。它說："乾道變化，各正性命，保合太和，乃利貞。首出庶物，萬國咸寧。"所謂"太和"，亦即天與人、自然與社會所達到的一種和諧而完美的境界。《淮南子》對這種境界作了更爲具體的描繪，它說："聖主在上，廓然無形，寂然無聲，官府若無事，朝廷若無人，無隱士，無軼民，無勞役，無冤刑，四海之内，莫不仰上之德，象主之旨。"（《泰族訓》）這種理想社會實際上也就是它所説的"至治之世"，在至治之世，"言同略，事同指，上下一心、無歧道旁見者。遏障之於邪，開導之於善，而民鄉方矣。故《易》曰：'同人於野，利涉大川'。"（《繆稱訓》）理想社會的實現，有賴於理想的政道和治道。《淮南子》認爲，人類社會也是有規律的，這個規律乃是宇宙之道的一部份。宇宙之道亘古貫今，它不隨人的意志而改變，它既是自然變化之道——天道，又是社會變化之道——人道。人道的具體内容，《淮南子》稱之爲"事"。它說："聖人所由曰道，所爲曰事。道猶金石，一調不更；事猶琴瑟，每弦改調。"（《氾論訓》）這裏所謂聖人所由之道，亦即社會發展的規律，人們必須因循而不可違背，這便形成爲政道；所謂聖人所爲之事，亦即社會生活中的具體事物，必須加以統理而不可放任，這便形成爲治道。"政道"因治道而顯，"治道"循政道而行。政道與治道的統一，乃是實現價值理想的手段。

對理想價值的追求，不僅表現於對理想社會的設計上，還表現於對理想人格的塑造上。《易傳》的理想人格是聖人、大人和君子。"聖人""大人"都是與天地合德，與日月合明的。所謂與天地合德，亦即與天地合性。天地的德性是生生不息"天地之大德曰生"和不停地變化更新"日新之謂盛德"。可見,這裏所說的德、性不同於儒家所謂的德、性,而與道家所講的天然純樸的德性相似。《淮南子》中的理想人格也是聖人和君子。它所說的聖人有似於《易傳》的聖人和大人。他們是得道者,又是體道者和行道者。他們能夠依照天地的本性而行,又能認識天地的自然之性,他們的道德是最高的。"率性而行謂之道,得其天性謂之德"(《齊俗訓》)。因此,聖人能夠各使其性,各有所宜,與時同步,與化推移。所以《淮南子》說:"聖人在上,則民樂其治;在下,則民慕其意。小人在上位,如寢關曝纊,不得須臾寧。故《易》曰:'乘馬班如,泣血漣如'。言小人處非其位,不可長也"(《繆稱訓》)。因爲小人不具備天地的德性,即使處於高位,也是不會長久的。

另外,聖人不僅通曉已然之事,還能見微而知著,察往而知來,以小能明大,以近而知遠,具有極强的預知能力,"見者可以論未發也"(《氾論訓》)。所以《淮南子》說:"《易》曰:'履霜堅冰至'。聖人之見,終始微矣"(《齊俗訓》)。

由上述可知,《淮南子》所追求的"至治之世"和"聖人之治",與《易傳》的價值理想基本是合拍的。它所設計的理想社會,雖然是"無有之鄉",但對於抑制封建統治者的嚴刑峻法、暴力專制、任意干涉,也起到一定的緩解和牽制作用。它所塑造的理想人格,雖然是"子虛先生",但是他的珍愛真實的本性,保持精誠的品行,不矯飾不虛僞的氣質以及愛民利民、大公無私的風格,對在位的封建統治者來說,也起到了一定的矯枉和默化的作用。

作者簡介　周立升,1936年生,山東慶雲人。山東大學哲學系教授。著有《論老子的道》、《契數與周易》等論文,主編有《春秋哲學》。

莊子思想與兩晉佛學的般若思想

崔大華

内容提要 晉代佛學中的"心無"、"即色"、"本無"的般若三家對般若空觀理解的分歧,是由於從不同方面接受莊子思想的影響而造成的。概言之,"心無空"直接導源於莊子"吐爾聰明,倫與物忘"的精神修養方法;"即色空"中具有莊子認識論中經驗層次上的主觀認識相對性和事物感性表象的不確定性的觀念因素;"本無空"與莊子關於世界根源("道")的本體論特徵("無")的觀點在觀念上是相通的。僧肇在《不真空論》中對三家進行了深入的批評,但他的"不真空論"也感受了莊子的"名實"、"齊物"的思想觀念。這樣,在莊子思想影響下,晉代佛學的般若思想就從印度佛學的理論軌道上轉移到中國佛學的理論軌道上來,而和魏晉玄學結合起來。

印度佛學作爲一種異質文化的思想觀念,經過中國傳統思想的理解和消化,成爲具有中國思想特色的中國佛學,經歷了一個相當困難的過程。在這個過程中,中國傳統思想中的莊子思想起了特别重要的作用。這裏,我想用兩晉佛學是如何理解、消化大乘佛學中的一個根本的思想觀念——般若空觀的情況來說明這個問題。

"般若"意爲"智慧"①,是大乘布施、持戒、忍辱、精進、禪定等六種修行方法中("六波羅密"或"六度")最重要的一種,所謂"諸佛身皆從般若波羅密生"(《放光般若經·舍利品》)。般若思想的基本

① 羅什譯《大智度論》謂:"般若者(羅什注:秦言智慧),一切諸智慧中最爲第一,無上無比無等,更無勝者,窮盡到邊。"(卷四十三)

内容是對世界本相的一種超越經驗、理性之上的直觀——“空”。在印度佛學的發展中,般若思想的空觀也經歷了一個義蘊不斷豐富的過程。它可簡略概括爲“一切諸法性皆空”(《放光般若經·信本際品》),也可進一步表述爲羅什所譯《金剛經》的最後一頌:“一切有爲法,如夢幻泡影,如露亦如電,應作如是觀”,即“性空幻有”。然而它的最後的、完滿的表達,應該是龍樹《中論》中的一偈:“衆因緣生法,我説即是空,亦爲是假名,亦是中道義。未曾有一法,不從因緣生,是故一切法,無不是空者”(《觀四諦品》第廿四)。這一偈語表明般若空觀既是認識、觀察世界的方法(“空”、“假”兼蘊的“中道”觀);又是這一觀察認識得出的結論(因緣而生的“空”相)。般若的這些觀點,是印度大乘佛學最基本的理論觀點。

在魏晉玄學思潮的推瀾和浸潤下,兩晉佛學對般若的理解是很分歧的,史有“三家”、“六家”或“六家七宗”之稱①。“六家七宗”中,思想可以特立且最有影響者,應該説是爲僧肇所批評的心無、即色、本無三家。而且不難看出,三家對般若(“空”或“無”)的理解雖然各異,染有莊子思想色彩卻是共同的。

心無宗的主要代表是支愍度、竺法溫。“心無”的完整論述已經無存,但從他的批評者的轉述中還是可以清晰地看出來:

> 心無者,無心於萬物,萬物未嘗無。此得在於神靜,失在於物虛。(僧肇《不真空論》)
>
> 心無者,無心於萬物,萬物未嘗無。此釋意云,經中説諸法空者,欲令心體虛忘②不執,故言無耳。不空外物,即萬物之境不空……心空而猶存物者,此計有得有失。(吉藏《中論疏》卷二末)

---

① 最早指出當時對般若空觀理解上分歧的是北朝後秦羅什門下的年齡最長的弟子僧叡的“六家”説:“格義迂而乖本,六家偏而不即”(僧佑《出三藏記集》卷八《毗摩羅詰堤經義疏序》),但他没有指明“六家”之名。羅什門下另一年輕的弟子僧肇在《不真空論》裏概括爲“心無”、“即色”、“本無”三家。“六家七宗”之名,始於南朝劉宋曇濟的《六家七宗論》,此論已佚。梁寶唱《續法論》中曾經引用。唐元康《肇論疏》(卷上)説:“梁朝釋寶唱作《續法論》一百六十卷云,宋莊嚴寺釋曇濟作《六家七宗論》,論有六家,分成七宗。第一本無宗,第二本無異宗,第三即色宗,第四識含宗,第五幻化宗,第六心無宗,第七緣會宗。本有六家,第一家爲二宗,故成七宗也。”

② 《大藏經》本作“妄”。

陳釋慧達和日僧安澄對此作了更明確的疏解：

竺法溫法師《心無論》云，夫有，有形者也；無；無象者也。有象不可言無，無形不可言有。而《經》稱‘色無’者，但内止① 其心，不空外色；但内停其心，令不想外色，則色想廢矣。（慧達《肇論疏》）

晉竺法溫……其制《心無論》云，夫有，有形者也；無，無象者也。然則有象不可謂無，無形不可謂有②，是故有爲實有，色爲真色。《經》所謂‘色空’者，但内止其心，不滯外色。外色不存余情之内，非無而何？豈謂廓然無形，而爲無色者乎？（安澄《中論疏記》卷第三末）

從這些記述中可以看出，心無宗的觀點是認爲外界事物是真實存在的，是“有”；佛經上的“法空”，是要求人們保持一種恬淡的不執着、不滯情於外物的虛無的心境，因而是“無”。十分顯然，心無宗的“空”觀與般若“空”觀相距甚大，它的結論不是“諸法皆空”，而是“心空物不空”。另外，就理論性質而言，“心無”實際上是一種收斂内心，屏除外惑的精神修持方法，也不同於空、假兼蘊、亦有亦無的“中道”般若認識方法。從大乘佛學的一般理論立場看，心無宗“内止其心，不滯外色”的精神修持，雖然不是般若觀，但也還可以視爲是一種止觀，因而也還是可以肯定的，但其“不空外物”則是不能許諾的了。所以僧肇、吉藏一致評斷它“有得有失”。應該説，這是十分寬容的評斷。在嚴格的佛門學者看來，“心無”義“此是邪説，應須破之”（慧皎《高僧傳》卷五《竺法汰傳》），從般若的理論立場上説，這一嚴厲的判定并不過分。

“心無”義之所以背離般若的根本觀點，這是因爲它的觀念根源深深地紮在莊子思想的土壤裏，實際上是一種中國思想。《莊子》中寫道：“心養，汝徒處無爲，而物自化，墮爾形體，吐爾聰明，倫與物忘，大同乎涬溟，解心釋神，莫然無魂……”（《在宥》），可見，虛空内心，忘懷外物，正是莊子的基本的精神修養方法。《莊子》中還

① 《續藏經》本作“正”。
② 《大藏經》本作“無”。

寫道:"忘乎物,忘乎天,其名爲忘己;忘己之人,是之謂入於天"(《天地》),"聖人未始有天,未始有人,未始有始,未始有物,與世偕行而不替"(《則陽》),也就是說,莊子思想裏境界最高的理想人格("聖人"、"至人"、"真人")都是能夠"忘物",能夠"遺物離人而立於獨"(《田子方》)。換言之,雖然"萬物雖多"(《天地》),"萬物職職"(《至樂》),但是對於聖人,卻是"萬物無足以鐃心者也"(《天道》)。顯然,"心無"義的"無心於萬物,萬物未償無"的觀點,"欲令心體虛忘不執"的旨意,皆淵源於此或吻合於此。所以史稱"竺法溫悟解入玄"(《高僧傳》卷四《竺潛傳》)。

即色宗的代表人物是支道林。即色宗的"空"觀論點的簡要表述是已經佚失的支道林《妙觀章》上的幾句話:"夫色之性也,不自有色。色不自有,雖色而空,故曰色即爲空,色復異空。"(《世說新語·文學》注引①)其大意是說,萬物呈現出來的都是,或者說祇能是現象("色"),不是自體或本體("自有"),因而是空("色即爲空")。而且,這種作爲現象的"空",和作爲般若實相本體的"空"是不同的("色復異空")。

爲什麼"色不自有",也就是說爲什麼現象不是本體或自體?支道林在這裏没有解釋。以後的佛家學者在著述中涉及此處時,揣摩支道林的思緒而提出了兩種解釋。一是唐代元康在《肇論疏》中說:"林法師但知言色非自色,因緣而成,而不知色本是空,猶存假有也";一是元代文才在《肇論新疏》中說:"東晉支道林作《即色遊玄論》……彼謂青黄等相,非色自能,人名爲青黄等,心若不計,青黄等皆空,以釋《經》中'色即是空'。"前一種解釋是說,支道林認爲事物("色")是因緣而成,故"不自有",是空;後一種解釋是說,支道林認爲事物(如顏色),皆是人的"心計"而成,不是自有,是空。這兩種解釋從當時與支道林過從甚密,思想甚爲契合的追隨者郗超的《奉法要》中"有無由乎方寸,而無繫乎外物"(《弘明集》卷十三)之論來

① 安澄《中論疏記》所稱引支道林《即色遊玄論》與此近似:"夫色之性,色不自色,不自,雖色而空。知不自知,雖知而寂也。"

看，後一種解釋比較符合支道林的思想實際。支道林有詩曰："心爲兩儀蘊，迹爲流溺梁"（《廣弘明集》卷十五《月光童子讚》），"體神在忘覺，有慮非理盡"（同上書《善宿菩薩讚》），都是把心（"心計"）看作是物（"迹"）生成的根源，負累的根源。支道林主張"大道者，逌心形名外"（同上書《善多菩薩讚》），"忘玄故無心"（《大小品對比要鈔·序》），這些觀點也和後一種解釋吻合。這樣，支道林即色論的"空"觀概括言之，就是認爲萬物（"色"）皆是人心所起，不是萬物的自性，所以是"空"。

即色論與心無論的"空"觀有所不同，它不是通過精神修持而達到的一種能在萬物紛紜中保持淡泊"忘物"之心的境界，而是對認識過程的分析得出的一個認識結論：萬物皆我心中的現象，不是本來面目。從大乘的一般立場上說來，即色論沒有乖離破"法執"的大乘宗旨；但是，從最成熟的、即中觀學派（《中論》）的般若立場上看，即色論不但没有破掉"法執"，反而陷入"法執"。所以僧肇——作爲最早將印度中觀學派傳入中國的佛學大師羅什的最出色的弟子批評説："即色者，明色不自色，故雖色而非色也。夫言色者，但當色即色，豈待色色而後爲色哉？此直語色不自色，未領色之非色也"（《不真空論》）。

僧肇的批評從中觀般若的立場指出即色論的"空"觀有兩個破綻：第一，在即色論"色不自有"的言下，意念中肯定了、追尋着一種自體、自性、陷入了"法執"，在中觀般若看來，非但即色論所説的"色"（現象）是空，即色論所説的"自有"（自性、自體、本體），即"色色"者，也是空。所以即色論没有觀出完全的"空"相。這是就最終的結論而言；第二，就得出結論的觀察、認識過程而言，即色論衹觀出"空"（"色不自色"），而没有指出"假"（"色之非色"），缺乏"中道義"。換言之，不存在"色色"的自性或本體，當色即色，色即非色。如果説支道林曾在另外的著述裏明確表述他并不認爲有"自有"（自性本體），而是皈依"至無"（空的狀態），例如他説："夫般若波羅密者……其爲經也，至無空豁，廓然無物者也……是故夷三脱於重玄,齊萬物於空同,明諸佛之始有,盡群靈之本無,登十住之妙階,趣無生之徑路。何者?賴其至無,故能爲用”(《大小品對比要鈔·序》),這可以推脱掉僧肇對即色義的第一點批評①;那麼,僧肇對即色義的第二點批評,是他再也推脱不掉的了。支道林把事物或現象解釋爲“心”的表現,換言之,是用“心計”觀“萬法”,而不是用“因緣”觀“萬法”,祇能形成“心”與外物(即“色”、“空”)對立的觀念,而形成不了“空”與“假”(幻有)并存的觀念,也就是説形成不了外物(“法”)兼蘊“空”、“假”的“中觀”。支道林即色論空觀之所以呈現出這樣的特色,是因爲他十分熟悉《莊子》、理解《莊子》,如他曾“注《逍遥遊》篇,羣儒舊學莫不嘆伏”(慧皎《高僧傳》卷四《支道林傳》),自然也深爲莊子思想浸染,駕輕就熟地在莊子思想軌道上,用莊子思想的邏輯論述了般若性空這一佛學問題。

支道林即色義的空觀,主要是從莊子思想中感受了它那種深刻的、强烈的關於事物在人的認識過程中由於人的主觀因素造成的不確定性、相對性的觀念。《莊子》中寫道:“道行之而成,物謂之而然……無物不然,無物不可”(《齊物論》),“自其異者視之,肝膽楚越也;自其同者視之,萬物皆一也”(《德充符》),“以道觀之,物無貴賤;以物觀之,自貴而相賤;以俗觀之,貴賤不在己;以差觀之,因其所大而大之,則萬物莫不大,因其所小而小之,則萬物莫不小……以功觀之,因其所有而有之,則萬物莫不有,因其所無而無之,則萬物莫不無……以趣觀之,因其所然而然之,則萬物莫不然,因其所非而非之,則萬物莫不非”(《秋水》)。在莊子思想認識論的經驗層次上,莊子對人的認識的主觀相對性和事物的感性表象不確定性的這種淋漓盡致的發揮、揭示,無疑是十分感人的、醉人的;在經驗的層次上,綜合這樣的一些觀察會形成一個一般性的理論觀念:事物是没有自性的,事物的性狀是隨主觀的觀察立場或者説“心”而變化的。支道林説“心爲兩儀藴”,可見他的即色義正是浸透

① 吉藏就認爲即色義有二家。一者關内即色義,謂色無自性,即僧肇所呵斥;二者支道林即色是空,與道安本性空寂之説相同。(《中論疏》卷二末)

着這個觀念。當然，支道林把這個觀念又推進一步，用來説明、論證一個佛學問題，認爲這種在經驗層次上的事物感性不確定性，就是"不自有"，就是"色空"，這就跨出了莊子思想的範圍而進入了佛學領域。在莊子那裏，事物在經驗層次上雖然具有感性的不確定性，但并不是"空"，而是認識的相對性；這種相對性，經由"達萬物之理"（《知北遊》）的確定性——莊子稱之爲"天理"、"固然"（《養生主》），最後達到"道通爲一"（《齊物論》）的總體性，顯示出一個完整的認識發展過程和一個實在的宇宙總體存在（"物"、"理"、"道"）。

本無宗的代表人物是道安。本無宗的觀點《名僧傳抄・曇濟傳》有一段較完整的引述：

> 曇濟……著《七宗論》，第一本無宗曰：如來興世，以本無弘教，故方等深經，皆備明五陰本無：本無之論，由來尚矣。何者？夫冥造之前，廓然而已，至於元氣陶化，則羣象稟形，形雖資化，權化之本，則出於自然，自然自爾，豈有造之者哉？由此而言，無在元化之前，空爲衆形之始，故稱本無，非謂虚豁之中，能生萬有也。夫人之所滯，滯在末①有，宅心本無，則斯累豁矣。夫崇本可以息末者，蓋此之謂也。

從這段概述裏可以看出，本無宗的"空"觀主要有兩層意思：一是就每一呈現在眼前的具體事物的性狀來説，都是五陰聚合，而"五陰本無"，所以是空（"萬法性空"），這是大乘經典每每論及的。二是追溯每一具體事物的原始狀態，也衹能歸宿到廓然空無，因爲在"元化之前"、衆形之先的衹能是"無"的狀態。這是道安本無宗對"萬法性空"進一步的説明、論證。後來，吉藏在叙述本無宗的觀點時，也正是指出這樣的兩點："釋道安明本無義，謂無在萬化之前，空爲衆形之始……安公明本無者，一切諸法，本性空寂，故云本無"（《中論疏》卷二末）。概言之，本無宗是以"性空"、"本無"爲其思想特色的。

道安本無義的宗觀也受到僧肇從中觀般若立場上的批評：

> 本無者，情尚於無多，觸言以賓無。故非有，有即無；非無，無亦

① 《續藏經》本作"未"。

無。尋夫立文之本旨者,直以非有非真有,非無非真無耳。何必非有無此有,非無無彼無?此直好無之談,豈謂順通事實,即物之情哉?(《不真空論》)

僧肇的批評主要是指出本無宗空觀的偏執,一味"尚無",是一種"好無之談"。應該説,本無義和即色義一樣,也是在兩個基本點上偏離了中觀。在認識、觀察的過程中,本無義"觸言以賓無",執着於一切皆空(無),未能觀察出"假有",没有闡發出"非有非真有,非無非真無"的中觀"立文本旨",也就是説,缺乏兼容空、假的"中道義"。就觀察、認識的結局而言,本無宗的最終結論是事物最原始的"無"的狀態,在精神上它可以歸宿爲一切負累皆消融的境界,即"宅心本無,則斯累豁矣";而不是中觀的"空"(空與幻有)的諸法實相,從而在精神上升華爲"實相即涅槃,涅槃即世間"的境界,即龍樹所説"涅槃際爲真,世間際亦真,涅槃與世間,小異不可得,是爲畢竟空相"(《大智度論》卷三十八)。

不僅如此,道安的"本無"不衹是指一種最初的狀態,在他的另外著述裏還表現出是一種最後本體的性質特徵。如他説:"般若波羅密者,成無上正真道之根也。正者,等也,不二入也。等道有三義焉,法身也,如也,真際也。如者,爾也,本末等爾,無能令不爾也。法身者,一也,常淨也,有無均淨,未始有名。真際者,無所著也,泊然不動,湛爾玄齊,無爲也,無不爲也。"(《合放光光讚隨略解·序》)這與《根本般若經》所説"以一切法悉無有本,以是之故,求其本末了不可得"(《光讚般若經·假號品》第八)的距離就更爲明顯。

從僧肇的批評看來,道安雖然是當時最淵博深邃的佛家學者,但他的般若思想仍未能登峰造極。對此,他的弟子僧叡(道安卒後,又師羅什)有個解釋:"自慧風東扇,法言流詠已來,雖曰講肆,格義迂而乖本,六家偏而不即,性空之宗,以今驗之,最得其實。然爐冶之功微恨不盡,當是無法可尋,非尋之不得也"(《毗摩羅詰提經義疏·序》)。

僧叡認爲道安的般若思想"爐冶之功不盡",是因爲他生前尚没有接觸到中觀思想。這一解釋應該説是正確的。道安卒於東晉太元九年(公元 384 年),十六年後,後秦弘治三年(公元 401 年)羅什纔入關至長安,中觀經典方得以譯傳。但是,另一方面還是可以説,道安在没有中觀思想的情况下,把般若思想推進了一步;在印度佛學所因有的"諸法性空"之外,又加入具有中國思想特色的"萬化本無",這是中國佛學發展中出現的一種客觀需要。道安晚年在長安時曾回憶説,將近二十年來,他每年都要講解二遍《般若經》,"然每至滯句,首尾隱没,釋卷深思,恨不見護公、叉羅[①] 等"(《摩訶鉢羅若波羅密經抄・序》)。道安深切感到般若空觀的"首尾",即更加深刻的"空"的根源和歸宿的問題,需要有更多的説明、論證。這樣,道安作爲一個"外涉羣書,善爲文章"(《高僧傳》卷五《道安傳》)的具有深厚中國傳統文化修養的人,又處在玄學籠罩的學術環境中,從道家,特别是莊子思想中感受、吸收那種極爲清晰的根源性觀念,來解釋《般若經》中隱没的"首尾"也是很自然的。《莊子》中寫道:"萬物出乎無有……而無有一無有"(《庚桑楚》),所以雖然莊子不談"開始",認爲"未始有始"(《則陽》),但他還是認爲萬物最初的存在狀態是"無"。在莊子思想中,這種"無"也正是"道"的一種表現或存在形式,因爲"道無爲無形"(《大宗師》),"唯道集虚"(《人間世》);歸心於"無"也就是"返真"、"體道"[②] 的最高精神境界的表現或途徑,即所謂"彼至人者,歸精神乎無始,而甘冥乎無何有之鄉"(《列御寇》)。十分顯然,烙在道安"本無"般若思想上的中國思想痕跡,正是這種莊子思想,正是在這種莊子思想影響下形成的"立論以爲天地萬物皆以無爲本"(《晉書・王弼傳》)的玄學思想。

從以上所論可以看到,晉代佛學中的心無、即色、本無三家對般若空觀的理解是有分歧的,但受到莊子思想的影響卻是共同的;而且這種分歧,從某種意義上説正是由於它們感受的和接受的莊

① 竺法護、無叉羅(無羅叉)分别是《光讚般若經》和《放光般若經》的譯者。
② 《莊子》寫道:"謹守而勿失,是謂反其真"(《秋水》),"夫體道者,天下之君子所繫焉"(《知北遊》)。

子思想影響有所不同的結果。概言之,“心無空”直接導源於莊子“吐爾聰明,倫與物忘”的精神修養方法;“既色空”中具有莊子認識論中經驗層次上的主觀認識的相對性和事物感性表象的不確定性的觀念因素;“本無空”和莊子關於世界根源(“道”)的本體論特徵(“無”)的思想觀點在觀念上是相通的。

兩晉佛學般若思想,除了上述最有影響的心無,即色、本無三家外,就是從中觀般若立場對這三家提出批評的僧肇自己的般若思想。僧肇的般若空觀是“不真空”,他在《不真空論》中寫道:“欲言其有,有非真生;欲言其無,事象既形。象形不即無,非真非實有,然則不真空義,顯於兹矣。”也就是說,萬物既不是因“心無”而空,或“即色”是空,或“本無”就空,而是亦有亦無,或非有不無的“不真”之空。僧肇的般若空觀(不真空)在三個基本點上完全符合中觀思想:首先,在對事物(“法”)的觀察、認識方法上,他運用的是因緣“中道義”。僧肇說:“有若真有,有自常有,豈待緣而後有哉?譬彼真無,無自常無,豈待緣而後無也?若有不能自有,待緣而後有,故知有非真有。有非真有,雖有不可謂之有矣。不無者,夫無則湛然不動,可謂之無,萬物若無,則不應起,起則非死,以明緣起,故不無也。”(《不真空論》)簡言之,因爲是緣起,故非真有;因爲是緣起,故不無。其次,在認識的最終結論上,得出的是“空”相:“聖人之於物也,即萬物之自虛”(《不真空論》)。最後,能由中觀認識昇華到“涅槃與世間,無有少分别”(《中論·觀涅槃品》)境界:“道遠乎哉?觸事而真;聖遠乎哉?體之即神。”(《不真空論》)可見,僧肇對中觀思想有深刻的、準確的理解,所以羅什曾稱讚他是“秦人解空第一者”(元康《肇論疏》引《名僧傳》)。但是,另一方面,從僧肇的全部著作中也可以看出,僧肇作爲一個“歷觀經史,備盡墳籍……每以莊老爲心要”的在中國傳統的文化環境中成長的中國佛教學者,他的般若思想也有中國思想的痕跡,而且最爲明顯的也是莊子思想痕跡。

僧肇般若思想中的莊子思想痕跡,或者說受其影響主要有兩點表現:第一,在他具體論證“非有不無”的“中道義”時,除運用印度佛學傳統的從事物構成角度來觀察的“諸陰因緣”說外，還援用了中國思想，特別是莊子思想中的從認識角度來觀察的“名實”說。《不真空論》寫道：“以名求物，物無當名之實；以物求名，名無得物之功。物無當名之實，非物也；名無得物之功，非名也。是以名不當實，實不當名，名實無當，萬物安在？……故知萬物非真，假號久矣。”通常，我們總是用一個名來指稱一個物(實)，應該說這一指稱儘管有約定俗成的社會客觀性，但就其本質來說也具有人的主觀隨意性。僧肇就是據此而認爲“名”和“實”并不相符，或者說物并沒有和其“名”相符的“實”；并進而認爲我們認識中的物(即用“名”稱謂的“實”)也是主觀假相(“非真”)。《莊子》中寫道：“道行之而成，物謂之而然”(《齊物論》)，“名者實之賓也”(《逍遥遊》)，可見莊子也認爲事物的名稱是人賦予它的，如同路是人走出來的一樣，沒有必然的、固定相符的內容。可以推斷，莊子觀察到名、實之間的或然性關係，以及某種否定“名”的傾向，都對僧肇有所感染。但是，莊子并沒有因此而否認“實”，他曾反問說：“固有無其實而得其名者乎？”(《大宗師》)如前所述，在認識的感性的、經驗的層次上，莊子認爲事物的性狀(如大小、同異、貴賤等)有不確定性，有“名相反而實相順”(《庚桑楚》)的名實不相符的情況，但事物的存在卻是真實的。僧肇則由“名實無當”，名號是假，更跨進一步，認爲萬物亦非真。第二，在般若思想總的觀念背景上，僧肇在印度佛學固有的“諸法緣起”觀念上，又增添了莊子思想的“齊物”觀念。僧肇在他的著述裏多次表述了“齊物”的觀點，如說“天地一旨，萬物一觀，邪正雖殊，其性不二”“大士美惡齊旨，道俗一觀”(《維摩經注·弟子品》第三)，“即真則有無齊觀，齊觀則彼此莫二，所以天地與我同根，萬物與我一體”(《涅槃無名論》)。顯然，這些與《莊子》所論“天地一指，萬物一馬”，“是非之塗惡能知其辯”(《齊物論》)，“萬物一齊”，“是非不可爲分”(《秋水》)等，在觀念上是相通的，相承的。不同在於，莊子的“齊物”表現出的是一種“聖人和之以是非，而休乎天鈞”(《齊物論》)的相對主義的認知態度，和一種“天下也者，萬物之所一也；得其所一而同焉，則四支百體將爲塵垢，而死生終始將爲晝夜，而莫之能滑，而况得喪禍福之所介乎”(《田子方》)，即一視萬物萬境，不爲生死利害之所動的精神境界。僧肇的“齊物”則是“内引真智，外證法空”(《維摩經注・文殊師利問疾品》第五)，即由齊是非而證得兼容空(無)、假(幻有)的世界“空”的本來面目(中觀般若的“實相”)：“萬品雖殊，未有不如，如者將齊是非，一愚智，以成無記無礙義也”(《維摩經注・菩薩品》第四)；進而達到與這種“空”相爲一體的個人的一切思慮皆熄滅的，即所謂“彼此寂滅，物我冥一”(《涅槃無名論》)的“涅槃”境界。可見，僧肇的般若思想，乃至心無、即色、本無各家的般若思想，儘管因吸收莊子思想而對印度佛學顯示出中國佛學的新特色；但另一方面，它或它們作爲佛家思想仍和莊子思想之間具有明顯的差別和界綫。

以上，我們粗略地考察了兩晉佛學如何藉助《莊子》中的理論概念、思想觀念來理解、消化印度佛學中的一個思辯艱難程度最大的思想觀念——作爲對世界的根本觀察的般若空觀。完全可以説，没有莊子思想，就没有中國佛學的般若思想；這從一個具體的方面顯示了莊子思想是形成中國佛學的重要的觀念背景或淵源。

作者簡介　崔大華，1938年生，安徽六安人。河南省社會科學院哲學研究所副所長、研究員。著有《莊子歧解》、《莊學研究》等。

論理學的道家化

吴重慶

内容提要 本文從三個方面具體論述宋明理學是“新道家”：在對人與萬物的關係及人性的看法上，理學是站在道家的立場而非站在儒家的立場；理學依照道家的“天成秩序觀”，把禮義人倫自然化、無爲化；理學採納道家的“明鏡説”，建立“内聖外王”的理論體系。最後，本文還探討了理學道家化的内在原因。

馮友蘭先生稱宋明理學爲“新儒家”，這是一種具有廣泛代表性的看法。但以“新儒家”這三個字能否準確概括宋明理學的特質？我認爲，與其説宋明理學是“新儒家”，不如説宋明理學是“新道家”。因爲正如陳鼓應先生所説的，“到了宋明理學時期，儒學發生了第三次重大質變。理學的倫理政治部分雖屬儒家的特點，但其理論結構、思維方法、人生修養，都已道家化和佛學化了”（《老莊新論》頁 354，香港中華書局 1991 年版）。我個人極讚同陳先生的這一論斷，并擬從以下三個方面展開具體的論述。

一、在對人與萬物的關係及人性的看法上，理學是站在道家的立場而非站在儒家的立場

儒家很看重“人”，認爲“人”是萬物之靈，“人”是不能與自然萬物、飛禽走獸相提并論的。孔子説：“鳥獸不可與同羣”（《論語・微子》），孟子説：“人之所以異於禽獸者幾希”（《孟子・離婁章句

下》),後來的荀子更明確地說:“水火有氣而無生,草木有生而無知,禽獸有知而無義,人有氣有知亦且有義,故最爲天下貴”(《荀子·王制》)。在先秦儒家看來,人性的基本内涵就是仁義禮智,由此樹立起人爲萬物之靈的觀念。

道家要否定仁義禮智對人所具有的意義,就必須從根本上破除人爲萬物之靈的觀念。道家認爲,人并非萬物之靈,從“道無爲而無不爲”、“道生萬物”,尤其是從“氣化萬物”的立場上看,人與萬物在本質上是一致的。老子說:“天地不仁,以萬物爲芻狗。聖人不仁,以百姓爲芻狗”(《老子》5章)。如果說老子是從萬物“自賓”、“自化”、“自正”而合乎自然之道的角度平觀人與天地萬物的話,莊子則從氣化萬物的角度平觀人物。在莊子看來,人也衹是一物,豈能以此物凌駕於他物之上?“今一犯(範)人之形,而曰‘人耳人耳’,夫造化者必認爲不祥之人。今一以天地爲大爐,以造化爲大冶,惡乎往而不可哉”!(《莊子·大宗師》)莊子說:“其一與天爲徒,其不一與人爲徒。”(《莊子·大宗師》)顯然,把人突出於萬物之上,正是莊子所反對的“不一”。

道家認爲,作爲萬物一份子的人,其本然之性是無欲爲的。老子說的復歸於“嬰兒”、“無極”、“樸”(《老子》28章),皆是指稱人性的本然狀態——渾然無欲爲。人衹有復歸其本然,纔算找到了“深根固柢”。莊子不斷强調“不失其性命之情”(《駢拇》),在他看來,人之性命之常情是無爲無欲,如莊子說:“君將盈嗜欲,長好惡,性命之情病矣”(《徐無鬼》),“君子不得已而臨莅天下,莫若無爲,無爲而後安其性命之情”(《在宥》)。無爲無欲是人性之本然,從道家自然主義的立場上言,人性之本然即是人性之當然、人性之本質。

在道家看來,人的本性是無爲無欲,故人心是虚靜澄明,不受欲爲遮蔽的。如果說道家把欲爲視爲對人性的反動,視爲對人性本然的存在構成一種惡行,那麼,道家所主張的無爲無欲的人性論其實也是一種性善論。不過,儒家的性善是指人心天生地具有仁義禮智的自覺意識,道家的性善則指人心天生地是澄明無蔽的。

在對人與萬物關係的問題上，理學接過道家的看法，屢屢强調人衹是萬物中的一份子。"人但物中之一物耳，如此觀之方均"(《張子語錄》上)，"合内外，平物我，自見道之大端"(《張載集·經學理窟》)。二程也認爲，人衹是一物，"人居天地氣中，與魚在水無異"(《遺書》卷十五)，"人在天地之間，與萬物同流；天幾時分別出是人是物？""人能放這一個身公共放在天地萬物中一般看，則有甚妨礙？""放這一個身，都在萬物中一例看，大小大快活"(《遺書》卷二)。這就是"平物我"、"物我兼照"。若一定要去區分我與物的區別，便是"私"。總之，把人視爲萬物中之一份子，這是理學家們立論的前提。

理學家們强調人亦爲一物，目的是破除物我相對待，而破除物我相對待，是爲進一步去除欲爲。因爲人物相形，便爲物欲産生。若有一個"我"在，便會産生私心、私意。衹有平觀物我，纔能做到"無我"。衹有"無我"，纔能"以物觀物"而"大心"、"盡心"、"虚心"。可見，理學把人視爲萬物之一份子，目的是爲了説明心性問題。張載有一段話對此説明得很清楚，他説："身與物均見，則自不私，己亦是一物，人常脱去己身則自明。……今見人意、我、固、必以爲當絶，於己乃不能絶，即是私己。……鑒己與物皆見，則自然心弘而公平"(《張載集·經學理窟》)。

既然人本質上是萬物的一份子，那麼，人本質上是無我無欲爲的，即人心究其本然言，應是虚明的。人心有時雖偏暗不明，"然其本體之明，則有未嘗息者，故學者當因其所發而遂明之，以復其初也"。(《朱子語類》卷四)理學家雖也推崇孟子的性善論，但在理學家看來，先秦儒家所謂的善性，衹有在心虚明的情況下纔可能安頓落實。張載説："聖人虚之至，故擇善自精"(《張子語錄》中)。"虚者，止善之本也"(《張子語錄》上)。《正蒙》在講"大心"之後緊接着講"中正"、"至當"，就是有見於此。朱子也説："'虚心順理'，學者當守此四字"，"學者功夫，但患不得其要。若是尋窮得這個道理，自然頭頭有個着落"(《語類》卷八)。可見，理學雖没有公開否棄先秦儒家的性善理論,但其已經把道家的心本虛明的人性論確立爲更根本的性善内容。

綜上所論,理學在對人與萬物的關係及人性的看法上,從立場到思路,都是直接依照於道家的思想的。

二、理學依照道家的"天成秩序觀",把禮義人倫自然化、無爲化

既然人在本質上衹是自然萬物的一份子,那麼,人也就不需要以仁義禮智特別地加以教化。人與人組成人羣,人羣之秩序若無需以仁義禮智的人倫規範來維繫,該以什麼來維繫?道家認爲,人既然是萬物的一份子,那麼,人衹要與自然萬物一樣,依循於自然天成的秩序就可以了。人與天(自然萬物)是同等一致的,故"治人"其實是個"事天"的問題,人羣社會秩序的維繫不是取決於推行仁義禮智,而是取決於"事天"。所以,老子說:"人法地,地法天,天法自然"(25章),莊子說:"既受食於天,又惡用人"(《德充符》),"古之真人,以天待人,不以人入天"(《徐無鬼》)。所以,"知天之所爲",也就可以"知人之所爲"(《大宗師》)。這樣,人爲的仁義禮智也就沒有存在的必要了,如莊子說:"禮者,世俗之所爲也,真者,所以受於天也,自然不可易也。故聖人法天貴真"(《漁父》)。維持人羣社會秩序最有效的方法是以自然萬物存在、運行的秩序、準則來組織、治理人羣社會。

道家反對仁義禮智,但他們並不是反對人羣社會需要秩序,衹是强調人羣社會與自然萬物之間是同序的,"治人"者應通過"事天"、"察天行"、體道的方式來把握、認識人羣社會的秩序。所以,柳宗元說:"余觀老子亦孔子之異流也,不得以相抗……皆有以佐世"(《柳河東集·送元十八山人南遊序》)。道家在把人羣社會秩序與自然萬物秩序等同而觀的同時,也就把人羣社會秩序自然化了,把對人羣社會秩序的維繫無爲化了。

理學正是依照着道家的這一“天成秩序觀”，展開其對禮義人倫的論述的。理學肯定人與萬物是同體一理的，“誠一於理，無所間雜，則天地人物，古今後世，融徹洞達，一體而已”(《程氏經說》卷六·中庸解)。“道一也，豈人道自是人道，天道自是天道？”(《二程遺書》卷十八)“這理是天下公共之理，人人都一般，初無物我之分”(《近思錄·格物窮理》)。人作爲萬物的一份子，其所具有的理則與萬物所具有的理則並無本質的區别，這不僅因爲人也僅是一物，而且因爲人與物之理都是從天人所共有的一理中分殊出來的，即“以其理而言之，則萬物一原。固無人物貴賤之殊。”(《朱子語類》卷四)。

“理是有條理，有文路子。文路子當從那裏去，自家也從那裏去；文路子不從那裏去，自家也不從那裏去。須尋文路子在何處，衹挨着理了行”(《朱子語類》卷六)。“有理必有則”，人及萬物循自然天成的理則而存在、發展，便自然形成各自的存在秩序。這種理則、秩序是不可變更的，“萬物皆有理，順之則易，逆之則難，各循其理，何勞於己力哉？”“天理如此，豈可逆哉？”(《遺書》卷十一)

對人這一物來說，其理則便是仁義禮智，“所謂天理，復是何物？仁義禮智豈不是天理？君臣父子兄弟夫婦朋友豈不是天理？”(《朱子文集》卷五十九)“夫有物必有則。父止於慈，子止於孝；君止於仁，臣止於敬。萬物庶事，莫不各有其所”(《二程遺書》卷十一)。故“禮即是理也”(《二程遺書》卷十五)。可見，仁義禮智對人來說衹是一種自然的理則。面對這種自然的理則，人衹要無爲而應循之，從而自然會出現人羣社會的秩序。這種自然的理則是中性的、自然化的，它超越了善惡的價值判斷。所以，行禮義並不是出於人性之善，而是出於自然理則之當然，如張載說：“不得已，當爲而爲之，雖殺人皆義也；有心爲之，雖善皆意也”，“徒善未必盡義”。(《正蒙·中正》)站在“理一分殊”的立場上看，仁義禮智是天人共有的大全之理在人這一物上的落實(即“得”)，“如月在天，衹一而已。及散在江湖，則隨處可見”(《朱子語類》卷九十四)。這正如“道”與“德”的關係一樣,“德是道在某一點上停留下來的”(馮友蘭《先秦道家哲學主要名詞通釋》,見《老子哲學討論集》頁 103,中華書局 1959 年版)。仁義禮智在理學的框架中,正相當於道家所説的“德”。而“德”自然是非人爲、非善惡的。

理學認爲,作爲一物的人,其存在的理則、秩序與萬物存在的理則、秩序,都是天成於天人共有的大全之理,即“天地祇一道也”,“物我一理”。(《遺書》卷十八)所以,“纔通其一,則餘皆通”,“纔明彼即曉此”(同上)。理學由此認定,要顯現、促進人羣社會的理則、秩序,必須從顯現自然萬物的理則、秩序開始,要“齊家治國平天下”,必須先從“格物致知”開始,由“明於庶物”而“察於人倫”,這就如道家主張的要“治人”就必須先“事天”。這就是説,人羣社會秩序的維繫,祇不過是沿循天地自然之秩序的結果。

綜上所見,斷定“理學依照於道家的天成秩序觀,把禮義人倫自然化、無爲化”的理由有如下三點:一是在理學看來,人羣社會的理則、秩序與天地萬物的理則、秩序是同道一理的,兩者之間并不具有質的區别;二是在理學看來,人羣社會的理則、秩序是自然天成、不可增減更改的,人祇要無爲而應循之即可;三是在理學看來,人羣社會的理則、秩序的顯現,須經由體認自然萬物的理則秩序來完成。這些都使理學的人倫觀退去了先秦儒家人倫觀的人爲色彩與善惡評判的價值論色彩,從而趨近道家的自然、無爲、中性的人倫觀。

三、理學依照於道家的“明鏡説”,建立“内聖外王”的理論體系

在老子哲學中,作爲境界意義的“道”的顯現,即是萬物一體澄明的存在。萬物存在的一體澄明有待於萬物各復歸其根。而人祇有息欲爲、任物自然,“致虛極,守靜篤”,纔能體察到這種狀態。“道”即是人以息靜無爲的心態所體會到的萬物間充滿秩序、寧靜

一體的境界。"道"的境界的顯現當然並不是指在自然界中顯現出一種萬物澄明一體的風光。老子說萬物復歸其根,並不是對物進行調整,而是對人加以調整,是"就人的內在主體性、實踐性這一方向作復歸,人心原本清淨圓滿,因後天種種欲望與知識而被騷亂,故應舍棄人欲以復歸其原本的清淨圓滿"(福永光司《老子》,轉引自陳鼓應《老子注譯及評介》)。人心如一明鏡,拭去蒙蔽於其上的塵污——欲爲,也就復原爲清淨圓滿,以此清淨圓滿之心去觀照自然萬物,萬物存在之自然性、秩序性也就映現其中,澄明的秩序性顯現出萬物的整體性、貫通性。

在莊子哲學中,"道"也是指以虛靜之心映照萬物時所顯現的萬物一體的境界。莊子說:"唯道集虛,虛者,心齋也"(《人間世》),爲了體道,必須虛心息欲,即"心齋"。虛之心可集道於懷,因爲虛之心若明之鏡,逍萬物而使萬物不逍,"無爲名尸,無爲謀府,無爲事任,無爲知主。……至人之用心若鏡,不將不逆,應而不藏,故能勝物而不傷"(《應帝王》)。心靜欲無,則可應天地萬物之大化,體萬物化一之道境,如莊子說:"水靜則明,燭鬚眉,平中準,大匠取法焉。水靜猶明而况精神乎! 天地之鑒也,萬物之鏡也"(《天道》)。

儘管老莊之"道"不盡相同,但他們的體道方式都可稱爲"明鏡說"。其特點有二:一是强調以虛靜之心去體察萬物的貫通一體,從而顯現"道"的境界:二是"道"的境界并没有與具體的事象世界相脱節,"道"的境界即是天地萬物的一體貫通,"道"的境界并不是經過否定各具體有限存在物而獲得,而衹是因包涵了它們從而超越了它們。《莊子·天下》言稱老子之說"以空虛不毀萬物爲實",因爲在老子哲學中,虛靜澄明的"道"境雖是對各具體有限存在物的超越,但其恰有賴於各具體有限存在物的"自賓"、"自化"、"自正"。形而下層面的澄明,即是貫通的形而上之境。

理學就是依照了道家"明鏡說"的上述兩個特點,而建立起"內聖外王"理論體系的。

理學家說的"存天理,去人欲"的落實功夫就是"格物"。爲什麽

“格物”可以去人欲？因爲人欲是產生於人與物的相對待，人物相形，便有物欲。人一旦面對着物的世界，便有非分之心想去逐物、佔有物。這是由於人没有認識到人與物及物與物之間固有的“分”、“理”。從而人便大膽妄爲，不知“止”、“定”。人若瞭解了“分”與“理”，便知“止”與“定”，便不會生出物欲。“格物窮理”正可以使人認識到天地萬物固有的、不可增減衹可嚴格遵循的理則性分，從而循理而行，有“止”有“定”，免除物欲。伊川云：“格，至也，言窮至物理也”（《遺書》卷二十二上），“須窮極事物之理到盡處，便有一個是，一個非，是底便行，非底便不行”（《朱子語類》卷十五）。這就是知至而知止，“知止而後有定，衹看此一句，便了得萬物各有當止之所；知得，則此心自不爲物動”（《近思錄·爲學大要》）。不逐物而是應於物，“廓然大公，物來順應，上不淪於空寂，下不累於物欲”（《朱子語類》卷十五）。

理學認爲，人心本是虛明的，衹爲物欲所蔽而顯偏暗，若格物窮理知至知止行定欲去，則可復顯虛明之心。“所謂‘明明德’者，是就濁水中揩拭此珠也”（《語類》卷四）。“揩拭”即是格物窮理去人欲。“今日格一物，明日格一物，正如游兵攻圍撥守，人欲自消鑠去”（《語類》卷十二）。“須是去物欲之蔽，則清明而無不知；窮事物之理，則脱然有貫通處”（《語類》卷九十九）。“至於用力之久，而一旦豁然貫通焉。則衆物之表裏精粗無不到，而吾心之全體大用，無不明矣”（《大學章句補格物傳》）。復明了心中所具之萬理，即實現了“内聖”。可見，理學所説的“格物窮理”，實爲去物欲、私欲而實現“内聖”的功夫，馮友蘭先生指出：“朱子所説格物，實爲修養方法，其目的在於明吾心之全體大用”（《三松堂全集》卷三頁 333）。

由上述所論可見，理學實現“内聖”的道路正是道家體“道”的道路。理學認定人心虛明足具萬理，認定要實現“内聖”就必須去欲爲，通過“格物”的功夫消除澄明之心的遮蔽物——欲爲，從而體察到貫通一體的理世界。這貫通一體的理世界映現於無遮蔽物的澄明之心中，這是典型的道家的“明鏡説”。

實現了“内聖”,爲什麼可進一步致“外王”?因爲理學采納了道家的“天成秩序觀”,把人羣社會秩序與自然萬物秩序等質同體而觀。自然萬物之理與人羣社會之理都是“理一分殊”的結果,都是與人内心中的大全之理一脈相通的。人以澄明之心體察到貫通一體的理世界之後,人之應事接物衹是循理、推理而行,而其循理、推理之所行不僅指應物順物,而且指“修齊治平”。這應算是“順理成章”的事情,如朱子説:“致知、格物,是窮此理;誠意、正心、修身是體此理;齊家、治國、平天下,衹是推此理”。“自明明德至於治國、平天下,如九層寶塔,自下至上,衹是一個塔心。四面雖有許多層,其實衹是一個心。明德、正心、誠意、修身,以至治國、平天下,雖有許多節次,其實衹是一理。須逐一從前面看來,看後面,又推前面去”(《語類》卷十五)。

實現了“内聖”,爲什麼必須進一步致“外王”?因爲理學的形而上的理世界也如道家的形上世界一樣,是没有與具體的事象世界相脱節的,這是道家“明鏡説”的一個重要特點。朱子説:“吾儒言雖虚而理則實;若釋氏則一向歸空寂了”(《語類》卷一百二十六)。“釋氏自謂識心見性,然其所以不可推行者何哉?爲其於性與用分爲兩截也”(《語類》卷一百二十六)。因爲理學的“内聖外王”之論與道家的“明鏡説”暗通,故理學家雖表面上反對老氏,但對老氏之評論卻仍不乏褒詞,如朱子説:“禪學最害道。莊老於義理絶滅猶未盡”。“謙之問:‘佛氏之空,與老子之無一般否?’曰:‘不空佛氏衹是空豁豁然,和有都無了,所謂終日喫飯,不曾咬破一粒米;終日著衣,不曾挂着一條絲。若老氏猶骨是有,衹是清淨無爲,一向憑地深藏固守,自爲玄妙,教人探索不得,便是把有無做兩截看了”(《朱子語類》卷一百二十六)。正因爲强調本末一理、有無一體,所以,論性理的理學必然是要“經世”的,“就日用常行中着衣喫飯,事親從兄,盡是問學”(《語類》卷八)。窮理盡性必須從“眼前底”着手,若實現了“内聖”而不進一步就眼前底平實物事處經世致用,開出“外王”,則將如釋氏一般“一向歸空寂了”。

從理學采納了道家的"明鏡説"而建立起"内聖外王"理論這一事實來看,其與先秦儒學的區别在於重新調整了對形上之境的追尋方式,即從對外在的人倫道德規範的踐履,轉向對内在的本明之心的體認,由道德實踐爲先,轉爲心性修養爲先。這種變化,愈益明顯地表現了理學的道家化發展。

最後簡要説明一下儒學發展到理學的階段,爲什麽要走道家化的道路。

先秦之後,人性善理論出現了變化。這種變化表現爲思想家們都趨於主張多種成分並存的人性論,如"性三品"(董仲舒)、"性無善無惡"(揚雄)、"性三等"(王充)、"天地之性"與"氣質之性"並存(理學家)。朱子一方面把孟子性善論作爲道統之正宗,另一方面卻讚揚横渠提出"天地之性"與"氣質之性"的區别是"極有功於聖門"的。爲什麽説"極有功於聖門"?因爲理學家此時必須正視到情欲在人的日常生活中存在的事實,必須正視到情欲的存在對先秦儒家的性善論所構成的威脅。人性論的内容發生了變化,那麽,如何對待人性中的另一面——情欲、"氣質之性",便作爲一個重要問題擺到了理學的面前。

道家的人性論一方面既在理想層面(源頭處)肯定了人心本虚明,另一方面也在事實層面承認了人欲的存在。理學一方面可以通過道家的虚明之心來容涵萬理,以此來確認人的"天地之性",從而與正統的儒學性善論不相衝突。另一方面,道家基於心本明之上的一套去人欲的静修方法正可爲克服人性中的情欲找到途徑。理學采納道家的人性論,正可收到兩全其美的效果。

"人爲"與"自然"的對立,是先秦儒道兩家相爭的焦點問題。事實上,先秦儒家也并不承認存在有"人爲"與"自然"的對立。因爲其把仁義禮智設定爲人性的基本内涵,從而推行仁義禮智不僅不是對人性自然的扭曲,反而是人性發展的自然完成。但顯而易見,儒家在作這種設定和推論時,犯了循環論證的錯誤,其終究無法解開

“人爲”與“自然”的矛盾。所以,儒學的進一步發展必須正視這一問題。

道家的“天成秩序觀”無疑提供了一條解決這一問題的路徑,它在把人羣社會的秩序規範自然化的同時,也就使推行人倫無爲化了,從而取消了“人爲”與“自然”的對立。但事實上還存在着兩個問題。第一,人羣社會秩序爲什麼可以天成於自然萬物的秩序?爲回答這個問題,理學還得像道家那樣主張人也衹是萬物中的一份子,人與萬物可以等質同體而觀,以此破除人爲萬物之靈的觀念,確立人羣社會秩序與自然萬物秩序等質同體的思想。第二,人爲什麼可以體察到天地萬物人羣自然的天然秩序?爲回答這個問題,理學在采納道家“天成秩序觀”的同時,還得一並接受道家的“明鏡説”,借以説明人心是本明的,説明人心是自然可以體察到萬物間的理序的。至於人心爲什麼是本明的,則存而不論,衹好把人心本明視爲一種合“理”的設定。

理學在儒學外觀之下,無不透露出道家的體態、風骨與氣質。如果説理學是一種儒道互補的理論,那麼,這種儒道互補的實質是以道家思想闡釋儒家思想。

作者簡介 吴重慶,1964年生,福建莆田人,1991年在中山大學獲哲學博士學位。現爲廣州市社會科學院哲學文化所助理研究員。

道教與楊朱之學的關係

李養正

内容提要　本文依據散見於魏晋前古籍中有關楊朱學說的一些資料，論述楊朱思想對後世道教的影響。認爲道教吸取楊朱"重生"思想爲其根本教義；吸取"全性保真"、"我命由我"思想以爲其清修之基本守則；吸取"外物傷生，勿爲物累"思想爲制定規戒的理論依據。由於儒家扭曲并排斥楊朱，使得道教對楊朱思想素少直接宣揚，以避攻擊，實際上楊朱思想實爲道教義理主要源泉之一。

戰國時代，後於墨翟而前於列、莊、孟的，有楊朱學說興起。雖曾言盈天下，卻無著述流傳；或有著述，而至漢已亡。關於楊朱其人及楊朱之言論，在先秦兩漢古籍中雖有所記述，但一鱗半爪，零零散散，不成系統。故歷來學術界對楊朱生平、記述楊朱之言論的篇章之真僞，以及楊朱思想之正旨、社會價值等等，不免惝恍迷離，産生許多爭論。特别是在如何對待人生的態度上，自唐柳宗元作《辨列子》，懷疑《列子·楊朱篇》爲楊朱之言後，學術界頗多以《列子·楊朱篇》所述楊朱"唯貴放逸"的主張，與戰國、秦漢時代《莊子》、《韓非子》、《呂氏春秋》、《淮南子》等所述楊朱"貴己"、"保真"、"爲我"的主張迥然乖背。疑前後爲兩人之言，非一家之說。或謂"貴己"、"保真"、"爲我"乃戰國楊朱學說之正旨；而《列子·楊朱篇》乃僞書，"逸生"乃魏晋玄學清談和門閥貴族放蕩縱欲的曲折反映。關於對"楊朱"的辨議情況，《古史辨》第四卷下編中有較爲集中的記載。筆者本章的任務，僅在於論述歷史上楊朱思想（不論是戰國的

“楊朱”,還是東晉的“楊朱”)對道教的影響。故而對那些精細的考證,衹略述看法,而不作議論。

首先,我們有必要弄清楚戰國及秦漢時期有哪些有關“楊朱”的記載?魏晉以後又出現哪些有關“楊朱”的記載?歷史資料擺清楚了,我們纔能言之有據,依據立論;否則,汎汎而談,任意伸屈,亦會使讀者茫茫然莫知所宗。

(一)戰國時期古籍中之楊朱

《孟子·滕文公》:“聖王不作,諸侯放恣,處士橫議,楊朱墨翟之言盈天下,天下之言,不歸楊則歸墨。楊氏爲我,是無君也;墨氏兼愛,是無父也。無父無君,是禽獸也。……楊墨之道不息,孔子之道不著,是邪説誣民,充塞仁義也。……吾爲此懼,閑先聖之道,距楊墨,放淫辭,邪説者不得作。……能言距楊墨者,聖人之徒也。”

《孟子·盡心》:“楊子取爲我,拔一毛而利天下,不爲也。墨子兼愛,摩頂放踵,利天下,爲之。”“逃墨必歸於楊,逃楊必歸於儒,歸斯受之而已矣。今之與楊墨辯者,如追放豚,既入其苙,又從而招之。”

《莊子·應帝王》:“陽子居見老聃,曰:‘有人於此,嚮疾强梁,物徹疏明,學道不勸。如是者,可比明王乎?’老聃曰:‘是於聖人也,胥易技係,勞形怵心者也。且也虎豹之文來田,猨狙之便來藉。如是者,可比明王乎?’陽子居蹵然曰:‘敢問明王之治。’老聃曰:‘明王之治:功蓋天下而似不自己,化貸萬物而民弗恃;有莫舉名,使物自喜;立乎不測,而游於無有者也。’”

《莊子·駢拇》:“駢於辯者,纍瓦結繩,竄句棰辭,游心於堅白同異之間,而敝跬譽無用之言,非乎?而楊墨而已。故此皆多駢旁枝之道,非天下之至正也。”

《莊子·胠篋》:“削曾、史之行,鉗楊、墨之口,攘棄仁義,而天下之德始玄同矣。……彼曾、史、楊、墨、師曠、工倕、離朱,皆外立其德而以爚亂天下者也,法之所無用也。”

《莊子・天下》:“而楊、墨乃始離跂,自以爲得,非吾所謂得也。夫得者困,可以爲得乎?則鳩鴞之在於籠也,亦可以爲得矣。”

《莊子・山木》:“陽子之宋,宿於逆旅。逆旅人有妾二人,其一人美,其一人惡,惡者貴而美者賤。陽子問其故,逆旅小子對曰:‘其美者自美,吾不知其美也;其惡者自惡,吾不知其惡也。’陽子曰:‘弟子記之!行賢而去自賢之心,安往而不愛哉!’”

《莊子・徐無鬼》:“莊子曰:‘然則儒、墨、楊、秉,與夫子爲五,果孰是邪?……’惠子曰:‘今夫儒、墨、楊、秉,且方與我以辯,相拂以辭,相鎮以聲,而未始吾非也,則奚若矣?’”

《莊子・寓言》:“陽子居南之沛,老聃西游於秦,邀於郊,至於梁而遇老子。老子中道仰天而嘆曰:‘始以汝爲可教,今不可也。’陽子居不答。至舍,進盥漱巾櫛,脱屨户外,膝行而前曰:‘向者弟子欲請夫子,夫子行不閒,是以不敢。今閒矣,請問其過。’老子曰:‘而睢睢盱盱,而誰與居?大白若辱,盛德若不足。’陽子居蹴然變容曰:‘敬聞命矣!’其往也,舍者迎將,其家公執席,妻執巾櫛,舍者避席,煬者避竈。其反也,舍者與之爭席矣。”

《荀子・王霸篇》:“楊朱哭衢涂曰:‘此夫過舉蹞步,而覺跌千里者夫!’”

《韓非子・顯學篇》:“今有人於此,義不入危城,不處軍旅,不以天下大利易其脛一毛。世主必從而禮之,貴其智而高其行,以爲輕物重生之士也。”

《韓非子・説林》:“楊子過於宋東之逆旅,有妾二人,其惡者貴,美者賤。楊子問其故,逆旅之父答曰:‘美者自美,吾不知其美也;惡者自惡,吾不知其惡也。’楊子謂弟子曰:‘行賢而去自賢之心,焉往而不美。’”“楊朱之弟楊布,衣素衣而出,天雨,解素衣,衣緇衣而反,其狗不知而吠之。楊布怒,將擊之。楊朱曰:‘子毋擊也。子亦猶是。曩者使汝狗白而往,黑而來,豈能無怪哉!”

《韓非子・六反》:“楊朱、墨翟天下之所察也。於世亂而卒不決，雖察而不可以爲官職之令。”

(二)秦漢古籍中的楊朱

《呂氏春秋・不二》:“老聃貴柔。孔子貴仁。墨翟貴廉。關尹貴清。子列子貴虛。陳騈貴齊。陽生貴己。孫臏貴勢。王廖貴先。兒良貴後。”

《淮南子・氾論訓》:“夫弦歌鼓舞以爲樂，盤旋揖讓以修禮，厚葬久喪以送死，孔子之所立也，而墨子非之。兼愛尚賢，右鬼非命，墨子之所立也，而楊子非之。全性保真，不以物累形，楊子之所立也，而孟子非之。趨捨人異，各有曉心。”

《淮南子・説林訓》:“楊子見逵路而哭之，爲其可以南可以北；墨子見練絲而泣之，爲其可以黄可以黑。趍舍之相合，猶金石之一調，相去千歲，合一音也。”

《淮南子・俶真訓》:“百家異説，各有所出，若夫墨、楊、申、商之於治道，猶蓋之無一橑，而輪之無一輻，有之可以備數，無之未有害於用也。”

《説苑・政理》:“楊朱見梁王言:‘治天下如運諸掌然。’梁王曰:‘先王有一妻一妾不能治，三畝之園不能芸，言治天下如運諸掌，何以?’楊朱曰:‘臣有之。君不見夫羊乎? 百羊而羣，使五尺童子荷杖而隨之，欲東而東，欲西而西。君且使堯牽一羊，舜荷杖而隨之，則亂之始也。臣聞之，夫吞舟之魚不游淵，鴻鵠高飛不就污池，何則? 其志極遠也。黄鍾大呂，不可從繁奏之舞，何則? 其音疏也。將治大者不治小，成大功者不小苛，此之謂也。”

《説苑・權謀》:“楊子曰:‘事之可以之貧，可以之富者，其傷行者也。事之可以之生，可以之死者，其傷勇者也。’僕子曰:‘楊子智而不知命，故其知多疑。’語曰:‘知命者不惑，晏嬰是也。’”

《揚子法言・五百》:“莊、楊蕩而不法，墨、晏儉而廢禮，申、韓險而無化，鄒衍迂而不信。”

(三)《列子·楊朱篇》

《列子》一書,學者多疑其僞。他篇姑且毋論,《楊朱篇》我以爲是保存了楊朱(及其後學)的思想的。《楊朱篇》引楊朱之言甚多,這裏僅摘錄其中所述"楊朱"思想的重要言論。楊朱曰:"百年,壽之大齊。得百年者千無一焉。設有一者,孩抱以逮昏老,幾居其半矣。夜眠之所弭,晝覺之所遺,又幾居其半矣。痛疾哀苦,亡失憂懼,又幾居其半矣。量十數年之中,逌(油)然而自得,亡介焉之慮者,亦亡一時之中爾。則人之生也奚爲哉?奚樂哉?爲美厚爾,爲聲色爾。而美厚復不可常厭足,聲色不可常玩聞。乃復爲刑賞之所禁勸,名法之所進退;遑遑爾競一時之虛譽,規死後之餘榮,偊偊爾順耳目之觀聽,惜身意之是非;徒失當年之至樂,不能自肆於一時。重囚累梏,何以異哉?太古之人知生之暫來,知死之暫往;故從(縱)心而動,不違自然所好;當身之娛非所去也,故不爲名所勸。從(縱)性而游,不逆萬物所好;死後之名非所取也,故不爲刑所及。名譽先後,年命多少,非所量也。""楊朱曰:萬物所異者生也;所同者死也。生則有賢愚、貴賤,是所異也;死則有臭腐、消滅,是所同也。……生則堯舜,死則腐骨;生則桀、紂,死則腐骨。腐骨一矣,孰知其異?且趣當生,奚遑死後?""可在樂生,可在逸身。故善樂生者不窶,善逸身者不殖(貨殖)。""楊朱曰:伯成子高不以一毫利物,舍國而隱耕。大禹不以一身自利,一體偏枯。古之人損一毫利天下不與也,悉天下奉一身不取也。人人不損一毫,人人不利天下,天下治矣。""但伏羲已來三十餘萬歲,賢愚、好醜、成敗、是非,無不消滅,但遲速之間耳。矜一時之毀譽,以焦苦其神形,要死後數百年中之餘名,豈足潤枯骨,何生之樂哉?""智之所貴,存我爲貴;力之所賤,侵物爲賤。然身非我有也,既生,不得不全之;物非我有也,既有,不得而去之。身固生之主,物亦養之主。雖全生,不可有其身;雖不去物,不可有其物。有其物,有其身,是橫私天下之身,橫利天下之物。不橫私天下之身，不横私天下物者，其唯聖人乎！公天下之身，公天下之物，其唯至人矣！此之謂至至者也。”“楊朱曰：生民之不得休息，爲四事故：一爲壽，二爲名，三爲位，四爲貨。有此四者，畏鬼，畏人，畏威，畏刑，此謂之遁民（違反自然之性的人）也。可殺可活，制命在外。不逆命，何羨壽？不矜貴，何羨名？不要勢，何羨位？不貪貨，何羨貨？此之謂順民也。天下無對，制命在内。”“楊朱曰：‘豐屋美服，厚味姣色。有此四者，何求於外？有此而求外者，無猒之性。無猒之性，陰陽之蠹也。忠不足以安君，適足以危身；義不足以利物，適足以害生。安上不由於忠，而忠名滅焉；利物不由於義，而義名絶焉。君臣皆安，物我兼利，古之道也。’”

古代典籍中的“楊朱”，大致如上述。我們現在探討道教與戰國時代楊朱學説的關係，上述資料是可以引以爲據的。

關於“楊朱”其人，上述資料有陽生、楊子、楊朱、楊子居、楊子取等稱謂，據《古史辨》第四卷下編鄭賓於《楊朱傳略》考證，斷定爲“姓楊（或作陽）名朱，字子居（或作子取）”，並斷定爲秦人。關於楊朱的生卒年代，我以爲必晚於墨翟，而前於孟軻，《古史辨》卷四下編門啓明《〈楊朱篇〉和楊子之比較研究》斷定“他生卒年代的約數，當是公元前 450 至前 370（即周貞定三十五年至周烈王六年）之間”，我贊成這個推斷。

關於楊朱的學術思想，在戰國時代確曾獨樹一幟，與儒墨相抗衡，術道之莊周，宗儒之孟軻皆曾加排斥與攻擊，大概正因爲這種非議的影響，使後世學者望而止步；更加之秦皇焚書，漢武獨尊儒家，因而秦漢時即銷聲匿跡。但這并不等於其學説及影響之亡絶，衹不過沉隱民間而已，至東晉而又由張湛作注復行於世（指《列子·楊朱篇》）。張湛《列子序》中説《楊朱篇》爲“僅有存者”之一，我以爲這不是编造之詞。

關於楊朱學説，歷來或以其源出《老子》（如《老子》第十三章：“貴以身爲天下，若可寄天下。愛以身爲天下，若可託天下。”），較近於道家，而勉强歸入道家；或以其與《老子》思想并非完全一致，老子貴柔而楊朱貴己，且又爲莊周所斥，不歸入道家；大多以“楊朱”起於老、儒、墨之後，確實是獨樹一幟，“楊朱”乃自成一家。歸納楊朱言論，其思想中心實爲“貴己”，或曰“爲我”。後世多斥楊朱之説“自私”、“頹廢”、“墮落”，其實楊朱之言，有其時代性質。春秋晚期和戰國早、中期，孔子倡導“天下爲公”，言不離仁義，墨子倡導“兼愛”，“摩頂放踵”以爲天下；而諸侯紛爭，相互侵略、損以利己，君王厚生而致使臣民輕死，貴公貴仁之説，已成虛僞之談。楊朱憤世而倡導“貴己”之説，“古之人，損一毫利天下，不與也；悉天下奉一身，不取也。人人不損一毫，人人不利天下，天下治矣。”又説：“善治外者，物未必治；善治内者，物未必亂。以若之治外，其法可以暫行於一國，而未合於人心；以我之治内，可推之於天下。”人人治内貴己，互不侵損，人人自重自愛，不就各安其所，天下治理了嗎？從“貴己”出發，楊朱造構了他的學説：(一)、論生死：有生便有死，人人皆如是。生有賢愚、貧賤之異，而死皆歸爲腐骨，堯舜與桀紂没有不同。(二)、貴己：己身之最貴重者莫過生命，生難遇而死易及，這短促的一生，應當萬分貴重，要樂生，一切以存我爲貴，不要使他受到損害，去則不復再來。(三)、全性保真：所謂全性，即順應自然之性，生既有之便當全生，物既養生便當享用之，但不可逆命而羨壽，聚物而累形，祇要有“豐屋美服，厚味姣色”滿足生命就夠了，不要貪得無厭，不要爲外物傷生。所謂保真，就是保持自然所賦予我身之真性，自縱一時，勿失當年之樂；縱心而動，不違自然所好；縱心而游，不逆萬物所好；勿矜一時之毁譽，不要死後之餘榮；不羨壽、不羨名、不羨位、不羨貨，乃可以不畏鬼、不畏人、不畏威、不畏刑，保持和順應自然之性，自己主宰自己的命運。我以爲楊朱之正旨爲此。

後世道教推祖“老子”，視道家學派爲“本家”，而楊朱既不屬道家，且莊周斥楊朱；又且楊朱無著述傳世，即使曾有著述，而《漢書·藝文志》已不見著錄，早已亡佚，而後世道教又何得而與楊朱學説相聯繫？蓋楊朱雖無著述流傳，而《莊子》中之《繕性》、《讓王》等篇,《吕氏春秋》中之《貴生》、《不二》、《執一》等篇,《淮南子》中《精神訓》、《道應》、《詮言》、《氾論》等篇,以及《韓非子》、《説苑》、《法言》等古籍中均記述或發揮有"楊朱"思想,道教便是從這些古籍中吸取楊朱思想。主要表現在:

(一)道教以"貴生"爲根本教義之一。

道教義理,首重"生"字,反復演説求生、好生、樂生、重生、貴生、養生、長生之道。可以説道教教義離不開這個"生"字,它是道教義理的中心。檢閲道教圍繞"生"講的義理,在貴生的範圍内與楊朱之言極爲相似,幾乎讀道教談"生"的經書,每每就會聯想起楊朱之言。如道教最早的經典《太平經》、《老子想爾註》,便强調重生、貴生:

人最善者,莫若常欲樂生,汲汲若渴,迺後可也。(《太平經合校》卷四十)

夫人死者乃盡滅,盡成灰土,將不復見。今人居天地之間,從天地開闢以來,人人各一生,不得再生也。自有名字爲人。人者,凡中和凡物之長也,而尊且貴,與天地相似;今一死,乃終古窮天畢地,不得復見自名爲人也,不復起行也。(《太平經合校》卷九十)

公乃生,生乃大。

道大、天大、地大、生亦大,域中有四大,而生居其一焉。

多知浮華,不知守道全身,壽盡輒窮;數數,非一也,不如學生。(《老子想爾註》)

至晉代,有《元始無量度人上品妙經》行世,此經明確提出"仙道貴生,無量度人"爲道教的首要教義,此經在明《正統道藏》中被尊爲首經,比《道德經》的地位更爲高出。南北朝以後所出經典,更多將"生"與"道"緊密聯結,"修道"與"養生"相依相守,成了二而一,一而二的事。如:

道不可見,因生以明之。生不可常,用道以守之。若生亡則道廢,道廢則生亡,生道合一,則長生不死。(《太上老君内觀經》)

一切含氣,莫不貴生,生爲天地之大德,德莫過於長生。(《太平御覽・道部・養生・太清真經》)

道人謀生,不謀於名。(《妙真經》)

人之所貴者生也,生之所貴者道也。(《坐忘論序》)

性者命之原,命者生之根,勉而修之。(《集仙錄》)

夫所謂道者,是人所以得生之理,而所以養生致死之由。修道者是即此得生之理,保而還初,使之長其生。(《天仙正理直論》)

道教的"貴生"教義,多所吸取楊朱思想,這是十分明顯的。

(二)"全性保真"是道教清修派的基本守則。

道教講究養生,幻求長生,談到己身之修煉,則處處不離"全性保真",亦即所謂修"性命"。道教認爲人之"性"有天賦之性與氣質之性,"命"有形氣之命與分定之命,"全性"所指的"性"乃是指天賦於人的純真、善良、樸質之心性。《性命圭旨》說:"何謂之性?元始真如,一靈炯炯是也。"養性纔能立命,性成始能命立。性之造化繫乎心,性受心役,故"全性"即保全天賦純真善良的心性。修道的基本途徑就在於全先天之善性、保先天之真性。衹有全性保真,纔能長生。道教經典中有關這方面的論說很多,如:

孰觀物我,何疏何親?守道全生,爲善保真。世愚役役,徒自苦辛。(《太上老君内觀經》)

治生之道,慎其性分,因使抑引,隨宜損益以漸,則各得適矣。

夫養性者,欲使習以成性,性自爲善,……性既自善,而外百病皆悉不生,禍亂不作,此養性之大經也。(《黃帝中經》)

道性無生無滅,無生無滅,故即是海空。海空之空,無因無果。無因無果,故以破煩惱。(《雲笈七籤》卷九十三《道性論》)

心爲道之器宇,虛靜至極則道居而慧生,慧出本性,非適今有。夫道者神異之物,靈而有性,虛而無象。(《坐忘論》)

所謂安樂,皆從心生,心性本空,云何修行?知諸法空,乃名安樂。

夫一切六道四生業性,始有識神,皆悉淳善,唯一不雜,與道同體。(《雲笈七籤》卷之九十五《仙籍語論要記》)

長生之本,惟善爲基。人生天地間各成其性。……夫明者伏其性以延命,暗者恣其欲以傷性。性者命之原,命者生之根,勉而修之。所以營生以養其性,守神以養其命。(《集仙錄》)

道教的全真派，尤以“全性保真”爲其宗旨。雖言性命雙修，而實以修性爲主。“全真”之名，實際即源出“全性保真，不以物累形”。金代王重陽創全真派，其《立教十五論》中第二條便要求“參尋性命”，第十條要求“緊肅理性於寬慢之中以煉性”，第十一條要求“修煉性命”。《重陽真人授丹陽二十訣》中解釋“性”說：“性者是元神”、“根者是性”等等。并説：“修者，真身之道；行者，是性命也。名爲修行也。”“真性不亂，萬緣不挂，不去不來，此是長生不死也”（見《重陽真人金關玉鎖訣》）。歸根到底，所謂修行，就是全性保真，使真性不亂而長生久視。全真派經書中言“性命”極多，如：

論煉性：理性如調琴弦，緊則有斷，慢則不應，緊慢得中，則琴可矣。又如鑄劍，鋼多則折，錫多則卷，鋼錫得中，則劍可矣。調煉真性者，體此二法，論超三界。（《重陽祖師論打坐》）

性定則情忘，形虛則氣運，心死則神活，陽盛則陰衰，此自然之理也。心不馳則性定，形不勞則精全，神不擾則丹結。然後滅情於虛，寧神於極，可謂不出户而妙道得矣。（《丹陽修真語錄》）

夫吾道以開通爲基，以見性爲體，以養命爲用，以謙和爲德，以卑退爲行，以守分爲功。久久積成，天光内發，真氣冲融，形神俱妙，與道合真。（《郝大通金丹詩與論》）

惟人也，窮萬物之理，盡一己之性，窮理盡性以至於命，全命保生，以合於道。當與天地齊其堅固，而同得長久。（《鍾呂傳道集·論大道》）

其修持大略以識心見性，除情去欲，忍耻含垢，苦己利人爲之宗。（《郝宗師道行碑》）

形依神，形不壞；神依性，神不滅；知性而盡性，盡性而至命。乃所謂虛空本體，無有盡時，天地有壞，這個不壞，而能重立性命，再造乾坤者也。（《性命圭旨·性命説》）

全真道的教義，在理論上實際上是闡發楊朱“全性保真”的思想。全真道雖曰“利人”，實則仍是“貴己”。如果説全真教義是楊朱思想之再現，我以爲這不是没有道理的。

（三）外物傷生，勿爲物累。

楊朱思想以存我爲貴，物可養生，故不可去物，而要享用之；但，雖不去物而不可有物，不可積聚物，"有"將累於"形"，外物傷生。道教亦倡說"虛其心"、"實其腹"，吃飽喝足就夠了，不要有過多聚斂財富的欲望，那是有害於生的。道教與楊朱思想實質上是相同的。這種認爲外物傷生，因而主張勿爲物累的思想，在道書中多所反映。如：

士能遺物，乃可議生。生本無邪，爲物所嬰，久久易志，志欲外，無能守以道爲貴生。(《太平御覽》卷六六八《道部・養生・黄老經》)

長生者，必其外身也，不以身害物；非惟不害而已，乃濟物忘其身，忘其身而身不忘，是善攝生者也。(《太清真經》)

神在則人，神去則尸，蓋由嗜欲亂心，不能忘色味之適。夫修其道者，在適而無累，和而常通。(《集仙籙》)

八音五色不至躭溺者，所以導心也。凡此之物，本以養人，人之不能斟酌，得中反以爲患，故聖賢垂戒。(同上)

道教貴"守和"、提倡"九守"，即守和、守神、守氣、守仁、守簡、守易、守清、守盈、守弱，所講教義，主要便是不以外物而累形傷生。

老君曰：輕天下即神無累，細萬物而心不惑，齊死生即意不懾，同變化即明不眩。……無爲即無累，無累之人，以天下爲量。(《雲笈七籤》卷九十一《九守・守仁第四》)

老君曰：尊勢厚利，人之所貪也，比之身即賤。故聖人食足以充虛接氣，衣足以蓋形蔽寒，適情辭餘，不貪多積。……故知養生之和者，即不可懸以利；通乎外內之府者，不可誘以勢。無外之外至大，無內之內至貴。(《守簡第五》)

老君曰：古之道者，理情性，治心術，養以和，持以適，樂道而忘賤，安德而忘貧，性有弗欲而不拘，心有弗樂而不有，無益於情者不以累德，不便於性者不以滑和，縱身肆意，度制可以爲天下儀。量腹而食，度形而衣，容身而游，適情而行。餘天下而弗有，委萬物而弗利，豈爲貴賤貧富失其性命哉。若然，可謂能體道矣。(《守易第六》)

著名道書《坐忘論》亦對這一教義有所闡發，說：

> 夫人之生也，必營於事物，事物稱萬，不獨委於一人。巢林一枝，鳥見遺於叢葦，飲河滿腹，獸不悋於洪波。外求諸物，内明諸己，已知生之有分，不務分之所無，識事之有當，不任非當之事，事非當則傷於智力，務過分則斃於形神，身且不安，何情及道？……於生無要用者并須去之，於生雖用有餘者亦須捨之，財有害氣，積則傷人，雖少猶累，而況多乎？

道教齋戒殊多，其思想亦多源發於“不以物累形”，認爲貪求外物則有害於生。

（四）制命在内，我命由我。

道教認爲外物傷生，人們過分追求名利聲色，違反自然之性，便會由外物牽着鼻子走，由外物支配自己的命運。如果能夠不去物、不有物，對外物需求適當，順自然之性，不逆命，不貪求，不羡名，不要勢，無求於外，對他人無所損害，自己亦無所畏懼，便能自己支配自己的命運，這叫做“制命在内”。道教煉養派自來主張“我命在我，不屬天地”，以己身煉養來取得延命長生。如《西昇經》曰：“老子曰：我命在我，不屬天地。我不視不聽不知，神不出身，與道同久。吾與天地分一氣而治，自守根本也。非效衆人行善，非行仁義，非行忠信，非行恭敬，非行愛欲，萬物即利來。常淡泊無爲，大道歸也。”

《太一帝君經》：“求道者使其心正，則天地不能違也。捨色累而不顧，避榮利而自遠，甘寒苦以存思，樂靜齋於隱垣，則學道之人，始可與言矣。”

《真誥》：“修於身，其德乃真。君子立身，道德爲任，清淨爲師，太和爲友，爲玄爲默，與道窮極，治於根本，求於未兆，爲善者自賞，爲惡者自刑，故不爭無不勝，不言無不應。”

《秘要訣法》：“夫道與神，無爲而氣自化，無慮而物自成，人於品匯之中，出於生死之表。故君子黜嗜欲，隳聰明，視無色，聽無聲，恬淡純粹，體和神清，希夷亡身，乃合至真。所謂返我之宗，復與道同，與道同者造化不能移，鬼神不能知，而况於人乎？”(《雲笈七籤》卷四十五)

《元氣論》：“仙經云：‘我命在我。’保精受氣，壽無極也。又云：‘無勞爾形，無搖爾精’。歸心靜默，可以長生。生命之根本決在此道。”

《悟真篇》：“一粒金丹吞入腹，始知我命不由天。”

道教吸取了楊朱思想，這是事實，但由於儒家斥楊朱，孟子罵楊朱爲“禽獸”，故千載以下，使楊朱在社會上名聲極壞，實際上那衹是儒家的偏激之見；但這便使得道教對楊朱素少直接宣揚，以避攻擊。而實際上楊朱思想已被道教吸融於其教義之中。

作者簡介　李養正，1925年生，湖北公安人。《中國道教》雜誌主編，中國道教學院副院長、研究員。

杜道堅的生平及其思想

卿希泰

内容提要 本文考察了南宋末至元代著名道教學者杜道堅的生平事迹，彌補了《四庫全書總目·文子纘義提要》的疏漏，着重介紹了杜道堅爲適應時代需要，提出以無爲而治爲核心的"皇道帝德"論，把道家思想與儒家修齊治平之説融合爲一。本文還簡要地分析了杜道堅的養生思想和修持理論以及它和當時道教南北宗的異同，指出它在道教思想發展史上的意義。

元代道士杜道堅，字處逸，自號南谷子，當塗采石人，晉杜預之後。據趙孟頫《松雪齋集》卷九《隆道冲真崇正真人杜公碑》載：其曾祖秉哲、祖竑、父時敏，并晦迹丘園，傳芳清閟。道堅幼即超邁，年十四，得異書於異人，即嗜老氏之學，決意爲方外游。十七歲，乃辭母去俗，寄迹於郡之天慶觀，著道士服，師石山耿先生。繼入茅山，披閱《道藏》，依中峰岩木，葺巢以居。宗師蔣宗瑛見而器之，授以大洞經法、回風合景之道。時丹陽謝道士玄風遠播，法海傍沾，道堅曳杖玄門，問道靖室，言而無隱。既又拂袖遠游，交納羽士名釋。後走義興，隱居張洞，三歷寒暑。咸淳(1265—1274)中，因承宣使入内都知鄧惟善等的引薦，南宋統治者度宗趙禥錫號輔教大師，并賜紫衣，主吴興計籌山昇玄報德觀，興玄學，建清規，百廢具舉，徒衆悦服。至元十三年(1276)，元兵南渡，所在震動，道堅冒矢石，叩軍門，見太傅淮安忠武王伯顔於故都，披膽陳辭，爲民請命。伯顔與語大悦，使馳驛入覲世祖忽必烈於上都。道堅一見世祖，便高談王道，世祖嘉其古直，屢賜恩光。尋奉旨乘傳江南，訪求遺逸賢哲有道之士，仍賜璽書護持。道堅退而上疏，首陳當世之務，言求賢、養賢、用賢之道，世祖嘉納之。至元十七年(1280)冬，奉璽書提點杭州路道教、住持宗陽宮。大德七年(1303)①，成宗復授杭州路道錄、教門高士，仍主宗陽宮，且領昇玄報德觀事。皇慶改元(1312)，仁宗宣授隆道冲真崇正真人，依舊住持杭州宗陽宮兼湖州計籌山昇玄報德觀、白石通玄觀。延佑五年(1318)正月卒，年八十有二。其弟子最著者有薛志亨、林德芳、姚志恭、周德方、張德懋、趙嗣祺、孫拱真等。

道堅生平喜交接名士，據任士林《松鄉集》卷一《通玄觀記》載："薊丘李衎、吳興趙孟頫、金華胡長孺，實與之游，執弟子禮。"足見當時的名流學者對他亦非常尊重。任士林本人與他亦有深交。除趙孟頫爲之撰《碑》外，任士林的《松鄉集》中有關杜道堅事迹的記載亦相當多，明朱石《白雲稿》卷三尚有《杜南谷真人傳》。而清代四庫館臣未經詳察，在《四庫全書總目》卷146《文子纘義提要》中竟稱其生平事蹟"始末無考"，並認爲"道堅當爲(南宋)理宗(1225—1264在位)時人，"顯然是一種疏漏。道堅晚年，致力於道教理論研究，曾在吳興計籌山白石頂創建通玄觀，並於觀中作攬古樓，聚書數萬卷，收容文士於其中，且著有《道德玄經原旨》四卷及《玄經原旨發揮》二卷，《通玄真經纘義》(即《文子纘義》)十二卷等。這些著作，《道藏》均有收錄。《四庫全書》的《文子纘義》係據《永樂大典》，缺《道原》、《十守》、《道德》、《上仁》、《上禮》等五篇，四庫館臣便認定是"修《永樂大典》之時，已散佚不完"，而不知《道藏》所收即爲全本，此乃又一疏漏。趙孟頫稱贊杜道堅的著述説："皆造理幽微，文含混厚，讀之者知大道之要，行之者得先聖之心，可謂學業淹深，文行俱備者矣。"雖不無過譽，但他對道教理論的發展，確有一定的貢獻。

杜道堅處於元蒙崛起、趙宋滅亡之際，目睹世運之興衰，生民

① 任士林《大護持杭州路宗陽宮碑》作於大德八年(1304)。

之塗炭，發憤著書，尋求治國救民之道，“探《易》《老》之賾，合儒道之說”，總結過去，以警未來，意在時主遵奉。其《原旨》與《發揮》成書於大德(1297—1307)間，《纘義》成書於至大(1308—1311)間，正是元蒙統治者統一中國、迫切尋求長治久安之道的時候，故他的這些著作的問世，也是適應了時代的需要。他在《纘義·自序》中說：“古之君天下者，太上無爲，其次有爲，是故皇以道化，帝以德教，王以功勸，伯以力率，四者之治，若四時焉。天道流行，固非人力之能强。然則時有可行，道無終否，冬變而春存乎歲，伯變而皇存乎君，此《文子》作而皇道昭矣。”這裏雖談的是《文子》，實際也就是他的自白。吳全節在爲《纘義》所作的《序》中便稱：“聖朝肇基朔方，元運一轉，六合爲家，洪荒之世，復見於今，南谷應運著書，以昭皇道，將措斯世於華胥之域，山林志士，不忘致君澤民之心，誠可尚矣。”這是一種恰當的評價。無論是他就《道德經》所撰的《原旨》和《發揮》，或者是他就《文子》所撰的《纘義》，莫不以政治學說爲中心，以所謂“皇道帝德”爲其宗旨。他認爲老子的《道德經》乃是一部無名的古史，意在闡明“皇道帝德”，永爲“時君世主”的龜鑒。他在《原旨》中說：“《玄經》之旨，本爲君上告。”並指出：“老聖作《玄經》，所以明皇道帝德也”(《道德玄經原旨》卷一)。在《發揮》中又稱：“老君著《玄經》以道德名者，尊皇道、尚帝德也。言道德，則王伯功力在焉。”並對此進一步闡述說：“老君之言，紀無始有始開天立極之道，太古上古皇道帝德之風，下至王之功、伯之力，見之五千文，囊括天人之道，上下幾千百代，歷歷可推，……殆一無名古史也，可以鑒萬世，可以綱維人極，可以優入聖域。老聖摭古史以著《道德》，孔聖摭魯史以作《春秋》，一也”(《玄經原旨發揮》卷下《原題章十》)。他明確地指出：“原老聖之意，諄諄以皇道帝德爲當世告者，正以王伯雜出，功力相尚，慮其所終，而民(無)所措，故欲破碎於渾全，回澆漓於淳樸，縱不能使是民爲九皇之民，獨不得少窺唐虞雍熙之化乎？……尊古聖人，所以尊時君世主；壽斯道，所以壽斯世也”(《玄經原旨發揮》卷下《原題章十》)。很明顯，這完全是借“老聖之意”來闡述他自己的本意,其"致君澤民之心",昭然若揭。他不僅借老子以立言,而且還借文子以立言。他認爲,"文子之書,前以皇起,後以霸終,其皇帝王霸之書也。"又說:"文子之書,萬世之龜鑒也。"這與他對《道德經》的看法完全一致。爲什麼杜道堅把老子與文子等量齊觀呢?正是由於他的原老與纘文,其目的是完全一致的。都是爲了"諄諄以皇道帝德爲當世告",以期爲當時的"時君世主"所采納。

老子的《道德經》,是以"道"爲核心而展開的,他把"道"看作是天地萬物的根源,認爲在天地萬物還没有産生之前早就有了"道",正是這個"道"的周行不殆,陰陽相感才産生了天地萬物和人。杜道堅在闡述"老聖原旨"時,也首先抓住了"道"這個核心加以發揮。他把"道"視爲與"無極"意義相同的一個範疇。他在《道德玄經原旨》卷一闡述"致虚極"的"原旨"時說:"萬物之先有天地,天地之先有太極,太極之先至虚至静,有一未形者在,此其爲天地之根也。然不曰致太極而曰致虚極者,虚極即無極矣。"在同書卷三闡述"道生一、一生二,二生三,三生萬物"的"原旨"時又說:"'道生一',無極而太極也;'一生二',兩儀生焉;'二生三',三才立而萬物生也,是謂'三生萬物'。'萬物負陰而抱陽,冲氣以爲和',天陽地陰,二氣交感,妙合而凝,一點中虚,乃成中和,純粹至精者爲人,雜燥不正者爲物,人物賦形,前頫後傴,負陰抱陽之象也。兼三才而兩之者在我矣,致中和,天地位,萬物育,正斯道也。"在卷四闡述"人之生也柔弱,其死也剛强"一章的"原旨"時又說:"豈惟人哉,物莫不然。……其所以生、所以死,本乎陰陽二氣而已,二氣本乎太極之一氣,一氣本乎無極之太虚。《經》云:'天下萬物生於有,有生於無',在《易》則曰:'易有太極,是生兩儀',易無而極有。知易無而極有,則知易無極也。'易有太極',得不謂'無極而太極'乎?太極,乃物初混淪之一氣;無極,即太極未形之太虚。"這樣便把老子所謂的虚無之道,歸結爲自然無極之道,並與易的含義相通。他在《玄經原旨發揮·先天章一》中更明確地說:"先天,先天而天者也,其虚無自然無極之道乎。老子曰:'無名天地之始',曰:'道生一,一生二',是皆形容先天之道,可以意會,而不可以言象求也。《易》曰:'易有太極,是生兩儀',易,太易也,道也,無極也。'易有太極','道生一'也;'一生二','太極生兩儀'也。"因此,他認爲《周易》和《老子》是完全一致的。他在卷一闡述"三十輻"章的"原旨"時說:"道言有無,易言動靜,一也。明道之無,則見易之靜;明易之動,則見道之有。"在卷三闡述"大成若缺"章的"原旨"又說:"易、老之道,同出而異名,道德演於墳典,易象則圖書,一皆觀天道以明人道者也。"在這裏,他明確提出了"天道"與"人道"的關係,天道即自然之道,人道即修齊治平之道。在卷一闡述"道可道"章的"原旨"時又說:"自'常無'以上言無道,以下言人道。人能觀天道而修人道,未有不入聖人之域者也。"表明了他探討"天道"的目的是要落實到"人道"上來。如何落實呢?他在卷二闡述"有物混成"章的"原旨"時對此指出:"人能仰觀俯察,近取遠求,由地而知天、知道、知自然,取以爲法,内而正心誠意,外而修齊治平,以至功成身退,入聖超凡,歿身不殆,是則可與此道同久也已。噫!焉得知自然者而與之言哉!惟知自然者則可與言道也。"以他所說的老子自然之道爲出發點,以儒家的修齊治平之道爲終結,把儒道之説融合爲一,以達到超凡入聖,與道同久,這就是他所追求的最高境界。不僅如此,他還常常把老子與孔子並稱,把《道德經》與《春秋》相配。他在卷三闡述"上德不德"章的"原旨"時說:"皇道降而爲帝德,帝德降而爲王之仁義,王之仁義降而爲伯之智力,智力降而爲戰國之詐亂,攘臂相仍,民不堪處,於是玄聖素王者出,《道德》著而理欲分,《春秋》作而名分定,辭雖不同,而旨則一焉。大丈夫有志當世,致君澤民,要不拘仕隱,修辭立誠,道在其中矣。"在這裏,杜道堅顯然是以孔老道統的繼承者自居,雖爲山林之士,卻是抱着"致君澤民"的宗旨而"修辭立誠"的。

杜道堅的皇道帝德論,是以無爲而治爲核心開展的。他在卷一闡述"太上下知有之"一章的"原旨"中說:"太古之世,巢居穴處,無賦斂征役之爲,無禮樂刑法之事,無典謨訓誥之言,下不知上之有君,上不知下之有民,熙熙自然,無爲而已。三皇既作,一畫既陳,書契罔罟耒耜舟車以教天下,天下始有爲矣。民蒙其利,天下親之。其次,五帝作而禮樂法度興焉,民獲其安,天下譽之。其次,啓攻有扈,湯放桀,武王伐紂,干戈斯張,天下畏之。其次,昭王南征,夷王下堂,平王東遷,請隧問鼎,天下侮之。此無他,上之人信有不足下,下之人信有不及於上矣。如唐堯之治,不識不知,而民無能名者,尚何言之可貴?"所以,在他看來,祇有上面的君主實行無爲而治,下面的老百姓才能"熙熙自然",在上者越是有爲,老百姓便越是不能安定,緊接着他在闡述"大道廢有仁義"一章的"原旨"時又繼續闡發說:"三皇出而大道廢,五常(帝)作而有仁義,三王興而智慧出,五伯起而有大僞,此承上章餘旨,發明皇道帝德,王伯智僞,世德下衰,益降益薄,而忠孝所由彰也。豈非天運流行,有不容不爾者乎?噫!玄古以下,吾不得而考也,如陶唐之世,比屋可封,孰爲忠臣,孰爲孝子者哉?……故親和則孝之名隱,而孝未嘗不在也;世治則忠之名晦,而忠未嘗不在也。嗚呼!忠孝彰彰於天下,則仁義失而詐僞起,其去皇風益遠矣。"因此,他在闡述"絶聖棄智"章的"原旨"時明確提出:"當上推帝皇,思復古道,外見純素,内包淳樸,正己於上,以勸其下,借曰不能無私無欲,庶幾少私寡欲,不爲盜賊之行矣,民利既足,孝慈可復也。"在這裏,他所鼓吹的"太古之世"或"陶唐之治",祇不過是一種復古主義的幻想,違背了社會發展的客觀規律,顯然是行不通的。但其中要求人主首先"正己於上",以身作則,去掉自己的私欲,即使不能做到"無私無欲",至少也應"少私寡欲",則包含着一定的合理因素。他在卷一闡述"五色令人目盲"章的"原旨"時,更詳細地闡明了君主以身作則的重大意義。他說:"聖人在上,爲民師表,天下取法焉。上之所好,下必從之,猶風雲之於龍虎,水火之於濕燥,不待召而應也。故凡虛華不實,害於民生者,去而弗取。知五色炫耀盲人之目,則不事華飾而守純素;知五音嘈雜聾人之耳,則不事淫哇而守靜默;知五味肥膿爽人之口,則不事珍羞而守淡泊;知田獵馳騁狂人之心,則不事般游而守安常;知貴貨難得防人之行,則不事世寶而守天爵。是五者,皆目前之侈靡,蕩搖真真性，無益民生，非實腹固本悠久之道也，是以聖人爲腹之實不爲目之華，故去彼取此，而躬行儉約爲民之勸，將使天下自化，人各自足，無外好之奪，天下治也。”在《通玄真經纘義》卷十二《上禮》篇中，他從正反兩面引伸其義說：“盜竊之難治也久矣，竊鈎者誅，竊國者爲諸侯，是盜在上而不在下。若堯之茅茨不剪，樸桷不斲，雖賞之不竊也；傾宮瑶臺，瓊室玉門，桀紂之過，身死人手，悲乎！”一正一反，突出了國之治亂，皆在於君主自身的榜樣。他在《道德玄經原旨》卷四闡述“天下柔弱莫過於水”章的“原旨”中說：“《玄經》本旨，一皆以正己正人與爲人主者告，人主正則百官正，百官正則天下之民正”。孔子也曾說：“其身正，不令而行；其身不正，雖令不從。”杜道堅在《通玄真經纘義》卷二《精誠》篇亦謂：“表正影直，源清流長，本末相資之道也。知心爲身本，則知君爲民本，是故人君之好不可不正。好勇則劫殺之亂生，好色則淫泆之難起，惟好德者，精神別於内，好憎明乎外，刑罰不用而奸邪服，本根既固，國家自寧。”而人君之德，就在於公正無私。他在同書卷九《下德》篇說：“人有私心，罔不害道，人主無私，故法一而令行。”他强調人主不僅必須公正無私和以身作則，而且還應當言行一致，注重身教。同書卷二《精誠》篇說：“石藴玉而山輝，水含珠而淵媚，有諸内形諸外也。水石無言，人自信之。國家懷其仁誠，推其信實，罰不以怨，賞不以私，有不待懸法設賞而民將自化之。故聞伯夷之風者，頑夫廉，懦夫有立志。伯夷何言哉？身化之也。言而不行，民弗從也。”故作君主者，必須身教重於言教，如果自身公正無私，言行一致，自然就能國泰民安，無爲而治。與此相關，他還提出了人主必須模範地帶頭守法的問題。他在同書卷十一《上義》篇說：“先王立法，務適衆情，故先以身爲檢式，所禁於民者，不敢犯於身，是故令行而天下從之。”因此，他認爲人主應當執法不二，實行法律面前人人平等的原則。他說：“法者，人主示度量爲天下準繩也，法定之後，不二所施，夫犯法者雖尊貴必誅，中度者雖卑賤無罪，故私欲塞而公道行矣。”這樣一來，便可以使“天下無怨民，世可反樸”。他特別强調人主執法必須公正不阿，不能以個人的意見干擾法理。同書卷五《道德》篇說：“名分法理，辨是非、別善惡之道也，不求公道而自取己見，以是爲非，以惡爲善，而望名分正、法理明，難矣。惟正身待物，不廢公道，猶車行陸、舟行水，無往而不通，惡有陷於不平者哉？”

杜道堅又反復强調，人主要想無爲而治，還必須知人善任。他在《通玄真經纘義》卷八《自然》篇說：“有天下者，不患不治，患不得人。得人則王者無爲乎上，守而勿失，上通太一，運轉無端，化遂如神，群臣並進，各盡其能，是知國之治亂繫乎人。”又說：“古之君天下者，君逸臣勞，無爲而治。堯之時，舜爲司徒，契爲司馬，禹爲司空，百官分職，各以其能。惟官得其人則民安其處，功成事遂，百姓皆謂我自然。”他指出，人君在任人的時候，尤其要注意首相的選擇。他在同書卷十《上仁》篇說：“夫爲君之道，在乎命賢擇相而已，相得其賢，百官未有不正，天下未有不治。”那末，怎樣才能知人善任呢？他對此闡述說：“選士之法，如德行、言語、政事、文學有一於是，宜可仕也；四者無一焉，則是沐猴而冠矣。古者，無德不尊，無能不官，無功不貴，無罪不誅，故官不失人，人不失用。”他認爲，在用人的時候，還必須看其大節，用其所長而避其所短，不能要求十全十美。他在同書卷十一《上義》篇說：“世之全材難得，自古皆然，夫工師之求棟梁，不拘小節故大材可得，人主之論臣佐，知屈寸而伸尺，則大賢可得矣。蓋人無十全，事無盡美，舍小取大，何功不成？舍短從長，何事不濟？”又說：“夫君子不責備於人者，知人非堯舜，不能每事盡善也。人有大材，詎可以小節而棄之乎？”同書卷六《上德》篇又反覆指出：“作事有法，事無不成；用人有方，人無不濟。車轂之各直一鑿，明官事之各有守也；蚈足衆而不相害，由用得其宜矣。石堅芷芳，隨其材而用之，則賢者明，愚者立，成功一也。”但在選人的標準上，他强調應以德行爲第一。他在同書卷十二《上禮》篇說：“古者選士之法，道德爲上，仁義禮樂次之，書數法度又次之。英雋豪傑，乃以智取之，豈戰國之法歟？……從衡捭闔之論行，雖嚴刑不能禁其奸矣。”可見，他對於戰國的從衡捭闔之士，是持否定態度的。他還提出,在用人問題上人主不能有任何的偏私,必須客觀公正。他在同書卷五《道德》篇說:“惟至公不偏,合於道德,賞不致濫,刑不致酷,則百官盡職,萬民服業,天下隆平。”而要能客觀公正,就不能憑人主個人的感情用事,而應以衆人的視聽智慮爲依據,這樣才能調動各方面的積極性,使遠近悦服,達到天下的長治久安。他在同書卷十《上仁》篇說:“夫用人之道,以天下之目視耳聽則聰明廣,以天下之智慮力爭則功業大,故賢者盡智,愚者竭力,近者懷恩,遠者服德,此三代之所以久,後世無及之。”最後他又歸結說:“能知賢、愛賢、尊賢、敬賢、則求賢、養賢、用賢之道得矣。”

總而言之,按照杜道堅的看法,人君如能無私無欲,公正廉明,又能以身作則,知人善任,則天下隆平可坐而致。他在同書卷二《精誠》對此描繪說:“古之聖人,官天地,府萬物,藏精存誠,無形無聲,正其道而任物之自然,當是時也,朝無倖臣,野無遺逸,國無游民,干戈不起,勞役不興,四民樂業,故不待家至人曉而坐致隆平。”這便是他所說的無爲而治。

杜道堅認爲,無爲而治不僅是對人君而言,臣佐也應遵行。他在《通玄真經纘義》卷一《道原》篇說:“夫國之有臣佐,猶天之有歲時也,大丈夫出佐明君,爲民司命,察天時,明物理,循自然之道,行無爲之化,則吾之身修而政無不治矣。”他指出,君臣關係是相輔相成的,人臣的責任是盡忠職守,以有爲輔佐人君的無爲。同書卷十一《上義》篇纘義說:“君依臣而立,臣依君而行,君無爲乎上,臣有爲乎下,論是處當,守職分明,臣之事也。君臣各得其宜,即上下有以相使,小大有以相制,故異道即治。舉措廢置,有關於治亂,爲君者不可不審也。”

應當指出,杜道堅的所謂“無爲”,並不是指無所作爲,而是順其自然之道而爲之的意思。他在《道德玄經原旨》卷一闡述“天下皆知美之爲美”章的原旨時對此解釋說:“無爲,非不爲也,行其所無事也。”在《通玄真經纘義》卷八《自然》篇又說:“無爲者,非木石其心而不動也,聖人應物不先物,因其自然之勢曲綫萬物,夫何爲焉?”

杜道堅還要求君主要重視人民的意志。同書卷八《自然》篇指出:“聖人因人性而設教,觀風俗以爲治,民之好好之,民之惡惡之,是以民心歸往而無敵於天下矣。”卷六《上德》篇又說:“德一也,有二焉,長養萬物天之德,愛養百姓君之德。”所謂“愛養”,首先是要使百姓足衣足食。同書卷七《微明》篇說:“國非民不立,民非食不生,不易之理也。是故民足於衣食則可活,不足於衣食則罔功,功不立則德不長也。”卷十《上仁》篇又說:“富國者民,養民者食,基本之論也。因天時,盡地利,用人力,三才之道備然後群生遂長,萬無蕃植,民賴以食,國藉以富,豈不謂生財有大道者乎?”所以,他認爲,人民是國家的根基,要使國家昌盛,首先必須人民富裕。同書卷六《上德》篇說:“木大者根瞿,山高者基抉,民富則國昌也。”因此,他主張統治者在向人民徵收賦稅的時候,應考慮到歲時的豐歉和人民的負擔能力,必須有所節制。同書卷十《上仁》篇說:“堯之爲君,視民猶己,取天下有節,自奉有度,故人無惡逆,比屋可封。是以明君之治,必計歲豐歉,量民虛實,然後取奉。民無怨咨,天亦無譴焉。”他警告說:臣民對於君主“善即吾畜,不善即吾仇,則是君之視臣如犬馬,臣之視君如寇仇矣;民能戴君,能覆君,斯可畏也。”進一步强調爲政在於得民的重要意義。

杜道堅還從“天道”與“人道”一致的思想出發,把老子的道德思想與儒家的倫理綱常結合起來,將二者糅合爲一。他認爲,老子所說的“絶聖棄智”、“絶仁棄義”,並不是真有絶棄之意,祇不過惡假其名而行之罷了,如果祇看表面辭句而不了解老子的原旨,便不能叫做真知。他在《通玄真經纘義》卷二《精誠》篇說:“道德之於五常,陰陽之於五行,一也。知日月代明、四時錯行而後歲成,則知人之道。道德五常可相有不可相無。然則老子曰:‘絶聖棄智’、‘絶仁棄義’何哉?所惡假其名而行之耳,使真有絶棄之心,則《道德》二篇不言聖人、不言仁義,是故有真人而後有真知。”所謂“假其名而行之”,他在《原旨》卷一“絶聖棄智”章解釋說:“聖智仁義,天下之大本也，其可絶棄乎？……凡假聖智以驚愚俗，假仁義以舞干戈，假巧利以啓盜賊者，則絶而棄之，使民安其居，地利百倍，家足其用，民復孝慈，盜賊何有哉？蓋三代之季，世道不古，原其所謂聖智仁義巧利之心者，不過竊先王之法言飾辭以欺當世，如田恒弑其君而有齊國，非盜而何？”由於他主張“人道”是以“天道”爲本，以自然爲法，所以他認爲道德與五常的關係，猶如祖父與子孫的關係一樣，是相互依存而不是相互排斥的。他在《纘義》卷二對此闡述説：“道德，五常之祖。有祖而無子孫，不可也；有子孫而不知祖，可乎？五常，五神也，道德存乎中則神不越乎外，一失所守，神越言華，德蕩行僞，鮮不喪於物役矣。惟聖人知九竅四支之宜，游乎精神之和，祖者存，子孫其有不存乎？”同書卷七《微明》篇又説：“仁義者，道之孫、德之子歟，四者若不相及而未嘗相離。”他甚至直把老子所説的“道德”與儒家所説的“五常”合而爲一。如同書卷五《道德》篇説：“德者，五常之總名。有德之人，五常備焉。仁則慈，義則宜，禮則敬，智則明，信則實有之，是謂五常，一曰五德。”綜上可知，杜道堅是把老子的自然之道作爲五常的根本，故他雖把儒道之説糅合爲一，但其道家的基本立場卻是非常明顯的。

杜道堅對管子所謂禮義廉耻國之四維的思想，也有所吸取，並加以發揮。他在《通玄真經纘義》卷十二《上禮》篇説：“天地之大，非人不立；帝王之尊，非民何戴；四方之衆，非禮義廉耻不能爲治。是以聖人革弊更制，必以禮義廉耻爲之四維，賢者在職，禮義修而刑措不用矣。”

杜道堅還接受宋代理學思想的影響，提出了天理與人欲之辨，並與無爲而治聯繫起來。他在《纘義》卷八《自然》説：“自然者，天理；不自然者，人欲。夫清虚而明，天之自然也；無爲而治，人之自然也。自然則賢不肖者齊於道矣。是以聖人神而明之，光宅天下，而物無宰焉。”在個人修養方面，他主張以天理去克服人欲。同書卷四《符言》篇説：“道心人心，天理人欲之分也，理勝則所爲皆天，欲勝則所爲皆人，此又君子小人之分矣。理欲相勝，邪正相傷，君子不爲,況聖人乎?”卷七《微明》篇又説:“天理人欲,同乎一心;君子小人,由乎一己,亦同出而異名者邪?執一而應萬謂之術,見動而知止謂之道,言出乎口,行發乎心,夫禍福利害,有如影響,自非至精,孰能分之,可不察諸己而慎諸心乎!”因此,他把摒除物欲,保持心室空虛,看作是養生之道的重要内容。卷三《九守》篇説:“河水雖廣,風日耗之;精神雖王,物欲滑之,未有不消滅者也。聖人玄達,無所誘幕,精神内固,形體外便,心室空虛,神明來舍,往事之外,來事之前,靡不洞燭,心虛故也。養生之道無他術,如養馬焉,去其害馬者而已。”

關於養生之道,杜道堅根據老子的“有無相生”之説,主張形神交養,使内外兼得而不相害。他在《纘義》卷二《精誠》篇説:“身有形,神無形,……知有無之相生,則無不害有、有不害無,是以聖人無爲而治者,身不傷神,神不傷身也。”卷三《九守》篇又説:“神依形生,精依氣盈,交相養而不失其和者,養生之主也。”卷四《符言》篇亦謂:“真道養神,人道養形,在外者得,在内者輕。遠聲色,薄滋味,養形之道也;絶思慮,守精氣,養神之道也。治身養性,内外兼得,豈可以聲音笑貌爲哉。”

由於杜道堅主張形神交養,所以他既不同意南宗的先命後性,也不同意北宗的先性後命。他認爲:道乃是合性命而言,故修道者祇有性命交相養方能盡有生之道。他在《原旨》卷三“反者道之動”章對此闡述説:“天下萬物生於有,有生於無,有也、無也,是何物也耶?虛化神,神化氣,氣化形,凡具形氣者皆物,物必有壞,壞則復歸於無,有一不壞者存,是何物也耶?觀其生物者氣,則知生氣者神,生神者道矣。夫神,性也;氣,命也,合曰道。聖人立教,使人修道,各正性命,蓋本諸此。……嘗論性者吾所固有,命者無之所賦。生之始也,性不得命吾無以生,命不得性天無以賦,性與命交相養而後盡有生之道也。……修此謂之修道,得此謂之得道。學道人有不能自究本性反有問命於人者,是未明性命之正也,吾得因而申之。”

但在身心的關係上,杜道堅又常常强調心的作用,並且還以心喻道，這就使他有時又偏離形神交養的主張，而特別着重於養神。他在《原旨》卷二"有物混成"章說："吾嘗曰：未有吾身，先有天地；未有天地，先有吾心。吾心，此道也。豈惟吾哉？人莫不有是心，心莫不有是道。知此，謂之知道；得此，謂之得道。"並以吾心之"神游"來説明"道"的獨立周行、化化生生。他說："吾嘗於灑掃之暇，隱幾神遊，遡仰天地混成之道，寂寥無朕，獨立周行，化化生生，今古不忒，是宜可爲天下母也。"這種以"未有天地"之前便"先有吾心"，吾心即道，視吾心"爲天下母"的思想，與陸象山的主觀唯心主義理論十分相似。他既然認爲吾心即道，所以便認爲修道就是修心。他在同書卷一"道冲而用之"章說："官天地、府萬物者，心也。心者，道之樞。人莫不有是心，心莫不有是道。惟其冲虛妙用，淵靜有容，故能包裹六極不見其盈，知周萬物不離其宗，一瞚此道爲物所奪，則茅塞矣。當應事接物之頃，必先正其在我者，則彼者自不能亂。微覺紛鋭撓中，便當挫解淨盡，自然可以和光同塵，相安無事。夫如是，則吾之冲虛妙用，靈明洞徹，潛吾方寸，湛然若存矣。以爲吾則不知爲誰氏之子；以爲非吾，則又像我神帝之先者在焉。自非清明在躬、志氣如神者，孰能知此。"《纘義》卷一《道原》亦謂："太極中虛，神明與俱，人能心虛，而道自居。一有所載，則嗜欲塞、好憎生，神將去矣。神去道喪，形有不亡者乎？惟至德之人，不與物雜，一而不變，心虛氣平，憂樂何有哉？"同書卷二《精誠》篇還明確提出"心爲身本"。於是，就從形神兼養走向了以養神修性爲主，與北宗的修持方法十分接近了。

杜道堅的修持理論還有一個重要的特點，即他總是把修身與齊家治國聯繫起來看待。在《原旨》四"江海所以能爲百谷王者以其善下之"章說："《玄經》之旨，凡言修身，則齊家治國在焉；言齊家治國，則修身在焉。善觀者，當自有得於言外之旨。"可見，他非常自信自己的修持理論，乃是《道德經》的言外之旨，與老子的本意完全相符。同書卷一"載營魄抱一"章又闡述說："知修身，然後知治國，身猶國也，百骸猶衆民也，故君子不可以不修身。"《纘義》卷十《上仁》

篇又說："國之本在家，家之本在身。文子問治國之本，老子語以本在治身，則是身治而後家治，家治而後國治矣。身猶國也，國猶身也。詩云：執柯伐柯，其則不遠。"

修齊治平之道，本是儒家的政治綱領，這在《大學》裏有明確的論述。它要求通過格物、致知、誠意、正心、修身、齊家、治國、平天下的程序，以達到"明德"、"親民"、"止於至善"的目的。杜道堅援儒入道，以這種儒家思想與老子學說相糅合，形成了他的一套修持理論，並與他的皇道帝德的主旨融合爲一，這在道教思想發展史上具有他自己的鮮明特色。

總上所述，杜道堅是以道家思想爲中心，合儒老之說以闡述他的皇道帝德論，其目的是爲當時的統治階級尋求治國治民之道，爲封建統治的長治久安服務。儘管其中不少是糟粕，但他要求統治者以身作則、公正無私、選賢任能、愛養百姓等各種主張，對於當時飽受長期戰亂痛苦的廣大人民來說，也有一定的積極意義。所以應當歷史地予以實事求是的科學分析和評價，不能籠統地全盤否定。至於他"取文子之書及其事之散見他書者會稡而刻之"，使"古書逌迹一旦震發於湮没之餘"（牟山獻《文子纘義序》），這應是學術文化史上的一大貢獻。

作者簡介　卿希泰，1928 年生，四川三臺人。現任四川大學宗教學研究所所長、教授、博士生導師。著有《中國道教思想史綱》、《道教文化新探》等。

論李筌的道教哲學思想

李　剛

内容提要　李筌的道教哲學思想以“盗機論”爲内核，充滿辯證法因素。它是在天人合一的境界中，而不是主客體的對立分離中，實現自我主體性，並强調主體道德自律。它的最高目標是解決生命永存的問題以及治國平天下。它開啓了中唐的天人大討論，給後世道教思想以深遠影響。

一

李筌，號達觀子，生卒年不詳，大約活動於唐玄宗至唐肅宗時，新舊《唐書》無傳，故其生平事蹟不可詳考。《集仙傳》稱其仕至荆南節度副使、仙州刺史①。晚唐范攄《雲溪友議》卷上謂：“李筌郎中爲荆南節度判官，集《閫外春秋》十卷”，後爲鄧州刺史。所叙筌之官職，與《集仙傳》小異。對此，余嘉錫《四庫提要辨證》卷十一《太白陰經》條云：“范攄究爲唐時人，其叙李筌官爵，應不至大誤。……要之，筌之初仕荆南，後官刺史，唐人固有紀載，不僅見於《集仙傳》也。”若余氏考辨不誤，則李筌之出仕，先爲荆南節度副使，後爲鄧州刺史。又宋人晁公武《郡齋讀書志》卷七載李筌撰《中臺志》，云其於上元(760—761)中自進表。故有可能他在唐肅宗上元年間仍居官職。此後踪蹟，仕宦隱居，不能考定，或如《神仙感遇傳》所説竟入

① 《太平廣記》卷 63 引。

名山訪道,不知其所終。李筌身世撲朔迷離,尚有待史料的新發現。

李筌的著作,《新唐書·藝文志》著錄有:《閫外春秋》十卷、《中臺志》十卷、《太白陰經》十卷、《青囊括》一卷、《六壬大玉帳歌》十卷;注《孫子》二卷、《驪山母傳陰符玄義》一卷。並在《傳陰符玄義》一卷下注云:"筌,號少室山達觀子,於嵩山虎口岩石壁得《黃帝陰符》本,題云:'魏道士寇謙之傳諸名山。'筌至驪山,老母傳其說。"① 杜光庭《神仙感遇傳》也說:李筌"至嵩山虎口岩,得《黃帝陰符》本經,素書朱漆軸,緘以玉匣,題云:'大魏真君二年七月七日上清道士寇謙之藏諸名山,用傳同好。'抄讀數千遍,竟不曉其義理。因入秦,至驪山下,逢一老母……與筌說《陰符》之義。"② 此外,范攄《雲溪友議》和曾慥《集仙傳》都稱李筌注《黃帝陰符經》。另一種意見卻認爲《陰符經》出於李筌,宋人黃庭堅、朱熹都持此說③。但《陰符經》早在李筌之前便已問世。唐代稍早於李筌的道士吳筠在其《形神可固論》中曾引用《陰符經》。余嘉錫《四庫提要辨證》卷十九《陰符經解》引證宋樓鑰《攻媿集》卷七十二《褚河南陰符經跋》指出:唐初褚遂良於貞觀六年(632)曾以草書寫《陰符經》,又於永徽五年(654)以小楷書寫《陰符經》。歐陽詢於唐高祖武德七年(624)編修的《藝文類聚》中,在《木部》上引有《陰符》曰:"火生於木,禍發必克。"岳珂《寶真齋法書贊》卷五錄歐陽詢《陰符經帖》,末題《黃帝陰符經》,"貞觀十一年丁酉歲(637)九月□□日書與善奴。"凡此皆證明《陰符經》於李筌之前早已存在,非李筌所作,李筌衹是作注者④。

今《正統道藏》存題名李筌的《黃帝陰符經疏》三卷,近人劉師培《讀道藏記》認爲此書之注爲李筌所作,而疏則不是。但此說並無有力之佐證。用內證法看,《陰符經疏》的注文與疏文在義理上是一

① 中華書局標點本 5 册 1521 頁。
② 臺灣藝文本《道藏》18 册。
③ 參閱黃庭堅《山谷題跋》卷四,朱熹《陰符經考異》。
④ 參見余嘉錫《四庫提要辨證》卷 19,中華書局 1980 年版 3 册 1177—1180 頁。

致的，故有可能出自李筌一人之手。本文即以《陰符經疏》和《太白陰經》爲範本，審視李筌的道教哲學思想。

二

在宇宙起源和生成問題上，李筌認爲："天者，陰陽之總名也。陽之精氣輕清，上浮爲天，陰之精氣重濁，下沉爲地，相連而不相離。……故知天地則陰陽之二氣，氣中有子，名曰五行。五行者，天地陰陽之用也，萬物從而生焉。萬物則五行之子也。故使人觀天地陰陽之道，執天五氣而行，則興廢可知，生死可察。除此外，無可觀執，故言盡矣。"① 這是對漢代氣一元論哲學的繼承，以天爲陽之精氣，地爲陰之精氣，二氣化生五行，五行又生萬物，歸根到底是陰陽二氣產生萬物。故他在《太白陰經》卷一《人謀上·天無陰陽篇第一》中說："天圓地方，本乎陰陽。……夫天地不爲萬物所有，萬物因天地而有之；陰陽不爲萬物所生，萬物因陰陽而生之。"再深入追尋，陰陽又是如何發生的呢？他認爲："陰陽生萬物，人謂之神，不知有至道，靜默而不神，能生萬物陰陽，爲至神矣。"② 能生成陰陽的，是所謂表面上看"靜默而不神"，實質上"爲至神"的"至道"。他疏解說："神者，妙而不測也。《易》曰：'陰陽不測謂之神'。人但見萬物從陰陽日月而生，謂之曰神，殊不知陰陽日月從不神而生焉。不神者何也？至道也。言至道虛靜，寂然而不神。此不神之中，能生日月陰陽，三才萬物，種種滋榮而獲安暢，皆從至道虛靜中來。此乃不神之中而有神矣。"③ 從最高意義上講，"不神而能至神"、寂然而虛靜的"至道"，才是產生陰陽日月、三才萬物的總根源。因此李筌筆下宇宙生成的鏈條如下：

至道（虛靜）〈 天地 / 陰陽 〉——五行——萬物。

---

① 《陰符經疏》卷上，藝文本《道藏》4 冊 2467 頁，以下祇注卷數和冊、頁數。
②③ 卷中，4 冊 2473 頁。

這是傳統的道家與道教宇宙生成論，還不反映李筌哲學思想的特色。代表他思想特色的，是對"盜機"的闡發。

三

《陰符經》說："天有五賊，見之者昌。五賊在心，施行於天。宇宙在乎手，萬物生乎身。"① 何謂"五賊"？李筌的解釋是："天生五行，謂之五賊"，"五賊者，五行之氣也，則金木水火土焉。……所言賊者，害也，逆之不順，則與人生害，故曰賊也。此言陰陽之中，包含五氣，故云天有五賊。……賊者，五行更相制伏，遞爲生殺，晝夜不停，亦能盜竊人之生死，萬物成敗，故言賊也"②。天生五行之氣稱爲"五賊"。"賊"的含義包括：1. 危害。客體對主體、自然對人的危害。五行之氣逆而不順則生害於人。人的主體性發揮不好，不善用之也被客體所害。如五氣在天爲五星，在地爲五岳，在位爲五方，在物爲五色，在聲爲五音，在食爲五味，在人爲五臟，在道爲五德，人若不善利用則爲其所害。2. 這種危害是暗中進行的，主體不易察覺，就像竊賊之盜人財物一樣，故叫做"賊害"。3. 五行相生相克。這種生克是一無限的連續不斷的過程，並"盜竊"人的生死與萬物成敗，所以稱之爲"賊"。

那是不是說人在自然面前束手就擒，主體對於客體完全處於被動地位呢？不是的，人也能主動地"盜竊"天機，即所謂"盜機"，從而"合天機而不失"，免禍得福。所以他指出："人但能明此五行制伏之道，審陰陽興廢之源，則而行之……則爲福德之昌盛也。……人同心觀執五氣而行，睹逆順而不差，合天機而不失，則宇宙在乎掌中，萬物生乎身上。如此則吉無不利，與道同游，豈不爲昌乎？"③ 人自覺地認識到陰陽五行的運動規律，按照這些法則行動，就能使客

① 《神仙抱一演道章》，4 册 2467 頁。
② 卷上，4 册 2467 頁。
③ 卷上，4 册 2467—2468 頁。

體掌握於主體的手中，人就在自然中獲得了自由，化害爲利，與道同遊。

通過對《陰符經·富國安人演法章》："天地萬物之盜，萬物人之盜，人萬物之盜"等經文的解釋，李筌進一步闡明了"盜機"的思想。他解釋說："天覆地載，萬物潜生，冲氣暗滋，故曰盜也。"萬物"從無形至於有形，潜生復育，以成其體，如行竊盜，不覺不知。天地亦潜與其氣，應用無窮，萬物私納其復育，各獲其安，故曰天地萬物之盜。"① 萬物的生長乃至成其形體，都是對陰陽二氣的竊取，不知不覺的暗暗進行，天地也偷偷地運作其氣，應用無窮。天地與萬物間存在一種互相"盜"而各獲其安的關係。他又說："萬物盜天而長生，人盜萬物以資身，若知分合宜，亦自然之理。"②不僅萬物與天地有相"盜"的關係，萬物與人也有種"盜"的關係。這種關係表現爲兩方面，一方面人能竊取陰陽之氣的生成物來資養自身："人於七氣之中，所有生成之物，悉能潜取以資養其身，故言盜，則田、蠶、五穀之類是也。"③另一方面萬物也能盜人："萬物反能盜人以生禍患。"① 由此可見，天地，萬物與人之間存在相"盜"相生、相資相養的關係，這種關係不過是種"自然之理"。既是自然之理，那就必須遵行道的法則。所以他指出："上來三義更相爲盜者，亦自然之理。凡此相盜，其中皆須有道。愜其宜則吉，乖其理則凶"；"三盜之中，皆須有道。令盡合其宜，則三才不差，盡安其任矣。皆不令越分傷性以生禍患者也。"⑤

這種合乎自然之道的"有道"之"盜"，他稱之爲"盜機"。他釋"盜機"之名說："何名爲盜機？緣己之先無，知彼之先有，暗設計謀而動其機數，不知不覺，盜竊將來，以潤其己，名曰盜機。"⑥ 這是從"名"上泛泛而說，較易爲人所見。本來，《陰符經》說："其盜機也，天下莫不能見，莫不能知。"對此李筌作了不同的解釋："盜機深妙，易

①②③① 卷中，4 册 2472 頁。
⑤ 卷中，4 册 2472—2473 頁。
⑥ 卷中，4 册 2474 頁。

見難知。"①就是説:"盜機"的現象容易爲一般人發見,但其深層的本質卻難以認知。正如他説:"天下之人咸共見此盜機,而莫能知其深理","國氏盜天而獲富,人皆見種植之機,不知其所獲之深理。"②因此,從現象上看到"盜機"而不是從"深理"上認知盜機,還算不得真正掌握了"盜機"。於是在"盜機"問題上有君子小人之分,效果大相徑庭:"君子知積善之機,乃能固躬;小人務榮辱之機,而輕命也。"説得具體點就是:"固躬之機者,君子知至道之中,包含萬善,所求必致,如響應身;但設其善計,暗默修行,動其習善之機,與道契合,乃致守一存思,精心念習,竊其深妙,以滋其性,或盜神水華池、玉英金液,以致神仙。賢人君子,知此妙道之機,修煉以成聖人。故曰:君子得之固躬矣。小人得之輕命者,但務營求金帛,不憚劬勞;或修才學武藝,不辭疲瘁,飾情巧智,以求世上浮榮之機;或軍旅傾敗,貪婪損己;或耽財好色,雖暫得浮榮,終不免於患咎。蓋爲不知其妙道之機,以致於此,故曰:小人得之輕命也。"③這是名同而實異的"盜機"。在李筌看來,衹有君子的"積善之機"、"固躬之機"才算得上"盜機",因爲盜機的目的在於主體自身修煉成聖人,使自我"固躬"從而獲得神仙之道。而小人的"輕命之機"則"損己",使自我完全喪失,故"小人務榮辱之機"貌似盜機,實則終不免災禍滿身,算不得"盜機"。在對"盜機"的這種實質性區分中,也顯示了道德主體的實踐功能,道德主體的爲善去惡是掌握"盜機"的關鍵所在,人的主體性發揮主要在於"習善。"由此可見,李筌論"盜機"强調了人的主體能動性,能否掌握"盜機"就看人的道德主體性怎樣發揮,看你是君子之德還是小人之德。

此外,李筌還認爲,人面對自然並非無所作爲,一味被動,而可以主動地駕馭自然。他説過:"人與禽獸草木,俱稟陰陽而生。人之最靈,位處中宮,心懷智度,能反照自性,窮達本始,明會陰陽五行

---

①② 卷中,4冊2474頁。
③ 卷中,4冊2474—2475頁。

之氣，則而用之。”① 人爲萬物之靈，充滿智慧，具有自我意識，既能認識自我本性，又能知曉自然規律，則而運用。説穿了，人盜取天地萬物之機本身就是人對自然的認識，就是人掌握自然規律，因勢利導加以利用的過程。故不論從道德論上還是從認識論角度他都肯定人發揮主體能動性就能掌握“盜機”。李筌又將道教神仙長生思想與“盜機”論聯繫起來，認爲君子經過自我設計，啓動心中“習善之機”，滋養自己本性，便有自我實現，成仙了道。所以在他那裏，神仙長生成爲一種“盜機”之舉，這在唐代道教思想中可謂獨具一格。

在李筌的闡釋下，《陰符經》哲學思想的主題就是“盜機”。他對“陰符”這一題目的詮釋即是：“陰、暗也；符，合也。天機暗合於行事之機，故曰陰符。”② 反過來也就是説人們的行事之機暗合天機，因此他特別强調人們察機要，合天機。他在總結《陰符經》上中下三章時都明確指出這一點。他總結上章説：“此神仙抱一演道章上，一百五言，使人明陰陽之道，察興廢之理，**動用其機宜**，然後修身煉行，以成聖人。”“天道應運，陰陽至神。**察其機要**，存亡在身。悟者爲正，迷則非真。知之修鍊，謂之聖人。”③ 這是講修神仙之道，必須察明天道陰陽的機要，盜取其“機宜”，才能達到目的。他總結中章説：“此富國安人演法章中，九十二言，皆使人取舍合其機宜，明察神明之道，安化養命，固躬之機也。”“天地萬物，陰陽四時，**更相爲盜，貴合天機**。聖功神明，非賢莫知，固躬輕命，審察其宜。”④ 這是説中章的主題仍是教人取舍合乎天機，審察天之機宜，以便盜機“安化養命。”他總結下章説：“下章强兵戰勝之術一百三言，皆使人深思靜慮，恩害不生，曉達存亡，公私隱秘，開物成務，**觀天相時**。絶利一源，三思反復。**徇物之機**，生死在目。樂出安靜，恩生害酷。天地災祥，時理爲福。”⑤ 這是講人們衹要善於觀天而把握時機，就能得到

① 卷中，4 册 2472 頁。
② 卷上，4 册 2467 頁。
③ 卷上，4 册 2471 頁，着重號爲引者加，下同。
④ 卷中，4 册 2475 頁。
⑤ 卷下，4 册 2480 頁。

福祥。綜上可知,李筌是以人的暗合天機,盜取天機這樣一種主體性原則爲主綫貫穿於《陰符經》的詮釋中,這就使《陰符經》原文簡略而晦曨的"盜機"説得到發揮和豐富,形成爲一整套充滿主體性精神的"盜機論"。可以説,李筌道教哲學思想的核心部分正是"盜機論"。

李筌的盜機論實質上也就是他對天人關係的看法。認識天人關係是中國哲學的一條主綫,中國古代哲學家多注重研究這個問題。對於天人關係,歷來存在兩條不同的認識路綫:一條是天命論,天人感應,天人合一;一條是制天命而用之,人定勝天,天人相分。前者占居主導地位,後者則自荀子以來不顯。李筌盜機論基本上承襲了荀子的觀點,所不同者他的"盜機"是在天人合一境界中運作的。他强調了在暗合天機的條件下,怎樣運用人的權謀去竊取天機而造福於人自身。他肯定了天人關係中人居於主導地位,人能勝天,人能發揮自我的聰明才智。比如他在《太白陰經》卷一《人謀上·天無陰陽篇第一》中談到戰爭勝負時説:"無厚德而占日月之數,不識敵之强弱而幸於天時,無智無慮而候於風雲,小勇小力而望於天福,怯不能擊而恃龜筮,士卒不勇而恃鬼神,設計不巧而任向背。凡天道鬼神,視之不見,聽之不聞,索之不得,指虚無之狀不可以決勝負,不可以制生死,故明將弗法而衆將不能已也。……夫如是,則天道於兵,有何陰陽哉?"戰爭勝負取決於人的大智大勇,人的自我決定,而非卜筮禳祀、天道鬼神。戰爭是如此,其他人類活動也莫不如此。

儘管李筌主張在天人合一中盜取天機,但他仍然區分了天道與人道的不同,反對把自然現象的變化同人類社會的治亂加以比附。他指出:"愚人見星流日暈,風雨雷電,水旱災蝗而生憂懼,殊不知君臣道德,政理淳和矣,安撫黎人,轉禍爲福,以此時物文理哲唯聖,我知之者矣。故天地懸日月以照善惡,垂列宿以示吉凶,皆道德自然之理矣。愚人仰視三光,觀天人之變易,睹雷電之震怒,或寒暑不節,或水旱蟲蝗,恐禍及身,悉懷憂懼,愚人以此爲天地文理聖也。時物文理者,但君懷廉靜,臣效忠貞,獹鵲不喧,遜烽無燧,兆人康樂,環宇寧泰,縱天地災祥,無能爲也。……夫子曰:存亡禍福皆在己,天災地妖不能加也。則妖禍不勝善政,怪夢不勝善行。……水旱者,天地也;文理者,時物也。若明時物之理者,皆能轉禍爲福,易死而生。故曰:我有時物文理哲。"① 所謂"天地文理"代表天道,所謂"時物文理"代表人道,這樣區分自然與人事,表現出人的自覺。不僅如此,他還把人道放在第一的位置,祇要人道昌明,縱使天道降下災妖亦"無能爲也",一切均在於人爲,表現出人面對變化莫測的外部世界自作主張的精神。更進一步,他向人們指出,如果懂得了"時物之理",也就是説明白了人道第一,那麼自然的生死禍福能夠發生轉化,朝着人們所期待的方向轉化。這是一種人定勝天的思想。

這種思想對於當時社會上和思想界流行的天命論無疑是一副良好的清醒劑。自唐高祖利用圖讖奪得天下後,加上李唐王朝的大肆渲染,社會上及思想界符命説盛行,這種情況直到中唐時仍然如此。中唐思想界因之爆發了一場天人關係的大討論。柳宗元著《天説》、《天對》、《答劉禹錫天論書》,提出天和人"各不相預"的觀點;劉禹錫著《天論》,提出"天人交相勝"的論點,對傳統及流行的天命論、天人感應論等予以抨擊。可以説,處於盛唐和中唐之交的李筌所提出的"盜機論"開了柳、劉天論的風氣之先,在中唐天人問題大討論中起了前導的作用。李筌的盜機論在中國哲學史上的這種貢獻和作用,我們應給予充分評估。

毋庸否認,李筌的"盜機論"在强調人的主體能動性時有過頭之處,他有時不免將主體對客體的作用絶對化。比如他講:"夫春風東來,草木甲坼,而積廩之粟不萌。秋天肅霜,百卉俱腓,而蒙蔽之草不傷。陰陽寒暑爲人謀所變,人謀成敗豈陰陽所變之哉?"② 經過人爲努力可使倉裹的糧食在萬物萌生的春天不發芽,加以保護的

① 卷下,4冊2479—2480頁。
② 《太白陰經》卷一《人謀上·天無陰陽篇第一》。

草在秋天不肅殺，這是對的。但他由此將人謀絶對化，完全否定“陰陽所變”等自然環境的作用，這就過分誇大了主體能動性的功能。又如：“夫人心主魂之官，身爲神之府也。將欲施行五賊者，莫尚乎心。故心能之士有所圖，必合天道。此則宇宙雖廣，觀覽祇在手中；萬物雖多，生殺不出於術内，故曰：心正可以辟邪也。”① 自我意識向宇宙的擴充，可“施行五賊”，如此宇宙萬物皆在我的意志控制之下，聽命於我的決定，這樣宇宙與吾心是相合的。從中似可見出後來陸王心學“宇宙即吾心，吾心即宇宙”的影子。

四

李筌的軍事辯證法思想也充滿了主體能動性，從中可看出其“盜機論”在軍事上的具體運用。道家向與兵家有關係，在道教徒中也不乏善於兵道權謀、注重軍事思想者，李筌可算其中佼佼者。他曾爲《孫子兵法》作注②，在《太白陰經》中對《孫子兵法》的軍事辯證法思想也作了很多發揮。

他依據《孫子兵法》中《地形》、《九地》等篇的思想，對戰爭中地形條件的作用給予了恰當的估價，分析了人與地形的關係。他指出：“兵因地而强，地因兵而固。夫善用兵者，高丘勿向，背丘勿迎，負陰抱陽，養生處實，則兵無百病。”③“兵”與“地”是種相輔相因的關係，善用兵者占據有利的地形就使軍隊力量得以加强，反過來地勢條件又因善用兵者的運用之妙而得以鞏固。這説明了主客體之間的某種辯證關係，也顯示了人在主客關係中居於主動地位。人可以巧妙地利用各種地形而擺布陣勢，比如“高丘勿向，背丘勿逆”等等，使自己在戰爭中立於不敗之地。人可以根據地形因素決定是否進行戰鬥，是否停留，是否攻取，是否合圍等等。即他所謂：“散地無

① 卷上，4 册 2468 頁。
② 參見《道藏》46 册 36853—37061 頁《孫子注解》。
③ 《太白陰經》卷二《人謀下・地勢篇第十九》。

戰，輕地無留，爭地無攻，交地無絶，衢地無合。重地則掠，圮地則行，圍地則謀，死地則戰。"[①] 總之，在人與地的關係中，地形條件無疑是戰爭中十分重要的因素，對戰爭的成敗起着較爲重要的作用，但地是死的，人是活的，地理條件最終是由人來把握，人來運用的，最終決定戰爭或戰鬥勝敗的是人。正如他所說："地利者兵之助，猶天時不可恃也。"[②]"天時不能佑無道之主，地利不能濟亂亡之國。地之險易，因人而險，因人而易，無險無不險，無易無不易。存亡在於德，戰守在於地，惟聖主智將能守之，地奚有險易哉？"[③] 這和其論"盜機"一樣，着重闡明人的主體能動性。

李筌對地理環境決定人性勇怯的觀點表示了不同看法。當時流行的説法是：人的勇敢或怯懦係"地勢所生，人氣所受"，不可改變。有所謂："秦人勁，晉人剛，吳人怯，蜀人懦，楚人輕，齊人多詐，越人澆薄，海岱之人壯，崆峪之人武，燕趙之人鋭，涼隴之人勇，韓魏之人厚"的看法[④] 對此，李筌認爲並沒有歷史和現實的根據，他並列舉戰爭史上的事實予以反駁，得出結論說："所以勇怯在乎法，成敗在於智，怯人使之以刑則勇，勇人使之以賞則死。能移人之性，變人之心者，在刑賞之間，勇之與怯，於人何有哉？"[⑤] 人的勇怯決非先天所生，地理環境使之然，而是後天形成，刑賞所致，刑賞則是由人制定，由人來掌握的，故說到底還是人的主體能動性在發揮作用。刑賞甚至可以促成人性由怯向勇的轉化，改變人的心性，這似乎又過分誇大了刑賞的功用。

李筌不僅看到人性勇怯在一定條件下可發生轉化，而且看到國家的强弱也不是固定不變的。他認爲戰爭的勝負決定於雙方力量的對比，强大者勝，但還必須做到"乘天之時，因地之利，用人之

① 《太白陰經》卷二《地勢篇第十九》。
② 《太白陰經》卷一《人謀上・地無險阻篇第二》。
③ 《太白陰經》卷一《地無險陰篇第二》。
④ 《太白陰經》卷一《人無勇怯篇第三》。
⑤ 《太白陰經》卷一《人無勇怯篇第三》。

力,乃可富强。"[1] 天時,地利,人和不僅决定戰爭勝負,也決定國家是否富强。利用天時是人主動地"春植穀,秋植麥,夏長成,冬備藏";因地利是積極"飭力以長地之財","地誠任,不患無財","國不法地,不足以成其富";用人力是要發展生產,勤勞節儉,"共居其地,非有災害疾病而貧者,非惰則奢。世無奇業而獨富貴者,非儉則力。"[2] 他認爲,人的主體能動作用發揮如何,政治是否清明,這都與國家是富强還是積弱有關。他指出:"同地而或强或弱者,理亂使然也。"[3]强與弱不是地理環境決定的,而是人治的"理"或"亂"。如果人君善於治理,充分發揮了人力,就可使貪弱轉化爲富强:"苟有道理,地足容身,事可致也;苟有市井,交易所通,貨財可積也。夫有容身之地,智者不言弱,有市井之利,智者不言貧。地誠任,不患無財;人誠用,不畏强禦。""國愚,則智可以强國;國智,則力可以强人。""故知伯王之業,非智不戰,非農不贍,過此以往而致富强者,未之有也。"[4] 當時有些儒學冬烘先生說:"兵强大者必勝,小弱者必亡。是則小國之君無伯王之業,萬乘之主無破亡之兆。"他以歷史事實來反駁這種僵化的宿命論觀點:"昔夏廣而湯狹,殷大而周小,越弱而吳强",[5] 然而弱小卻打敗了强大,可見强弱大小不是絕對不變的。他觀察到在人類社會的軍事政治鬥爭中,祇要善於運用人的智謀,充分發揮主體能動作用,就能由弱轉强,由小變大,由貧到富。不足的是,他祇注意了事物發生轉化的主體條件,忽視了轉化的客體條件,這與他思想中過頭地贊美人的主體精神有關。

從這種一以貫之的主體能動性出發,他特別强調了在戰爭中掌握和保持主動權的重要性。《太白陰經》卷一《數有探心篇》說:"夫道貴制人,不貴制於人。制人者握權,制於人者遵命也。"制人就是對主動權的掌握,制於人則是處於被動地位,而戰爭之道貴在握

① 《太白陰經》卷一《國有富强篇第五》。
②③ 《太白陰經》卷一《國有富强篇》。
④ 《太白陰經》卷一《國有富强篇》。
⑤ 《太白陰經》卷一《術有陰謀篇第八》。

有主動權。如何握有主動權？他認爲首先必須不失時機："見利乘時，帝王之資。故日：時之至間不容息。先之則太過，後之則不及。見利不失，遭時不疑，失利後時，反受其害。"① 捕捉和把握戰機是掌握主動權的關鍵之一，失掉戰機就將被動挨打，深受其害。其次應懂得揚長避短，即所謂："制人之術，避人之長，攻人之短；見己之所長，蔽己之所短。……夫鳥獸蟲豸，尚用所長以制物，況其智者乎？"他又列舉了揚己之長，避己之短的方法："夫人好説道德者，必以仁義折之；好言儒墨者，必以縱横御之；好談法律者，必以權術挫之。必乘其始，合其終，摧其牙。落其角，無使出吾之右。"② 根據不同的對象，施以不同的權術，以己之長克敵之短。他認爲這點非常重要，不然"雖有先王之道，聖智之術，而無此者，不足成伯王之業也。"③上述在軍事上掌握主動權的思想可以説是其"盜機"哲學的具體運用，可見李筌的軍事辯證法思想突出强調了人的價值，認爲通過人的主體戰鬥精神之高揚，可使事物朝着有利於自己的一方面轉化。這是種重視主體能動性的辯證法思想，與其"盜機論"互相呼應，構建了他的哲學思想系統，成爲唐代道教哲學中的一枝奇葩。

這枝奇葩具有如下特色：

一、以"盜機論"爲内核，充滿辯證法因素，對外部世界的基本傾向是能動的、自決的，重視人在宇宙中的價值，在主客體的二元關係中主客統一於主體，占主導地位的是自我、心智、精神，顯示了一種强烈的主體性，是種主體性哲學。"盜機論"既是對主客關係進行研究的哲學認識論，那麽對客觀規律"天機"勢必有所認識。但李筌一方面承認對客觀必然作認識的必要性，另一方面又誇大了自由意志，主體約定的作用，人心的自由自決功能，主體能動性的實踐力量被無限放大了，這裏有一點類似康德所謂的主體創造客體。

① 《太白陰經》卷二《作戰篇第二》。
②③ 《太白陰經》卷一《數有探心篇第九》。

當然,這並非說"盗機論"已達到了近代哲學那種完全意義上的主體性原則,它缺乏縝密的邏輯分析和高度的思辯性,比較直觀樸素,未能形成體系,基本上是通過對《陰符經》和《孫子兵法》思想的詮釋而表述的。

二、在天人合一的境界中而不是主客體的對立分離中實現自我主體性,這與西方哲學講主體性是不完全相同的。從古希臘的智者普羅塔哥拉提出"人是萬物的尺度"這一命題,以人作爲中心,到近代康德建立起完整的主體性哲學,西方哲學尤其是近代哲學主要是在人與自然的相分離相鬥爭中講主客關係,主張人對自然環境的征服與控制。李筌的盗機哲學則以人和自然的認同與和諧爲大前提,在此前提下講人對自然法則的能動認識和駕馭,即人對天的制服。天與人儘管存在相互"盗"取的矛盾關係,但二者的對立是次要的,終究是同一的。天人之間通過互"盗"建立起反饋系統,而信息的反饋使二者達於統一,即所謂天機和人的行事之機的"暗合",故在李筌的思想中,看不到人與天的根本分離和對立。這裏又有一些類似馬赫主義創始人之一阿芬那留斯的"原則同格論",該論認爲主體自我和外部世界是不可分割的統一體(同格),二者不能互相脱離而單獨存在,在這個統一體中,主體是起決定作用的"中心項",客體衹是作爲主體陪襯而存在的"對立項"。不同的是李筌並不以外部世界爲主體自我的"對立項",除了他在某些地方過頭地講心對宇宙的統馭,將主體對客體的能動作用絶對化,其思想主要還是把天視爲"神明之道",主體性衹有在合乎天道的前提下才能得以實現,也就是説衹有在天人合一中人才能起到中心項的決定作用。

三、强調主體道德自律,經道德上的自我完善實現個體人格的塑造,成爲聖人,則天災地妖不能加於我身;衹有"習善"才有主體性的顯現,衹有"積善"才談得上"盗機";君臣講道德修養,則政理淳和,轉禍爲福。這些也是對傳統思想的繼承發揚。如《易》的《萃》、《升》卦都講:"孚乃利用禴";《既濟》九五爻辭:"東鄰殺牛,不如西鄰之禴祭，實受其福。”神是否賜福於人，在於人是否誠信，而不在祭品是否豐厚，人的道德品行可轉移天意。李筌講主體性也重在道德實踐，是種道德主體性。

四、主體自我實現的最高目標是解決生命存在問題，盜天而長生，成仙了道。這種生命哲學是對道教傳統的“我命在我不在天”的繼承與弘揚，顯示了盜機論的神學目的。與此同時，還要實現社會政治的太平安寧理想，合起來就是道教歷來主張的“理身理國之道”，亦即所謂内聖外王。

五、劉禹錫《天論》認爲：世之言天道者有二派，一是天與人實影響的陰騭之説，一是天與人實剌異的自然之説。李筌的思想屬於後一條路綫。他上承荀子以來的人定勝天之説，又吸取了古代的盜天思想，如《列子・天瑞》：“天有時，地有利，吾盜天地之時利”，“盜陰陽之和”，[①] 以及《陰符經》的説法等等，在此基礎上形成自己的一套“盜機論”，從而開啓了中唐的天人大討論，給後世道教以影響。《雲笈七籤》卷十五《天機經》“身”條説：“夫人心，身之主魂之宫，魄之府，將欲施行五賊者，莫尚乎心。事有所圖，必合天道，此則宇宙雖廣，覽之衹在於掌中，萬物雖多，生殺不離於術内。”此即略作改動，基本上抄自李筌。至於宋元道教以盜機講内丹修煉，從中也可看出李筌盜天而長生的思想因子。

對李筌的“盜機論”，也有人頗不以爲然。宋代張君房即稱：“近代李筌，假托妖巫，妄爲注述，徒參人事，殊紊至源，不慚窺管之微，輒呈酌海之見，使小人竊窺，自謂得天機也，悲哉！”[②] 其實，真正可悲的倒是自稱“愚昧”的張氏本人，李筌主體性哲學思想的光輝豈是他只手所能掩盡的！

作者簡介　李剛，1953年生，哲學碩士。現爲四川大學宗教研究所副研究員。

① 《冲虚至德真經四解》卷3，上海古籍出版社《道藏要籍選刊》第5册550頁。
② 《雲笈七籤》卷15《黄帝陰符經叙》。

唐代的《老子》注疏

李　中

内容提要　唐代道教尊崇老子，對《老子》的注疏是唐代道教最重要的理論活動。唐初流行的河上公《老子》注本，把《老子》當成長生書，認爲老子的"常道"是"自然長生之道"，不是"經術政教之道"。成玄英以佛理解老，主張在世俗生活中去體會"物我皆空"，"息貪競之心"，從而心裏寧靜，可致長生。稍後的李榮，認爲老子的常道是"虛寂之道"，而不是"常俗之道"。"虛寂之道"是萬物的本始，治身、治國都以"反本"爲宗。唐玄宗把《老子》當作治身、治國之道。其後李約明確否認《老子》是神仙書，認爲法天地之理以治天下乃是道教的基本教義。陸希聲則以儒解老，把《老子》的宗旨歸結爲"化情復性"。唐末杜光庭注《老子》，重提煉形、長生，但最重要的，乃是煉心。唐代注《老》思想的演變，表明道教一步深似一步地把心性修養作爲最高的宗教追求。

東晉、南朝所出的《三洞經》，曾經貶低過《老子》。許多經文宣稱，自己才是最高的經典，所以不把《老子》入洞。道安《二教論》中的設問，明說《老子》不如《三洞》①。直到唐初，還存在《三皇經》和《道德經》的對立。但是，在與佛教的鬥爭中，道教逐漸認識到，真正能與佛教抗衡的，還是《老子》。雖然佛教也攻擊老子，認爲老子不能與釋迦匹敵。但佛教更加攻擊《三洞》。佛教認爲，《三洞》經除了

① 道安《二教論・明典眞僞》設問："老經五千，最爲淺略，上清三洞，乃是幽深……"反映了三洞興起以後，老子地位的降低。

抄襲佛經,就是所謂“語出凡心”,“符禁”,“怪誕”(道安《二教論·明典真僞》)。這些鬼道,巫術,更遭佛教的鄙視。道教如果過多地堅持這些東西,就會嚴重損害自己的形象。所以從唐初開始,在與佛教的論爭中,道教都毫無例外地把《老子》作爲自己的最高經典。

一、唐初佛道論爭

唐初佛道論爭,最重要的有三次,第一次是傅奕反佛,第二次是關於《老子》的翻譯,第三次是李榮等與佛教的往復辯論。

傅奕列舉佛教十一條罪過,主要是説,道教可以治國,適合國情。佛教不合中國國情,且勞民傷財,危害國家。傅奕臨終戒子:“老莊玄一之篇,周孔六經之説,是謂名教,汝宜習之”(《舊唐書·傅奕傳》)。傅奕的主張,不過是傳統的夷夏之辨。傅奕的鬥爭,卻非常重要。他在唐朝建國之初,就把老子作爲道教教主,並把道教説成是可以治國的宗教。傅奕的主張,不一定能代表當時道士的多數。如李仲卿作《十異論》,除講夷夏之辨外,還説道教是“生道”,佛教是“滅道”,把長生作爲“老君垂訓”的主要內容。但傅奕的意見,卻預示了唐朝道教後來的發展方向。

貞觀二十一年,唐太宗命玄奘把《老子》譯爲梵文,並由道士蔡晃、成玄英參加。蔡、成主張用《中論》、《百論》來理解《老子》,遭到玄奘拒絕。蔡晃等主張把“道”譯爲“菩提”,玄奘堅持譯爲“末伽”。這些爭論,反映了道教極力想用佛教的精神來武裝自己。和《道體論》,《玄珠錄》的主張,極爲一致。最後,是《老子》的序言。玄奘依據的底本,是河上公本,蔡晃等主張把序言一併譯出。玄奘認爲,這個“叩齒咽液”的序言,“同巫覡之婬哇,等禽獸之淺術”,不予翻譯①。玄奘的攻擊,從另一方面向道教指出,他們應堅持什麼,拋棄什麼。

---

① 參見《大正藏》第52卷:《集古今佛道論衡》卷丙。

在唐高宗主持下，佛道進行過多次辯論。道教方面以李榮爲主，立"道生"義，講道生萬物；佛教方面攻擊道爲何生善又生惡。道教立"老子名"義，佛教攻擊不應把皇帝祖上的名字拿來立義。立"本際"義，講道體問題。此外還有一些。其立論之中心，是老子崇拜。佛教方面在反駁中，對老子給予一定程度的肯定。如隱法師認爲："至如五千文內，大有好義。"靜泰說："《老子》二篇，莊生內外，或以虛無爲主，或以自然爲宗，固與佛教有殊，然是一家恬素"。至於《靈寶》、《上清》、《三皇》，則不足論。佛教還特別攻擊道士們"手把桃符腰懸赤袋，巡門厭鬼歷巷摩兒"，"不異淫祀邪巫"，而不同於佛的"情虛"①。宗教間的論爭，使道教一次比一次清醒，要爭得自身的存在和發展，必須向"情虛"方向發展，提高老子的地位。

道宣是佛教徒，他的《佛道論衡》主要記述了道教的失敗。這也許合乎事實。不過，在鬥爭中，道教方面也提高了自己的理論水平。顯慶三年(658)，大慈恩寺沙門義褒立義：摩訶般若波羅密。李榮問：

問：義標般若波羅密，斯則非彼非此，何以言到彼岸？

答：般若非彼此，嘆美爲度彼。

問：非彼非此嘆度彼岸，亦應非彼非此嘆到此岸。

答：雖彼此兩亡，嘆彼令離此。

問：嘆彼不嘆此，亦應非此不非彼。

答：嘆彼令離此，此離彼亦亡。

李榮的詰難，也抓住了佛教的要害。義褒的回答，也有技窮之感。既然"彼亦亡"，何言"到彼岸"。如"非彼非此"，何言"離此"。此不可離，彼不必到，亦彼亦此，非彼非此，非非彼非此……如此下去，才算較爲徹底。李榮没有窮追，但李榮的理論活動，表明道教理論水平的提高。

佛教講六道輪回，那裏有確實存在的彼岸，但高級的佛教徒認

① 參見《大正藏》第 52 卷：《集古今佛道論衡》卷丁。

爲,那是僅給低級僧徒,甚至是衹給俗人聽的。高級僧徒所追求的,是涅槃寂靜,是一種心靈的境界。它不同於基督教的天堂彼岸。所謂非彼非此,亦彼亦此,正是對這種境界的準確描述。禪宗單刀直入,"直指人心",講"見性成佛",正是抓住了佛教的核心要義。唐代道教最先接受了佛教的這個真諦,並以這種精神來注釋自己的經典。

二、唐初《老子》注疏

隋唐時代,道教大規模地注釋自己的經書。除《老子》以外,還有《莊》、《列》、《文》,《西昇經》、《陰符經》等等。但核心是對《老子》的注釋。

隋唐時代的道教對《老子》的理解,可分四個階段:起初把它當作講内修的長生書,此一時期,河上公本流傳最廣,類似河上公注的思想,是《老子節解》;後來是用佛教精神注老,其代表作是成玄英的《老子疏》;第三階段對《老子》精神的理解,是内以修身,外以治國,講修身,有的還和長生相聯,如李榮《老子注》,有的僅講清心寡欲而已,如唐玄宗《老子注疏》,講治國,有的衹講清静無爲,李榮、唐玄宗是,此外還有李約《老子新注》,有人將治國擴大到用兵,如王真《老子論兵要義疏》,有的企圖以儒解老,如陸希聲《道德真經傳》,這是最長,也是最重要的時期;唐末,杜光庭作《道德真經廣聖義》,重講肉體長生,可算注《老》的第四階段。但是,無論是修身,治國,還是長生不死,都以清心寡欲,反本復性爲宗,則是唐代《老子》注疏的主流,也是唐代道教的主流。

唐初流行河上公本,不僅有玄奘把它作爲底本可證,爲此還發生過一場激烈的爭論。劉知幾說,據《漢書·藝文志》,注《老子》的衹有三家,其中没有河上公。

> 其非注者欲神其事,故假造其説耶!其言鄙陋,其理乖訛……豈如王弼英才俊識,探賾索隱。考其所注,義旨爲優(劉知幾《〈孝

經〉、〈老子注〉、〈易傳〉議》)。

司馬貞不同意劉知幾。他認爲:

> 注老子《道德經》者,實謂玄言,注家多罕窮厥旨。河上公蓋憑虛立號,漢史實無其人。然其注以養神爲宗,以無爲爲體,其詞近,其理宏,小足以修身潔誠,大足以寧人安國。且河上公雖曰注書,即文立教,皆體指明近,用斯可謂知言矣。王輔嗣雅善玄談……在於玄學,頗是所長。至若近人立教,修身宏道,則河上爲得。今請望王何二注,令學者俱行(司馬貞《〈孝經〉、〈老子注〉、〈易傳〉議》)。

爭論的結果,否定了劉知幾的意見。

河上公《老子注》認爲,"常道"是"自然長生之道",不是"經術政教之道";它把"谷神不死"解釋爲"養神不死",把"玄牝"説成是鼻口。在一切可能的地方,都强調寶精,愛氣,養神,追求長生不死。肯定河上公注,意味着國家政權不僅把老子作爲一個思想家,而且作爲一個宗教教主,這是道教國教化的重要一步。

南北朝道教,主要講長生術。《三洞經》的主旨,也是用各種手段求長生。當人們把注意力從《三洞》又移向《老子》的時候,經典的地位變了,但思想還一時没變。道教之外的知識分子,可能多信王弼本。但道教自身,崇信河上公本當在情理之中。而《老子節解》,很可能和河上公本相表裹。

據杜光庭《道德真經廣聖義》序,將《節解》列爲注老六十一家之首,認爲是"老君與尹喜解"。它的出現,當不會晚於唐初,而且很可能是更早的著作。它的思想和河上公注極爲相近。

《節解》認爲,人爲"土器",不煉形,則爲俗人,必死。它把"無關楗"釋爲"閉氣握固",把"大國""小國"解釋爲"泥丸"、"丹田",説"被褐懷玉"是"不貪官爵",説"勇於敢"是"貪爲交接"。他把"百姓"解釋爲人體的"百節",把"下大國"説成是"閉氣嚥液"。它完全不講治國,完全是魏晉南北朝時内修一派的理論,它表現了當時的道教徒怕敢直接問津政治的思想狀態。

三、成玄英《老子疏》

前蜀强思齊《道德真經玄德纂疏》和署名顧歡的《道德真經注疏》,都引了成玄英的《老子疏》,近人蒙文通又收集其他材料,有《成疏》輯校本問世。

《成疏》對道的理解,和《道體論》,王玄覽等一樣,認爲道是"不有而有""不無而無","道不離物","物不離道"(第二十章),這是通達佛理的道士對道的共同理解。在有無問題上,他要求"不滯"於有,也"不滯"於無,甚至"不滯於不滯"(第一章)。但他的基本立場,卻是"塵境虚幻"(第三章),"物我皆空"(第二十二章)。他追求長生不死。並且認爲,世人之所以不能恬淡、無爲、妄起貪求,其根本原因是"適見世境之有,未體有之是空"(第一章),所以才貪競不息,不能長生。要想長生,必須息貪競之心。息了貪競之心,不見可欲之物,"處心中正,謙和柔弱,此則長生也"(第四十二章)。

息貪競之心,不見可欲之物有兩種辦法:"一者斷情忍色,栖託山林,或即塞閉其門,不見可欲;二者體知六塵虚幻,根亦不真,内無嗜欲之心,外無可染之境"(第五十二章)。在這種情況下,"恣目之所見,極耳之所聞,而恒處道場,不乖真境"(第五十二章)。這種境界,成玄英稱之爲"即心無心"(第三章)。成玄英贊成"即心無心",不贊成遁迹山林,也不贊成閉目塞聽來避開可欲之物。依照這種理論,一個俗人,可以很容易地宣布自己爲道教徒,衹要他宣布信仰老子,並在世俗生活中作到了即心無心。成玄英的這種説法並非獨創。不僅佛教這樣説,甚至可追溯到郭象,追溯到莊子。但成玄英在初唐以此注《老》,卻有非常現實的意義:他爲道教的國教化和世俗化作了理論的説明。

成玄英此處所説的"心",不是指精神現象的主體,而是指精神主體的活動。精神現象的主體是存在的:"雖復即心無心,而實有靈照"(第二章)。所謂"無心",衹有心不執着,没有意念,意願等。簡而言之，没有欲望，甚至消解分辨事物的能力，“歸無分別智”（第二十八章），這樣就“復於本性”，“必致長生”（第二十八章）。因此，修心、復性，乃是成玄英《老子疏》的歸宿。修心、復性在行動上的表現，就是處弱、守雌、謙退、守一，這一切，都可以歸結爲一個“靜”字：“靜是長生之本，躁是死滅之源”（第四十五章）。老子的哲學主張成了宗教修煉的根本原則，並和佛教學説達到了有機的結合。

成玄英説，上面這些，都祇是“自利”。道還有一個作用，就是“接物”。而“接物之行，莫先治國愛民”，治國之道，“須是淳樸，教以無爲，杜彼奸邪，塞玆分別，如此則擊壤之風斯及，結繩之政可追”（第十章）。

成玄英不重“教齋威儀”。他說：“禮尚威儀，即經中教齋威儀是也。且至道冲寂，大象無形。今乃賤素貴華，重文輕質，不崇恬淡，唯尚威儀，雖爲漸教法門，而未能與理相應。非但内乖於道，而乃外亦不能應物”（第三十八章）。老子尚質不尚文，尚素樸不尚禮儀。把老子思想用於宗教，就是不重教齋威儀。在成玄英看來，尚威儀，不過是漸教法門，而漸教法門，是不符合道的。以老子崇拜爲主流的唐代道教，至少在理論上也不重宗教儀式。對宗教儀式的簡化，有利於使道教成爲國家宗教，向全國推廣。

道教的《老子》注疏，從河上公本開始，就不否認《老子》的治國作用。但認爲“經術政教之道”祇是“可道”，不是“常道”，因而祇是第二位的。成玄英也還是把道主要作爲長生之道。到李榮，道的意義開始發生了根本轉變。

四、李榮《老子注》

李榮將道分爲兩種：一種是“虚極之理”，“虚寂之道”，它“超於言象”，“絶於有無”，不可稱謂，所以説是玄，但也不可“滯此玄以爲真道”，所以説是玄之又玄。另一種是“常俗之道”，這個道不是“常道”，它“貴之以禮義，尚之以浮華，喪身以成名，忘己而徇利”，躁動有爲,多欲貪競,爲李榮所不取(第一章)①。

在李榮這裏,不是"長生之道"與"經術政教之道"的對立,而是"虛寂"之道和"常俗"之道的對立。治國、長生,都是"虛寂"之道,處於一個層次,地位同樣重要。而在實際上,李榮甚至更重治國之道。與之對立的,是那種有形有象,可以把握的東西:尚禮儀,重浮華,追求名利,務於貪競。兩種道的對立,不是兩種應用範圍的對立,而是有形和無形的對立,形上和形下的對立。《道體論》、成玄英等,强調道與物,形上與形下的滲透,克服了老子把道物截然分開的弊病,是個進步。但是如果僅强調道在物中,即物求道,也會導致把物本身當成道,把用本身當成體。抹殺形上形下,一般和個別的對立,在宗教實踐上也會把重威儀,尚祭祀的漸教看成高於治國的長生之道,從哲學上看,會導致棄本逐末;從政治上看,也不利於道教的國教化。因此,在成玄英等之後,李榮重新强調道的形上地位,無論對於哲學,還是對於道教國教化的進程,又是一個重要的進步。

李榮説,虛寂的道,是天地萬物的本始,也是人的本始。但一般人總是追求末而忘記本,縱欲傷情,"馳騖於是非,躁競於聲色"(第一章)。這樣必然墮入輪回:"在末所以輪回"(第十六章)。聖人不是這樣。聖人們"抑末而崇本,反澆以還樸"。對於芸芸衆生,"聖人皆勸以反本"。反本,就可以脱出輪回:"反本寂然不動"(第十六章)。所謂反本,就是"虛静無爲",虛静無爲才能得道,因爲"唯道集虛"。得道,就可成仙:"得成仙骨自强"(第三章)。

治身如此,治國也是如此。"聖人治,處無爲之事,行不言之教"(序)。所謂無爲,並不是袖起雙手,"以死灰爲大道,土塊爲至心"(第四十八章),而是崇本:"順自然之本性,輔萬物以保真,不敢行於有爲,導之以歸虛静"(第六十四章)。在李榮看來,老君所關心

① 今《正統道藏》中,李榮《道德真經註》不全。强思齊《道德真經玄德纂疏》,署名"吳郡徵士顧歡"的《道德真經註疏》,均保存有李榮注文。敦煌卷子中亦發現有李榮注文。蒙文通據上述材料,作李榮《老子註輯校》。本文所引,僅注明章數。僅在諸本不同,且有必要時,加補注。

的，似乎主要是國家的治亂。

> 大聖老君，痛時命之大謬，愍至道之崩淪，欲抑末而崇本，息澆以歸淳，故舉大丈夫經國理家，修身立行，必須取此道德之厚實，去彼仁義之華薄，則損俗禮歸真道。（第三十八章）

在第五十三章中，李榮用同樣的語氣，説"老君傷時王不從夷路，唯履險途"，他們服文采，帶利劍，積貨財，使"農田荒穢，倉廩空虛"，所以希望他們行"無爲大道"。在李榮的筆下，老君是一個悲天憫人，非常關心世俗人生的教主，而並不是祇顧自己長生的道士。

河上公注，想爾注，以及《老子節解》盡可能地强調長生之道，特别是《節解》在老子明講治國的地方，也用叩齒嚥液，閉氣握固來附會。但在李榮這裏，無論是相干還是不相干，總是極力往治國上拉。他把"音聲相和"，説成是"上之化下，猶風之靡草"，把"先後相隨"説成是"君先而臣隨，父先而子隨"。"高下相傾"，釋以"水亦所以載舟，亦所以覆舟"（第二章）。"閱衆甫"，説是"閱衆生邪正之行，忠孝者賞，過忒[1] 者罰"（第二十一章）。"重爲輕根"，説是君主"無爲重静"，臣子"有爲輕躁"，"上下各司其業"（第二十六章）。這樣的注釋，幾乎隨處皆是。在治國和修身並提的地方，也往往是治國在前，修身在後。如"不失其所者久"，注道："理國者用之，則國祚長久；修身者用之，則性命長久"；"死而不亡者壽"，注道："國王有道，天清地靜，人安神泰"；"修道者以百年將盡之身，獲萬劫無期之壽"（第三十三章）。這些注釋，充分表明了治國在李榮心目中的地位，也表明了道教企圖成爲國教的那種咄咄逼人的勢頭。李榮説，假如君主清靜無爲，"處無爲之事，行不言之教"，就可以"清九野"，"朝萬國"（第二章）。在李榮這裏，同樣現出了大唐帝國懷來致遠的宏偉氣象，顯示了道教同樣想治平天下的魄力。

佛教經常攻擊道教，説老子主張清虛，以身爲患，和道教追求肉體成仙不一回事。李榮的《老子注》，用虛極之理，把清虛和成仙，

---

① 《道德真經玄德纂疏》作"纂弑"。《纂疏》的改動、當是對唐末政局的反應。

長生和治國,結合爲一個整體,從而把道教重新推向治國的前臺。

萬物從道而生,道是虛極之理,虛極之理就是萬物的本性。治國,是順應、尊重人的本性;修身,是復歸人的本性。二者歸一,就是崇本抑末。李榮也講萬法皆空,因而貪競無益。但他的根基,則是反本歸根,清靜無爲的道家哲學,是崇本息末的玄學思想。李榮的《老子注》,也標志着道教已從佛教中拔出腳來,創造出自己的宗教哲學。就像僧肇的《肇論》標志着中國佛教在理論上的獨立一樣。

表現於行動,李榮和成玄英則無大差別,也是主"靜":"動則有生有死,失於真性。靜則不死不生,復於慧命也"(第十六章)。

使人不能虛靜的,是人的心:"夫生我者神,殺我者心。我殺由心,心爲死地。若能灰心息慮,不拘有爲,無死地也"(第五十章)。李榮不同於以《黄庭經》爲代表的内修派,講三一之道,主張神氣不離。他認爲,祇要有身有神,就有生有死:"有身有神則有生,有生有死不可以言道"(第六章)。

要能得道,就要"空其形神,喪於物我"(第六章)。然而,所謂"空","喪",並不是真的能消滅形神物我,不過是像天地一樣,"無心",不自營生罷了(第七章)。天地"無心",所以能長久。人要長生,也應該"一身心",使"純和不散"(第十章),使心虛靜,"以性制情"(第四十九章)。用於治國,要求"無心分別"善惡,對於一切,都要"無可無不可"。(第四十九章)。因爲有了分別,就傷害物的本性,違背常道:"分別妨道"(第六十四章)。在對待宗教實踐的態度上,李榮和成玄英一樣,最後都歸到了心性,性情的討論。和成玄英一樣,李榮也反對繁文縟節。他説:"上禮經三百,威儀三千,以此教人,故曰'爲之'。禮煩則亂,下不能行"(第三十八章)。

李榮和成玄英的不同處,是他更加從治國之道來考慮宗教禮儀的作用。爲了使"下",即多數人能行,簡化宗教禮儀是必要的。

但李榮還講長生不死,儘管什麼是"長生不死",在他那裏並不清楚。因爲他不講煉丹,也不主服氣,反而要空形神、喪物我,所以他的"長生不死"含義如何;不能不令人懷疑。但他畢竟還講。到唐玄宗,則到"修身"爲止,連這 疑寶叢生的"長生不死"也不講了。

五、唐玄宗《老子》注、疏

唐玄宗認爲,以往的《老子》注,即使嚴遵、河上公,也没有能夠懂得《老子》的"精義",其餘各家,更是"浸微固不足數"(唐玄宗《道德真經注》序)。在《道德真經疏·釋題》中,唐玄宗這樣論述了《老子》的大旨:

> 其要在乎理身、理國。理國則絶矜尚華薄,以無爲不言爲教……理身則少私寡欲,以虛心實腹爲務……而皆守之以柔弱雌靜……此其大旨也。

理身和理國之間,理國是理身的目的,理身是理國的根本。這一點,和《大學》的"修齊治平"没有差別。差別在於如何修身?《大學》講的是格致,是正心誠意。這裏講的是弱靜,是"反本復性"。唐玄宗認爲,人受生之時,有一個真實的本性:

> 人受生,皆稟虛極妙本,是謂真性。及受形以後,六根受染,五欲奔馳,則真性離散,失妙本矣。(《道德真經疏》第十六章)

傳統的講法,人的本性不同,是由於稟氣不同。稟清氣者爲賢爲聖,稟濁氣者爲愚爲賤。唐玄宗講人"皆稟虛極妙本",與佛教"一切衆生皆有佛性"有關。而中國佛教對佛性的這種説法,其思想淵源,可上溯到《莊子》的"道在屎溺"。不過,《莊子》的道,僅指萬物的普遍本質。人們要求得它,不過是爲了規範自己的行動,以求能在如"羿之彀中"的塵世獲得自由。道教則進一步,把普遍的本質作爲成仙、成聖的根據。唐玄宗認爲,人人都有這個根據,但是後來丢掉了。丢掉的關節點,是"成形"。至於成形以後爲什麼會丢掉這個本性,唐玄宗的説法算不得回答。假若一切皆來自虛極妙本,染從何來?至於"五欲奔馳",並不是對爲何失去本性的解釋,而僅是對本性失去以後的描述。在這裏,我們還看到老莊哲學和道教精神的不同。《莊子》説"道在屎溺"不論成形與否。人們求道,主要是種認識活動。但所謂原來清明,後來"受染",要求得道,就不衹是認識活動,而是內心的作業,宗教的修煉。這種內心的作業,也區别於一般的道德修養。道德是人與人的關係,人與人的關係是具體的關係。道德修養要求人們在具體的人際關係中調整自己的行爲。道德修養也有內心的作業,自我的批評。然而,這種作業和批評不僅時刻聯繫着具體的關係,并且最後也要落實於這些具體的關係。宗教修煉企圖擺脱這些具體的關係,它把道德修養變爲一種純粹的精神追求。這追求的內容不是人與人的關係,而是自己對自己的關係,是純粹的自我關係。在嘈雜的現實中創造一個寧靜的心靈上的天堂,這就是它的淨土和彼岸。這樣的淨土和彼岸實際上是不存在的,它需要先被虛構出來,然後再去求得它。唐玄宗虛構了一個"虛極妙本",即人的"真性",然後説,人們修煉的目的,就是保全,或是復歸這個真性。復歸的手段,就是"守靜":

> 今欲令虛極妙本必自致於身,當須守此雌靜,篤厚性情,絶欲無爲。
>
> 能守靜致虛,則正性歸復命元而長久也。(《道德真經疏》第十六章)

之所以要用守靜去致虛,原因在於,人的真性本來是清靜的:"人生而靜,天之性"(《道德真經注》第一章)。"人生而靜,天之性",是《禮記·樂記》上的話。守靜,是老子的主張,情欲使本性染污,是佛教的説法。唐玄宗把它們結合到了一起。正因爲人的真性本來是靜的,要保持、恢復這個真性,也必須清靜無爲。君主清靜無爲,就要清心寡欲,不要生事擾民,"令物各遂其生"(唐玄宗《道德真經注》第十章)。一般人清靜無爲,就是安於性分,不要過多追求:

> 難得之貨,謂性分所無者,求不可得,故云難得。夫不安本分,希效所無,既失性分,寧非盜竊。(《道德真經注》第三章)
>
> 人之受生,所稟有分……分外妄求,求不可得。(《道德真經疏》第三章)

唐玄宗《老子》注、疏的核心,就是在性分上作文章。人的本性是清靜的,是與生俱來的,所以必須保守。假如被情欲染污,應當設法復歸。在《道德真經疏》第一章,唐玄宗開宗明義地講,所謂道,就是叫人“了性修心”:欲使學者了性修心,所以字之曰道。人們明了自己的真性,通過修心,從而保持它,或復歸於它,就會行動自如:“若得其性而爲之,雖爲而無爲也”(唐玄宗《道德真經疏》第三章)。因爲人們的行爲,都不會超出自己的性分,因此也不會有爭奪,從而達到天下太平。

唐玄宗没有許給人們一個世外的天國。他要求人們在現實中安於自己的本分。他也没給人們安分以某種報答,而把安分説成人們自己的本性、本分。因而衹是一種“應該”,一種要無條件接受的絶對命令。他完全不講長生,認爲修煉的結果,不過是能盡“一期之壽”(唐玄宗《道德真經注・疏》第三十三章)。他把一個完整的彼岸世界分割成無數塊淨土,安放在人們的心上。從而企圖把每一個俗人都變成僧侶。這樣一來,人君可以“永終天祿”(唐玄宗《道德真經注》第十章),百姓可以“長無危殆”(唐玄宗《道德真經注》第五十二章)。這是一個現實的天國。實現這個天國的條件,衹是每個人都心靈寧靜而不妄求。在這個天國裏,每個人的心靈都是自我封閉的,因而是絶對分散的。但這些心靈又是同一的,他們遵循着同一的原則。在這裏,我們已很難分清,這是治國的政綱,還是宗教的訓條,因爲它既是政綱,又是教義,是政教合一的,國教化的道教精神。

不要以爲唐玄宗不講長生就是把《老子》又變成了哲學書。他相信,他説的這些,正是道教的核心,道教最本質的東西。他認爲老子就是老君。他相信“聖人以玄元始三氣爲體”,而“老君法體”,就是“以三一爲身”,并且“身有真應之别”(唐玄宗《道德真經疏》第一章)。《道德經》,就是老君這個神靈講的一套理身、理國之道。

以唐玄宗爲代表,道教進一步向國教方面發展。它不講長生神仙,甚至排斥長生神仙,而衹要求人們修煉自己的内心。這方面的代表著作,還可舉李約《道德經新注》和陸希聲《道德真經傳》。

六、李約和陸希聲注《老子》

李約認爲,《老子》不是"神仙書",也不是"虛無之學"而是"清心養氣安國保家之術"(《道德真經新注》·序)。他主張崇本息末,認爲道就是讓人返歸自然之性。他也主張保精,復樸,使神不離身,和氣長在於心,以此致無期之壽,得長生之道。但他認爲:

> 凡言長生久視,言聖人立法於不朽,以濟活天下無窮之利,非存有礙之形也。(《道德真經新注》卷三)

對於"死而不亡者壽",他注道:

> 人能行道以利天下,所垂法則制度,皆生於神識機智,一成之後,萬古傳之,是身死形謝而神長存,故曰壽也。(《道德真經新注》卷二)

李約實際上否定了長生不死。他說的"長生久視","死而不亡",不過相當於今天的精神不死。和唐玄宗一樣,李約相信,《道德經》是"老君在西周之日","秉道德以救時俗"(《道德真經新注·序》)也就是說,《道德經》是太上老君講的治國之道。

李約自己認爲,他的主要貢獻,是把"人法地、地法天……"斷爲:"人法地地、法天天、法道道、法自然"。他說,域中四大,即天、地、道、王。王,應該"法天、法地、法道之三自然妙理而理天下也"(《道德真經新注·序》)。法天地之理以治天下,這就是李約對道教基本教義的理解。然而這樣一來,李約就在根本教義上把道教和儒家合到了一起。

李約認爲《六經》"乃淺俗之談"、"乃黄老之枝葉"(《道德真經新注·序》)。陸希聲則認爲,老子和孔子,目的一致,方法相合,衹是所重視的側面不同:"仲尼之術興於文,文以治情;老氏之術本於質,質以復性",但"殊途同歸"(《道德真經傳·序》)。所以他大量援引儒家的思想去解釋《老子》。他把《老子》思想歸結到一點,即性情問題。他說:

老氏本原天地之始,歷陳古今之變,先明道德,次說仁義……其秉要執本,在乎情性之極。(《道德真經傳·序》)

他認爲,人對於美惡的分別,“皆生於情”,“以適情爲美,逆情爲惡”,雖然所謂美者未必美,惡者未必惡,但人情還是要去分別,去爭競,而這是一切禍亂的根源。糾正的辦法,是“化情復性”,或說是“以性正情”:

……好惡相繆、美惡無主、將何以正之哉? 在乎復性而已。

故聖人化情復性而至乎大同。

夫爲治者,以情亂性則難成,以性正情則易成。

聖人將復其性,先化其情。(均見《道德真經傳》卷一)

爲什麽要“復性”,“要正情”? 陸希聲認爲,因爲性是“大同”的,“復性”可以歸於“大同”,“正情”可以堵塞“嗜欲之原”:

夫人之性大同,而其情則異……故聖人化情復性而至乎大同(《道德真經傳》卷一)。

以性正情,則嗜欲之原塞矣。(《道德真經傳》卷三)

那麽,人的情從何而來呢? 陸認爲是生於性:“向則情之所生,必由於性”(《道德真經傳》卷一)。但是,那大同虛靜的性,爲何會生出這躁動多欲的情? 陸没有回答。他衹是要求“復性”,并且認爲:“情復於性,動復於靜,則天理得矣”(《道德真經傳》卷一)。

道教國教化的進程,不僅使它一步步脱離神仙、長生説,也一步步使它向儒家靠攏合流。從李約改人法地等爲人法天、地、道,到陸希聲援儒釋老,表明了儒家的思想成分在道教内部的滋長。這種滋長,不是道教採用儒家某些局部原則,如忠孝節義之類。而是根本教義的合流:法天、治國、修身,把修身歸於修心、復性等等。這種傾向向左發展,將使道教發生“尸解”:丢下一具道教的僵尸,飛出一個儒教的靈魂。這是從李翺《復性書》始,到宋明理學的發展道路,雖然宋明理學主要不是來自道教。向右發展,道教爲了保住自己的基地,不致被儒教同化,而重新撿起自己的長生、神仙説。這就是杜光庭的《道德真經廣聖義》。

七、杜光庭《道德真經廣聖義》

唐玄宗的《老子》注、疏，講理身、理國。理身是不求非分，理國要清靜無爲。不求非分，可以天下晏安，其立足點，仍在理國。杜光庭講理身、理國、重點在理身，他認爲，"知理身則知理國"，"未聞身理而國不理者"(《廣聖義》卷八)。他把聖人分爲五等：第一是"得道之聖"，如太上老君。第二是"有天下之位兼得仙之聖"，如伏羲、黄帝。第三是"有天下之位而無得仙之聖"，如禹湯文武。至於周孔，不過是第四等的"博贍之聖"(《廣聖義》卷七)。在杜光庭的心目中，得道，在得天下之上。唐玄宗採佛説，認爲"身相虚幻，本無真實"(唐玄宗《道德真經注》第十三章)，所以祇主張"了性修心"。杜光庭認爲，老子所説的"無身"，不過是修道之士"能忘其身"罷了(《廣聖義》卷十三)。因此，煉形是重要的："世人修道，當外固其形……內存其神"(《廣聖義》卷十一)。祇有神形俱全，才可以得道："神形俱全，可以得道，形而神游，道何求哉"(《廣聖義》卷三十二)。煉形的方法很多，他最推崇的，還是服氣。他説："食氣則與天爲徒，久而不已，可以長生"，説，"老君令人養神寶形，絶穀食氣，爲不死之道"(《廣聖義》卷九)。他排斥外丹，認爲"餌金石"屬於"奉養之厚"，"本欲希生，反之於死"(《廣聖義》卷四十八)。

修煉的最高境界，是"煉形成氣"、"煉氣成神"，成爲真人、聖人："其真人聖人，永超數運，無復變遷"(《廣聖義》卷四十九)。要達到這樣的境界，不能祇靠煉形的手段。因此，"內視養神，吐納煉藏，服餌導引，猿經鳥伸"等等，不過祇是"修道之初門"(《廣聖義》卷三十六)。如前所述，他把士也分爲六種，最上的"爲道之士"，"不刻意而高"，"不導引而壽"(《廣聖義》卷十四)。達到這樣的境界，完全是心靈的作業。因此，雖然煉形是重要的，但最重要的，還是"煉心"：

> 理身之道，先理其心。(《廣聖義》卷十九)
>
> 理身者，以心爲帝王，臟腑爲諸侯，若安靜心王，抱守真道，則

天地元精之氣納化身中……則身無危殆之禍,命無殂落之期,超登上清(《廣聖義》卷二十七)。

能剗可欲之心,必享無涯之祉。理國可期於九五,理身可企於神仙。勉而行之,道之要也。(《廣聖義》卷三十五)

總之,"道果所極,皆起於煉心"。(《廣聖義》卷四十九)煉心,是一切修煉手段的基礎,也是一切修煉手段中最高、最重要的手段。

杜光庭接受了佛教的説法,認爲:"一切世法,因心而滅,因心而生。習道之士,滅心則契道"。(《廣聖義》卷八)所謂"滅心",就是滅動心","忘照心",達到"去住任運","不著有無",這時,就是契合了"長生久視升玄之道"。(《廣聖義》卷四十九)因此,杜光庭理論的歸宿,仍是心性、性情問題,修心的目的,也是"返性歸元"(《廣聖義》卷十九)。修心的場合,不一定要在江海。衹要心靜,在鬧市也可以修道(見《廣聖義》卷八)。這樣,杜光庭就給道教的世俗化留下了廣泛的餘地。

杜光庭也探討了性情問題。他認爲,"自道所稟謂之性,性之所遷謂之情"(《廣聖義》卷十八)。從這一方面説,性是大同的,清靜的,所以應返歸本性。但他又説,人的賢聖愚賤,由於稟氣不同,所以有"性分"之别(《廣聖義》卷八)。他對性的見解,并不一貫,至於性爲什麼遷化爲情,他更没有作出滿意的解釋。

杜光庭還認爲,《老子》的主旨,并不排斥儒家。它衹是"抑澆詐聰明",並不"絶仁義聖智",其目的,也是要達到"君君、臣臣、父父、子子",爲天下致太平(見《道德真經玄德纂疏》·序)。因此,杜光庭把理身放在理國之上,推崇"得道之聖"、"爲道之士",衹是爲了更進一步抬高道教,使道教凌駕於政治之上,而不致成爲政治的附庸。

八、附:成玄英《莊子疏》和盧重玄《列子解》

唐代的道教經學,除了注《老》,就是注《莊》、注《列》。注《莊》的有成玄英《莊子疏》,注《列》的有盧重玄《列子解》。

《莊子疏》認爲,萬物虛幻,人也不實,本無自性,也無分别,執滯没有意義。衹有率性而動,才可逍遥自得。從外表看,萬物千差萬别,假如他們率性而動,從自足、自得這上頭看,則完全一致。人的率性而動,就是要認清物我雙幻,雖然也有視聽,但是無所見聞。心裏安靜,無思無知,這樣就可長生久視。所説的神仙,不過是懂得了這個道理,從心裏擺脱了一切世俗牽累而已。並不是一定要長壽千年,肉體飛升。

依成玄英的説法,萬物所稟不同,性分也有差異。這就是説,萬物的本性並不一樣,率性而動的行爲,自然也千差萬别,相同的衹是一點:僅在於它們都是率性而動。

就物來説,鵬鳥扶摇直上,蜩鳩止於榆枋,都是率性而動。依此推論,人們千差萬别的行爲,也可説是率性而動。行善和作惡,貪競和淡泊,遁迹山林和錦衣玉食,都可説成是他們的本性不同,率性而動。那麽什麽是"妄情"呢?依照成玄英的説法,妄情,也是他們的本性。實際上,成玄英也常常把"率性"和"率情"混用,把二者當成是一回事。在《老子疏》中,他認爲"道不離物"。在《莊子疏》中,他没能嚴格區分性與情。因此,他們講的"復性"復於何處,並不明確。成玄英所重視的,衹是心不執着:"爲道之要,要在忘心"(《莊子疏·逍遥遊》)。衹要忘心,心不執着,"姑射不異汾陽",山林不殊黄屋。因此,是作帝堯還是作許由都不重要,重要的衹是心不要執滯。

莊子貶堯推許,郭象劣許優堯。成玄英認爲,堯是大聖,許由衹是大賢。莊子貶堯,是表面的,不過是爲了講禪讓。郭象的説法,洞察堯的"無待之心",是"探微索隱",真正懂得了莊子的意思(見《莊子疏·逍遥遊》)。成玄英推崇帝堯,尊爲大聖,這正是道教主動地向國家政權獻媚。

成玄英説,姑射山的神人,衹是莊子的寓言,意在説明堯的大德,未必有姑射之實。這個寓言説明:

聖人動寂相應,則空有並照,雖居廊廟,無異山林,和光同塵,

在染不染。(《莊子疏・逍遥遊》)

在成玄英筆下,皇帝,是道教的大聖。

據盧重玄《列子叙論》,盧解《列子》,是奉旨而爲。盧重玄認爲,人生是形與神會,人死是形與神離。形有生死,神無死生。神是形的主,氣的根。神屬於道、性一方面。要得道,衹有養神。他們反對《列子・天瑞篇》所說的"不生者能生生,不化者能化化",認爲"凡有生皆有死,爲物化者常遷,安能無生無死,不化不遷哉"(《列子解・天瑞篇》)。

養神,就是契真得道,反本歸根,反情歸性。盧重玄說,人們總是有所貪求,君子求名,小人貪利。養神,就是去掉這些情欲。

情欲的産生,是由於"有我"。假如能忘我、忘形,就可能得道,全生。這就是所謂"知有其形者,適足以傷其生;忘其形者,適所以成其生"(《列子解・黄帝篇》)。

盧重玄說:"近於性則體道,惑於情則喪真"(《列子解・天瑞篇》)。情的産生,又是因爲有"我",所謂"我",就是形。因此,形爲障礙,它束縛着神和性。盧重玄的主張,全不講養形,長生。他要求忘我,要求去掉情欲,正表明他要把道教作爲政治的附庸。

唐代把老子尊爲道教中最重要的神仙,把《老子》等道家著作奉爲道教最重要的經典,因此,唐代《老子》及其他道書的注疏,代表了唐代道教思想的主流,並爲道教後來的發展指出了方向。

作者簡介 李申,1946年生,河南孟津人。中國社會科學院宗教研究所副研究員。著有《中國古代哲學與自然科學》、《莊子今譯》、《老子衍今譯》等。

管子的《心術》等篇非宋尹著作考

張岱年

内容提要　1944 年，郭沫若先生撰文認爲《管子》書中的《心術》上下、《白心》、《内業》等篇是宋鈃、尹文的遺著，此説至今在學界仍有很大的影響。本文不同意這種説法，並把《管子》四篇與先秦所記宋、尹思想加以比較，詳細論證《心術》等非宋，尹著作，而是依托於管仲名下的管子學派的作品。

1944 年，郭沫若先生撰著《宋鈃尹文遺著考》，認爲《管子》書中《心術》上下，《白心》、《内業》等篇是宋鈃、尹文的遺著。郭老此説，受到很多人的讚揚，認爲是關於先秦哲學史料的一個大發現。事實上，郭老的論斷并無充足理由，所舉證據並不充分，且有誤解原始資料之處，並不能證明《心術》上下等四篇是宋尹遺著。管見以爲，據《漢書・藝文志》所載，宋鈃、尹文各有專著，而劉向編定《管子》，一定是將標題爲"管子"的篇章編入，不可能將宋尹遺著列入。我認爲，宋尹學派確實是戰國時期的一個重要學派，《管子》書中《心術》上下、《白心》、《内業》等篇也確係重要的哲學著作，但並非宋尹遺著。

這裏先舉出《莊子》、《孟子》、《荀子》以及《韓非子》中關於宋鈃尹文的論述，以見宋尹思想的主要内容。《莊子・逍遥遊》云：

> 而宋榮子猶然笑之，且舉世譽之而不加勸，舉世非之而不加沮，定乎内外之分，辨乎榮辱之境，斯已矣。

這是説明宋子具有獨立的思想，不隨世俗的毁譽而動摇。《莊子・

天下篇》對於宋尹思想有詳細的評論。《天下篇》云：

> 不累於俗，不飾於物，不苟於人，不忮於衆，願天下之安寧以活民命，人我之養畢足而止，以此白心。古之道術有在於是者，宋鈃尹文聞其風而悅之，作爲華山之冠以自表，接萬物以別宥爲始。語心之容，命之曰心之行。以聏合歡，以調海內，情欲寡之以爲主（原作請欲置之以爲主，從唐鉞先生說校改，郭老說同），見侮不辱，救民之鬥；禁攻寢兵，救世之戰，以此周行天下，上說下教，雖天下不取，强聒而不舍者也，故曰上下見厭而强見也。雖然，其爲人太多，其自爲太少，曰情欲固寡（原作請欲固置，從唐鉞說校改），五升之飯足矣，先生恐不得飽，弟子雖饑，不忘天下，日夜不休，曰我必得活哉！圖傲乎救世之士哉！曰君子不爲苛察，不以身假物，以爲無益於天下者，明之不如已也。以禁攻寢兵爲外，以情欲寡淺爲內，其小大精粗，其行適至是而止。

這裏認爲宋尹學說的內容是：(1)“願天下之安寧以活民命”，以此白心，故稱之爲“救世之士”。(2)“接萬物以別宥爲始”，“宥”同“囿”，“別宥”即辨別偏見。(3)“語心之容，命之曰心之行”。(4)“情欲寡淺”。(5)“見侮不辱”。(6)“禁攻寢兵”。而認爲“禁攻寢兵”與“情欲寡淺”是宋尹的最主要的觀點。

《孟子·告子下》云：

> 宋牼將之楚，孟子遇之於石丘，曰：先生將何之？曰：吾聞秦楚構兵，我將見楚王，說而罷之。楚王不悅，我將見秦王，說而罷之。二王，我將有所遇焉。曰：軻也請無問其詳，願聞其指，說之將何如？曰：我將言其不利也。

這與《莊子·天下篇》所說宋尹“禁攻寢兵”相印證，宋子反對侵略戰爭，而且是從“利”的觀點來反對戰爭的。

《荀子·正論篇》提出了對於宋子“見侮不辱”，“情欲寡”的批評：

> 子宋子曰：明見侮之不辱，使人不鬥，人皆以見侮爲辱，故鬥也。知見侮之爲不辱，則不鬥矣。應之曰：然則亦以人之情爲不惡侮乎？曰：惡而不辱也。曰若是則必不得所求焉。……夫今子宋子

不能解人之惡侮，而務說人以勿辱也，豈不過甚矣哉！……故君子可以有勢辱，而不可以有義辱。……今子宋子案不然，獨詘容爲己，慮一朝而改之，說必不行矣。

子宋子曰：人之情欲寡，而皆以己之情爲欲多，是過也。故率其群徒，辨其談說，明其譬稱，將使人知情欲之寡也。應之曰：……今子宋子以是之情爲欲寡而不欲多也，然則先王以人之所欲者賞，而以人之所欲者罰耶？亂莫大焉！

這所說與《莊子・天下篇》所謂"見侮不辱"、"情欲寡淺"相印證。而"詘容爲己"與《莊子・天下篇》所謂"語心之容"相印證。

《韓非子・顯學篇》云：

漆雕之議，不色撓，不目逃，行曲則違於臧獲，行直則怒於諸侯，世主以爲廉而禮之。宋榮子之議，設不鬥爭，取不隨讎，不羞囹圄，見侮不辱，世主以爲寬而禮之。夫是漆雕之廉，將非宋榮之恕也；是宋榮之寬，將非漆雕之暴也。

這裏强調了"宋榮之寬"，可以與《莊子・天下篇》所說宋尹"語心之容"相印證。從荀子所講"宋子詘容爲己"與《韓非子》所講"宋榮之寬"來看，《莊子・天下篇》所謂"語心之容"的"容"字當作"寬容"解。

從《孟子》、《莊子》、《荀》、《韓》關於宋鈃尹文的論述來看，宋尹學派可以說是戰國時期的一個獨立的學派，而且宋子受到孟子、莊子的敬重，足見其品德的高尚。《漢書・藝文志》著錄《宋子》十八篇，在"小說家"，可能是因爲宋子當時"上說下教"，用的是通俗的語言，故列入小說家。而《尹文子》在名家，可能是因爲尹文有正名之說。《呂氏春秋・正名篇》記述尹文與齊湣王關於見侮不鬥的問答就是從正"士"之名來立論的。高誘注："尹文，齊人，作《名書》一篇"。高誘可能見過《尹文子》原書。《呂氏春秋・去宥篇》云："凡人必別宥然後知"。這正是引述宋尹"接萬物以別宥爲始"之說。郭沫若說："別宥"的"遺說尚保存於《呂氏春秋・去尤》與《去宥》二篇，這是正確的。《管子》的《心術》上下等篇對於"別宥"、"寢兵"、"見侮不辱"、"情欲寡淺"都無所闡述，難以論證這幾篇是宋尹遺著。

郭老提出《管子》的《心術》上下、《白心》、《內業》等篇是宋鈃、尹文遺著的論斷，其主要論據是認爲《白心》的篇題"白心"與《天下篇》論宋尹所說"願天下之安寧以活民命，人我之養畢足而止，以此白心"相應；《心術》上下篇所謂"心術"亦即《天下篇》所謂"語心之容、命之曰心之行"的"心之行"。郭老說：

> 莊子不明明告訴我們：宋鈃尹文不累於俗，不飾於物、不苟於人，不忮於衆，願天下安寧以活民命、'人我之養畢足而止，以此白心'嗎？可知白心是這一學派的術語，而白心篇的內容也大抵都是不累不飾不苟不忮的這一些主張。莊子不又說過他們語心之容、命之曰心之行嗎？心之行其實就是心術，行與術都是道路的意思。……心術二字的解釋也不外乎是心之行。而《心術下篇》言心之形如何如何，《內業》則言心之刑，或言心之情，刑與形字通，情與形義近，故心之刑、心之形、心之情，其實也就是心之容了。《心術》和《內業》的內容也不外乎是別宥、寡欲、超乎榮辱，禁攻寢兵這些意思；……假使我們肯細心地把這幾篇來和《莊子》的批評對照着讀，我們可以知道它們之間有如影之隨形，響之應聲，差違的地方差不多連絲毫也找不出的。

這段論證，包含一些明顯的誤解。《莊子·天下篇》講宋尹"以此白心"，是說以此表白自己的心願，"白心"二字并非一個術語。"心術"固然可以理解爲"心之行"，但是依據《荀子》所說宋子"詘容爲己"、韓非所謂"宋榮之寬"來看，"語心之容"的容是寬容之義，并非容狀之義。而《心術》上下篇都没有談到寬容。所謂寬容是指"見侮不辱"。《心術》上下以及《白心》更未談到"見侮不辱"。宋尹所謂"情欲寡淺"是說人的欲望要求本來不多，《心術上》所謂"去欲"是說應該寡欲，其意義也是不一樣的。郭老所說"《心術》和《內業》的內容也不外乎是別宥、寡欲、超乎榮辱，禁攻寢兵這些意思"未免是籠統的空泛之談，至於認爲《心術》等篇與《莊子》的批評二者之間"有如影之隨形，響之應聲"更不過是充滿想象的浮夸之詞，可以說是查無實據了。

郭老也曾以《心術》的文句與《莊子·天下篇》宋鈃尹文一節相

對照,而說:"虛其欲,神將來舍。……夫聖人無求也,故能虛"。這不就是所謂接萬物以别宥爲始、情欲寡之以爲主的理論嗎?"又引"人之可殺,以其惡死也,……是以君子不休乎好,不迫乎惡,……"而說"這不就是見侮不辱的基本理論嗎?"又引"物固有形,形固有名,名當謂之聖人,……"而說"這不就是不爲苟察的基本理論嗎?"這些真可謂天才的猜測,可謂盡牽强比附之能事,而距離實事求是的科學性卻相去太遠了。

郭老更引證了《内業》篇的資料,認爲"《内業》裏面更保存了些别的資料,便是食無求飽和救民之鬥的基本理論"。認爲"善氣迎人,親於弟兄;惡氣迎人,害於戎兵",……"食莫若無飽"……"這不就是願天下之安寧以活民命,人我之養畢足而止的基本理論嗎?"今按,這裏也有一個理解問題。應知,宋尹所謂"五升之飯足矣"、"雖饑不忘天下",是爲了救世濟民,因而不求飽食;而《内業》所謂"食莫若無飽"以及"饑飽之失度乃爲之圖"是爲了個人的衛生,二者的意向是大不相同的。郭老也看出這裏的差異,但又說:"這兒所主張的是不可過飽,并不是有心歡迎饑,所謂先生恐不得飽,弟子雖饑不忘天下,日夕不休,祇是莊子的譏諷而已"。這就是對《莊子》的誤解了。《莊子·天下篇》雖然認爲宋尹之學不夠深邃,"其水大精粗,其行適至是而止",但還是肯定他們是"救世之士",并没有加以譏諷。

《内業》有云:"浩然和平,以爲氣淵",又說:"靈氣在心,一來一逝,其細無内,其大無外"。郭老提出:"這種靈氣的强調,我們很可以看出便是孟子所說的浩然之氣的張本。……孟子所說的,的確是翻版。請看他說出一個配義與道的道字便很不自然而無着落。《内業》和《心術》的基調是站在道家的立場的,反復詠嘆着本體的道以爲其學說的脊干。隨着作者的高興,可以稱之爲無,稱之爲虛,稱之爲心,稱之爲氣"。這裏包含着對孟子學說的絶大的誤解。孟子所謂"配義與道"的"道"是儒家所謂道,即孔子所謂"志於道"的道,并非道家的道,怎能說孟子"配義與道"的道字是"很不自然而無着落呢？如此理解孟子，就未免太離奇了。孟子所謂浩然之氣與《内業》所謂“浩然氣淵”，“靈氣在内”是否有聯繫，孰先孰後，由於資料不足，現已無從考定了，我認爲應該存疑，不必做出“想當然”的判斷。郭老對於《心術》和《内業》中所謂道的理解也是不確切的。《心術》雖然講“虛而無形之謂道”，但未嘗稱之爲無，亦未稱之爲氣，更未稱之爲心。在《心術》、《内業》中，道、虛、氣、心是屬於不同層次的，何能混爲一談呢？

郭老自詡：“我們發現了《心術》與《内業》是宋鈃尹文的遺著，算又把這個失掉了的連環釦找着了”。“我感覺着我是把先秦諸子中的一個重要的學派發現了”。這裏應加以分析。宋尹學說，經《莊子・天下篇》的評述，並不是一個失掉了的連環釦，也無待於重新發現。但是《管子》書中的《心術》上下、《内業》等篇含有深刻的哲學思想，多年以來確實很少人予以注意，郭老特別表彰了這四篇，應該肯定，這是中國哲學史研究中的一項新成就。郭老的貢獻不在於重新發現了宋尹學派，而在於重新發現了《心術》、《内業》等篇的歷史價值。

劉向《管子序錄》說：“所校讎中《管子》書三百八十九篇，太中大夫卜圭書二十七篇，臣富參書四十一篇，射聲校尉立書十一篇，太史書九十六篇，凡中外書五百六十四，以校除復重四百八十四篇，定著八十六篇”。這原來的三百八十九篇，都稱爲“管子”書，必然都標上了“管子”二字，劉向是不可能將未標明“管子”二字列入的。我認爲，這些篇章都是依托管仲的，所以稱爲管子學派的著作。《心術》上下、《白心》、《内業》等篇所以說是管子學派的哲學著作，而不可能是宋鈃尹文的遺著。

《心術》、《内業》等篇，雖非宋尹學派的遺著，但仍是先秦哲學中的重要篇章。這幾篇，作爲管子學派的哲學著作，在中國哲學發展史上具有重要的地位。郭沫若特別表揚了這幾篇，這是值得讚佩的！

作者簡介 張岱年,1909年生,河北獻縣人。北京大學哲學系教授、清華大學思想文化研究所所長、中國哲學史學會名譽會長。著有《中國哲學大綱》、《張岱年文集》等。

《管子·輕重》篇的年代與思想

李學勤

内容提要 《管子》書中的《輕重》諸篇,多數學者都認爲是漢代作品。本文在綜核學界諸説的基礎上,依據近年山東出土的文字及實物材料,考訂《輕重》諸篇爲戰國末世《管子》一系學者的著作。文末並簡略地分析了《輕重》諸篇的思想傾向。

《管子》一書西漢晚期經劉向校理,共有八十六篇,《漢書·藝文志》列在道家。這部書篇章繁多,結構也頗複雜,引起歷代學者的爭議,位於全書最後的《輕重》諸篇尤爲衆矢之的。晉代傅玄已說:"《管子》之書,半是後之好事者所加,《輕重篇》尤鄙俗。"唐代孔穎達也講:"《輕重篇》或是後人所加。"① 他們的意見是説《輕重》非管子所作。清代嚴可均論《管子》時指出:"近人編書目者謂此書多言管子後事,蓋後人附益者多,余不謂然。先秦諸子皆門弟子或賓客或子孫撰定,不必手著"。顧實引述其説,深以爲是②,其論最爲通達。

按《管子》有《經言》、《外言》、《内言》、《短語》、《區言》、《雜篇》、《管子解》、《管子輕重》諸目,《輕重》本爲十九篇,到梁、隋間亡佚三篇,僅存篇目。這十六篇内容富有特色,在歷史上起過相當重要的作用,從而爲學術界所重視。《輕重》非管子自撰,早已論定,但究竟成於何時,迄今衆説紛紜,未獲解決。總的説來,主張是漢人作品的

① 戴望:《管子校正》卷首《管子文評》,《諸子集成》第五册。
② 顧實:《漢書藝文志講疏》三,上海古籍出版社,1987 年。

占多數，如王國維疑爲漢文、景時作[①]，羅根澤指爲漢武、昭時作[②]。把《輕重》的寫作年代估計得最晚，因之最引人注目的，是馬非百先生。他在 1956 年發表論文[③]，倡言《輕重》各篇爲新莽時作；1979 年又出版專書《管子輕重篇新詮》[④]，重申他的見解。由於《新詮》收入《新編諸子集成》第一輯，這一看法有較廣泛的影響。

有些學者不同意上述意見，特別是馬非百先生的看法。1958 年，容肇祖先生曾撰文反駁馬説[⑤]。針對《新詮》的，則有 1981 年胡家聰先生的專文[⑥]。容、胡兩家都認爲《輕重》應屬於戰國時期，胡文所論更爲詳密，推進了這一問題的展開和研究。

近年各地發現的簡帛古籍，已經爲學術史的探討開拓了前所未有的局面。其中雖然尚未找到《輕重》，還是有一些内容與《輕重》有所聯繫，可以引爲判斷後者年代、性質的憑藉。另外有的考古文物方面的研究成果，也足與《輕重》對照參考。這些都是胡文所未及徵引的。下面試在胡文的基礎之上，作幾點引伸補充，以期對《輕重》諸篇以至《管子》全書能夠加深認識。是否有當，切望讀者指教。

《輕重》與《乘馬》

《輕重》諸篇與《管子》的其他部分，如《經言》、《外言》等有一個不同之處，就是這十幾篇明顯地自成一組，其内容和語言彼此相類。不過，雖然是這樣，《輕重》諸篇的思想内涵仍然和其他若干篇章有着密切的聯繫。馬非百先生以爲《輕重》和《管子》其他部分"不是一個思想體系"，胡文已作反駁，并説明《輕重》的學説是《經言》

---

① 王國維：《觀堂別集》卷一《月氏未西徙大夏時故地考》，《王國維遺書》第四册，上海古籍書店，1983 年。

② 羅根澤：《管子探源》，中華書局，1931 年；又收入《諸子考索》，人民出版社，1958 年。

③ 馬非百：《關於管子輕重篇的著作年代問題》，《歷史研究》1956 年第 12 期。

④ 同上：《管子輕重篇新詮》，中華書局，1979 年。

⑤ 容肇祖：《駁馬非百〈關於管子輕重篇的著作年代問題〉》，《歷史研究》1958 年第 1 期。

⑥ 胡家聰：《〈管子·輕重〉作於戰國考》，《中國史研究》1981 年第 1 期。

各篇思想的一種發展。

胡文提到《輕重》曾屢次出現《經言》的文句,例如:

《事語》記管子語:"彼善爲國者,壤闢舉則民留處,倉廩實則知禮節。"此係引《牧民》:"地闢舉則民留處,倉廩實則知禮節。"祇是個别文字有所不同。

《揆度》云:"五穀者,民之司命也;刀幣者,溝瀆也;號令者,徐疾也。令重於寶,社稷重於親戚"。此類於《七法》:"世主所貴者寶也,所親者戚也,所愛者民也,所重者爵禄也。亡君則不然,致所貴非寶也,致所親非戚也,致所愛非民也,致所重非爵禄也。故不爲重寶虧其命,故曰令貴於寶;不爲親戚危其社稷,故曰社稷愛於親戚①"。後者文理完足,足證《揆度》實係引文。

《輕重甲》:"今爲國有地牧民者,務在四時,守在倉廩。國多財則遠者來,地闢舉則民留處,倉廩實則知禮節,衣食足則知榮辱"。這也是引《牧民》:"凡有地牧民者,務在四時,守在倉廩。國多財則遠者來,地闢舉則民留處,倉廩實則知禮節,衣食足則知榮辱"。也祇有個别文字的差異。

同篇:"發若雷霆,動若風雨,獨出獨入,莫之能圉。"類於《七法》:"……故舉之如飛鳥,動之如雷電,發之如風雨,莫當其前,莫害其後,獨出獨入,莫敢禁圉"。類似的話,又見於《幼官》。

實際上,《輕重》和《經言》中的《乘馬》有着更清楚的關係。前些時候我在一篇小文裏講到,《管子》書中以"乘馬"一詞爲標題的有四篇,《經言》一篇,即《乘馬》;《輕重》三篇,即《匡乘馬》、《乘馬數》和《問乘馬》(已佚)。所謂"乘馬",應以年代接近的齊國著作《司馬法》對照解釋。《詩・信南山》正義引《司馬法》佚文云:

> 四邑爲丘,有戎馬一匹、牛三頭,是曰匹馬丘牛;四丘爲甸,甸六十四井,出長轂一乘、馬四匹、牛十二頭、甲士三人、步卒七十二人,戈楯具備,謂之乘馬。

① 參《管子集校》校改。

《乘馬》篇内也有類似的規定。可知"乘馬"一詞的"本義是軍賦單位,而古代兵農合一,行政編制與軍事編制結爲一體,所以如《乘馬》所示,行政組織、土地制度同軍賦不可分割,要確定一個諸侯國能負擔多少,即對所謂國用作出估計,必須着手整頓以軍賦爲標準的這一整套體系"①。

《乘馬》篇中已論及"輕重有制"、"任之輕重",其有關市與黄金的論述,也可説是《輕重》各篇的先聲。《輕重》各篇的思想,正是以《乘馬》所論的國用問題爲起點的。列於《輕重》首篇的《匡乘馬》,始於齊桓公"請問乘馬",管子答辭則詳論"不奪民時"的必要,力戒征賦起繇超過限度。下面的《乘馬數》更進一步討論"國用"取民的限度,"相壤定籍"的意義。這些地方,如我那篇小文所説,都和《乘馬》有着連續的關係。

值得注意的是,《乘馬》與山東臨沂銀雀山漢墓出土的竹簡有關。

銀雀山簡是1972年發現的,其中有一部子書,計十三篇,經過整理,釋文業已發表,稱爲《〈守法〉、〈守令〉等十三篇》②。書中有一篇題爲《田法》,思想内容同《乘馬》殊爲近似,尤其是講"地均"之法的部份,文字互相類同③。《〈守法〉、〈守令〉等十三篇》和《乘馬》一樣,都是戰國時期齊國的作品,由之不難推想《輕重》的年代與國别。

《輕重》與《王兵》

馬非百《管子輕重篇新詮》曾談到《輕重》的《事語》與銀雀山竹

① 李學勤:《〈管子〉"乘馬"釋義》,《管子學刊》1989年第1期。

② 銀雀山漢墓竹簡整理小組:《銀雀山竹書〈守法〉、〈守令〉等十三篇》,《文物》1985年第4期;又收入《銀雀山漢墓竹簡》(壹),文物出版社,1985年。

③ 李學勤:《銀雀山簡〈田法〉講疏》,《中國文化與中國哲學》,東方出版社,1986年。

簡《王兵》之間的關係①。這是一個很有興味的問題,值得在這裏仔細討論一下。

《事語》有這樣一段據説是管子的話:

> 富勝貧,勇勝怯,智勝愚,微勝不微,有義勝無義,練士勝驅衆②,凡十勝者盡有之。

文字有費解處,主要是所謂"十勝"。日本豬飼彦博《管子補正》云:"'十'當作'六',不然上文缺四勝。"但"十"、"六"互訛,古籍罕見,所以後來没有人信從他的意見。另一日本學者安井衡《管子纂詁》説:"十,猶全也。言十勝無一敗者,藏穀中盡有之。"這是連《事語》上文講藏穀而言。張佩綸《管子學》則稱:"'十勝'止言六勝。案《樞言篇》'七勝'與此大同小異,疑十當作七,捝去一句耳"。

郭沫若先生在《管子集校》引述上列諸説後,提出了自己的見解:

> 此言"富勝貧、勇勝怯、智勝愚、微勝不微、有義勝無義、練士勝驅衆、凡十勝者盡有之",僅舉六勝而統之以"十"。《樞言篇》"衆勝寡、疾勝徐、勇勝怯、智勝愚、善勝惡、有義勝無義、有天道勝無天道,凡此七勝者貴衆"。兩文互有出人,合計之則恰足"十勝"之數。……"十勝"既備,則本篇奪其四,《樞言》奪其三。《樞言》"七勝"乃"十勝"之訛。

這是沿着張佩綸的思路而又有新創。

馬非百先生不同意郭説,他在《新詮》的《事語》注釋中説:

> 除郭引《樞言篇》外,《管子·七法篇》及一九七二年臨沂銀雀山漢墓出土《王兵篇》亦有與此相類之文字。《七法篇》云:"是故以從擊寡,以治擊亂,以富擊貧,以能擊不能,以教卒擊驅衆白徒,故十戰十勝,百戰百勝"。《王兵篇》云:"夫以治擊亂,以富擊貧,以能擊不能,以教士擊驅民,此十戰十勝之道。"……共止六勝而曰"十勝"者,舉其大數而言,亦猶《七法篇》共止五勝,《王兵篇》亦止四勝,而或曰"十戰十勝,百戰百勝",或曰"此十戰十勝之道"也。

---

① 同前引馬非百《管子輕重篇新詮》第 89—90、186—187 頁。
② 參《管子輕重篇新詮》校改。

這又是順着安井衡的思路引伸的。

馬説認爲《事語》的"十勝"來自《七法》、《王兵》，顯然是對的。後者所説的十戰十勝、百戰百勝，意思是全勝，本不在於要數出十種"勝"，《事語》據之發揮，《樞言》的"七勝"也應該是"十勝"之誤。由此足見，《七法》、《王兵》較早，《樞言》、《事語》在後，其間有着引述的關係。

《王兵》也是《〈守法〉、〈守令〉等十三篇》中的一篇。銀雀山漢墓竹簡整理小組曾經細心分析，指出它與《管子》的《七法》、《地圖》、《参患》等篇關係密切，"其中《参患》篇與《王兵》相合的文字將近全篇之半，《地圖》和《七法・選陣》的文字則幾乎全部都包括在《王兵》之中"①。這樣看來，《輕重》中的《事語》和《王兵》以及《管子》其他不少篇章都有其聯繫。

古書篇章間重覆叠出的現象很是普遍，但并不是偶然的。這種情形的出現，不外於兩種原因：有的是由於當時學多口傳，學者在傳授記錄以至著諸竹帛時有所不同；有的是由於學説思想的影響傳播，學者在著作時彼此輾轉引述。無論如何，總是表現着學術上的一定聯繫。據大家研究，包含《王兵》在内的《〈守法〉、〈守令〉等十三篇》無疑是戰國時期齊人的作品②，與《管子》出於同時同地，其互相存在影響，實屬必然。《事語》文字的因襲《七法》、《王兵》，也是《輕重》各篇年代和國别的一個標志。

《輕重》的時代特點

《輕重》諸篇的年代和國别，還可以參照考古學的一些新研究成果來説明。

---

① 銀雀山漢墓竹簡整理小組：《臨沂銀雀山漢墓出土〈王兵〉篇釋文》，《文物》1976年第12期。

② 裘錫圭：《嗇夫初探》，《雲夢秦簡研究》，中華書局，1981年。吳九龍：《銀雀山漢簡齊國法律考析》，《史學集刊》1984年第4期。

胡家聰先生文已談到《輕重》所記量制是從春秋到戰國時齊國所特有。按《左傳》昭公三年晏子云：

> 齊舊四量：豆、區、釜、鍾。四升爲豆，各自其四，以登於釜，釜十則鍾。陳氏三量皆登一焉，鍾乃大矣。

前人已指出《輕重》量制與陳氏新量相合，如楊樹達《讀左傳》說：

> 《管子·輕重丁篇》云："今齊西之粟釜百泉（錢），則鏂二十也；齊東之粟釜十泉，則鏂二泉也"。尹知章云："五鏂爲釜"。鏂與區同。據《管子》五區爲釜，與傳文陳氏登一之說正合，此又足證明《管子》書晚出①。

這當然是正確的。

或者有人會説，齊國的這種特殊量制明見於《左傳》，漢代甚至更晚的人完全可以根據傳文來僞造齊國故事。這裏我們需要注意，《輕重》各篇所用的量制，不是姜齊的舊量，而是田（陳）齊的新量。如果這些確出於僞托，作僞的人應該采用與桓公，管仲適應的舊量，不會去用晚了一個時代的新量。祇有《輕重》的作者是戰國時田齊的人，才會采用他可以爲常的新量，而不知道過去存在過的舊量。

我們還要進一步注意到，《左傳》關於新量的記述有非常費解的地方，如杜預注就没有講清楚。杜氏是熟於漢人舊注的，由之可以推知漢人對此也不能確説。丘光明《試論戰國容量制度》一文對此作了如下的分析②：

杜注："登，加也，謂加舊量之一也。以五升爲豆，四豆爲區，四區爲釜，則區二斗，釜八斗，鍾八斛"。這可列式爲：

5 升＝1 豆，4 豆＝1 區，4 區＝1 釜，10 釜＝1 鍾；

1 釜＝80 升，1 鍾＝800 升。

近人或釋爲升、豆、區皆登一，可列式爲：

5 升＝1 豆，5 豆＝1 區，5 區＝1 釜，10 釜＝1 鍾；

① 楊伯峻：《春秋左傳注》第 1235 頁，中華書局，1981 年。
② 丘光明：《試論戰國容量制度》，《文物》1981 年第 10 期。

1 釜＝125 升，1 鍾＝1250 升。

清末孫詒讓作《左傳齊新舊量義》云：“依傳文當以四升爲豆不加，而加五豆爲區，則二斗；五區爲釜，則一斛；積至鍾，則十斛。”可列式爲：

4 升＝1 豆，5 豆＝1 區，5 區＝1 釜，10 釜＝1 鍾；

1 釜＝100 升，1 鍾＝1000 升。

根據山東膠縣靈山衛出土的田齊銅釜、銅鉌及其他一些田齊量器的科學實測，衹有孫詒讓説是合乎事實的。

田齊量制的這種複雜的比率，大概在秦統一以後，隨着田齊量制的消滅，早已爲人們忘懷了。衹是到了近代，才有孫詒讓這樣博通的學者抉發其秘，最後由考古材料證實。然而，《輕重》中的《海王篇》云：

> 十口之家，十人食鹽；百口之家，百人食鹽。終月大男食鹽五升少半，大女食鹽三升少半，吾子（小男小女）食鹽二升少半，此其大歷也。鹽百升而釜。令鹽之重升加分强，釜五十也；升加一强，釜百也；升加二强，釜二百也。鍾二千，十鍾二萬，百鍾二十萬，千鍾二百萬。萬乘之國，人數開口千萬也。

釜爲百升，鍾爲千升，竟全然與田齊實際符合。這不是田齊未亡時的作者，是決然難以做到的。

《輕重》的思想傾向

最後，我們再來考察一下《輕重》諸篇的思想。關於這些篇中的財政經濟學説，已經有很多論著探討過了。這裏想説的是《輕重》作者的天道觀點和《管子》其他篇章間的聯繫。

在《輕重》現存十六篇中，對於研究這一方面最重要的是《輕重己》。有些《管子》注釋家不了解該篇與《輕重》别的篇章的關聯，竟以爲攙入，或將之移出，是錯誤的。馬非百先生指出：“《輕重》諸篇屢言守時之重要，又曰：‘王者以時行。’況輕重之對象爲萬物，而萬物生於四時,何得謂時令與輕重無關?"他特引《國蓄》"乘四時之朝夕,御之以輕重之準"爲例,是很精當的。

馬氏還引到《管子・禁藏》叙述春、夏、秋、冬四令,後論之云:"四時事備而民功百倍矣",又云:"不失其時然後富",認爲"乃一切輕重之策之根本"。《禁藏》還有一段話,與《輕重己》末段大同小異①,更説明兩者的關連。

把四時政令之説與天道人事結合在一起,是《管子》許多篇的共同思想。特别是《四時》、《五行》等篇,表現尤爲顯著。《輕重己》開首説:"清(精)神生心,心生規,規生矩,矩生方,方生正,正生歷,歷生四時,四時生萬物,聖人因而理之,道徧矣"。即表明這種傾向,足與《四時》篇末"道生天地"一節相比照。戰國晚期齊國的道家一般都有與陰陽家學説融會結合的趨勢,《輕重》的作者也不例外。

根據本文上面的叙述,我覺得把《管子輕重》定爲戰國末世《管子》一系學者的著作最爲切當。這和胡家聰先生所談賈誼、司馬遷、桑弘羊等已見《輕重》,也是符合的。弄清這一點,我們便可給《輕重》以學術史上的正確位置。《管子》一書確很龐雜,然而細加董理,還是能夠看出其間的思想脈絡,《輕重》應認爲是這一系學者傳流演變最後的一個環節。至於漢代的桑弘羊,雖有得於《輕重》,卻已完全屬於另外的時代了。

作者簡介 李學勤,1933 年生,北京人。現任中國社會科學院歷史研究所所長、研究員,中國先秦史學會會長等。

① 同前引馬非百《管子輕重篇新詮》第 748 頁。

《管子·水地》篇考論

黄　剑

内容提要　本文通過對《水地》所涉有關問題的考證，認定該文成於公元前376年至公元前355年之間，時當戰國中期。作爲戰國中期的著作，能够明確提出並論證了水爲萬物之本原的學説，這是極其難能可貴的。它標誌着我們先民關於宇宙本原的哲學探討，這在中國哲學史或世界哲學史上都有特殊的意義。

《管子·水地》篇從宇宙發生論的角度，第一次明確提出了水爲"萬物之本原"的學説，這在中國哲學史乃至世界哲學史上，都具有不可估量的理論意義。

但是，長期以來，由於學術界對《水地》的成文時代説法不一，因而對它在學術史上的價值也就難以論定。因此，確定《水地》的成文時限，是論定這篇著作理論價值的關鍵所在。爲此，筆者曾在《管子研究》(第一輯)發表了《淺論〈管子·水地篇〉成文時限》一文。後來收到一些師友的來信，支持我關於《水地》成文時限的見解。現在想起來，該文由於當時篇幅所限，不僅對《水地》的理論價值，思想淵源未能論及，而且關於《水地》成文時限的論述，也還有未竟之言。這裏，借《道家文化》創刊之機，把我研究《水地》的點滴心得作一系統表述，就教於海内外的專家們。

一、《水地》成文於戰國中期

我們探討《水地》成文的時限，不能憑主觀臆測，而應當從該文自身去尋找時代烙印。

《水地》有這樣一段引人注目的文字：

> 夫齊之水，(道)[遒]躁而復，故其民貪粗而好勇；楚之水淖弱而清，故其民輕果而(賊)[敢]；越之水濁重而洎，故其民愚疾而(垢)[姤]；秦之水(泔)[汨](最)[冣]而稽，淤滯而雜，故其民貪戾罔而好事。(齊)晉之水(枯)[鹽]旱而(運)[渾]淤滯而雜，故其民諂諛[而]葆詐，巧佞而好利；燕之水萃下而弱，沈滯而雜，故其民愚戇而好貞，輕疾而易死；宋之水輕勁而清，故其民(閒)[簡]易而好正。是以聖人之化世也，其解在水。……是以聖人之治於世也，不人告也，不户說也，其樞在水。(據《中國哲學史資料選輯・先秦之部》，中華書局1964年版)

上段引文，字裏行間刻嵌着《水地》成文的時代標記，祇要認真分析，不難找到解決問題的綫索來。

最能引起我們注意的是，文中羅列了齊、楚、秦、燕、晉、宋、越等七個諸侯國。這就告訴我們，作者寫作《水地》時，中國境内主要存在上述七個國家。由此可知，它不可能成於春秋時期。因爲春秋前期十二諸侯國，其中魯衛陳蔡都處於昌盛時期，但《水地》所列七國中，卻未涉及它們。這説明作者寫此文時，這幾個國家俱已衰弱而不值一提了。到了春秋末期，吳越并稱，但上文中提到"越"，而未提到吳，説明作者寫此文時，吳已被越所滅。則《水地》也不可能成於春秋末年。因此，我們應當把注意力放在戰國階段。

那麼，《水地》究竟作於戰國前期、中期還是後期？要解決這一問題，我們必須分兩步走：第一步找出《水地》成文的時間上限；第二步再找出其成文的時間下限。

讓我們先考察上限。這得從"晉"入手。我們知道，晉國於公元前376年被韓、趙、魏三家所分，此後史稱"三晉"。文中提到的

"晉",究竟是三家分晉之前的晉國,還是三家分晉之後原來晉國的地域? 這是問題的關鍵所在。如果此"晉"指的是三家分晉之前的晉國,則《水地》當作於公元前 376 年以前;如果此"晉"指的是三家分晉之後原來晉國的地域,則《水地》當作於公元前 376 年之後。因此,我們應當着力弄清這一問題。當我們研究這一問題時,不能不注意到《水地》原文"晉"字前面還有一個"齊"字。"齊晉"二字連在一起,在該文中是一個不尋常的現象。筆者認爲,"齊晉"一語直接關係到《水地》成文的時間概念,所以我們還是不惜筆墨在這裏作必要的探討。

關於"齊晉",歷代注家衆説紛紜,主要有如下幾種意見:

尹知章認爲,此"齊晉"指的是"齊之西,晉之東(《管子二十四卷》)

王念孫曰:"此齊字涉上文而衍"(《讀書雜志》)

宋翔鳳曰:"古'齊'、'晉'二字易相誤……《管子》舊文當作'齊之水枯旱而運',校者見上文已見'齊'字,故此字是'晉'字,而兩存其讀"。(轉引自《管子集校》)

郭沫若曰:"安井衡《纂詁》以'齊'上屬絶句,即'其民貪戾罔而好事齊',解云:'其民,貪戾且誣,而其善者則好以齊疾爲事'。其讀可從,其解則迂曲。'事',讀爲'剚';'齊',訓爲'翦',謂好殺伐也。"(《管子集校》)

以上諸家之説,似都有臆説迂曲之嫌。

首先,把"齊晉"解作"齊之西,晉之東",這是把"齊晉"看作"齊"與"晉"的中間地帶,實爲附會之説。我們知道,文中所列七國,其他六國都指一國的地域,而獨此指兩國的中間地帶,豈非怪事? 且"齊"已在上面點到,這裏又講"齊之西",在邏輯上是説不通的。

其次,謂"齊"字"涉上文而衍",亦於理不當。如俞樾所指出的:"夫上文有'齊之水'、'楚之水'、'越之水'、'秦之水',何獨誤作'齊'乎?"

再次,謂"齊"、"晉"二字相誤所致,亦難使人信服。既是"齊"、

“晉”二字相誤，則文中或作“齊”，或作“晉”，爲何“齊晉”二字并存？如謂“兩存其讀”，豈非製造出新的混亂？

最後，謂“齊”字屬上讀，似亦迂曲。上文“故其民貪戾罔而好事”，語意明確，增一“齊”字，反要把“事”讀爲“剚”、“齊”訓爲“翦”、豈非畫蛇添足？

可見，以上諸家之説均不可從。那麼，“齊晉”二字究作何解？

愚意以爲，“齊晉”之“齊”字，乃“參”（即“叁”字）之誤。“參”，古寫作“㕘”，“齊”，古寫作“亝”，二字僅一筆之差，形極相似，故誤耳。由此可知，原文“齊晉”當作“叁晉”。有了這個結論，則可判定《水地》成於三家分晉（即公元前 376 年）之後，此爲上限。

下面，我們再來考察《水地》成文的下限。研究這一問題，應當從越國着手。“越”，在七國中也是一個很有特色的諸侯國，它興盛於春秋末年，曾於公元前 473 年吞滅了較爲强盛的吳國，而自己又在公元前 355 年被楚所滅。由於作者在《水地》中提到“越”而未提到“吳”，故可知作者寫作時吳已不復存在。同時，作者又把楚與越並提，説明作者寫《水地》時楚國尚未吞滅越國。由此可知，該文作於公元前 355 年之前，此爲下限。

綜上所述，《水地》很可能成文於公元前 376 年至公元前 355 年之間，時當戰國中期。

我們把《水地》成文的時限定在戰國中期，還可以從該文自身找到一些證據。

第一，《水地》對《老子》一書有所因襲，這説明它成於《老子》之後。

《水地》在讚美水之“卑下”的特性時寫道：“人皆赴高，己獨赴下，卑也；卑也者，道之室，王者之器也，而水以爲都居”。明確認爲“卑”可以成爲“道之室”（即容納大道的庫室），也可以成爲帝王手中之“器”，無疑這裏講的是《老子》所提倡的無爲之道，同《老子》的思想一脈相通。《老子》也曾以水來比喻無爲之道，説：“上善若水，水善利萬物而不爭，處衆人之所惡，故幾於道矣”。（第八章）“天下莫柔弱於水，而攻堅强者莫之能勝”。(第七十八章)“天下之至柔(即水)，馳騁於天下之至堅，無有入無間，吾是以知無爲之有益也”。(第四十三章)“江海所以能爲百谷王者，以其善下之，所以能爲百谷王”。(第六十六章)無需解釋，這裹講的都是柔而不爭的無爲之道。《水地》正是吸取了這些資料，才肯定“卑下”爲“道之室”，爲“王者之器”，其間的淵源關係是一目了然的。不惟如此，《水地》還用了“廉而不劌”一語。人所共知，此語見於《老子》第五十八章。該章曰：“是以聖人方而不割，廉而不劌，直而不肆，光而不耀”。顯然，《水地》所用“廉而不劌”一語，亦當襲自《老子》。因此，《水地》應成於《老子》之後。

那麽，《老子》成於何時呢？

關於這個問題，學術界的看法也不一致。筆者在拙著《道家思想史綱》(湖南人民出版社 1991 年 8 月版)一書中提出了管見，認定《老子》成於戰國前期，具體説來，在公元前 428 年至前 377 年之間(參見該書 39—40 頁)，限於篇幅，這裹不再贅述。

將《老子》成書時限與我們前面論述的《水地》成文的時限加以比較，不難發現《水地》成文的上限(公元前 376 年)恰好與《老子》成書的下限(公元前 377 年)相聯接。這從側面證明，我們前面關於《水地》成文時限的推測是合理的，則其成於戰國中期無疑。

第二，《水地》吸收了稷下道家的精氣説，這説明他不能早於戰國中期。

《水地》在讚揚水的特性時説：“人，水也。男女精氣合而水流形。”這裹明確提出了“精氣”的概念。我們知道，精氣説起源於稷下道家。《管子・内業篇》(屬稷下道家之遺著)説：“凡物之精，(此)[比]則爲生。下生五穀，上爲列星。流於天地之間，謂之鬼神；藏於胸中，謂之聖人。是故(民)[名]氣”。又説：“精也者，氣之精者也”。這裹所講的“凡物之精。……是故名氣”、“氣之精”等，是我國古代關於精氣學説的早期表現。《水地》所提到的“精氣”當是吸收稷下道家的思想資料，故其成文不能早於稷下學宮興盛之時。我們前面考察《水地》成文的下限(公元前 355 年)剛好在稷下學宮創立的下限(公元前 357 年)之後兩年,其時間銜接如此吻合,再一次證明我們關於《水地》成文的時限的推測是正確的,則其成於戰國中期無疑。

第三,《水地》對儒道兩家思想兼收并蓄,這也衹有到戰國中期才有可能。

《水地》不僅吸收了道家的思想,也吸收了儒家的思想。如:它在讚美水時,指出:"夫水,淖弱以清,而好灑人之惡,仁也。視之黑而白,精也。量之不可使概,至滿而止,正也。唯無不流,至平而止,義也"。這裏以"仁"、"義"等來比附水的特性,是對儒家思想的發揮。表明《水地》對儒、道兩家思想都有所因襲。這種現象的存在,至早不能超越戰國中期。因爲,戰國前期儒道兩家是互黜的,這可以從《老子》看得很清楚。衹有到了戰國中期,兩家學術思想才開始相互滲透。如稷下道家的另一篇著作《管子·心術上》,在發揮道家"無爲"思想的同時,也注意發揮儒家關於"禮"與"義"的思想。這篇著作成於戰國中期。《水地》與此相類似,也對儒道兩家的思想兼收并蓄,則其成文最早也不能超越戰國中期。

綜上所述,鑒於《水地》對老子和稷下道家思想都有所因襲,并且對儒道兩家思想兼收并蓄,可以判定其成文不能早於戰國中期。這同前面我們論證的《水地》成文的時限是一致的。

二、《水地》以水爲"萬物之本原"的學説及其理論貢獻

《水地篇》在學術上的突出貢獻,就在於它在我國哲學史上第一次明確提出並且論證了水爲萬物之本原的理論。

《水地篇》開頭寫道:"地者,萬物之本原,諸生之根菀也,美惡、賢不肖、愚俊之所生也"。在文末又寫道:"水者何也?萬物之本原也,諸生之宗室也,美惡、賢不肖、愚俊之所産也"。單從這兩段話來

看,似乎《水地》既把"地"看作萬物之本原,又把"水"看作萬物之本原,即"地"與"水"并爲萬物之本原,有"二元論"的嫌疑。其實不然,《水地》開頭講地爲萬物之本原,衹是點出常人所看到的"地生萬物"的表面現象,其目的在於引導人們透過現象看本質,明白"地"之所以能生萬物,關鍵在於地下有水,水才是萬物得以產生的最後本原。所以,它在講了地爲萬物之本原的意思之後,接着寫道:"水者,地之血氣,如筋脈之通流者也,故曰:水,具材也"。這就告訴我們,地之所以能生萬物,在於有"水"這個"如筋脈之通流"的"血氣"在起作用。所以,說到底,"水"才是真正構成萬物的原始"具材"。正因爲如此,所以該文作者將其篇名定爲《水地》,將"水"放在"地"之前,這是考慮得很周密的,說明"水"是比"地"更根本的東西。因此,《水地》的宇宙觀並非"二元論",而是非常成熟的樸素唯物主義一元論。

爲什麼說"水爲萬物之本原"呢?《水地》回答說:"萬物莫不以生"。在《水地》作者看來,水"無不滿","無不居",它"集於天地而藏於萬物,產於金石,集於諸生",就是說,從無生命的"金石",到有生命的"諸生"(包括植物、動物、人類),都賴水得以生成。

首先,無生命的金石離不開水。該文以"玉"爲例,指出:"夫玉之所貴者,九德出焉"。所謂"九德",即指仁、知、義、行、潔、勇、精、容、辭等九種品性:"夫玉,溫潤以澤,仁也;鄰以理者,知也;堅而不蹙,義也;廉而不劌,行也;鮮而不垢,潔也;折而不撓,勇也;瑕適皆見,精也;茂華光澤,并通而不相陵,容也;叩之,其音清搏徹遠,純而不殺,辭也"。而"九德"的形成,都同"水"分不開的,故曰:"水集於玉而九德出焉"。

其次,植物、動物均賴水而生。《水地》說:水,"集於草木,根得其度,華得其數,實得其量"。"鳥獸得之,形體肥大,羽毛豐茂,文理明著。"在動物中,有些怪異者,如龜、龍、蝸、慶忌等,過去人們稱它們爲"神",如龍、龜,爲精(怪)如蝸與慶忌。其實,它們同別的動物一樣。也是得水而生,并不神秘。"龜生於水,發之於火,於是爲萬物光,爲禍福正";"龍生於水,被五色而遊,故神";"故潤澤數百歲,穀之不徙,水之不絶者爲慶忌";"蝺者,一頭而兩身,……此涸川水之精也"。所以,從植物到動物(包括那些被人們視爲神,精等怪異者),均是得水而生,水是它們的本原。

最後,作爲萬物之靈的人,亦是賴水而生。《水地》曰:"人,水也,男女精氣合而水流形"。水,"凝蹇而爲人,而九竅五慮出焉"。可見,人們形體的長成,九竅五慮的完善,都應歸之於水。不僅如此,人們智慧的高低,也是由不同的水決定的。《水地》以齊、楚、越、秦、晉、宋、燕等國爲例,説明不同的水,養育出"美惡、賢不肖、愚俊"不同的人。《水地》還認爲,"水有許多美德,可以爲人們所效法"。"夫水淖弱以清,而好灑人之惡,仁也;視之黑而白,精也;量之不可使概,至滿而止,正也;唯無不流,至平而止,義也;人皆赴高,己獨赴下,卑也。卑也者,道之室,王者之器也,而水以爲都居"。此外,水爲"萬物之準"也同人類的社會生活密切相關。

以上告訴我們,從無生命的金石,到有生命的植物、動物,再到作爲萬物之靈的人,莫不賴水而生長,故《水地》總結説:"萬物莫不盡其幾,反其常者,水之内度適也。""萬物莫不以生,惟知其托者能爲之正(同證)"。這就從微觀到宏觀論證了水爲"萬物之本原"這一哲學見解。在中國哲學史上,以如此清晰的語言表達關於宇宙發生的理論,是少有的。因此,對於《水地》所提出的"水爲萬物之本原"的學説,我們應當充分肯定它的理論價值。

第一,"水爲萬物之本原"的學説,標志着我們祖先關於世界本原的理論探討,達到了新的高度。我們知道,我們祖先關於世界本原的思考,最初表現爲陰陽、五行説。陰陽説本出自《易經》,該書雖未運用過"陰陽"這個詞,但八卦組合中所用的陰爻("－－")、陽爻("——")兩個符號,實際具有文字的功能。用"－－"、"——"(陰陽)組成的八卦,分别代表天、地、雷、風、水、火、山、澤八種自然物,透露了哲學本體論的思想萌芽。到了西周末年,伯陽甫論地震,以陰陽之氣解釋自然現象的發生,推進了陰陽爲本原的學説。"五行”説最早見於《尚書·洪範篇》。該篇通過對金、木、水、火、土五種自然物性能的描述，説明“五行”同人們生活的密切關係，似乎還稱不上哲學本原論。到了西周末年，史伯明確提出“先王以土與金木水火雜以成百物”的思想，標誌以“五行”爲世界本原的學説趨於成熟。無論是“陰陽説”，還是“五行説”，都未能擺脱多元論的局限性。多元論雖也能從直觀的角度説明世界的本原，但是它卻無法説明世界的統一性。理論總是要向前發展的，所以到了春秋末期，老子提出了“道生一，一生二，二生三，三生萬物”的命題。這個命題的簡要表述，就是“道生萬物”。其中“道”爲宇宙本原，從而用一元論代替了多元論，這在理論上是一重大貢獻。但是，老子的“道”乃是一個無法把握的神秘客體，它恍恍惚惚，窈窈冥冥，不可致詰，玄之又玄，易於把人們引向客觀唯心主義的道路。因此，唯物主義思想家不得不作新的思考。戰國中期出現的稷下道家的精氣説和《水地》作者的“水”爲本原説，正是對老子的“道生萬物”思想的一次突破。從這時起，我國古代開始有了唯物主義一元論。爾後，戰國末年至漢初出現的元氣一元論，雖然直接導源於稷下道家的精氣説，但同“水地”關於水爲萬物本原的思想也有間接聯繫（“氣”與“水”中間没有不可逾越的鴻溝）。漢代河上公在闡述“元氣生萬物”的思想時，曾指出“稟氣有厚薄，得中和滋液則生聖賢，得錯亂污辱則生貪淫也”，認爲不同的元氣，產生出賢愚不同的人，這不正是《水地》關於不同的水，生出“美惡、賢不肖、愚俊”不同的人的思想的再現嗎？由此可見，《水地》關於水爲本原的思想，乃是我國古代樸素唯物主義一元論發展長途中的一個重要環節，我們應當給予它應有的歷史地位。

第二，“水爲萬物之本原”的學説，是對殷周以來的天帝創世説的全面否定，對中國古代無神論思想的發展作出了傑出的理論貢獻。我們知道，春秋戰國時期，從殷周流傳下來的天帝創世説，仍占統治地位。當時，儒家信奉“天命”，宣揚“死生有命，富貴在天”（《論語·顏淵》）；墨子崇尚“天志”，認爲天有意志，能行賞罰，説：“順天意而得賞,反天意而得罰"(《墨子·天志上》)。他們把天尊奉爲最高人格神,認爲世間的一切都是由至高無上的"天"安排的。面對這種天神崇拜,當時的一些唯物主義思想家紛紛起來同"天命論"作針鋒相對的鬥爭,《水地》的作者就是最傑出的代表。他用水爲萬物之本原的完整學説,説明世界不是神創造的,而是由水構成的。從無生命的金石,到有生命的鳥獸蟲魚,再到作爲萬物之靈的人,莫不是得水而生。這就揭破了歷代天命論的神秘説教,對宇宙萬物的形成作了唯物主義的解釋。不僅如此,《水地》還破除了當時人們對"龜"、"龍"、"蟡"、"慶忌"等怪異動物的迷信,説它們同其他東西一樣,也是得水而生,這是一種無神論的立場。

第三,"水爲萬物之本原"的學説,在世界哲學史上顯示了特有的理論光輝。我們知道,古希臘哲學家泰勒斯曾透露了"水是原質"的思想,但這一思想在泰勒斯那裏還非常淺陋。人們除知道他"把水當作原質,當作一切事物的神這一點以外,是别無所知的"。儘管如此,黑格爾仍給他以極高的評價,指出:"從泰勒斯起,我們才真正開始了我們的哲學史。"(以上均見黑格爾《哲學史講演錄》第一卷)誠然,泰勒斯的生活時代(約公元前640或629年——公元前551年)稍早於《水地》的作者,但是,《水地》關於水爲萬物之本原的周密論證,卻是泰勒斯無法達到的。

三、《水地》是古代先民治水實踐的哲學總結

《水地》如此推崇水,也同齊國的歷史環境有關。齊國是一個有着悠久治水傳統的國度,早在管仲相齊時,就把治水提上了重要日程。

《水地》所記載的,對於水"人皆服之,而管子則之;人皆有之,而管子以之",就從側面反映了管仲重視治水的情況。《史記·河渠書》所載:"於齊,則通菑濟之間",亦説明齊國治水的成就。其故都臨淄,至今仍保存着當時灌溉和民用的水利設施。經專家鑒定,其

建築結構至今仍具有科學價值。正因爲齊國是一個注重治水的國家,所以在《管子》書中,多次記載人們對水的評述。如,《白心》曰:"民之所急,莫急於水火";《禁藏篇》説:"夫民之所生,衣與食也,食之所生,水與土也";《乘馬篇》主張立國都要做到"高毋近旱,而水用足;下毋近水,而溝防省";《度地篇》把水分爲五類,即:經水、枝水、谷水、川水、淵水,認爲"此五水者,因其利而注之,可也;因其害而扼之,可也"。《水地》正是在這樣的歷史環境中孕育成熟的。它之成文,是對前人關於水的哲學認識的總概括。

《水地》的作者如此推崇"水",這决非偶然。理論常常是改革的先導。該文作者之所以把水看作宇宙之本,萬物之準,意在動員人們掀起一個以治水運動爲中心的社會改革運動。《水地》明確告訴人們:"是以聖人之化世也,其解在水。故水一則人心正,水清則民心易;人心正則欲不污,民心易則行無邪。是以聖人之治於世也,不人告也,不户説也,其樞在水"。這簡直就是一份鼓動治水的宣言書。作者的本意,是希望通過改造水性來達到改造民性乃至改造整個社會的目的。這表達了改革者的心聲!雖然,其認爲水性可以决定民性的觀點,有環境决定論的傾向;但其重視對水的改造,希望各國之水都如同宋之水"輕勁而清",這無疑又是合理的。當今,在自然環境中,水的污染極其嚴重,它直接損害人們的健康。面對這種情況,我們重温一下《管子·水地》篇,回味我們祖先在幾千年前的告誡,引起人們重視對水的改造,這對於環境保護無疑是很有現實意義的。

我國古代典籍是一個内容極其豐富的寶庫,後人從中不僅可以獲取人文科學方面的啓示,而且可以獲取自然科學方面的啓示。重温《管子·水地》篇,這一印象尤其突出。

作者簡介 黃釗，1939年生，湖北黃梅人，武漢大學政教系副教授。著有《道家思想史綱》、《帛書〈老子〉校注析》等。

《尹文子》並非僞書

胡家聰

内容提要 先秦古籍《尹文子》,係戰國稷下道家尹文學派遺著。在本世紀三十年代"辨僞"學風興盛時,被錯看成是魏晋時人僞作。本文從四個方面辨明《尹文子》並非僞書,爲之翻案。

《尹文子》一書,係戰國時期在齊國都城臨淄稷下學宫講學的學者尹文及其學派的遺著。細讀其書,承繼老子道論而發展形名法術之學,黄老氣味濃厚,值得認真研討。

本世紀二、三十年代"辨僞"學風興起時,此書被錯看成是僞書。羅根澤先生著《尹文子探源》,申述其爲魏晉時人僞作①。僞書之説風行學術界,至今《尹文子》這部古文獻研討乏人。

爲此,針對《尹文子探源》(以下簡稱《探源》)的魏晉人僞造説,從以下幾個主要方面論證此書之不僞。

一、尹文學派活動於戰國中、後期

宋銒、尹文本爲一派。據《莊子·天下篇》記述:"不累於俗,不飾於物,不苟於人,不忮於衆,願天下之安寧以活民命,人我之養,畢足而止,以此白心。古之道術有在於是者,宋銒、尹文聞其風而悦之。……見侮不辱,救民之鬥;禁攻寢兵,救世之戰。以此周行天下,

① 羅根澤:《"尹文子"探源》,《諸子考索》,人民出版社 1958 年版第 398~409 頁。

上說下教。……以禁攻寢兵爲外,以情欲寡淺爲內。"宋銒,尹文學派爲了"天下之安寧以活民命",主張"見侮不辱,救民之鬥;禁攻寢兵,救世之戰",在各國活動,上說統治者,下教老百姓,是個有流動性的學派。《天下篇》的記載當以宋銒爲主,宋銒有道家師承①,但深受墨家影響,頗具"道、墨"融合的特色。

(一)宋銒與尹文有怎樣的關係?宋銒爲宋人,尹文係齊人,宋、尹等人結成有流動性的學派,自當以宋銒爲首。尹文或與宋銒同輩而資歷較淺,甚至有更大可能係宋銒的得意高足,二人年齡有較大差距。儒家孟軻與宋銒熟識,二人曾相會於石丘(宋地),孟子尊稱宋銒爲"先生",而自稱"軻"(《孟子·告子下》),可見宋銒年齡長,威望高。

(二)宋銒、尹文遊學於稷下。《尹文子》其書《漢書·藝文志》列在名家:"《尹文子》一篇,說齊宣王,先公孫龍。"唐人顏師古注,引劉向曰:"與宋銒俱遊稷下。"宋、尹學派本來周遊各國,上說下教,到了齊國稷下學宮這個"百家爭鳴"的學術中心,大約在齊宣王時期,正當稷下之學"復盛"之時。宋銒年高望重,儒家荀況屢稱之爲"子宋子"(據《荀子·正論》),可能先逝世。宋銒逝世後,尹文怎樣呢?尹文本來是齊國人,宋銒逝世後,尹文及其學派仍在稷下進行學術活動,在當時學術交流、爭鳴中發展爲申論形名法術的黄老學派,體現在《尹文子》書中。

(三)尹文後來的踪迹。值得注意的是,《呂氏春秋·正名》在記述尹文和齊湣王"論士"之後,這樣寫道:"……論皆如此。故國殘身危,走而之穀(高誘注:穀,齊邑。在今山東東阿),如衛(衛國,在今河南濮陽)。"這裏所說的"國殘身危",指齊湣王末年(公元前284年),燕國將軍樂毅率領燕、秦、趙、衛、韓五國之兵攻齊,大敗齊軍,佔領齊都臨淄,湣王出逃至莒,被楚將淖齒殺害;"身危"指燕軍進攻臨淄,包括尹文在內的稷下學者們四散逃亡,尹文先至穀,後又

① 宋銒有道家師承,見錢穆先生《宋銒考》,《先秦諸子繫年》,中華書局1985年版第374頁。

去衛國。

齊國經此次大戰亂,國勢衰落了。湣王之子襄王田法章,在莒五年,纔回到已收復的都城臨淄執政,而稷下學宫大約在這時纔恢復了。如《史記》所記:"田駢之屬皆已死齊襄王時,而荀卿最爲老師。齊尚修列大夫之缺,而荀卿三爲祭酒焉。"(《孟子荀卿列傳》)這裏提出問題:尹文在戰亂時逃亡,這時是否又回到稷下繼續講學呢?看來大有可能,因爲其一,尹文比宋鈃、田駢年紀輕,當能活到襄王之時;其二,尹文雖在戰亂時逃亡在外,但他的弟子們未必都出逃,學宫恢復當繼續從事學術活動,尹文學派仍然存在;其三,《尹文子》實際上是尹文的語錄集,當係弟子們所整理,成書年代或在齊襄王到王建時期的稷下學宫。

這裏着重指出,《探源》論證《尹文子》係魏晉人僞造的論點之一,是把宋鈃、尹文二人的年齡及學説看作等同,既不具體分析宋鈃與尹文的年輩,又不具體分析宋鈃逝世後尹文學派的新發展,因而僅僅以《莊子・天下》對宋、尹學派的記述爲依據,認爲《尹文子》與之不合,乃出於後人僞造。這種粗忽的論證怎能靠得住呢?

二、《尹文子》作於戰國有其内證

《尹文子》不會是後人僞造,而作於戰國中後期,書中有其"内證",即文中打着鮮明的戰國印記。如:

> 凡國之存亡有六徵:有衰國,[有亂國](此三字原缺,依文意補),有亡國,有昌國,有强國,有活國。所謂亂、亡之國者,凶虐殘暴不與焉;所謂强、活之國者,威力仁義不與焉。

這裏的"亂、亡之國"、"强、治之國",表明此書寫於各諸侯國分裂割據、互相爭霸的戰國時代,怎會是漢代以至魏晉時人僞造的呢?

還應指出,《尹文子》中的尹文學説與《荀子》書中的荀況學説比較,多相近或相同之處。如尹文學説多講"形名",如"名有三科",即"命物之名"、"毁譽之名"、"况謂之名",並强調"形、名者,不可不正”，及“以名稽虚實，以法定治亂”等；而荀子著《正名》，也强調“王者之制名，名定而實辨，道行而志通”，對於“析辭擅作名，以亂正名，……謂之大奸”，應嚴厲制裁。又如尹文學説“全治而無闕者，大小多少，各當其分；農、商、工、士，不易其業”，與荀子學説“明分使群”的“群而無分則爭”、自天子到庶人“事無大小多少”各當其分，觀點是一緻的。如此等等，不再多舉。它説明什麽呢？一則説明尹文、荀況同在稷下從事學術活動，荀況稱宋鈃爲“子宋子”，與尹文同受其傳承；二則説明，尹文之與荀況學説有多處相近或相同，《尹文子》並非魏晉人僞造，它作於戰國時期無疑。

但應指出，《探源》作者既未看到《尹文子》作於戰國時代的“内徵”，也没有以尹文與荀況學説作過比較研究，其“僞書”説不能成立。

三、有道家黄老學説的濃厚色彩

《尹文子》的思想内涵有道家黄老之學的特徵。應着重説明，在本世紀二、三十年代，即《探源》錯認《尹文子》係僞書那個年代，學術界對道家黄老之學茫然無所知。當七十年代長沙馬王堆漢墓黄老帛書四篇出土並公開發表後，經學術界反覆探討。纔有較明確的認識①。

(一)道家黄老學派的古稱。西漢司馬遷稱黄老之學爲“黄帝老子之言”(《史記·樂毅列傳》)或“黄帝老子之書”(《陳丞相世家》)，顯然有其“書”、有其“言”。但衹當馬王堆黄老帛書四篇出土和整理發表後，纔使人們見到黄老之學其書、其言的真面貌。以此爲依據，對古文獻進行探索，進而發現《管子》中的道家著作《形勢》、《宙合》、《樞言》、《心術》上下、《白心》、《内業》等屬於黄老之學②；更進

① 長沙馬王堆帛書《經法》等四篇，見文物出版社的普及本及精裝影印本，及余明光《黄帝四經與黄老思想》(黑龍江人民出版社 1989 年版)。
② 拙著《〈管子〉中道家黄老思想的研究》，待刊。

一步發現道家黄老之學的古稱爲 :"尚法而無法"(《荀子·非十二子》批評屬於稷下黄老學派的田駢、愼到),意即以承繼老子的道家哲學爲法家政治作論證;或稱之爲"因道全法"(《韓非子·大體》:"因道全法,君子樂而大奸止。"),義涵與"尚法而無法"相同("無法",指主要是"道論")。由於田氏齊國尊崇黄帝,所以法家學派認黄帝爲法治祖師,即"黄帝之治也,置法而不變,使民安其法者也。所謂仁義禮樂者,皆出於法,此先聖所以一民者也。"(《管子·任法》)在田齊,黄帝指法家政治,老子指道家哲學,"因道全法"即以道家哲學論證法家政治,由於係道家著作,所以"尚法而無法"的"無法",主要是申論"尚法"或"全法"的道家哲理。承繼此意,西漢司馬談《論六家要指》云:"道家使人精神專一,動合無形,贍足萬物。其爲術也,因陰陽之大順,採儒墨之善,撮名法之要,與時遷移,應物變化,立俗施事,無所不宜,指約而易操,事少而功多。"而馬王堆出土黄老帛書《經法》等四篇,與此正相應合。

(二)《尹文子》應歸屬於稷下黄老之學。主要有三證:

首先,持守道家本位。戰國的道家不同流派均傳承老子之學。《尹文子》書中引用並發揮老子之言先後有三處之多,三處引文均與今本《老子》大致相同(文繁不再錄)。更重要的是站在道家立足點,强調"道治":"[以](以字原缺,依文意補)大道治者,則名、法、儒、墨自廢;以名、法、儒、墨治者,則不得離道。"這是針對當時"諸侯異政,百家異説"(《荀子·解蔽》)而立言的,足見尹文持守道家學派本位。

其次,申論形名法術之學。書中系統闡發了"名爲法用"的思想,從道家立足點出發,提出了"大道無形,稱器有名。名也者,正形者也。"的"正名"思想。强調"名以檢形,形以定名;名以定事,事以檢名"的形名邏輯。這種形名理論中多有"名、法"並提之處,最明顯的是:"以名稽虚實,以法定治亂,以簡治煩惑,以易御險難。萬事皆歸於一,百度皆準於法。"這裏指出,此種"名、法"理論與黄老帛書《經法》、《十六經》中的"名、法"思想一致,都是司馬談《論六家要旨》中所説“道家………撮名法之要”。由於書中的“名、法”思想突出,以致班固編著《漢書・藝文志》把它列入名家。

再次,具有融合百家説的思想傾向。文内强調:“仁、義、禮、樂、名、法、刑、賞,凡此八者,五帝,三王治世之術也。”但它們有其正作用,也有副作用,即“仁者所以博施於物,亦所以生偏私;義者所以立節行,亦所以成華僞;禮者所以行恭謹,亦所以生惰慢;樂者所以和情志,亦所以生淫放,名者所以正尊卑,亦所以生矜篡;法者所以齊衆異,亦所以乖名分;刑者所以威不服,亦所以生陵暴;賞者所以勸忠能,亦所以生鄙爭。”作過這樣一分爲二的分析,引出結語:“用得其道,則天下治;[用]失其道,則天下亂。”其針對性是“百家異説”的各執一偏,能夠取其長、避其短,使之“用得其道,則天下治”,這裏便有“殊途而同歸”之意。

考察《尹文子》的思想内涵,屬於道家黄老之學無疑。但《探源》作者受當時的局限,看不清其書的黄老之學特徵,以致錯斷爲後人僞造。應指明,離開了當時稷下之學的特定環境,後人想僞造,也是僞造不出來的。

四、《尹文子》其書流傳有序

《尹文子》經《漢書・藝文志》著錄,列在名家,爲一篇。但今本分爲《大道上》、《大道下》,變成了兩篇,這出於什麼原因呢?此書今本前面有“山陽仲長氏撰定”的序言,説得很明白:尹文子“著書一篇。……余黄初(魏文帝年號,公元220—226年)末始到京師,繆熙伯以此書見示,意甚玩之,而多脱誤。聊試條次,撰定爲上下篇。”這裏説得多麼清楚,這位寫序的仲長氏,把本爲一篇“撰定爲上下篇”,即將一篇分成爲兩篇了。

但是,《探源》的作者作過若干“辨僞”後,卻認爲《尹文子》的序言及此書“同出一人僞造”,而“作僞之年代在魏晉”。這怎能使人信服呢?

那位好事的仲長氏,寫了序言,把本爲一篇的《尹文子》分爲《大道》上下兩篇。如今我們認真研讀全書,分作兩篇甚爲牽强。這兩篇流傳下來,《隋書·經籍志》著錄即爲二卷。到元代,馬端臨《文獻通考》記錄亦作二卷。清代《四庫全書提要》云:"此本亦題《大道上篇》、《大道下篇》,與序相符,而通爲一卷,蓋後人所合并也。"清末著名學者孫詒讓在所著《札迻》中對《尹文子》作了校正,并附宋本《尹文子》校文①。由此可見,《尹文子》其書從古至今是流傳有序的。當然,流傳兩千年來,輾轉傳抄,一少部分文字散失了。其中一部分今本所無的文字,見於《藝文類聚》、《太平御覽》等類書。

總括以上的論證,《尹文子》並非僞書。本世紀二、三十年代的"辨僞"學風,有其進步意義。其中過頭之處如誤認《尹文子》爲僞書,是可以理解的,不必苛責於前輩學者。

作者簡介　胡家聰,1921年生,北京人。現爲中國社會科學院政治學所研究員。著有《管子》研究的論文三十餘篇。

---

① 孫詒讓:《札迻》,中華書局1989年版第167—173頁。

論《繫辭傳》是稷下道家之作

——五論《易傳》非儒家典籍

陳鼓應

内容提要　精氣説出於稷下道家。據此可證《繫辭》爲稷下之作。此外,本文從《繫辭》之重占筮及其思想格局之開闊性、進取性等方面,論證它絶非魯學、儒學的作品,而是齊文化思想環境下的産物。

近年來,我在《哲學研究》雜誌上連續發表了《〈易傳·繫辭〉所受老子思想的影響》、《〈易傳·繫辭〉所受莊子思想的影響》、《彖傳與老莊》等文章。去年冬天,又完成了《易傳與楚學、齊學》一文(國内尚未發表,收於《老莊新論》書中,香港中華書局91年版)。今年暑假,由於要開"稷下道家"課程,又比較仔細地研讀了《管子》、《黄帝四經》、《易傳》、《尹文子》、《慎子》等作品,特别是作爲齊文化代表作的《管子》。我認爲它們是與《論語》、《孟子》不同的一類作品。産生於齊楚環境下的道家學説,與鄒魯的孔孟儒學,確實具有不同的區域文化的特色。

本文專就《易傳·繫辭》之爲稷下道家的作品這一問題,提出一些較爲系統的看法。

首先要提到的是,精氣説爲稷下道家的"特産",而《繫辭傳》中的精氣説乃是繼承稷下道家的代表作《管子四篇》(《内業》、《心術》上、下及《白心》)而來的。這是《繫辭》之爲稷下道家之作的第一個確證。

其次,《繫辭》講授占筮的方法並大事宣揚占筮的作用,而先秦儒家則反對占卜,從孔子到荀子,認爲“善學易者不占”。《繫辭》重視占筮的特點,則正與齊地有密切的關係。

再則,《繫辭》中所表現的革新性、進取性及開放精神,也不是日愈衰退的魯文化的產物,當是齊國社會文化背景的一種反映。

以下,就這幾方面的論點,加以申說。

一、《繫辭》重占筮與田齊尚卜之風

從前朱自清曾說:“孔子祗教學生讀《詩》、《書》和《春秋》,確沒有教讀《周易》。孟子稱引《詩》、《書》,也沒有說到《周易》。《周易》變成儒家的經典,是在戰國末期。那時候陰陽家的學說盛行,儒家大約受了他們的影響,纔研究起這部書來。那時候道家學說也盛行,也從另一面影響了儒家。”①

朱自清這段話大體上是不錯的。不過《周易》經傳之成爲儒家的經典,恐怕要遲至兩漢獨尊儒術而經學盛行之後。秦始皇焚書坑儒,而不毀《周易》,大概就是一個注脚吧!

朱自清還說:“《繫辭》是最重要的一部《易傳》。這傳裏借着八卦和卦爻辭發揮着融合儒道的哲學。”《繫辭》是《易傳》中最重要的部份,這是古今學者公認的。而所謂“融合儒道”,當然是一種妥協的說法。更恰切地說,《繫辭》是以道家爲主,融合陰陽家、儒家等各家思想的作品。

從形式上來看,《繫辭傳》乃是對《易經》的一般性的解釋。但《繫辭》之解《易》,與後來的象數派或義理派不同,乃是兼重占筮象數與義理的。《繫辭》有一段話說:“《易》有聖人之道四焉:以言者尚其辭,以動者尚其變,以製器者尚其象,以卜筮者尚其占。”這裏明確地把占卜視爲《易》所包含的四種聖人之道之一。在《繫辭》裏,我

① 朱自清:《經典常談》。下引同。

們隨處都可以發現讚美占卜的話：

> 探賾索隱，鈎深致遠，以定天下之吉凶，成天下之亹亹者，莫大乎蓍龜。

> 是故君子居則觀其象而玩其辭，動則觀其變而玩其占，是以"自天佑之，吉無不利"。

> 是故天生神物，聖人則之。天地變化，聖人效之。天垂象，見吉凶，聖人象之；河出圖，洛出書，聖人則之。《易》有四象，所以示也，繫辭焉，所以告也。定之以吉凶，所以斷也。

此外，更還有許多關於筮法的叙述。這表明《繫辭傳》的作者對於占筮并不是一般的敷衍，而是真正的重視。

在中國易學史上，《繫辭傳》在象數和義理兩方面對後代都有深遠的影響。我們研究哲學的，大都衹着意於它的義理方面，對於象數方面，不是視若無見，便是避而不談，往往採取"取其精華而棄其糟粕"的態度，致力於闡揚它的"哲學的高度"。當然，對於古典文化，採用抽象繼承方式未嘗不可，若以學術求真的立場，則應當兩者兼顧。近日拜讀周祚胤先生的《周易經傳異同》，頗多啓發。周先生指出："《繫辭》上下傳連篇累牘地以《周易》爲占筮"①。周著對《繫辭》逐章逐句作解，較諸家爲切近原義。讀完周作，我曾概略地統計：《繫辭》上傳十二章四十三節之中，有廿二節、即半數講述筮法或宣揚占筮的作用；《繫辭》下傳，也有近半數的章節講義理而混入占筮説。可見它的借占筮而立説的重要特徵。

這顯然不是一種偶然的情況。它應是一種崇尚占卜的環境中的產物，而不會與説過"不占而已矣"的孔子或宣稱"善爲易者不占"的荀子有關。

在以前的文章中，我曾指出《繫辭傳》形成的戰國後期，正是易學在齊地傳承的時期。這時的齊國是當時各國的文化中心，稷下學宮吸引了大批學者前去講學，從學的弟子當然更多，據説要有千百人之多。稷下學宮的成立實際上是和田齊政權密不可分的，從時間

① 周祚胤：《周易經傳異同》，第 304－5 頁，湖南師範大學出版社 1991 年版。

上看，它與田齊共始終；而更重要的，它是適應田齊政權網羅人才的需要而興建的。

值得注意的一點，田氏宗族是非常重視占卜的，或者說，其命運與占卜有密切的關係。《左傳·莊公二十二年》載：

(田敬仲)飲桓公酒，樂。公曰："以火繼之。"辭曰："臣卜其晝，未卜其夜，不敢。"

田完衹卜白日飲酒，而未卜黑夜飲酒，所以一到天黑，便拒絕了桓公點火再飲。由此可見田完立身行事對占卜的依賴。而更神秘的，據説田氏的命運在很多年前就已由占卜預知。《左傳·莊公二十二年》説：

初，懿氏卜妻敬仲。其妻占之，曰："吉。是謂鳳皇於飛，和鳴鏘鏘。有媯之後，將育於姜。五世其昌，並於正卿。八世之後，莫之與京。"陳厲公……生敬仲。其少也，周史有以《周易》見陳侯者，陳侯使筮之，遇《觀》䷓之《否》䷋，曰："是謂觀國之光，利用賓於王。此其陳有國乎？不在此，其在異國；非此其身，在其子孫。……若在異國，必姜姓也。"……及陳之初亡也，陳桓子始大於齊，其後亡也，成子得政。

《史記·田完世家》也記載了這件事，篇末並記太史公的話説："《易》之爲術，幽明遠矣，非通人達才孰能注意焉！故周太史之卦田敬完，占至十世之後，及完奔齊，懿仲卜之亦云。田乞及常所以比犯二君，專齊國之政，非必事之漸然也，蓋若遵厭兆祥云。""遵厭"即遵奉占卜預言。太史公的意思是説：田氏掌齊國之政，不一定是形勢漸漸使之然，倒好像是按占卜預言行事的結果。

當然，田氏專齊國之政，并不是占卜即能決定的事，如杜預所説："陳完有禮於齊，子孫世不忘德，德協於卜。"這是説有德纔是主要的因素。但無論如何，田氏按占卜預言取代了姜齊，而掌握了齊國政權，則其對占卜當然是相信它的靈驗了。田齊崇尚占卜之風，或許正是《繫辭》讚美卜筮的原因所在。

《管子》書非一時一人之作，因而其中對於卜筮有着不同的態度，如《內業》云："能摶乎？能一乎？能無卜筮而知吉凶乎？"這裏是推崇不靠卜筮即能知吉凶的方法。但是,在另外的一些篇章中,對於卜筮的作用,似乎又持肯定、讚揚的態度,像《水地》篇說:"伏暗能存而能亡者,蓍龜與龍是也。龜生於水,發之於火,於是爲萬物先,爲禍福正。"這裏認爲蓍龜可爲禍福正,自然不反對占卜。

《水地》篇一般認爲是黄老學派的作品。黄老學派與老莊不同,老莊不信鬼神,反對占卜(如謂"前識者,道之華而愚之始也"),但黄老對鬼神的態度卻有些曖昧。如帛書《十六經》所說:"聖人舉事也,闔於天地,順於民,祥於鬼神。"後來黄老之學和占卜亦有密切的關係,《史記·日者列傳》引褚先生曰:司馬季主爲著名卜者,而"通《易經》,術黄帝、老子,博聞遠見。"由此可知黄老學與占卜之關係。

因此,《繫辭》之重視占卜,明顯地不是先秦儒學的態度,而可能與田齊世家及稷下道家有關。

二、《繫辭》義理與稷下道家

《繫辭傳》雖然重視占卜,但同時也藉卦爻辭等發揮着哲理,它乃是宗教與哲學的混合物。而從義理的角度看,它更是在許多方面與稷下道家有根本的相通之處。在以前的文章中,我曾涉及到這個方面,在此,我擬就幾個大的方面再做一些論述或補充。

(一)精氣說

稷下道家有許多重要的思想。其中最具特色而在哲學史上影響最大的恐怕就是精氣說了。本來在這之前,老子、莊子都曾講過"精"或"氣",但並沒有"精氣"連言者。"精氣"概念的發明權應屬於《管子》似乎沒有甚麼大的問題。在《管子》中,"精氣"一詞共出現五次。其中《侈靡篇》講到"且夫天地精氣有五"時,好像哲理的義味還不太濃,但是在《心術下》和《內業》中,情形便有了很大的不同。《內業》篇說:

精也者,氣之精者也。

> 凡物之精，比則爲生。下生五穀，上爲列星。流於天地之間，謂之鬼神；藏於胸中、謂之聖人。是故此氣……。
>
> 思之，思之，又重思之。思之而不通，則鬼神將通之，非鬼神之力也，精氣之極也。(《心術下》中有與此類似的一段)

精氣在這裏具有了萬物本原的地位。無論是自然現象、人工製品，還是神妙作用、認識能力等，都要依靠它纔能產生。這種思想以後在《呂氏春秋》中也有反映，而值得注意的，《繫辭》也受到了它的影響。《繫辭上》說：

> 精氣之爲物，遊魂爲變，是故知鬼神之情狀。

由精氣而形成萬物，產生變化，且將它與鬼神聯繫起來，這當然是承繼《内業》篇而來。不僅如此，《繫辭下》所謂"男女構精；萬物化生"，也當與《水地》篇"人，水也。男女精氣合而水流形"爲一脈相承。

(二)道德說

道與德是先秦諸子尤其是儒道兩家都使用的概念，但用法則有異。儒家一般祇在倫理意義上使用，而道家則兼在天道觀與倫理範圍内使用。就《繫辭》來說，其使用"道""德"的意義與道家是一致的。《繫辭》說："形而上者謂之道，形而下者謂之器。"又說："天地之大德曰生"、"一陰一陽之謂道"。這裏的道德概念顯然都是在天道觀的層次上使用的，而其意義與稷下道家相通。這可分兩點說：

1.《心術上》："虛而無形謂之道，化育萬物謂之德。"試把它與《繫辭》所說加以比較，一言"虛而無形"，一言"形而上"，用詞不同，意義則相通，都認爲道超乎形象之上。又如對"德"的解釋，一言"化育萬物"，一言"生"，都把它和生養萬物聯繫起來。

2.《繫辭》以道器對舉，而其來源，遠處來說，爲老子"道常無名樸"和"樸散爲器"，近處來說，即是稷下先生尹文所作《大道上》的首句："大道無形，稱器有名"。"大道無形"，即是"形而上者謂之道"；"稱器有名"，有名即有形，即是"形而下者謂之器"了。於此可證《繫辭傳》與稷下道家的相關性。

(三)勢位思想

稷下道家一方面講君主無爲,另方面也很重視君主的勢位。在這方面最突出的要數慎子。《慎子·威德篇》説:"騰蛇遊霧,雲罷霧霽,與蚯蚓同,則失其所乘也。……堯爲匹夫,不能使其鄰家;至南面而王,則令行禁止。由此觀之,賢不足以服不肖,而勢位足以屈賢矣。"(《管子·心術上》也説:"心之在體,君之位也",後文解釋説:"'位'者,謂其所立也。人主者立於陰,陰者靜,故曰'動則失位'。")慎子很重勢位,但另一方面,這勢位的力量乃是由於"得助於衆"。慎子説:"身不肖而令行者,得助於衆也。……夫三王五伯之德,參於天地,通於鬼神,周於生物者,其得助博也。"又説:"多下謂之太上。"這種既重位勢又重民人的思想,爲《繫辭》所發揮。一方面,《繫辭》講:"天尊地卑,乾坤定矣;卑高以陳,貴賤位矣。""列貴賤者存乎位",把"位"看成是"聖人之大寶",另方面,《繫辭》也講:"何以守位曰人,何以聚人曰財",把人看成是保住位勢的主要手段。

三、《繫辭》與齊之文化精神

先秦文化的發展有着地域的特點,這點學界多已承認①。譬如齊魯爲鄰國,同處今山東境内,但文化面貌卻有着重大的差異。魯在春秋時爲周文化重鎮,時人曾有"周禮儘在魯矣"之説,但到戰國時期,"幾乎没有甚麼學者到魯國來求學或遊學,曲阜冷冷落落。"② 文化中心由魯轉移到齊都的稷下學宮。齊國以其雄厚的經濟勢力及其開明的政風與學風,使稷下人才會粹,蔚爲百家爭鳴的場所。

近來有不少學者撰文從各個角度探討齊魯文化的差異。有的

① 李學勤先生説得好:"普遍存在的文化的共通性,和各地地區、民族文化的多樣性,并不是相排斥的,……我們研究古代各個地區的文化,既要見其同,也必須見其異。"(《多彩的古代地區文化》,《文史知識》1989.3)

② 周斌:《文化中心由曲阜到臨淄的轉移》,《管子學刊》,1989年第1期。

學者指出："魯主常、主合古，傾向於保守；齊主變、主合時，有革新精神"①。"魯國是一個以傳統定向爲主的社會，因而關注的是行爲本身内在品格的定性，給予行爲的是一種道德期待。……而齊國是一個以現時功利目的爲主導的社會，因而給予行爲的一種結果期待，即指向或關注行爲之外的個人或社會的功利目的。"還有的學者分析説："單一的農業經濟導致了魯文化的單一性，缺乏内在的活力。……魯自建國始就株守周禮，受周禮的限制的魯文化呈封閉型和保守性，對外來文化持排斥態度，不能容納彼此枘鑿的思想，缺乏創新精神。"② 而齊國則與此形成鮮明的對照："經濟的多樣性帶來了文化思想的多樣性，商業的發達促進了齊國同外界思想文化的交流，帶來了齊文化的開放性，……他們的思想不封閉，易於接受外來的新鮮事物，容納各種不同的、甚至是互相對立衝突的思想"，"從而形成了齊學求實、主變、富於革新精神的特點。"

這些論述已將齊魯兩國不同的文化精神簡略地勾劃了出來。我們如果把《繫辭》放在這兩種不同的文化背景下來考察其歸屬，那麼結果便會十分明顯。

首先一點，就是齊學具有的革新性。這個特點因戰國時期田氏代齊而得到了强調。兹舉數例爲證：(1)《管子四篇》中出現了這樣的一段話："子而代其父，曰義也，臣而代其君，曰篡也。篡何能歌？武王是也。"(《白心》)以武王伐紂比美田氏代姜齊，這是稷下道家肯定田氏"革命"合理性的例證之一。(2)慎到學派有言："有易政而無易國，有易君而無易民。"(《慎子逸文》)這也可能是稷下黄老肯定田氏易政之舉的一個例證。(3)有趣的是，孟子"伐紂"的觀點也是在這一背景下提出的。齊宣王問説："湯放桀，武王伐紂，有諸？"孟子回説："於傳有之。"宣王接着又問："臣弑君，可乎？"孟子回説：

① 林存光、宣兆琦：《試析先秦齊魯政治文化的差異》，《管子學刊》，1991 年第 2 期。下引同。

② 白奚：《戰國學術中心産生於齊國的必然性》，《管子學刊》1991 年第 2 期。下引同。

“……聞誅一夫紂矣,未聞弒君也。”(《孟子·梁惠王》)這裏不排除孟子是在討好齊宣王來爲其先祖取代姜齊做論證的可能性。無論如何,這答案是恰合齊宣王的心意。(4)類似的思想,也見於《彖傳》對《周易·革卦》的解釋:“天地革而四時成,湯武革命,順乎天而應乎人。”(以此,我推測《彖傳》有可能是楚人遊於稷下的作品)這類變革的思想反映在哲學上,就是對於變化的肯定,如《管子》所說:“(聖人)與時變而不化,應物而不移”,“聖人裁物,不爲物使”,(《心術下》)以及“日新其德,遍知天下,窮於四極”(《內業》)。《繫辭》同樣表達了這種精神,它强調《易》之爲書,所着重的就是一個變字。它反覆說:“化而裁之謂之變”,“一闔一辟謂之變”。與《內業》篇一樣,《繫辭》表彰“日新之謂盛德”,這顯然是受了《內業》的影響,而與齊學的革新精神相呼應的。

其次,是齊學的功利取向。齊自太公始,就有“上功”的思想,以後經管仲到田齊,這種“上功”思想一直得到保持並發揚,如《心術下》所云:“治心在於中,治言出於口,治事加於民,故功作而民從。”或如在齊影響頗深的《黃帝四經》所說:“公者明,主明者有功”,“功得而財生”。《繫辭》也表達了這種傾向,它不像孔孟那樣注重內在品格的定性,而是更注意外在的功業。在《繫辭》中,我們隨處都可看到對功業的强調。如:

化而裁之謂之變,推而行之謂之通,舉而錯之天下謂之事業。

易知則有親,易從則有功;有親則可久,有功則可大,可久則賢人之德,可大則賢人之業。

盛德大業至矣哉! 富有之謂大業。

崇高莫大乎富貴,備物致用,立功成器,以爲天下利,莫大乎聖人。

這最後一句把《繫辭》崇尚功利的思想表達得最爲淋漓盡致。聖人并不是人倫之至,而是“備物致用,立功成器”者,從這裏可以看出它和儒學本質的不同,以及它和齊學與稷下道家的一致。和這相適應,就是如“崇高莫大乎富貴”一語所顯示出的《繫辭》對財富的重視，這和戰國中後期齊國富裕景象是相應的，而“何以聚人曰財”一語，又似乎正是齊國依靠其强大的財力來興辦學宫、招致賢人而尊崇之的情境底反映。

最後應注意的一點是齊學的開放性，與鄒魯儒學的封閉、排它性不同。齊學具有開放的性格，正是這種性格纔促成了稷下學宫的出現。稷下學宫是百家爭鳴的場所，這裏面道家學者最多，而同時也有儒、法、陰陽等家的代表。稷下道家中居主導地位的黄老學派就是一個兼採儒、墨、名、法、陰陽諸家的學派——這正是司馬談所説的“道家”(“因陰陽之大順，採儒墨之善，撮名法之要”)。以此觀之，《繫辭》也表現了類似的傾向。它是稷下道家之作，但是也吸收了儒家等的觀點。譬如：“天尊地卑，乾坤定矣，卑高以陳，貴賤位矣”，表現出的對貴賤等級秩序的肯定，對仁、義、禮等價值的承認，都與儒學相通。但不應忽視的是，這同時也是稷下道家所肯定的。與老、莊不同，稷下道家明確肯定“貴賤有恒位”的等級秩序，如《心術上》所説：“君臣父子人間之事謂之義，登降揖讓、貴賤有等、親疏之體謂之禮。”以此，我們不能因《繫辭》中有這種觀念即把它看成是儒家作品，正如《繫辭》中有“尚賢”的觀念，但我們不把它看作是墨家作品一樣。

與開放的特點相連，也與《繫辭》的哲學構架有關的一點是：“在齊國，流行着突破了當時儒墨顯學作爲焦點的社會倫理的束縛，對於自然、歷史、宇宙變化和構造得以成立的思索，其内容儘管伴有古代咒術的形態，但卻是馳騁深遠。”或者如日本小野澤精一教授另一段話所説：“正如鄒魯并稱那樣，在孔丘創始儒教，孟軻加以顯彰的地域中，集中關心的是鄉村倫理，那裏有着培育它的環境；而在近於海邊，即有着宗教性環境的土壤，以經濟爲主，并不斷膨脹的齊國稷下，則存在着對於自然和人類的成立强烈地進行思索的環境。”①

① 小野澤精一、福永光司等編著：《氣的思想》，第二章第一節《齊魯之學中氣的概念》，李慶譯，1990年上海人民出版社。上引同。

誠然,與孔孟儒家之單純注意人道不同,《繫辭》構造的是一個從形而上到形而下 從天、地到人的體系。它把人放在一個整體的宇宙中來考察,與上述齊學的特點是一致的,而且這同時也是稷下道家的特點。如《心術下》:"一言觸之,上察於天,下察於地",或者如《內業》:"天主正,地主平,人主安靜。春秋冬夏,天之時也;山陵川谷,地之材也;喜怒取予,人之謀也。"所表現的那樣。

四、《繫辭》乃以道家觀點解易之作

《繫辭》創作的戰國後期,從大的文化背景來看,正是道家思想佔優勢的時代。《莊子·天下篇》、《荀子·非十二子》及《呂氏春秋·不二篇》所評述的諸子中,道家學派佔了大多數。而在道家各派中,稷下黃老當是主流,但也有其他不同傾向的:由《管子·弟子職》篇中記述的景象來看,在稷下這個大學堂裏的衆多"稷下先生"之中,想必有講授老子思想的學者,也當有講解《周易》義理的學者——他們的學術觀點不一定同屬於"黃老"的範疇。

《繫辭》畢竟是以解《易》的形式出現的,因而它也要受《易》的特殊形式的限制,使得一些思想不能得以展開,從而使它與稷下道家的主流黃老派也有着一些重大的區别。最突出的一點可以説稷下黃老學重視法的作用,但《繫辭》卻未涉及此。

《繫辭傳》共出現過幾個"法"字。如"制而用之謂之法"、"效法之謂坤"、"俯則觀法於地",都是效法之義,與社會政治生活中之法無關。這種情形可能與《繫辭傳》受解《易》形式的限制有關,但由此也把《繫辭傳》與黃老學區分開來。正因此,我把《繫辭傳》稱爲以道家思想解《易》的作品。

作者簡介 陳鼓應,一九三五年生,福建長汀人。曾任臺灣大學哲學系副教授。現任美國加州大學研究員,北京大學哲學系教授。著有《悲劇哲學家尼采》、《老子注譯及評價》、《莊子今注今譯》、《老莊新論》等。

論《周易參同契》的宇宙模型

蕭漢明

東漢末年魏伯陽所撰《周易參同契》(以下簡稱《契》),是一部包涵宇宙觀、天人觀、内丹術和外丹術等内容在内的自然哲學著作。這部著作以道家思想依托,廣泛吸取先秦兩漢的天文學、醫學、煉丹術等方面的成就,借用《周易》符號系統的結構框架,建構成以煉丹術爲主體、天文歷法爲前提的天地人三才合一的龐大而又複雜的思想體系。明代王文祿在解釋《參同契》書名含義時説:"《參同契》不特參三才,而且同契列"(王文祿《參同契正文序》)。這樣解釋《契》名,未必貼切,但卻抓住了《契》的思想體系的核心。朱熹對《參同契》書名也有個解釋,他説:"參,雜也;同,通也;契,合也。謂與《周易》理通而義合也"(朱熹《周易參同契考異》)。他的解釋忽略了"參"的真正含義,與書名衹有部分接近。其實魏伯陽自己在《契》中已經作了交代。《契》下篇云:"大《易》情性,各如其度;黄老用究,較而可御;爐火之事,真有所據。三道由一,俱出徑路。"[①] 這個交代,説明了《契》的思想淵源。本文在此認識的基礎上,着重探討《契》的天文曆法思想以及《契》借《周易》符號系統建構的各種宇宙模型(單項的與複合的),不足之處,請讀者批評指正。

---

① 本文所引《契》文,均據彭曉本,酌參其他諸本。此段文字彭曉本在卷下,朱熹本在《五相類》。

一

《契》上篇云："上察河圖文，下序地形流，中稽於人心，參合考三才。"這裏所說的河圖，是一個囊括天、地、人三才之道於一體的複合模型。與宋代以來流行的河圖相比較，缺五五爲十之數(見圖一)。《契》中篇云："子南午北，互爲綱紀；一九之數，終而復始。"將河圖之數定爲從一至九，並不及十。宋代俞琰囿於"戴九履一"之說，將此"一九之數"排爲九宮洛書形狀①，誤甚矣。此圖外圈八七九六這四個數表示天道陰陽，其方位八東、七南、九西、六北。其由來早在先秦已有定論。《月令》："孟春之月，……其數八……迎春於東郊。""孟夏之月，……其數七，……迎夏於南郊。""孟秋之月，……其數九，……迎秋於西郊。""孟冬之月，……其數六，……迎冬於北郊。"《素問・金匱真言論》亦云："東方青色，……其數八"，"南方赤色，……其數七"，"中央黃色，……其數五"，"西方白色，……其數九"，"北方黑色，……其數六"。《契》中篇云："乾動而直，氣布精流；坤靜而翕，爲道舍廬。剛施而退，柔化以滋；九還七返，八歸六居。"前四句言房中；後四句言交媾畢，母體内成胎前陰

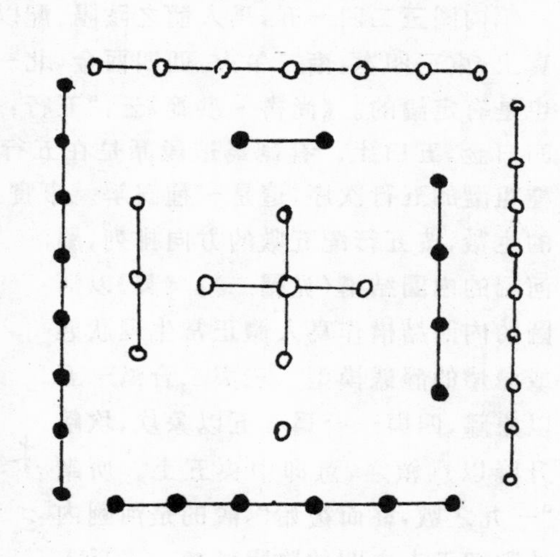

圖一 《參同契》河圖文

① 見俞琰《周易參同契發揮》卷中。

陽升降之狀況。九爲老陽，七爲少陽，陽性善動，故曰“九還七返”；八爲少陰，陽中之陰，仍有動象，故曰“八歸”；六爲老陰，陰性好靜，故曰“六居”。人體受孕的過程，是天道陰陽還、返、歸、居的運動在母體内的再現。

內圈三二四一五，爲人體之陰陽。配以五行，則爲：中央五戊已真土，東三卯木，南二午火，西四酉金，北一子水。這個方位在先秦也是有定論的。《尚書·洪範》云：“五行：一曰水，二曰火，三曰木，四曰金，五曰土。”有認爲這段話是在五行生克關係之前形成的一種粗澀的五行次序，這是一種誤解。事實上，此段所說的乃是河圖的生數，按五行配五數的方向排列，屬河圖的內圈結構（見圖二）。《契》以河圖的內圈結構作爲人體正常生理狀態或鼎爐的靜態模型。三與二合爲一五以象離，四與一合爲一五以象坎，坎離升降以意領之，意即中央五土。所謂“一九之數，終而復始”，說的是河圖內外圈即天人之間的陰陽轉換。一爲人道之始，九爲天道之終。一當右轉而接於四，二乃東旋而至於三，五居中位以爲意主，這是人體氣血運轉的正常秩序。《指玄》有云：“人人氣血本通流，榮衛陰陽百刻周，豈在閉門學行氣，正如頭上又安頭。”說的正是人的自然特性本來如此，無須再去閉門學行氣。天道“九還七返，八歸六居”，人道“三五併爲一”，河圖一九之間，乃天人相續之際。天有所降，人有所受，人天合節，隨時以御神，則人體陰陽調平，疾邪無從侵瀆矣。

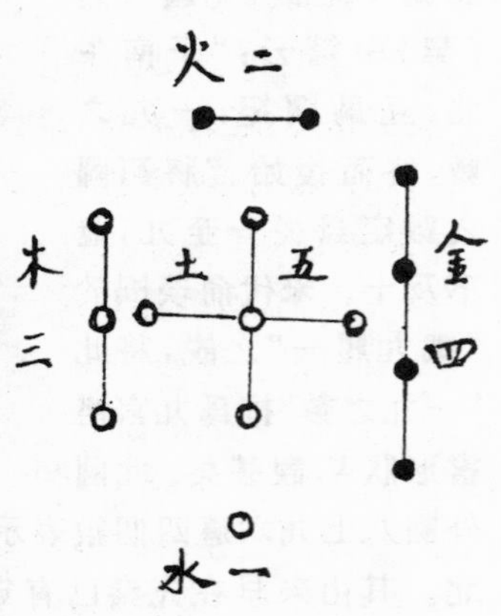

圖二 《洪範》五行生數圖

《素問·上古天真論》云：“上古之人，其知道者，法於陰陽，和於術數，食飲有節，起居有常，不妄作勞，故能形與神俱，而歸終其天年，度百歲乃去。今時之人不然也，以酒爲漿，以妄爲常，醉以人房，以欲竭其精，以耗散其真，不知持滿，不時御神，務快其心，逆於生樂，起居無節，故半百而衰也。”人們因各種原因，使自身失去生活節制，造成人體陰陽嚴重失調，破壞了人體坎離互含的正常格局與天人之間的授受節律。通過丹術，恢復人們已經喪失了的天人相應的自然特徵，這正是魏公伯陽一部《參同契》全部隱言密語所包含的苦心所在，也是道教徒孜孜以求的奮鬥目標。

二

“修丹與天地造化同途”。（彭曉《周易參同契通真義序》）。天地，一大宇宙；丹爐，一小宇宙；人體，亦爲小宇宙。故修丹者應該“案歷法令，至誠專密；謹候日辰，審察消息，”（《契》中篇）；“發號出令，順陰陽節；藏氣俟時，勿違卦月”（同上）。魏伯陽認爲順應陰陽運動的節律，關係到修丹的成敗，“逆之者凶，順之者吉”（同上），“纖芥不正，悔吝爲賊”（同上），一點也疏忽不得。

在《易・繫辭》成書的戰國時期，我國古老的宇宙結構學說正是蓋天說佔統治地位的時候。這種學說起源最早，原始的主張是“天圓如張蓋，地方如棋局”。到西周時代，蓋天說的內容開始有了發展，地由平整的方形改爲同天穹曲率一緻的拱形，方圓之義已發生了變化，但“天圓地方”之說仍被看成是蓋天說的標志。《呂氏春秋・季春紀》云：“天道圜，地道方，聖人法之，所以立上下。何以說天道之圜也？精氣一上一下，圜周複雜，無所稽留，故曰天道圜。何以說地道之方也？萬物殊類殊形，皆有分職，不能相爲，故曰地道方。”十分明顯，這是對《易・繫辭》的一種解說。《易・繫辭上》云：“天尊地卑，乾坤定矣；卑高以陳，貴賤位矣。”“知崇禮卑，崇效天，卑法地。”尊卑、貴賤、智禮，都是仿效天在上地在下的蓋天說理論而來的，正所謂“聖人法之，所以立上下”也。《易・繫辭上》又云：“蓍之德圓而神，卦之德方以智”，蓍與卦的功用亦從“天圓地方”之義而來，但圓與方已不作形體解了。韓康伯注：“圓者，運而不窮；方者,止而有分。”① 蓋天説的數學理論寫在《周髀算經》中,故《周髀》與《易·繫辭》可以相表裏。

《契》成書於東漢末年。這個時期,渾天説已佔統治地位,宣夜説也有一定規模。因此,《契》所建構的宇宙模型已經不再是上下結構,而是内外“相包”了。《契》所建構的模型,可以稱之爲“天地設位”、“坎離匡郭”宇宙結構模型。《契》云:

> 天地設位,而《易》行乎其中矣。天地者,乾坤之象;設位者,列陰陽配合之位,《易》謂坎離。(《契》上篇)
>
> 乾剛坤柔,配合相包。陽稟陰受,雌雄相須。須以造化,精氣乃舒。坎離冠首,光耀垂敷。(《契》中篇)
>
> 坎離匡郭,運轂正軸,牝牡四卦,以爲槖籥。(《契》上篇)

乾坤象徵天地定位,坤内乾外,(即“乾剛坤柔,配合相包”),運轉循環(即“坎離匡郭,運轂正軸”),取渾天鷄子之象。張衡《渾天儀》有云:“渾天如鷄子,天體圓如彈丸,地如鷄中黄,孤注於内。天大而地小。天表裏有水,天之包地猶殼之裹黄。天地各乘氣而立,載水而浮,周天三百六十五度四分度之一。……天轉如車轂之運也,周旋無端,其形渾渾,故曰渾天。”《參同契》取消了此説中天有形質,“天表裏有水”,天地“載水而浮”等説法,汲取了宣夜説的“天了無質”,“日月衆星,自然浮生虚空之中,其行其止,皆須氣焉”(《晉書·天文志》)等内容,充實到模型中去。《契》云:“太玄無形容,虚寂不可覩”(《契》下篇),“仲尼贊鴻濛,乾坤德洞虚”(《契》中篇),“寥廓恍惚,莫知其端”。天是一個没有形容可覩的無限大的虚寂空間,其中祇有陰陽二氣的外降流行。坎離轂轉,正是取宣夜之氣上下浮沉之意。

將這個模型的剖面繪出,則如圖三。這個圖以乾坤坎離四卦標示出宇宙的動態結構。乾爲純陽,坤爲純陰,乾坤實際上祇具有邏輯上的意義。萬物皆由陰陽合德而成,功能上或偏重於陽或偏重於

① 《周易注·附韓康伯繫辭上注》,《王弼集校釋》下册,中華書局 1980 年 8 月版。

陰,決無純陽純陰之物能夠獨立孤存。故圖三中的乾坤分居內外,不過是"列陰陽配合之位"而已,必須通過坎離的上下升降來體現。

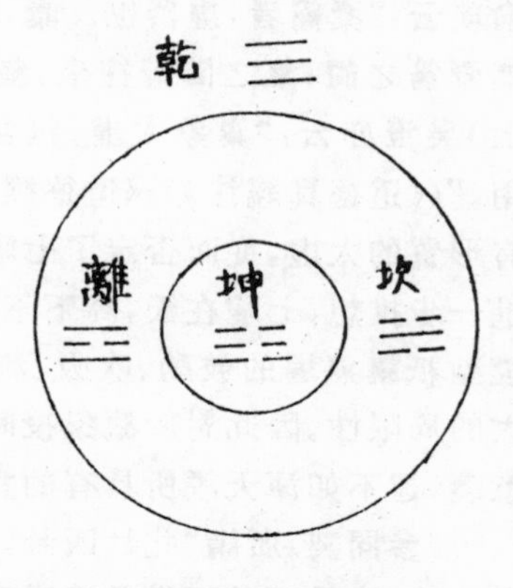

圖三　天地設位剖面示意圖

一陽入坤爲坎,故坎爲陰中之陽;一陰入乾爲離,故離爲陽中之陰。"坎離者,乾坤二用。二用無爻位,周流行六虛;往來既不定,上下亦無常。幽潛淪匿,變化於中;包裹萬物,爲道紀綱。"(《契》上篇)坎離流行於乾坤之間,往來不定,上下無常,呈陰陽交錯之態勢。《繫辭上》云:"一陽一陰之謂道"。一之一之云者,謂陰陽迭運之貌。故坎離之陰陽交錯而動,不僅標示了陰陽二氣在宇宙間上下升降的運動,而且"包裹"了萬物存在的基本特徵,即《道德經》"萬物負陰而抱陽,冲氣以爲和"的矛盾普遍性,故爲"道之紀綱"的生動體現。以圖示之,則是《道藏》中著名的"水火匡郭圖"(見圖四)。這個圖既是對"天地設位""坎離匡郭"宇宙模型中陰陽二氣升降浮沉的説明,又是對宇宙萬物存在的基本特徵的形象描述,因此深受宋代以後許多思想家的重視。

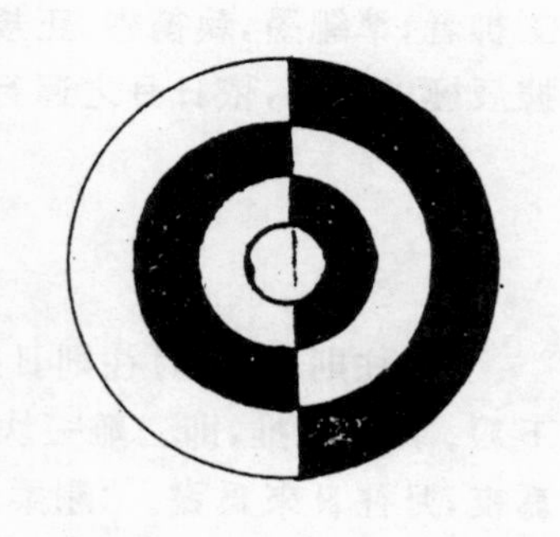
圖四　水火匡郭圖

《道德經》曾經設想天體是一個網狀的氣場,説"天網恢恢,疏而不漏",這大約是由人體有經絡流通推想而來。浩浩蒼天,一氣流行。氣流有疏密,密者爲網,疏者爲目。《道德經》還進一步設想:"天地之間,其猶槖籥乎!虛而不屈,動而愈出。"這便是中國天文學史上有名的宇宙風箱模型。這個模型的理論基礎是早期的宣夜説。俞琰云:"槖籥者,虚器也。槖,即鞴囊;籥,其管也。""蓋太虚寥廓,猶槖籥之體;氣之闔辟往來,猶槖籥之用。"(《周易參同契發揮》卷上)吳澄亦云:"槖象太虚,包含周編之體;籥象元氣,絪緼流行之用。"(《道德真經注》)。《道德經》的宇宙風箱模型,將天體看作是没有形質的太虚,從而否定了七曜綴附於天球的説法。本來由此可以進一步推想,七曜在天,高下不同;遲留疾逆,未有一定。可惜這個模型衹講氣場的鼓動、吹吸、流行,對把握天體的運行規律有相當大的局限性。因此對於觀象授時來説,宣夜説僅僅衹具有理論上的意義,遠不如渾天説所具有的實用價值高。

《參同契》所謂"牝牡四卦,以爲槖籥",正是對風箱模型的繼承和改造。坎離兩卦不僅是陰陽升降的象徵,同時也是日月交轉的象徵。離爲日,坎爲月,日月轂轉如風箱抽動,一進一退,"陽往則陰來,輻輳而輪轉"(《契》上篇),呈現出一定的規律性和周期性。"猶工御者,準繩墨,執銜轡,正規矩,隨軌轍。"(同上)曆數家這纔可以據辰極以處中,依日月之運行而觀象制曆。

三

"日往則月來,月往則日來,日月相推而明生焉"。(《易·繫辭下》)。日月相推,即☲離☵坎在乾坤區間内的往來運動。日往月來爲夜,月往日來爲晝。"剛柔者,晝夜之象也。"(同上)坎離升降,剛柔相易,天天如此,故離與坎標志着晝夜之共相。所謂"日月爲易,剛柔相當"(《契》上篇),正是泛指日月,剛柔,晝夜相推的變易共相。《説文》:"秘書説,日月爲易,象陰陽也。"這樣解説,可以理解爲日以夜半子時一陽初復爲始,夜半到夜半爲一日。

然而晝夜之象天天有殊異,《契》進而又援引乾坤坎離之外的六十卦,分值一月三十日之晝夜,以成晝夜之殊象(見圖五)。《契》上篇云:"朔旦屯直事,至暮蒙當受。晝夜各一卦,用之依次序。既

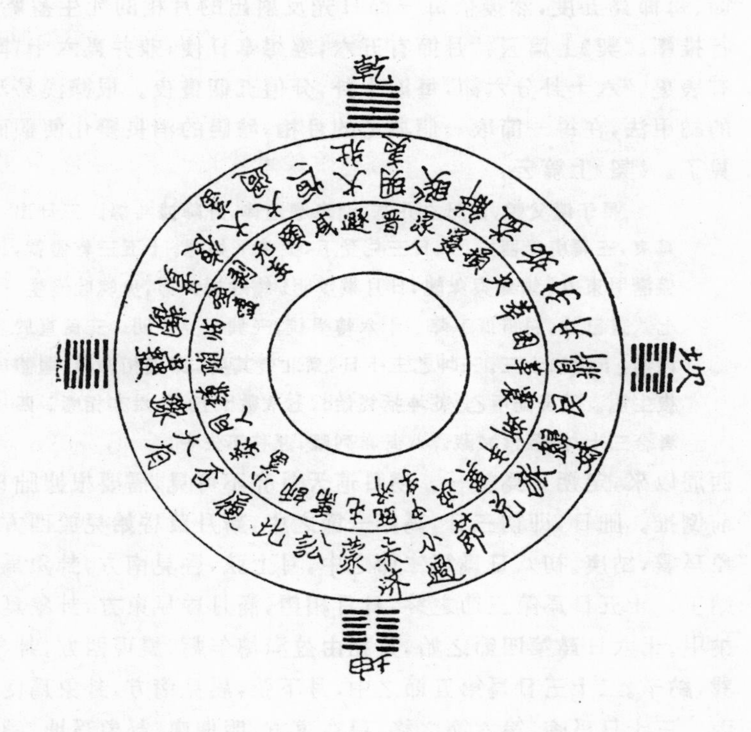

圖五 六十卦一月晝夜張佈圖

未至昧爽，終則復更始。”六十卦，陽卦三十，分值三十日之晝（自旦至暮）；陰卦三十，分值三十日之夜（自暮至旦）。依《易・序卦》所排列的卦序，初一爲屯蒙，初二爲需訟……直至三十爲既濟未濟，一月告終。“終則復至始”，六十卦又分值下月三十日之晝夜，循環不已。六十卦分值晝夜，祇能象徵每日晝夜有别，大致可取剛柔更迭之意，無法説明陰陽消長之情，故不可刻意求於卦爻之象。《悟真篇》有云：“此中得意休求象，若究群爻漫役情。”

爲了説明一月内陰陽的消長變化，可將一月三十日劃分爲六節、每節爲五度，然後依每一節日光反射出的月相的死生盈虧，進行推斷。《契》上篇云："月節有五六，經緯奉日使；兼并爲六十，剛柔有表裏。"六十卦分六節，每節十卦，分值五個晝夜。根據漢易流行的納甲法，在每一節取一個典型的月相，陰陽的消長變化便顯而易見了。《契》上篇云：

> 長子繼父體，因母立兆基，消息應鐘律，升降據斗樞。三日出爲爽，☳震庚受西方。八日☱兑受丁，上弦平如繩。十五☰乾體就，盛滿甲東方。蟾蜍與兔魄，日月氣雙明。蟾蜍視卦節，兔魄吐光生。七八道已訖，屈折低下降。十六轉受統，☴巽辛見平明。☶艮直於丙南，下弦二十三。☷坤乙三十日，東北喪其明。節儘相禪與，繼體復生龍。壬癸配甲乙，乾坤括終始。七八數十五，九六亦相應。四者合三十，陽氣索滅藏。八卦布列曜，運移不失中。

西周以來，定朔日爲初一。朔日這天月亮不可見，需要根據朏日往前倒推。朏日，即初三日，爲第一節之中，新月黄昏始見於西方，卦象爲震，納庚。初八日爲第二節之中，月上弦，昏見南方，卦象爲兑，納丁。十五日爲第三節之終，日月相望，滿月昏見東方，卦象爲乾，納甲。十六日爲第四節之始，月相由盈滿轉乍虧，晨現西方，卦象爲巽，納辛。二十三日爲第五節之中，月下弦，晨見南方，卦象爲艮，納丙。三十日爲晦，第六節之終，晨在東方，明儘喪，卦象爲坤，納乙。"節儘相禪與，繼體復生龍"，震爲龍，謂月相在下一月由震開始新的六節循環。這裏使用的八卦納甲爲：震納庚，巽納辛，爲西方金；兑納丁，艮納丙，爲南方火；乾納甲，坤納乙，爲東方木。戊己爲坎離，爲中央土。壬癸爲北方水，無所屬，仍從乾坤納之，以示始終。故曰"壬癸配甲乙，乾坤括始終"。八卦納甲，使十干分布五方，與"月節有五六"相配合，意在説明"日合五行精，月受六律紀"(《契》上篇)。但月相上半月昏見於西方、南方；下半月晨見於西方、南方；望日昏見於東方，衹涉及西南東三方，而不見於北方，因此這種配合是十分勉强的。

這個納甲月相，選擇的月份爲冬月，衹是爲了説明一月之内陰陽的升降變化大致如此罷了。實際上并不是每個月都有三十天，選擇冬月三十天作爲一月之内的月相盈虧變化作爲例證，與我國古代曆法以冬至爲基點是分不開的。漢代初年沿用秦朝的顓頊曆（古四分曆）。這個曆法以正月朔旦立春爲曆元，推其冬至，"日月俱起於牽牛之度"。[①]這個冬至點的位置，由於地球自轉軸方向的變動已經有了移動。東漢賈逵等人制後漢四分曆的時候，纔明確給予糾正，指出"冬至日在斗二十一度四分度之一"（賈逵《曆議》）。上引"升降據斗樞"，講的正是冬至點，即冬至日太陽與月亮的升降是從斗樞開始的。《契》中篇還有一段與此相類的說法，衹用卦象，没有用納甲法，但道理卻講得更爲清晰明瞭。其云：

起於東北，箕斗之鄉；旋而右轉，嘔輪吐萌。潛潭見象，發散精光；昴畢之上，☳震出爲徵。陽氣造端，初九潛龍。陽以三立，陰以八通；故三日震動，八日☱兑行。九二見龍，和平有明；三五德就，☰乾體乃成。九三夕惕，虧折神符；盛衰漸革，終還其初。☴巽繼其統，固濟操持；九四或躍，進退道危。☶艮主進止、不得踰時；二十三日，典守弦期。九五飛龍，天位加喜。六五☷坤承，結括終始。蘊養衆子，世爲類母。上九亢龍，戰德於野；用九翩翩，爲道規矩。陽氣已訖，訖則復起。推情合性，轉而相與。循據璇璣，升降上下；周流六爻，難得察睹；故無常位，爲《易》宗祖。

日月之行，"起於東北，箕斗之鄉"，也是講冬至點在斗。箕爲東官蒼龍之一宿，斗爲北官玄武之一宿，箕斗相鄰。初三日，新月昏見於昴畢之上。昴、畢爲二十八宿中西官白虎之二宿，見於秋冬，春夏不可見。以乾卦六爻配震、兑、乾、巽、艮、坤六經卦，同樣表達一月内的月相變化與陰陽消長。（見圖六）璇璣，亦指斗星。《春秋運斗樞》云：

① 《逸周書·周月解》。《周髀算經》亦稱："日冬至在牽牛。"

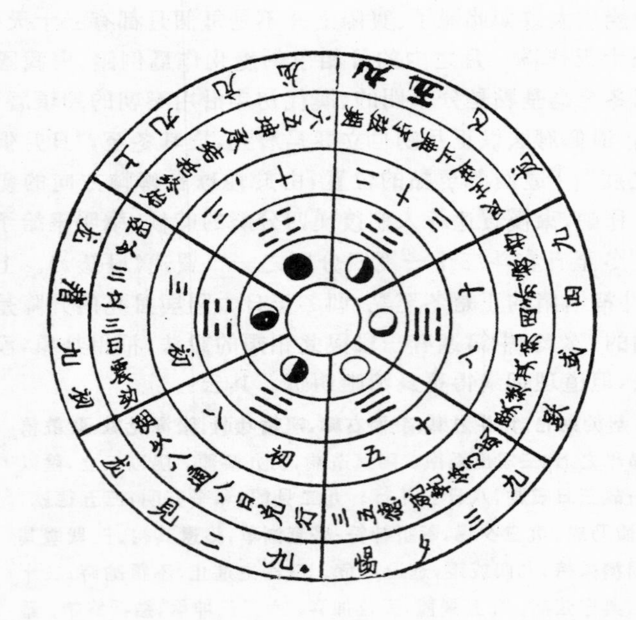

圖六　乾卦六爻月相圖

“斗，第一天樞，第二璇，第三璣，第四權，第五衡，第六開陽，第七搖光。”這七顆星由魁杓兩部分組成。魁方杓曲，第一至第四爲魁，第五至第七爲杓，杓又稱斗柄。公元前三千年至前二千年，北斗離北極近，在我國中原地帶看來，北斗一年四季都在地平綫之上，常明不隱。故《尚書・舜典》有“在璇璣玉衡，以齊七政”之說。《夏小正》正月“初昏參中，斗柄具在下”，六月“初昏斗柄正在上”，七月“斗柄具在下則旦”等，説明古人根據斗柄的指向，以確定一年的季節和月令。所以“循據璇璣”的“升降上下”，指的是一年四季各個月份内的陰陽升降，而不可局限在冬月之内。至於“要道魁杓，統化綱紐”，其意則喻人身真氣循環，如運斗杓，如天河流轉，一身陰陽便有了統化之綱紐。

我國古代曆法是陰陽曆,它的基本要素是氣朔。氣是陽曆成分,以物候定陰陽消長。氣有平氣與定氣之分,清代以前一直用平氣制曆。朔是陰曆成分,月以朔旦爲始,朔旦至朔旦爲一月。上引兩段,納甲月相偏重講朔,乾卦月相偏重講氣。朔也有平朔定朔之别,唐以前一直用平朔制曆。歲以冬至爲始,冬至到冬至爲一歲,屬陽曆。年以十二朔望月爲據,屬陰曆。陰陽曆通過給朔望月置閏的辦法,成功地將歲與年統一起來。

一年之内陰陽二氣的消長,對修丹者來説也是十分重要的。爲此,《契》以十二消息卦配律吕(即納音),形象地作了描叙。《契》中篇云:

> 朔旦爲復☷,陽氣始通。出入無疾,立表微剛。黄鐘建子,兆乃滋彰。播施柔暖,黎蒸得常。
>
> 臨☷爐施條,開路生光。光耀漸進,日以益長。丑之大吕,統正低昂。
>
> 仰以成泰☷,剛柔并隆。陰陽交接,小往大來。輻輳於寅,運而趣時。
>
> 漸歷大壯☰,俠列卯門。榆英墮落,還歸本根。刑德相負,晝夜始分。
>
> 夬☰陰以退,陽升而前。洗濯羽翮,振索縮塵。
>
> 乾☰健盛明,廣被四鄰,陽終於巳,中而相干。
>
> 姤☰始紀緒,履霜最先。井底寒泉,午爲蕤賓。賓伏於陰,陰爲主人。
>
> 遁☰世去位,收斂真精。懷德俟時,栖遲昧冥。
>
> 否☰塞不通,萌者不生。陰信陽屈,没陽姓名。
>
> 觀☴其權量,察中秋情。任蓄微稚,老枯復榮。薺麥芽蘖,因冒以生。
>
> 剝☶爛肢體,消滅其形。化氣既竭,亡失至坤。
>
> 道窮則反,歸乎坤☷元。恒順地理,承天布宣。

復卦爲一陽初現。在歲,冬至爲復;在月,朔旦爲復;在日,子時爲復。《契》上篇云:“天符有進退,屈信以應時;故《易》統天心,復卦建始初。”邵康節《擊壤集·冬至吟》云:“冬至子之半,天心無改移。”以冬至日子時之半爲天心,即一歲的終始處。魏伯陽定十一月朔旦爲復,是將復卦一陽初現看作一個過程,一陽始於朔旦,到月中,即到冬至子時之半,方成復卦之形。由復至乾,爲陰消陽長的過程,乾爲陽氣極盛之時;由姤至坤,爲陽消陰長的過程,坤爲陰氣極盛之時。配以律呂和地支,則如圖七。

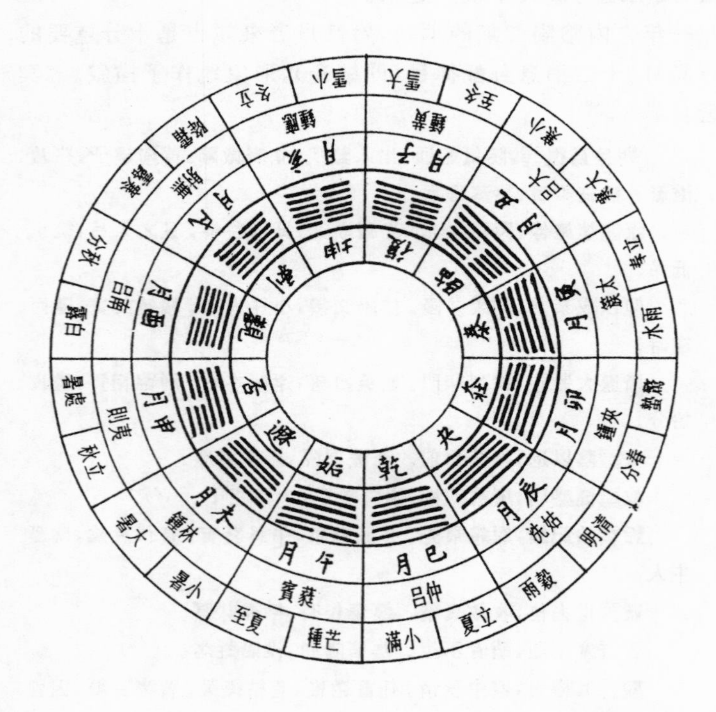

圖七　十二消息卦配地點律呂圖

以十二地支配十二月的依據是北斗星的斗建方向。斗柄指向正北時爲子,東轉三十度爲丑,再東三十度爲寅,餘類推。十二月與律呂相配是從樂理發展而來的，本意在於説明律呂與天道相通，由黄鐘而大呂，而太簇，而夾鐘，而姑洗，而中呂，而蕤賓，而林鐘，而夷則，而南呂，而無射，而應鐘，以管之長短相生定陰陽之數，附會曆法，對曆法本身卻并無多大意義。《契》下篇云："天地之雌雄兮，徘徊子與午；寅申陰陽祖兮，出入復終始。循斗而招摇兮，執衡定元紀。"子爲陽復，午爲陰生；其卦爲復姤，其時爲冬月五月，節令爲冬至夏至。寅與申，剛柔相當；其卦爲泰否，其時爲正月七月，節令爲春分秋分，晝夜一樣長。"循斗而招摇兮，執衡定元紀"，謂修丹之法，以意隨斗杓招摇之運轉，進火退符順應陰陽升降。在爐火，則"臨爐施條"爲進火，"陰以退陽"爲退符。

四

在《參同契》，還有關於日月交食和其他天象的記載。這些也被看作是與修丹密不可分的。如關於日月交食的天象，《契》有以下論述：

> 推演五行數，較約而不繁。舉水以激火，奄然滅光明。日月相薄食，常在晦朔間。水盛坎侵陽，火衰離晝昏。陰陽交飲食，交感道自然。(《契》上篇)。
>
> 坎男爲月，離女爲日。日以德施，月以舒光。月受日化，體不虧傷。陽失其氣，陰侵其明，晦朔薄食，掩冒相傾。陽消其形，陰凌災生。男女相須，含吐以滋；雌雄錯雜，以類相求。(《契》中篇)。

日食是衹有當月球進入地球與太陽之間時纔有可能發生的天象。但由於白道對黄道有一個約五度傾斜的交角，衹有在白道黄道的交點附近，日被月遮掩的現象(即日食)纔會出現。因此并不是每到朔日必定會發生日食。另外，由於日躔有盈縮，月離有遲疾，使黄道和白道的交點每年都有移動。後漢四分曆使用平朔，日食常在晦二日出現。至唐曆改用定朔，并計算出交會遲疾的差(即食限)，這以後纔能將日食精確地定在朔日。《參同契》説"日月相薄食，常在晦朔間",正是應用平朔的結果①。

《契》認爲晦朔是日月合朔而產丹的大好時機。"晦朔之間,合符行中。混沌鴻蒙,牝牡相從;滋液潤澤,施化流通。天地神明,不可度量,利用安身,隱形而藏。"(《契》中篇)。日月合朔是天地交媾的體現,金丹煉成與天象相同,是陰陽交感,男女相須,雌雄錯雜的產物。《契》還説:"晦至朔旦,震來受符。當斯之時,天地媾其精,日月相撢持;雄陽播玄施,雌陰化黄色;混沌相交接,權輿樹根基;經營養鄞鄂,凝神以成軀。"(《契》上篇)晦至朔旦,正是日月慝形相交接之時,"震來受符"即爲新月生成,以喻產丹之時。但如果這時出現日食則不是好事情,月亮遮住了太陽,如同五行中之水克火,"舉水以激火,奄然滅光明","水盛坎侵陽,火衰離晝昏";如同"溢度過節,爲女所拘"(《契》中篇)。"陽消其形,陰凌災生"。這裏以日食比喻火候失當,造成陰陽失調。《契》提倡:"魄以鈐魂,不得淫奢;不寒不暑,進退合時;各得其和,俱吐證符。"(《契》中篇)

此外,關於四官、二十八宿的天象也被用來説明陰陽交媾的修丹理論。

《史記・天官書》把天空分作中、東、南、西,北五官。中官含紫微、太微、天市等三恒。其他四官,又稱四象,即東官蒼龍七宿(角、亢、氐、房、心、尾、箕),南官朱雀七宿(井、鬼、柳、星、張、翼、軫),西官白虎七宿(奎、婁、胃、昴、畢、觜、參),北官玄武七宿(斗、牛、女、虛、危、室、壁)。四象二十八宿是沿赤道天區的周天恒星劃分的,依據四象皆見東方天空的時期,可以知道春夏秋冬四季。《契》云:

剛柔迭興,更歷分部,龍西虎東,建緯卯酉。(同上)

子當右轉,午乃東旋;卯酉界隔,主客二名。龍呼於虎,虎吸龍精;兩相飲食,俱相貪便。(《契》中篇)

玄武龜蛇,蟠虬相扶;以明牝牡,竟當相須。……飛龜舞蛇,愈見乖張。(同

① 由此亦可見,《參同契》之作不可能遲到劉洪的乾象曆在三國東吳推行之後。乾象曆已經計算出日行的遲疾,制定了"求朔望定大小餘"和"求朔望加時定度"兩個算法,成爲唐曆使用定朔的先驅。

上）

> 陰陽得其配兮，淡泊而相守。青龍處房六兮，春木震東卯；白虎在昴七兮，秋芒兌西酉；朱雀在張六兮，夏火離南午。（《契》下篇）

青龍、白虎，朱雀、龜蛇，分布東西南北。所謂“在天成象”者，成此四象也。《契》以四象擬爐火，則玄武居北爲水，以水濟水，如同“二女同室”，不得其配，即使“黄帝臨爐，太乙執火，八公擣煉，淮南調合；立宇崇壇，玉爲階陛，麟脯鳳腊；把籍長跪，禱祝神祇，請哀諸鬼，沐浴齋戒”（《契》中篇），聖丹也是不能結成的。這是講配置藥物，必須講究陰陽相反相成之性，否則將徒勞無益。青龍白虎，皆喻藥物，取陰陽相配之義。“子當右轉，午乃東旋”，爲天體之動，喻之爐火則爲水火之用。“白虎唱導前兮，滄液和於後。朱雀翱翔戲兮。飛揚色五彩”（《契》下篇），於此則有龍虎二藥的“兩相飲食，俱相貪便，遂相銜嚥，咀嚼相吞”，即二藥之間經過化學反應，生成聖丹。

與二十八宿星象有關的是十二次的名稱和劃分。歲星約十二年運行一周天，將一周天劃分爲十二次，歲星正好每年行經一“次”。十二次也是沿着赤道天區劃分的，十二次的名稱是：壽星、大火、析木，在東方；鶉首、鶉火、鶉尾，在南方；降婁、大梁、實沈，在西方；星紀、玄枵、娵訾，在北方。以十二次紀年，稱做歲星紀年法。與歲星紀年法相反對的一種紀年法，叫星歲紀年法。這種紀年法設想有一個與歲星運行方向相反的“太歲”自東向西運行。星歲紀年法按照與十二次相反的方向把周天分成十二辰，即子丑寅卯辰巳午未申酉戌亥，“太歲”每年移行一辰。（見圖八）“青龍處房六兮，春木震東卯”者，謂青龍其卦爲震，五行爲木，其時爲春；其房宿五度强（約爲房六），爲東方三次中間一次的大火，其辰在卯。“白虎在昴七兮，秋芒兌西酉”者，謂白虎其卦爲兌，五行爲金，其時爲秋；其昴宿七度，爲西方三次中間一次的大梁，其辰在酉。“朱雀在張二兮，正陽離南午”者，謂朱雀其卦爲離，五行爲火，其時爲夏；其張宿十八度，爲南方三次中間一次的鶉火。不言“張十八”而言“張二”者，大概以周天三百六十五度南北平分，得張宿二度與北方玄武危宿一度相對應。河圖生數圖在《契》中，既是一個人體生命模型，亦是一個鼎爐練丹模型。青龍房六，白虎昴七，朱雀張二等三象，在鼎爐中便是藥物和火候，三物在爐中經過化學反應，結成嬰兒（即丹），此即所謂“三者俱來朝兮，家屬爲親侶；本之但二物兮，末乃爲三五；三五於危一兮，都集歸一所”（《契》下篇）。

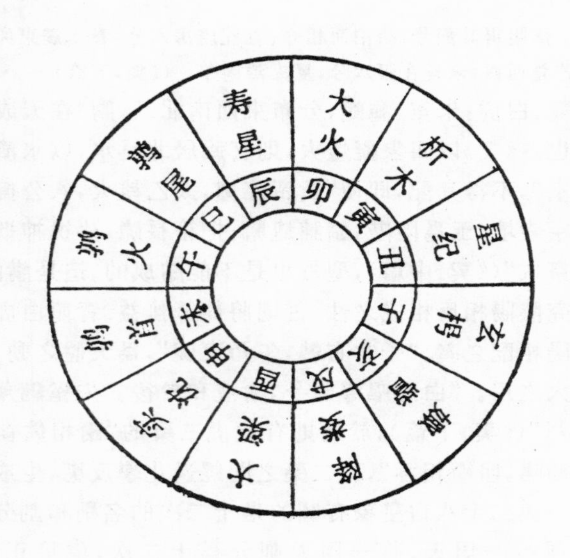

圖八　十二次與十二辰對應圖

此外，《契》還講到五星動態，如云：“熒惑守西，太白經天”（《契》中篇）；講到銀河；也講到一些異常天象及星占術，如云“法家莫大乎天地兮，玄溝數萬裏；河鼓臨星紀兮，人民皆驚駭”（《契》下篇），玄溝、銀河。河鼓，星名，在牛斗之間。星紀，居十二次北方三次之首。彭曉云：“河鼓三星或臨星紀，以近北斗，主有兵威，是故人民驚駭”（《周易參同契通真義》）。這些星占術是從緯書而來的封建糟粕。另《契》將“日食”看作災難，在漢代已經能夠科學地解釋日食原因並能進行預測的情況下，更顯得愚昧了。這些不足之處，在漢代有名的一些天文學家中都難以避免，屬於時代的局限。

《契》對漢代天文學的貢獻主要有兩個方面。其一，最早將渾天説與宣夜説融爲一體，使宇宙的有限性與無限性的認識得到辯證的統一，爲更加精確的曆法運算提供了理論準備。其二，從《道德經》的宇宙風箱模型發展而來的乾坤坎離四卦宇宙結構模型，具有複合模型的特點，與此相聯繫的一系列單項模型如坎離匡廓，四維時空，晝夜更選，月相死生，十二月陰陽消長等，具有鮮明生動的形象性，再現了人類生存環境的整體性，有序性，動態性及其縱橫交錯的複雜聯繫，爲天文學的研究提供了素樸的綜合方法。

作者簡介 蕭漢明，1940年生，湖北孝感人，1968年畢業於上海復旦大學國際政治系，1982年在武漢大學獲哲學碩士學位。著有《船山易學研究》等。

《陰符經》與《周易》

詹石窗

内容提要 《陰符經》是一部含有豐富哲理的道教經典著作,但有關該書與《周易》的關係問題則少有人探討。本文指出作爲《陰符經》主要思想淵源的《老子》、《莊子》等先秦道家,本來就與《周易》有十分密切之關係;漢魏六朝之間,《易》學象數派與義理派對道教思想體系産生廣泛影響,《陰符經》正是在這樣的思想背景下産生的。《陰符經》不僅化用了《周易》的天人相應思想、變革思想及辯證法思想,而且强調了遵循客觀規律與發揮主觀能動性的統一問題。不同時代不同作者在注疏《陰符經》時所擷取的《易》學資料是各有側重的,從《陰符經》的注疏中可以窺視到《易》學發展的踪迹。

《陰符經》,或稱《黄帝陰符經》,是道教史上一部著名典籍。過去,人們把《陰符經》同老子的《道德經》相提并論,有"《道德》五千言,《陰符》三百字"的對子行世,足見其地位之高。長期以來,道士、文人對這部問世於南北朝的道教經典進行解説、注疏、發揮,從而形成"陰符之學"。本世紀六十年代開始,學者們更對《陰符經》的産生年代、思想内容進行考證和研討,取得了不少成果。然而,有一事似較少人問津,這就是《陰符經》與《周易》的關係問題。該經之末談及"爰有奇器,是生萬象。八卦甲子,神樞詭藏。陰陽相勝之術,昭昭然進乎象矣"。對此,雲峰散人夏元鼎曾作出解釋,以爲文中"備六十四卦之大義"(見《黄帝陰符經講義》卷三)。這可以説是慧眼之見。的確,《陰符經》與《周易》是休戚相關的。這個問題的探討,不僅對於《陰符經》思想内容的理解來説具有重要的意義,而且對於整個道教思想體系的形成和發展的研究而言也有不可忽略的價值。

一

短短三百字的《陰符經》爲什麽内"備六十四卦之大義"? 這牽涉到《周易》的性質結構、功能以及先秦道家對《易》的應用問題。

衆所周知,《周易》本是一部卜筮之書,曾經被用來爲迷信活動服務。古代筮人根據《周易》的占筮方法對自然和社會領域的種種現象進行預測。他們的解釋不無牽强附會之處。即使是在現代文明社會中,許多人仍然把《周易》當作一種迷信活動的工具,這説明《周易》本具有誘人進入迷宫的一面。但是,作爲素稱"群經之首"的古老著作,《周易》的功能具有多重性。《周易》體系賴以建立的基礎——八卦,是先民仰觀俯察,"近取諸身,遠取諸物"(《周易・繫辭下》)的結果,是先民對自然關係的一種"擬範"。由八卦推演而成的六十四卦,互相聯繫,構成象徵鏈。這種特殊的符號結構具有無限的包容性和巨大的開放性,爲後人的思想表達設立了很好的框架。同時,《周易》的卦爻辭,作爲它的語言系統,包融着先民豐富的經驗和哲理思維。如果我們把中國古代思想比作一個殿堂,那麽《周易》無疑是這個殿堂的基石。所以,數千年來,無數的哲人、思想家都以《周易》爲模式,通過閲讀、鑽研這部古老著作,誘發思想靈感,建構自己的體系。作爲道教重要思想淵源之一的先秦道家學派自然不會例外。

宋代學者邵雍説:"老子知《易》之體"(見《觀物外篇》)。所謂"體",在中國哲學思想史上,是與"用"相對而言的。體原指形體、形質、實體。引而申之,體又指本體、本質。按此,則道家先驅老子是通曉《周易》大義,掌握了其根本的。倘若我們琢磨一下老子的《道德經》,那就會發現其字裏行間的確深藏《周易》秘義。别的暫且不說,單是作爲其思想體系根本概念的"道"即攜帶着《易》的"信息"。《道德經》第一章云:"道可道,非常道。"老子認爲,能夠通過語言顯現名迹的,就不是無往不在的真常大道。由此可知道的基本特性之一就是"常"。在第十六章中,老子進一步指出了道之常的涵義:"復命曰常,知常曰明。不知常,妄作凶。知常容,容乃公,公乃王,王乃天,天乃道,道乃久,殁身不殆"。老子力圖通過逆推思維來探求道的本體。所謂"復命"是一種靜修法式。通過靜修,排除干擾,恢復天真本性。這時候,人對宇宙事物的把握不偏不倚,不顯不彰,内心虚無,故能清明。如此堅持下去,就能夠心通天道,周普一切而無窮極。這樣,老子"常道"也就具有恒久的意藴。這種思想出於《周易》的"不易"原則。向來,學者們在解釋《周易》書名之"易"字時,以爲其中包含着"不易"的涵義。"不易"就是本體恒定不變。《易·恒》卦辭云:"恒:亨,無咎,利貞,利有攸往。"這是説《恒》卦乃恒久的象徵,因其有恒久的德性,故亨通而無咎害,利於守持正固,有所前往。對於"恒久"的意義,《易·彖傳》説得更爲詳儘:"恒,久也。剛上而柔下,雷風相與,巽而動,剛柔皆應,恒。'恒:亨,無咎,利貞',久於其道也。天地之道,恒久而不已也……日月得天而能久照,四時變化能久成,聖人久於其道而天下代成:觀其所恒,而天地萬物之情可見矣!"按《恒》卦之象,下巽(☴)上震(☳)。在上者爲剛,在下者爲柔。巽爲風,震爲雷,故謂之"雷風相與";又巽與震,兩卦之爻,陰陽相反有應,故謂之"剛柔皆應"。《彖傳》把剛上柔下的尊卑次序、雷風之相須相助、陰陽相應看作是恒定不變的,又從日月久照、四時交替規律方面入手,進一步説明聖人持之以恒的功用。《彖傳》的解説已經不像《易·恒》卦辭那樣素樸,但對於我們弄清老子常道與《恒》的關係也是有幫助的。歸根結底,《恒》卦乃在於闡發事物恒久之道,教人立身處世要有堅持不懈的耐心。它包含着《周易》"不易"的思想原則,老子《道德經》關於道的"常"義與此頗爲相近。在《道德經》裏,道還具有"生"的功能。老子説:"道生一,一生二,二生三,三生萬物”。(《道德經》王弼注本第四十二章)據此,則天下萬物乃是由道化生的。這種思想與《易·繫辭上傳》所謂“生生之謂易”的提法幾乎如出一轍。以“生”爲“易”,這正是《周易》關於“變易”原則的貫徹。《周易》不僅講“不易”,而且講“變易”,認爲不變之中有變者在,變中有不變者在,兩者是對立的統一。“變易”是《周易》更爲强調的思想。八卦化生六十四卦,就是萬物變易的象徵。從這個角度看,老子的“道生”思想與《周易》的“變易”原則是不謀而合的。此外,老子關於道的論述還包含“簡”的觀念。《道德經》第七十章稱:“吾言甚易知,甚易行”。知行皆易,這是因爲簡明扼要。顯然,其中包含着“簡易”的觀念。而“簡易”恰恰又正是《周易》思想體系中的又一重要原則。可見老子的“道”是暗合《周易》之“易”的。道有陰陽,易有日月,陰陽日月,互通相轉。《周易》早已成爲道家先驅老子《道德經》思想體系的根基。由於《道德經》在漢代以後的道教中被奉爲“聖典”。道教中人一方面對《道德經》進行注疏研討,另一方面,又依據《道德經》的原理來創作新的經典。《陰符經》正是《道德經》思想體系的繼承和發展。故爾,《陰符經》的作者效法老子,援《易》以明道,依卦而述理,這就不足爲奇。

《陰符經》運用《周易》的思維方式,吸取《周易》的內容,這與漢代以降《易》學的勃興以及早期道教學者創作經書的範式也是密不可分的。

西漢初期,隨着經濟的恢復,古代傳統文化的研討逐步受到統治者的重視。《周易》這部被認爲包含着“聖人之道”的古老典籍自然備受青睞。於是,形成了研討《周易》的專門學科,號之曰“易學”。《漢書·藝文志》稱:“《易》道深矣,人更三聖,世歷三古。及秦焚書,而《易》爲筮卜之書,傳者不絕。漢興,田(何)傳之。訖於宣、元,有施、孟、梁丘、京氏列於學官,而民間有費、高二家之說。”這說明《易》學在西漢的地位是頗高的。西漢《易》學尤重師法,但由於自然與社會中各種神奇之事屡出,《周易》當中原有的象與數內容被一些學者大加衍擴,從而形成了《易》象數學流派。孟喜、焦贛、京房諸輩以《周易》爲框架，運用陰陽五行理論，結合星象、物候的推演，提倡互體、旁通、爻辰、卦氣等解《易》方法。此等法式到了東漢時期爲鄭玄、荀爽等象數學家所繼承，并且在《易》緯秘學當中得到了大發展。由於孟、京一派象數學本出自"方外隱士"，而早期道教同樣吸取方外隱士學説的内容，所以，孟、京象數學以及與此一脈相承的《易》緯秘學自然就滲透到早期道教學者的經典創作之中。編撰於公元二世紀的《太平經》以及《周易參同契》都留下了這種痕迹。尤其是《周易參同契》中的"納甲法"、"十二消息"説、"孤虚"説以及"六日七分"説更是從焦京《易》象數學，《易》緯秘學中採擷而來。早期道教對漢代《易》象數學的吸取爲後代道教學者的經書創作開了先河，提供了可資借鑒的經驗。不言而喻，這對《陰符經》作者也是有所啓迪的。因爲《陰符經》作者不僅要暗示道法，而且要演述道術。這就更加需要從前人那裏獲取象數内容。由此上溯，歸宗於《易》，也就有了"闇合"的脈絡。

不過，還必須看到，《陰符經》畢竟是一部以闡述天人關係之哲理爲主的著作。因此，它對《周易》思想内容的吸取與玄學的盛行尤其是《易》學義理派在魏晉以來的重大影響也是有密切關係的。

魏代青年《易》學家王弼不滿漢代的《易》象數學，開創了以闡明義理爲主的解《易》方式，《易》學史上稱之爲"義理派"，王弼義理之學的最大特點是以老莊思想作爲根本，對《周易》卦爻辭進行闡釋。他從老莊哲學中吸取了"無爲"的思想，認爲一切有爲的作法都是違背自然規則的，其結果總是留下斧鑿之迹。所以，他崇尚老莊"任其自然"的行動原理。例如，在對《易・坤》卦六二爻辭的注釋中，他指出："居中得正，極於地質。任其自然，而物自生；不假修營，而功自成。故不習焉，而無不利。"居中，這是就卦位説的。因《坤》卦六二爻，位於下卦之中，所以稱"居中"，而"中"即意味着不偏不倚，所以説"正"。從卦的本始意義上看，坤爲地，地的本質是無私而厚載萬物，萬物由之化生，不必有什麼修飾經營，其功用自然而成。王弼這種疏解乃取意於老子《道德經》第三十七章："道常無爲，而無不爲,侯王若能守之,萬物將自化”。在老子的心目中,衹有無爲的道方具化生一切、成就萬物的功用,侯王如果能守持無爲之道,不用其心智,天下萬物便能夠生生不息。對照一下老子《道德經》的原文與王弼對《周易》的注釋,不難看出王弼將《老》《易》相合的法式。像這種例子在王弼《易》注中幾乎是隨手可得。由於莊子與老子在學說基本點上是一致的,王弼注《易》很自然也會包融《莊子》的有關内容。如王弼《周易略例・明象》中所提出的“得意而忘象”的著名命題即源於《莊子・外物》的“得魚忘筌”説。這樣,《易》、《老》、《莊》在王弼學術體系中便已匯通爲一體。事實上,如果我們把眼光放開闊一點,那就會看出,整個魏晉時代,文人們大多雅好《易》、《老》、《莊》。他們一方面從《周易》中探尋安身立命,觀事察變的思想,另一方面又從老子、莊子著作中發掘養性方法,把漢末魏初“臧否人物”的清議發展爲清談,這種圍繞一定主題展開的有組織的學術討論必然促進《易》學與道家學説的進一步融合,並且不可避免地會對道教理論建設發生影響。晉代著名道教學者葛洪所著《抱朴子》,書名取自老子《道德經》“見素抱朴”,但在書中卻又常常引述《周易》原文或將《易》理貫穿其中。略遲於葛洪《抱朴子》的靈寶派的主要經典《靈寶無量度人上品妙經》以及上清派的許多要籍都反映了《易》、《老》、《莊》摻合的迹象。至於南北朝時期的道教學者有不少也是精通《易》學的,像上清派茅山宗創始人陶弘景即撰有《卜筮要略》,《周易林》,《易林體》多種《易》學著作。這就説明,在玄學盛行的背景裏,鑽研《周易》,借助《易》象,應用《易》理來進行經典創作在道教界堪稱爲“時尚”。因此《陰符經》將《周易》六十四卦大義隱於行文之中,便有了思想發展的大氣候。從這種角度看,《陰符經》也是魏晉玄學尤其是《周易》義理之學對道教理論發生滲透的一種結果

二

按照前人的解釋,《陰符經》書名所謂“陰符”乃是“闇合”的意思,即“天機闇合於行事之機”。(見唐李筌《黄帝陰符經疏序》)按照現代人的理解,“陰符”講的就是人們主觀願望及行動與天道運行法則暗合的數理。由於《周易》也是講天人關係的書,“陰符”也可理解爲與《周易》秘學暗合。這既包括與象數暗合,又包括與義理暗合。如果要作一番歸納的話,那麼下列數端似可表明其暗合的要點:

第一、化用《周易》的天人合一思想,闡述修身、治國、用兵道理的一致性。

《陰符經·神仙抱一演道章》説:

> 觀天之道,執天之行,盡矣。天有五賊,見之者昌。五賊在心,施行於天,宇宙在乎手,萬物生乎身。天性人也,人心機也,立天之道以定人也。

這一段話裏包含着《周易》的“三才”觀(天、地、人之道)。因爲天是與地相對而言的。論天是以對地的存在之承認爲前提的,而人的存在又是以天地存在爲前提的,所以,上引《神仙抱一演道章》行文雖没有出現“地”的概念,但實際上是將此概念潛藏於其中。可見其核心所在即是天地人的關係問題。再説,其行文中已出現了“立天之道”的術語,此出自《易·説卦傳》。在該傳中,立天之道、立地之道、立人之道這三者是不可分割地聯繫在一起的,談及其中之一必然意味着對其他二者的了解。所以,《陰符經》内含《易》的三才觀便是毋庸置疑的事。

《易》論三才,用意何在? 李鼎祚《周易集解》卷十七解,引崔憬云:“此明一卦立爻有三才二體(陰陽)之義。故先明天道既立陰陽,地道又立剛柔,人道亦立仁義,以明之也。何則? 在天雖剛,亦有柔德;在地雖柔,亦有剛德。故《書》曰:‘沈潛剛克,高明柔克’。人稟天地，豈可不兼仁義乎？所以《易》道兼之矣。"崔憬論述關鍵之處是"人稟天地"。稟者，承受也。"人稟天地"就是人承受了天地的德性。天地有陰陽剛柔，人亦復如是。落實到社會人倫關係上，則陰陽剛柔即表現爲"仁義"。這是對天人合一思想的一種疏解，符合《易》的三才意旨。《陰符經》吸取了三才觀，就是化用天人合一思想，因爲在古代的天地範疇裏，地從屬於天，天以剛强之德爲主，地以柔順之德爲主。當古人把天地同自身聯繫起來考慮時，從屬於天的地往往被省略，所以天地人關係即爲天人關係。若推而廣之，則古人所謂天往往又是對整個廣袤宇宙或大自然的命指。因此，天人關係便上升爲宇宙與人的關係或大自然與人的關係。《周易》以八卦、六十四卦代表宇宙的存在和演化，同時又象徵"人"，這就把大自然乃至整個宇宙與人對應起來，顯現了天人合一的哲理思考。《陰符經》所謂"宇宙在乎手，萬化生乎身"即是以天人合一觀念爲基礎的。在這兩句話裏，前一句是說宇宙的陰陽盛衰都在人的手上反映出來，後一句話是說宇宙的千變萬化也在人的身上體現出來。這正是天人相應，天人合一思想的生動表述。

《陰符經》對《周易》天人合一思想的化用，這從"五賊"概念的引入也可以得到證明。所謂"五賊"有三個層次的意義：一則，五賊與五行通，五賊即是五行的語言符號轉換；一則，五賊指人不順五行之氣所產生的五種危害；一則五賊指五行的相克制伏關係。根據前人的解釋，五賊乃化生於陰陽又憑陰陽而運動，而陰陽的總卦象即是乾坤。由此便引出了一個新命題，即乾坤潛藏五賊之氣，陰陽與五行統一。這就又走到了《周易》的領域之中。我們知道，五行與陰陽，本來是兩個思想系統，可是在《周易》裏，陰陽與五行的觀念已經被重新整飭而成爲一個理論體系①，至少在《易傳》當中陰陽與五行的統一已有明顯的證據。《周易》之所以將陰陽與五行統一起來，這首先是爲了說明宇宙萬物的生化運動和相互關係，而這對

① 關於陰陽與五行在《周易》中的統一，黎子耀先生已有論述，見《馬王堆漢墓帛書易經卦序釋義》，《中國哲學史研究》1982年第1期。

於人體臟腑間關係之表述也是適用的。在這種統一論中，陰陽不是指具體的哪座山之陽面與陰面；五行也不是《尚書·洪範》中所講的那種具有素樸性質的五種物質，它們已成爲抽象關係的代號。當它們被用來表示人體臟腑器官之關係時，這本身就是把人與天地萬物溝通起來，其背後仍潛藏着天人合一思想。因爲五行的相生相克在本質上也是陰陽的對立統一運動，五行化成十天干與十二地支相配，構成六十甲子的循環，這就是陰陽對立統一的螺旋式上升運動（天干、地支均分陰陽），是我們的祖先對客觀物質世界（天）運動規律的一種抽象概括，所以人遵照陰陽五行的運動原則來生活處世，就是按宇宙物質運動規律辦事，就是天人合一。由此再回頭看看《陰符經》一開始所説的"觀天之道，執天之行"便不難明白其"以人合天"的旨趣了。修身如此，治國如此，用兵亦不例外。這就是《陰符經》爲什麼在"執天之行"之後緊接着説"盡矣"的大義所在。

第二、化用《周易》的變革思想，説明順天而行的重要性。

《周易》一書不僅注意揭示宇宙的運動規律和萬物的複雜關係，而且看到了事物内部矛盾在一定條件下的激發衝突。事物是運動的，又是不斷發展的，由弱到强，由小到大；但到了一定的關節點，其發展趨勢就會向對立面轉化了去。故宇宙之中，變革的力量是不可阻擋的。這種觀念在《易經》裏已初露端倪。《易·革》卦辭云："革：己日乃孚，元亨，利貞，悔亡。"《革》卦象徵事物之變革。化爲天干來説，十天干可分爲"甲乙丙丁戊"和"己庚辛壬癸"兩組，從"己"開始意味着前一組的結束和後一組的新生，衍擴到事物發展階段的認識問題上，前一組五個天干意味着五行交替的一個歷程，接下爲五行另一次交替之鏈的展開。這就是變革的迹象，所以《革》卦爻辭纔告誡人們在轉變關節點的"己日"推行變革并且取信於民衆就可以達到亨通的目的，它有利於守持正固，清除悔根。這種思想在《易傳》裏有了進一步的發展。《彖傳》曰："革，水火相息；二女同居，其志不相得，曰革。己日乃孚，革而信之；文明以説，大亨以正，革而當，其悔乃亡。天地革而四時成；湯武革命，順乎天而應乎人：革之時大矣哉。”《彖傳》這段話先從《革》卦的本始象徵上來說明變革的依據和表現。由於《革》卦之象上兑(☱)爲澤内含水意，下離(☲)爲火，水火相克，彼此爲其地位而進行一番鬥爭，所以謂之“水火相息”。息者，滅也。水火更革，意味着舊事物的死亡和新事物的産生。再説，在八卦中，離爲中女，兑爲少女，兩女皆陰，不能相感，反而相斥，所謂“二女同居，其志不相得”即是從離、兑之本來性質而發。接着，《彖傳》更聯繫到歷史問題，説明應時而變革的偉大意義。商湯滅夏桀，周武王滅殷紂王，這都像天地間陰陽升降、溫暑涼寒之更替一樣，是上順天命，下應人心的事。在這裏，《彖傳》把《易》之《革》卦辭的革命思想作了深刻的闡述。對此，《陰符經》的作者是深有感觸的。他指出：

> 天發殺機，移星易宿；地發殺機，龍蛇起陸；人發殺機，天地反覆。天人合發，萬變定機。(《陰符經·神仙抱一演道章》)

向來以爲“殺機”即是生殺之機，其實它還含有事物内部矛盾雙方力量消長，至一個關節點時引起大變革的意義。這種大變革，無論天地社會都是存在的。天地自然，五氣更替，從而顯示出階段性來。後一個階段代替前一個階段，這就是變革。對於舊事物來説，變革便意味着殺機的出現。天體無言，默默運行，當大變革的時機到來時，星宿的空間位置便改變了，甚至有互相碰撞而殞落的災難發生，這就是《陰符經》“移星易宿”的意蘊所在。天有變革，地也有變革。除了受到太陽周轉規律的作用而呈現出春夏秋冬的季節變化外，地球内部本身的運動也會導致其結構之突發性的變革。地震山崩，即屬於此類。這種時刻的到來，反映於《易》卦符號上就是坤☷卦變成復☷卦，一雷發動(“復”之内卦爲震，震爲雷)，威振四方，本來潛伏於地下的蟲蛇便驚慌而出，這就是《陰符經》“地發殺機，龍蛇起陸”的秘義所在。由天地進而聯繫到人類，《陰符經》也充分估計到社會變革所産生的巨大作用。一個社會在其初期階段總是生機勃勃，可是隨着機制的老化。各種弊端便漸漸地顯露出來，這些弊端正像河流裏的泥沙和渣滓，經過一個時期的積累之後就會堵住河床，使之否閉不通，於是河水高漲，冲破河堤、泛濫成災，茫茫一片，地氣不能上升，天氣不能下降，陰陽相違而成否卦之象☷☰，這就是《陰符經》"天地反覆"的寓意所在。面對大變革，人們應該採取什麼態度呢？《陰符經》從《周易》的天人相應立場出發，指出應該順應天地自然的運行規律，這就叫做"天人合發"。祇有合發，纔能反否爲泰☰☷，由天下大亂而達到天下大治。這就叫做"萬化定機"。自然和社會經過變革之後，其結構獲得有序化的調整，便在安定的環境下出現了新的生機。當然，就社會的變革而定，要防止兩種傾向：一是變革時機未到而輕舉妄動，憑私情而發殺機，由此導致的"天地反覆"必然是違背客觀規律，不會得到群衆支持，故"天將誅之，人共殺之"（李筌：《黄帝陰符經疏》卷上）。落得個十分可悲的下場。另一種傾向是與"妄動"相反，在變革時機已經成熟的時候，反應遲鈍，没有作出正確判斷，因陳守舊，最終也將被歷史所淘汰。

第三，化用《周易》的辨證法思想，强調遵循客觀規律與發揮主觀能動作用的統一性。

《陰符經》看到宇宙萬物的發展具有客觀規律，反覆説明養生、治國、用兵都必須遵循客觀規律，但這並不意味着它否認人的主觀因素的作用；相反，《陰符經》從許多不同側面揭示天地運行規律正是爲發揮人的主觀能動性服務。因爲天地運行規律并不是以單純的形式、單一的現象表現出來，而是隱藏在紛繁複雜的種種現象背後。如何透過現象、抓住本質，這就有一個主觀判斷的問題。主觀判斷準確了，就能使自己的行動與天地常道相合；主觀判斷錯誤了，最終祇能誤入歧途，斷送自己，什麼養生、治國、用兵統統成爲泡影。所以，《陰符經》説："愚人以天地文理聖，我以時物文理哲。"（見《强兵戰勝演術章》）所謂"天地文理"係指流星日暈、風雨雷電、水旱、災蝗之類；而"時物文理"則指社會制度的種種表象。不懂得發揮主觀能動性的"愚人"一見到流星日暈一類異常的現象就驚慌失措，簡單地附會到社會人事方面上來，他們不能對社會人事問題進行本質上的分析，陷入了災變譴告的泥潭，還自以爲得計，其結果祇能是亂了自己又亂了社會。能發揮主觀能動性的“我”與愚人截然相反：不是沉浸在自然變異現象的遐想中，而是在仰觀俯察之後着重於自我行動的反思。《陰符經》一方面把宇宙當作一個整體，承認自然界與人類社會存在着某種聯繫；另一方面又充分意識到社會的治理必須立足於社會本身。修政令，設謀慮，撫黎民，則禍轉爲福，亂變爲治，人民康樂，寰宇歸清，“哲”之義大矣哉！《陰符經》在此雖然主要是就治國角度説的，但卻表現了作者對人的主觀能動性的重視。

由於《陰符經》講的治國道理與養生、用兵道理在根本點上是一致的，三者出自同一基礎，其主觀能動性之觀念就不是偶發的，而是被貫通於各個側面，成爲其主要思想之一。爲了闡述在在遵循天地自然運行規律基礎上發揮主觀能動性的道理，《陰符經》引人了《周易》矛盾對立、陰陽消長的辯證法，强調處理好人與自然關係的重要意義。它説：

> 天生天殺，道之理也。天地，萬物之盜；萬物，人之盜；人，萬物之盜。三盜既宜，三才既安。（《富國安人演法章》）

生與殺的性質是相反的。《陰符經》使用這一對概念，無疑得益於《周易》的矛盾思想。因爲作者并不是孤立地涉及它們，而是把它們看作是天的兩種互相關聯的作用。如果把眼界放得更寬一點，那麼，便可看出，不僅相反的兩種力量可構成矛盾關係，而且互相區别的三種力量也可構成矛盾關係。比如《易》中的天、地、人“三才”即是如此。這種關係我把它稱作“三重對”，所謂“一分爲三、函三爲一”是也。《易》的“三重對”矛盾思想不僅爲《陰符經》所直接繼承，而且爲《陰符經》所發展。《陰符經》中出現的“天地”、“萬物”和“人”各自構成獨立的系統，但又是互相依賴的，彼此不能絶對分離的。萬物要從天地獲得陰陽五行之氣纔能生成，而人又必須從萬物中“盜”取營養。這種“盜取”有一個掌握分寸的問題。因爲食物既可養人，又可害人，推而廣泛，凡有益於人的東西同時也包含着有害於人的一面。如果不顧一切毫無節制地拚命享受,益也就轉化爲害,所以《陰符經》深刻地告誡人們要"宜",取之適當。要能做到這一步,人的主觀能動性是十分重要的。《陰符經》對《周易》矛盾對立的辯證法思想的應用,正是爲了説明遵循客觀規律與發揮主觀能動性相結合的道理。《陰符經·强兵戰勝演術章》有云:"是故聖人知自然之不可爲,因以制之。"自然界的規律是不能違背的,人要順之而行,但又要在了解自然的同時存"制"之大志大略。所謂"制"既有制伏的意思,又有節制的意思。了解自然規律就能制伏自然,但人在制伏自然的行動過程中又必須是有節制的。否則,過了度,就會反過來爲自然所制。這種思想無疑閃爍着《易》學辯證法的光輝。

當然,《陰符經》對《周易》思想的化用還不止上述三個方面。事實上,《周易》的思維模式和思想體系已對《陰符經》造成整體性的影響。《陰符經》正是把《周易》原理與老莊學説融貫起來,從而闡述其修身、治國、用兵之道的。儘管其中也摻雜着某種不合時宜的因素,但卻也表現出道教的理論特色。

三

作爲一部高度精煉的道教著作,《陰符經》對《周易》融匯貫通,奪其精神。這給後世學者以重要啓迪。爲了闡明《陰符經》的思想,發掘其價值,學者們往往在對它進行注釋過程中注意揭示其中所隱藏的《易》道精微,或者引用《易》學文獻以明"陰符"之大義。自唐以降到明清時期,有關《陰符經》的注本不下四、五十種,幾乎每一種注本都應用了《周易》的概念,或者涉及《易》學的理論問題。因此,不僅《陰符經》本文與《易》存在密切關係,而且以《陰符經》作爲研究對象的"陰符之學"也與《易》結下了不解之緣。

但是,必須指出,歷代學者從《陰符經》中發掘《易》道,以《易》學資料疏通《陰符經》,這并非簡單地互相因襲。不同時代的學者在《陰符經》裏所看見的《易》是不盡相同的,所引用或牽涉的《易》學文獻更是千差萬别的。祇要我們比較一下唐宋兩朝的不同注本即可明瞭這一點。

唐代對《陰符經》進行注疏影響最大者當推李筌。杜光庭《神仙感遇傳》卷一説:"李筌,號達觀子,居少室山,好神仙之道,常歷名山,博採方術。至嵩山虎口岩,得《黄帝陰符》本,絹素書,朱漆軸,緘以玉匣。題云:'大魏真君二年七月七日,上清道士寇謙之藏諸名山,用傳同好。'其本糜爛,筌抄讀數千遍"。據説,他開初竟不曉其義,後遇驪山老母。老母於樹下示以《陰符》玄義,李筌乃依驪山老母所述而注之。這段故事還見於《歷世真仙體道通鑒》中的李筌本傳以及《黄帝陰符經疏》的序言之中,頗有神話色彩,但對於我們了解李筌《陰符經疏》的來龍去脈仍有某種參考價值。

李筌將《陰符經》分爲三章,以《神仙抱一演道章》置其首,表現了道教追求長生不死的根本立場。不過,他在對《陰符經》的具體注疏過程中則以闡述義理爲主。因此,他對《易》學文獻資料的應用也側重在義理派方面,並且往往通過綜合闡述以表達他的見解。例如,他在對"人知其神而神,不知不神所以神也"一句的疏解中説:

> 神者,妙而不測也。《易》曰:陰陽不測謂之神①。人但見萬物從陰陽日月而生謂之曰神;殊不知陰陽日月從不神而生焉。不神者,何也?至道也。言至道虚静,寂然而不神,此不神之中能生日月、陰陽、三才、萬物,種種滋榮而獲安暢皆從至道虚静中來。此乃不神之中而有神矣。其理明矣。(《黄帝陰符經疏》卷中)

李筌這段話首先解釋了什麼叫做"神",他以《周易·繫辭上傳》作爲經典依據,説明"神"乃是由於陰陽的變幻莫測,這可説是遵循了傳統的訓解。接下,李筌着重闡述了"不神"的問題。他認爲"神"生於"不神"。因爲造成神妙莫測的動力乃是陰陽日月,而陰陽日月恰恰是出於"不神",因此,"不神"也就比"神"更根本。"不神"又是甚麼?李筌直接把它同"道"劃上等號。他指出"道"之所以"不神"而

① 按:"陰陽不測謂之神"一句,《繫辭上傳》原作"陰陽不測之謂神"。

化生一切，就在於其本體虛靜。李筌這種看法與晉代韓康伯對《周易·繫辭上傳》的一段注釋頗有相通之處。韓氏曰：

神也者，變化之極，妙萬物而爲言，不可以形詰者也。故曰陰陽不測。嘗試論之曰：原夫兩儀之運，萬物之動，豈有使之然哉？莫不獨化於大虛，欻爾而自造矣。造之非我，理自玄應；化之無主，數自冥運。故不知所以然而況之神。是以明兩儀以太極爲始，言變化而稱極乎神也。夫唯知天之所爲者，窮理體化，坐忘遺照。至虛而善應，則以道爲稱；不思而玄覽，則以神爲名。蓋資道而同乎道，由神而冥於神也。（見《周易注疏》卷十一，《四庫全書》本）

韓康伯的着眼點在於“神”。陰陽變化爲什麼讓人感到極爲神妙？在韓康伯看來，這是因爲“兩儀”乃是從玄冥中“獨化”出來，冥冥運化，不爲人所知，所以纔稱作“神”。但是，玄冥的本體是什麼？韓康伯引出了“太極”的概念。他指出“兩儀”始於“太極”。這個“太極”從不同角度看，可以有不同的名稱。就天的自然運化意義而言，“太極”就是“道”，而“道”的特性是“至虛”。將韓康伯的這一番話稍作分析，並將之與李筌論“神”與“不神”的一段相對照，不難看出彼此的類似之點。

韓康伯其人，《晉書》有傳。唐人以爲韓氏親受業於王弼。宋王應麟指出兩人不同時，疑“親受”之事有誤（詳見《困學紀聞》）。儘管如此，韓康伯承襲王弼之學則是客觀事實，因爲他對《繫辭傳》《説卦傳》諸篇的注疏完全是與王弼之學一脈相承的。再説，韓康伯也是一個精通《老》《莊》的人，《晉書·韓伯傳》謂之“崇尚《莊》《老》，脱落名教”。他也和王弼一樣以老莊之玄理解《易》。所以韓康伯的著述與王弼的《周易注》被前人合編爲一書。王弼乃《易》學義理派的首創者，追隨王弼的韓康伯自然屬於義理派。因此，李筌對《陰符經》有關“神”與“不神”的疏解，追根溯源，即合於《易》學義理派。

李筌將《易》學義理派的思想融進《陰符經》的注疏之中，這是由該派學術地位所決定的。晉代以來，義理派之《易》學受到了大部分經學家的推崇。陸德明《經典釋文序錄》稱，永嘉之亂，諸家之

《易》亡,“惟鄭康成、王輔嗣(王弼)所注行於世,而王氏爲世所重”。孔穎達《周易正義序》更對王弼之《易》學作了高度的贊揚,以爲其學“獨冠古今”。可見,王弼所開創的《易》學義理派到了唐代幾乎定於一尊。故而李筌受該派影響也就有了契機。

李筌將《易》學義理派的觀念匯人《陰符經》的注疏之中,這代表了唐代“陰符之學”的思想傾向,具有時代的氣息和自身的特色,在道教理論體系中也享有較高地位。

宋代開始,隨着象數派《易》學的再度勃興,《陰符經》的注疏也發生了演變,這種演變在夏元鼎撰的《黃帝陰符經講義》之中留下了深刻的迹象。

夏元鼎,字宗禹,北宋道教學者,與當時掌管福建興化軍州事的樓昉交往甚密。樓昉在《黃帝陰符經講義》的序言中說:“夏君宗禹自浙來閩,手一編示予,則所著《講義》也。夏君少從永嘉諸大老遊,而竊獨好觀此書(指《陰符經》),然未盡解也。他日之上饒,嘗默禱曰:‘未登龍虎榜,先登龍虎山。’夜感異夢,後遇至人於祝融峰頂,若有所授者,復取是書讀之,章斷句析,援筆立成,若有神物陰來相助。此豈模擬料度如世之箋傳義疏云爾哉?是必有油然自得而默契者矣!”可見夏元鼎對《陰符經》的興趣由來已久。他從小就雅好該經,後來又在道教聖地龍虎山上受到“異夢”的啓迪,誘發了靈感,從而撰寫出《黃帝陰符經講義》來。他的這一部《講義》共分四卷。前三卷是對《陰符經》本文的疏解,末卷爲《圖說》。

在疏解過程中,夏元鼎也不時涉及《易》學問題,但其側重點則在於通過象數推演來闡述修身養性之道,尤其是内丹鍛煉之法。例如,他在《講義》的卷三中說:

> 金丹大道,其於一身,有奇器焉……洞賓謂‘一粒粟中藏世界,三升鐺内煮山川’,豈虛語乎?故以八卦言之,則坎離爲本;以周天言之,則子爲先。其機之神也,則妙用無方;其鬼之藏也,則隱顯莫測。陰勝陽,則水火爲‘既濟’,陽勝陰,則日月爲合璧。金烏有搦兔之功,木龍有伏虎之德。龜蛇交頸,蚌蟜含珠,懸象昭昭,殆不

可掩。

這是夏元鼎對《陰符經》最後一段話的疏解，其本意在於説明金丹大道。他所指的"金丹"即是一種内丹功法。由於這種法式全憑體驗，難於一語道破，爲了揭示其中奥妙，夏元鼎便借助《易》卦，以爲法象，明坎離交媾，水火既濟之理。這樣，夏元鼎不僅使《陰符經》有關神仙修煉的思想具體化，而且使其注疏打上了宋代《易》象數學的烙印。因爲他行文中出現的"坎、離""周天"之類内丹學常用術語以及"金烏搦兔"之類象徵表達都與宋《易》象數學有千絲萬縷的關聯。

在《黄帝陰符經講義》卷四《圖説》中，夏元鼎更是採用或變通宋代《易》圖模式來爲自己講述内丹修煉方法服務。試讀其《先天後天圖説》：

> 先天者，太極未判混成，孰爲陽，孰爲陰？自道生一，則其體已露，其用已萌。故'—'爲數奇，爲卦乾，純陽之象也。後天者，鴻濛剖破，析一爲二。'--'爲數偶，爲卦坤，純陰之象也。乾坤既異，陰陽既分，運化不同，何以爲道？唯金丹之妙，反本還源，尋根摘蒂，守雌抱一，去陰取陽，不以乾坤之異而求其同，不以陰陽之分而求其合。故異者分者爲後天，而同者合者實先天也。先天者乃元始祖炁，本來面目；後天者，乃臭腐神奇，四大假合者也。達人大觀，苟知吾身是幻，唯道是真，則回光返照，下手速修，尤太遲矣。

照夏元鼎看來，先天爲本，後天爲末；先天就是陰陽混沌未分，後天就是陰陽已分。修煉金丹是一個由後天而返先天的過程。他的這一番論述雖然多爲引申和發揮，離《陰符經》的本來面目已有一定的距離，但從《易》學的角度看，卻又表明他對宋代象數《易》的熟諳。因爲所謂"先天、後天之學"是從北宋開始纔興盛起來的。

《易》學的發展到了北宋，出現了一個新的高潮。華山道士陳摶繼承魏伯陽《周易參同契》的思想傳統，發掘象數之秘，同時，他又從唐末五代道教學者那裏得到了秘傳的幾種《易》圖，加以衍擴，從而形成以圖爲重要表達方式的《易》學體系。由於陳摶是一名道士，鑽研《易》學的目的在於修煉，這就必然促使他深入探討復歸本體的問題。從時間流程上看,本爲先,末爲後。上升到《易》學理論的高度上認識,便有了先天的卦象安排和數字符號之表示。這兩者的配合和概括,表現爲"先天圖"。陳摶這種以"先天圖"爲核心的《易》學體系在北宋已備受推崇。朱震説:"陳摶以先天圖傳种放,放傳穆修,穆修傳李之才,之才傳邵雍。"(見《宋史·朱震傳》)這種傳授開初還帶有秘授性質,後來就廣爲流布了。"先天"是與"後天"相對而言的。所以,有先天圖,必然有後天圖。先天、後天成爲北宋象數《易》的基本範疇,邵雍根據《説卦傳》"天地定位"一節,排出了先天卦位,又據"帝出乎震"一節,排出了後天卦位,并著《觀物外篇》,作出了一定的文字解説。另外有李漑、許堅、范諤昌、劉牧一系亦爲宋《易》"圖書之學"的發展推波助瀾。道士夏元鼎《黄帝陰符經講義》正是在這種學術背景下産生的。故而,他的《先天後天圖説》雖然是爲"丹道"而發,但其基點卻是陳摶、邵雍一派的《易》象數學。在夏元鼎的《圖説》中還有《上下鵲橋圖説》、《二十七候圖説》、《五行生成圖説》等,也都是陳、邵一系"圖書"之流變。

夏元鼎對《易》"圖書"的應用和變通,代表了"陰符學"的另一種思想傾向和闡釋體例。他的解釋和唐李筌的解釋形成了鮮明對照。這就説明:隨着時代的變更,《陰符經》的闡釋也發生了變化。歷代學者援引各種《易》學資料來疏解《陰符經》,顯然是按照他們自己的立場來考慮問題的,其中不無歪曲之處,不過,卻也顯示了"陰符學"與《易》學的發展是互相交叉的。從《陰符經》的産生和歷代學者對《陰符經》的解釋歷史裏,可以窺視到《易》學的演變。這是一個很值得進一步深入研究的問題。

作者簡介 詹石窗,1954年生,福建同安人,哲學碩士。現爲福建師範大學《易》學研究所講師。著有《南宋金元的道教》、《道教與女性》等。

人與自然——尼采哲學與道家學説之比較研究*

［美］格拉姆·帕克斯　隋宏譯

使人類轉換回自然；把握迄今爲止塗寫在人與自然這一永恒主題上衆多空洞而盲信的詮釋和涵義……這將是一項奇妙的工作。

《善與惡之外》

在我們對自然環境作出正確反應之前，必須掌握自然的涵義。依照傳統理論來解決今日世界的生態危機，不免忽略了解釋學的問題，進而疏漏了潛在的空想與偏見，而這些空想與偏見恰好有意無意地支配着我們對環境的理解。制約着我們對環境的反應。中國傳統道家對自然這一概念的了悟，將有助於我們西方人理解真正的自然世界。之所以如此，並非僅僅因爲道家的自然觀明達、無爲、超脱，更重要的是通過對這樣一派不論社會根源、歷史背景或哲學傳統都與我們有天壤之別的哲學學派的了解，我們得以從新的角度透視典型的歐洲中心論的自然觀。本篇不同於其它關於環境問題的比較學論文，它不期將着眼點從西方的學説轉向東方哲人的智慧，而是反過來，使讀者從中有所啓迪。

---

* 本文譯自安樂哲(Roger T. Ames)和 Baird Callicott 主編的《自然——亞洲傳統思想》論文集(紐約州立大學出版社 1987 年)。本文作者格拉姆·帕克斯(Graham Parkes)爲美國夏威夷大學哲學系教授。——譯者注

要正確領悟道家的自然觀,以及人類如何纔能順應天道,與自然和諧爲一並非易事。爲此,我們引入一位與莊子思想近似的西方著名的思想家——尼采做比較,以助大家更深入地把握道家的世界觀。没有證據説明尼采對道家的思想有過接觸,但兩者卻有許多不謀而合之見。這似乎表明西方傳統中依然有不爲人知的哲學寶庫,或將有助於我們走出今日的困境。

尼采認爲,人類是“病得最深的動物”,因爲他已遠遠地背離了其生物本能。這使我們得以藉助於一個醫學比喻來展開我們的對話。首先,我們假設十九世紀的西方傳統哲學存有病症,而公元前四至二世紀的中國的自然觀亦如此,那麼我們便可以在診斷病情、尋找病因、開方除病三個標題下對兩者進行一番比較。尼采和道家都將“人類中心主義”——即人與自然的連結處關節脱落看作是病因及其症狀。道家悲嘆人類行爲中缺少自然的自發成份,尼采則强調對創造的渴望。兩者都指出病竈在於以自我中心的偏執的自然觀和人類中心主義的思想而錯誤地理解了人與自然的關係。道家認爲這主要來自於某種偏見意識,尼采則進一步歸因於“群體智慧”(《查拉圖斯特拉》中描述了很多家禽)①。兩者所開的處方都是看破並取消以自我爲出發點的人類中心觀,使人類生活在莊子的“合天”的世界裏並醉心於尼采的所謂“舞蹈”——在人與自然世界間聞風起舞。②

與自然的分離表現在兩個層次,分别代表着英語“nature”的兩層含義:即自然界和某一特指的生物(如我們説到的“human

① 摘自尼采的《查拉圖斯特拉》。爲保存形象,論文中有關尼采著作的所有英文引文皆由我在參考了現有的英文譯本的情況下而譯出的。我參照的原本是由 Colli 和 Montinari 編輯的《尼采的著作》(柏林:de Gruyter,1980 版)

② 參見《莊子·秋水》一篇。在引用《莊子》原文時,我選用了 A.C. 格拉姆的《莊子·内篇》(倫敦,George Allen and Unuin,1981 版)。《莊子》的内篇共有七篇,被公認是出自莊子本人之手。在選用外篇的章節時,也以與著作核心思想是否相符合爲取舍標準。有關《道德經》的引文皆選用 D.C. Lau 的《老子:道德經》(倫敦和紐約:企鵝出版社,1963 版)和陳鼓應的《老子今譯今注》(由 RhettW. Young 和 Roger T. Ames 翻譯,舊金山的 Chinese Materials Cewtes 出版,1977)。有關尼采的舞蹈和莊子的“逍遥遊”的比較,請參閲本人的另一篇題爲《漫遊:莊子與尼采之比較》的論文,轉載於《東西方哲學》第 3 期(1983 年)。

nature"——人)。在個體層次上,具有自發性的是新生兒,其動機與行爲間無罅漏之處。然而隨着文化的到來,各種力量間出現衝突,人便産生了與其自然本能的異化。欲重新恢復動機與行爲歸一的人性,必以承認這種異化并恢復其自然本性爲先決條件。在整體層次上,起初,人與自然和諧相處,儘管尼采以爲這衹是一種不切實際的烏托邦思想,道家也懷疑這種社會不過是幻想而已。社會與自然便分離開來——在西方,由於主客觀二分法的影響,這種脱離尤爲明顯——欲解決這一矛盾須融合共性與個性。

一

在早期的道家眼裏,如何理解自然并非抽象的哲學命題而是一種生存之道,即怎樣纔能度過富有意義的一生。早期的道家哲學衹是簡單的"人與道和諧一致"。但是對大多數人而言,無名、虚空、淵深、無物的"道",如果不是不可能便是很難被人理解的,道家便轉而倡導"安時處順"或"天人合一"。然而這仍是讀之易而爲之難,因爲人類固有的(美其名曰"自然"的)反自然的意念使人與自然、與其本能形成異化,并使其人生經歷變得虚假不實。

道家似乎缺乏同我們的所謂"自然"相對應的詞匯。但它用一系列的詞語,其中有"天"以及與"天"連用的"天地"來表達我們所説的自然界。①"天"曾被用來指創造宇宙的神力,到了孔子的年代則代表着主宰人類命運的力量以及人類規範行爲的準則。道家則多以"天"指代"自然",而"人"的含義消失了。《老子》一書中,談到"天"是無私的(尼采也不斷强調自然界的非道德屬性,見《愉快的智慧》第109、301、344節),人要"無爲",要順應"天道",依照萬物的"自見"。

① 其它相關連的詞有:德,它代表了一個生物體從天或道那裏得到的"自然潛力";氣,它是生物(尤指人)的"本質";真人;還有自見,即"自發的行動"。"真人"與"自見"作爲典型的道家術語,最早出現在《老子》和《莊子》中。

“人法地,地法天,天法‘道’,‘道’法自然”(《老子》第二十五章)。天地在感覺的世界裏爲“道”的運動提供媒介。許多有關“道”的比喻皆來自自然界;爲使人順應“道”,道家鼓勵人若木、若釋冰、若樸、若谷、若艸木(參見《老子》第8、15、76章)。欲領悟“天道”,不僅要對外在的自然現象進行觀察,還要對内心進行反省:“不闚牖、見天道”(《老子》第47章)。《莊子》中關於“天”的闡述要比《老子》的多,甚至大於“道”所佔的份量——這點後面還會論及。

比較尼采與老子,應由《老子》一書中的“常德離”(疏遠自然狀態)開始。有好幾章描述了一個初生、天真無邪、與自然合一的嬰兒,因接受思考能力而喪失了純真(參見《老子》第10、20、28、53章)。在與個體相對應的整體一級上,老子企盼重歸“小國寡民”的社會形態并希望人民的生活簡單而充實(參見《老子》第80章),摒棄擁有精細工具和武器的群雄混戰的大型社會結構。

在尼采出版了他的第一部著作的那一年(1872年),他還就有關教育的問題做了一次公開的報告。我們有必要將講稿大段地加以摘錄,因爲這段并不有名的文字充分體現了尼采早期哲學中的浪漫色彩。在闡述對教育的看法時,尼采認爲必須對於對待自然的兩種態度加以區别:

> 如果你想引導青年人走上教育的正軌,那麼就不要破壞他與自然間的天真信賴和親密無間的關係:森林與絶壁、暴風雨與鷲鷹、花朵蝴蝶、草場和山腰都有自己的語言;他置身於其間就如同置身在無數零零散散的反射與自省之中和多彩的富於變化的現象的漩渦裹;這樣,他便自然而然地贊成自然界裏萬物歸一的這一形而上學的觀念,與此同時以萬物的永存與必須鎮定自我。但是有多少青年人被允許在成長過程中與自然保持這樣親密無間的關係呢!他們早早就學會了另一條真理:人必須根據自己的需要而征服自然。這便意味着純真的形而上學的終結,而動植物的生理學、地質學和無機化學迫使青年人改變初衷。他們所丢棄的還不僅是詩意般的美景,更重要的是對自然的那種本能的、真實的、獨一無二的理解:而作爲替代的卻是對自然的精明的算計及

巧妙的征服。所以,正確的教育是賦與青年人一件無價的禮物,即使他有能力始終忠於而不是違反童年時的思攷的本能,以達到平靜統一而和諧一體的境界……①

在1873年一篇未發表的文章中,尼采開門見山地闡述了他對已成爲現代人的自然觀的不可一世的人類中心論的看法,其譴詞造句幾近道家術語,同時他還對人類知識處於何等地位提出了他誠實的主張。

在宇宙茫茫太陽系的一隅,曾存在過一個星球,上面的聰明的動物發明了認識。……產生於自然的人類智慧是這樣一個暗淡短暫而又盲目武斷的例外……唯有它的佔有者和孕育者煞有介事般地嚴肅對待它,彷彿世界的軸心是圍着它運轉似的。但是我們若能與蚊蟲交流,就會意識到蚊子也是正正經經地飛行於天空,自以爲是世界飛行的中心。②

尼采對人類中心論嚴厲的批判一直繼續到他的最後一部著作,他指出行爲的虛榮就好比人類是動物進化背後的主宰意識似的。人類根本不是創造的皇冠;每一種生物同人一樣都處在一種完美的境界(《反基督》第14章)

道家認識到儒家傳統哲學或多或少地忽略了自然在社會政治範疇中的中心地位,并爲此而據理力爭,與此相比,尼采則面對的是一個歷史更長,更頑固不化的人類中心論。在此,我們引尼采之言簡述一下西方對自然誤解的幾段歷史。

在《人性、太人性》一書的《宗教偶像之起源》一章中,尼采提議我們假設重又回到原始社會以便體會那時人與自然間一種截然不同的關係、"對於宗教信徒而言,整體的自然是自覺而有意識的生

① 選自尼采的《論我們教育機構之未來》講稿的第4講。Alwin Mitlasch撰寫的《自然哲學家尼采》(斯圖加特:Kroner,1952版)一書收編了尼采早期未發表的愛自然的文章。參閱該書的第2章《尼采的自然觀》。

② 參閱Daniel Breazeale編輯的《哲學與真理:尼采早期筆記選》(Atlantic Tlighlands,N.J:人文出版社,1979年版)一書中的《論德意義外的真理與謬誤》。這使我們明白莊子爲何不厭其煩地告誡讀者從動物的角度來看待事物,還讓我們想起威廉·布萊克有關"永恒快樂的力量"的詩句:"你如何知曉小鳥的商途,是你五官不見的無限的快樂世界?"(《天堂與地獄的婚姻》)

物的諸活動以及一系列有意識的行爲"(《人性、太人性》第一章第三節》)籠罩着神秘色彩的迷信勢力漸漸興起,并試圖控制上述的力量:"依人的意願決定自然,并將本不存在的法力强加於自然之上。"這便是在群體一級上發生的第一個變化,背離了尼采早期稱贊的"與自然的親密無間的關係,從而走向了疏遠的方向;走得愈遠,與自然的聯繫愈疏,對環境的控制也就變得愈加輕而易舉了。

在《悲劇的誕生》中,古希臘人是通過强有力的手段與自然力達成協議的,以隱瞞和欺騙爲代價,實現了自然觀的"非人性化"。當戴歐尼索士堅持"高於一切的一體感引我們重歸自然",并爲此而行動時,在其"懶惰"之後隱藏了快樂,也隱藏了恐懼("懶惰"是指一種對個體的遺忘)。正因爲直接面對自然的力量是如何可怕而殘酷,古希臘人不得不塞進一件阿波羅的"看似美麗的面紗"以求生活。藉助戴歐尼索士的威力和古希臘的悲劇,人與自然的聯繫得以維持下來,但阿波羅的幻象世界——奥林匹克諸神的王國掩蓋了可怕的自然,使自然界變得毫無意義而得以爲人接受,使生活能夠變得忍受。

尼采曾嘲諷禁欲主義者那種所謂的"依自然法則"的生活方式:"當你瘋狂地假裝從自然中讀出你的教義時,你實際上是想反對它……你的傲慢期待着命令自然,即使是你的道德和理想亦是如此……"(《善與惡之外》第 9 章)基督教進一步發展了這種虛假的自然觀,進而加大了人與自然間的鴻溝。尼采抨擊基督教傳統,指出它是"一門想像中的關於自然的科學(一個人類中心論的、缺少自然因素的概念的科學)",與此同時,尼采揭露了當"自然一概念與上帝形成敵對時,'自然'變成'不可饒恕'的同義語"(《反基督》第 15 章)。基督教懷疑並輕視肉體的存在,試圖禁錮或否認大多數人的自然衝動和感情,無視人類的動物性的過去,人便成爲"病得最深的動物"——同時也是"最有意思的動物"(《反基督》第 14 章)。

基督教傳統將道德判斷强加於我們的自然觀之上,從而使之誤入岐途。康德則以概念化結構的形成强化了這一法規，並進而對此進行發展與純化："當康德宣稱'理念不是從自然中尋找法則，而是把法則帶給自然'的時候，着眼於自然的概念，這種聯繫是完全正確的，但是對於理念而言，就不免錯誤百出"(《人性、太人性》第1章第19節)。尼采在迫不得已感謝康德把人類智慧的作用公開化的同時，又不得不承認康德的思想是現代自然觀的起源，他在1887年頗具先見之明地論述道："出於蔑視，人類用各種各樣的機器及未經周密思考的技術發明無情地掠奪自然。"①

領悟尼采所言"自然之基礎教義"之前，需先剝去人類中心主義的自然觀的幾層意義。首先，它是一種道德評估標準，主要來自於基督教，但也可以追溯到蘇格拉底和柏拉圖："人類將一切與道德聯繫在一起，并把倫理的重要性置於世界的肩膀上"(《朝霞》第3章)。尼采懷疑"一切都是對立的"這一古訓，特別是涉及到人與自然的關係而其價值觀具有倫理意義時；"人們祇要粗略地觀察世界，就祇會看到自然界到處都有相互對立的事物(如冷與熱)，事實上，根本没有對立，有的祇是程度上的差異"(《人性、太人性》第2章第2、67節)。

尼采的批判師承赫拉克利特的傳統，即否定一成不變，孤立對立的存在，這與道家哲學的精神近乎完美一致。尼采對以下《老子》中的一段話會大加讚賞的(它讓人想起《聖經》中的以弗所人)：

> 天下皆知美之爲美，斯惡已；皆知善之爲善，斯不善已。
>
> 有無相生；難易相成……(《老子》第二章)

道家著作寫成於儒家仁義道德佔統治地位的歷史背景之下，這就有力地鞭撻與天道相背的仁(善)與義(責任)之説②。

在第二層意義上，尼采揭示了道德準則和行爲下的各種實用主義動機，指出實用與美感根本不可相提并論。他畢生都在追求查

---

① 引自尼采《道德的譜系》第3篇第9章。
② 參閲《老子》第18、38章和《莊子》中的《齊物論》、《大宗師》、《天道》和《天運》。

拉圖斯特拉的所謂將萬物從"目的的枷鎖"中解救出來①,使自然現象擺脱掉"這個東西適合作某某"的實用價值觀念。他所欲抨擊的根深蒂固的人類中心主義的判斷標準更爲莊子所不齒。莊子主張"無用之用",自然事物衹有不被人所用纔能盡享天年②。

莊子認爲任何價值判斷衹能是從某一特定角度的觀察而得出,與天道相比,從這些角度所見的事物必有其局限性。因此,與偏見意識形成對照的是"舉莛與楹,厲與西施,恢恑憰怪,道通爲一"(《莊子・齊物論》篇)。同樣,尼采繼承赫拉克利特,提倡用變化的觀念看待事物,并將其視爲"轉化中的",使之總是保持"中心點"——有能力向事物的對立面轉化。莊子借王倪之口發問:"庸詎知吾所謂知之非不知邪?庸詎知吾所謂不知之非知邪?"而鰌(泥鰍)、猨猴和人"三者孰知正處?"而人、麋鹿、蝍蛆(蜈蚣)和鴟鴉(貓頭鷹和烏鴉)"四者孰知正味?"而猨猴、鳥、魚和人"四者孰知天下之正色哉?"(《莊子・齊物論》)。

在第三層意義上,是關於如何看待真與假、對與錯、合適與不合適的問題。對此,莊子的觀點是很引人深思的:

> 道惡乎隱而有真僞?言惡乎隱而有是非?……物無非彼,物無非是。自彼則不見,自是則知之。……果且有彼是乎哉?果且無彼是乎哉?彼是莫得其偶,謂之道樞。(《莊子・齊物論》)

最後一層意義則包含了對立的基本概念——區分自我與其它、内在與外在、因與果——及如何視自然現象爲"事物",爲統一體。概念是虛構的,是人類適應并支配世界的需要的產物。在尼采後期著作裏,對這一問題的闡述愈加頻繁而深入。而早在《論道德意義外的真理與謬誤》論文中,尼采便論及上述觀點,對後人仍有所啓迪。尼采在談到概念的形成時指出:"任何概念都產生於不一

① 參閲《查拉圖斯特拉》第3部第4章:《日出之前》。

② 參閲《莊子》一書中的《逍遥遊》、《人世間》和《山木》。有關莊子的"無用之用"與海德格爾的關於 Zuhaudenheit 與實用主義的觀點之比較,請參閲拙著《關於道的思考:老莊眼裏的存在與時間》(載於格拉姆・帕克斯編輯的《海德格爾與亞洲思想》一書,夏威夷大學出版社1987年出版)。

致中的一致……我們從忽略個體和具體這一方面得到概念及其形式,而自然本無概念亦無形式……”

道家的有關立場在《莊子·齊物論》一篇中被莊子總結得淋漓盡致,即人與世界的關係是怎樣從神話般的過去漸漸江河日下,這與尼采對西方傳統的批判有着驚人的相近之處。

古之人,其知有所至矣。惡乎至?有以爲未始有物者,至矣,盡矣,不可以加矣。其次,以爲有物矣,而未始有封也。其次,以爲有封焉,而未知有是非也。是非之彰也,道之所以虧也。

二

現在,讓我們來詳盡地考證人類中心論被人與自然的認同所摒棄的過程。這種轉化在道家著作裏已有生動的表述,那麼我們將着重研究尼采的代表作《查拉圖斯特拉》。此書有一個顯著的特點,那就是書中的形象多出自自然界而極少取自社會(城市),即便是爲數很少的幾個文明例子,如政體、出版業、宗教也未能逃脱作者猛烈的抨擊。

查拉圖斯特拉反復强調,“人是該被超越的”,這意味着人必須超越自我及人類中心論纔能成爲超人。在《序言》中,查拉圖斯特拉宣稱他“愛那些爲超人建造屋舍的人,他爲超人安排土地、禽畜和花木,爲此他願降臨”,并“愛那靈魂極大度的人,他不期望道謝,也不期望報酬:因爲他常贈予,并不爲自己留存着”。他似乎又自相矛盾地説,他“愛那靈魂過於充實而遺忘自己的人,萬物都内附於他:由是萬物成爲他的降臨”。

靈魂的這種自我空虚與自我充實的雙重運動(請參照齊克果 Kiekegarrd 的觀點)與莊子的思想不謀而合,即人進入上界,伴隨着對一切俗事的遺忘——包括天上之事在内。莊子在《逍遥遊》中就講“若夫乘天地之正,而御六氣之辯”。所謂“氣”是指整體宇宙的本源,也是傳統上構成陰陽、風雨、光明與黑暗的力量。《莊子》一書中屡屡提及一個“神”人,他能夠“乘雲氣,騎日月,而遊乎四海之外”①。在莊子看來,這代表了人與自然的至高境界:人應該除盡心中(中國古人以爲心是思考的器官)的概念判斷及狹隘的價值觀,以便依照“天”的變化而順應自然——即對宇宙產生足夠的認識②。這需要淡忘自我,用《莊子》外篇中老子開導孔子的話説就是要做到“忘乎物,忘乎天,其名爲忘己,忘己之人,是之謂入於天”(《莊子·天地》)。

與自然力量對應的關係——在總體上有時被尼采稱作“衝創意志”——在查拉圖斯特拉與超人的身上,即可找到這種存在的潛能,而尤以查拉圖斯特拉爲突出。他預言般地宣告,“看呵!我便是電光的預告者,濃雲中的大雨滴;這閃電就是超人”。從整部《查拉圖斯特拉》來看,查拉圖斯特拉和超人都與象徵着火的太陽緊密聯繫在一起,在《序言》中,超人同時是“大地的意義”和“大海”。在《日出之前》一章中,查拉圖斯特拉詠頌“天空”,好似與之親密無間,而在其後的《正午》中,這種關係又加深了,他的靈魂已濃縮成天上掉下的一滴露水:

> 你何時飲下這顆露珠,它已露在萬物之上——你何時飲下這顆美妙的靈魂——何時,你這永恒之泉!你這靜得可怕的正午的深淵!你何時將我的靈魂汲回?

此外,查拉圖斯特拉還將自己比作雲和風暴等其他氣象現象——“我,烏雲翻滾:閃電狂笑着,我欲將歡樂的暴雨投進深淵”(第一部第1章);“我是使無花果成熟的北風”(第2部第2章);“他們衹聽見嚴冬裏朔風的咆哮,而不知道我已漂過暖洋,有如掠過海面的南風:炎熱而充滿希望”(第3部第6章);同時,查拉圖斯特拉還藉助於四季和光明而言志。

---

① 引自《莊子·齊物論》。在《逍遥遊》中,神人“吸風飲露,乘雲氣”,在《大宗師》裏,他“登天遊霧”。

② 參閲 A. C. Graham 的《道家的自發性及其‘是’與‘彼’的兩分法》一文,載於 Victor H. Mair 編輯的《有關莊子的嘗試性論文集》一書中(夏威夷大學出版社,1983年版)

早期道家擅長運用水來表現心理變化,《查拉圖斯特拉》一書同樣用水而刻劃了從以自我爲中心昇華至超人的轉化過程①。在長期獨處於山間的日子裏,查拉圖斯特拉的內心還是充滿了對人類的愛:

我一次次地變成了嘴巴,流出山石的湍流;我要將言語投至山谷……

我自身內有一個湖泊:隱蔽而自足;而我的愛河帶着它流向大海!(第2部第1章)

現在,我們將着眼點移至植物界,道家常藉此而明志,因爲草木自然生長於自身,靠着根須汲取濕潤大地這一元素(陰)的營養,對草木的精心耕護恰好體現了道家的無爲的中心思想。耕耘是對上天的一種幫助,農夫們依循四季的變化,勤於耕作,以求有所收獲。"歸根"作爲老子哲學的精髓,在《莊子》的外篇裏也佔有顯著的位置。

尼采的每一部著作裏都有對植物的描寫,在《查拉圖斯特拉》中,這種描述多得不勝枚舉。有關此類比喻的種子早就播出在《序言》之中了,查拉圖斯特拉說:

人類播種其最高希望的種子的時刻到了。

人類的土地仍是肥沃的,但是那土地終將成爲貧瘠荒蕪的,不能再長出高樹來。

在《查拉圖斯特拉》一書中,根極具象徵性,反映着精神世界的狀態,極其符合道家的精神。在山上的一棵大樹下,查拉圖斯特拉對一伙青年人講道:

……它對人對樹都是一樣的。

他愈是期望着高處與光明,他的根基也愈發伸向地裏,伸向深處,伸向黑暗——伸向惡。　(第1部第8章)

忽視這一心理發展的規律,在莊子眼裏無異於"是猶師天而無地"

① 參閱拙著《充實的靈魂:尼采的查拉圖斯特拉的轉變形象》,轉載於第16期的《人與世界》雜志上(1983年)。

(《莊子·秋水》),生命之樹和心靈由於根基的不牢固而隨之面臨傾倒的惡運。

盤根錯節的樹木被莊子藉來表達無用之用,從而闡明了聖哲及莊子的言語都是無用的,無獨有偶,查拉圖斯特拉也認爲自己從屬於草木。他講,"我是森林和籠罩樹木的黑夜",接着又說,"但是凡是不懼怕我這黑夜的人,都會在柏樹叢底下找到玫瑰花鋪成的斜徑";在這之後,一位已退位的國王將查拉圖斯特拉比喻成一棵參天的松柏①。莊子藉孔子之口對松柏贊譽道,"受命於地,唯松柏獨也正"(《莊子·德充符》)。查拉圖斯特拉遲遲纔道出"永恒重現"這一全書的中心思想,原因是他自身須經歷千錘百煉方至成熟。儘管他很早就對追隨者講過"如無花果一般,這些教義落向你們,我的朋友們"(第2部第2章)一類的話,而直到第四部的開始,他纔告訴他的動物們:"發生在我身上的一切也會發生在所有成熟果實的身上的。我的血管裏有蜂蜜,它使我的血液更濃,我的靈魂更沉靜"(第四部第1章)。那麼,當他的後代子孫,即"他的思想莊園裏"的樹木,出現的時候,這已是很自然的事情了:

> 我的孩子們在他們的頭春裏是那麼翠綠可人,彼此相依,春風吹拂下搖曳不止,它們是我園中最肥沃土地上長成的綠樹……
>
> 但是,有一天我將把它們挖出來,分别栽植,好讓它們學會孤獨、挑戰與遠見。
>
> 多節而彎曲,剛中見柔,他如此這般地立在海邊,象徵着一座不可戰勝的活燈塔。 (見第3部第3章)

查拉圖斯特拉之樹所具有的陽剛之美,象徵着光明或是燈塔。在這方面,道家也大加推崇。查拉圖斯特拉的孩子,即其思想的結晶,竟然是"多節而彎曲"的,而非挺拔的,剛中見柔的特點,這一切都恰好與道家的矛盾法規相吻合。

無花果和蜂蜜是與植物神戴歐尼索士不可分的,是他賦予了

① 參閱《查拉圖斯特拉》一書中的《舞蹈之歌》和《歡迎》兩章。生命之樹需要地下的黑暗、冬日的死亡和樹葉的腐爛以求將生命向高處和亮處延伸。

《查拉圖斯特拉》一書裏的植物的形象以抒情的色彩。中國傳統文化歷來提倡"修行",道家尤其重視"氣"的運作,將其視爲生命體從天受來的能量,查拉圖斯特拉在耕耘其心靈時,同樣視之爲一座葡萄園:

> "啊,我的靈魂,我給予你這塊土地以一切慧水、一切新釀的美酒,以及一切記不起年代的智慧醇釀。
>
> 啊,我的靈魂,我在你身上傾注了每一個太陽、每一個夜晚、每一種寂寞以及每一種渴望——使你如葡萄藤似地茁壯成長。
>
> 啊,我的靈魂,你豐滿而臃腫地立在那裏,有如一棵綴滿果實而粒粒圓熟的葡萄樹——你,我的靈魂,寧願微笑而不願渲泄痛苦。
>
> ——在流淌的熱淚中,傾瀉豐裕的痛苦以及葡萄樹渴望收獲者的割刀那般急切的苦楚!(第 3 部第 4 章)

這一奇妙的想象似乎說明了尼采哲學與道家學說的分歧之處:在莊子看來,樹木因爲可用而在壯年期遭斤斧是不幸的,尼采卻以爲成熟的葡萄期盼收割人的利刀的那種充實的痛苦就好似奶牛因奶水過多而企盼哺乳一樣。我們很難理解莊子所描述的樹木要梓慶將其做成鐻鐘的那種急迫的心境(《莊子・達生》),換了尼采,他在參與自然這方面確實比道家積極投入。

查拉圖斯特拉巧妙地將母牛的乳房與葡萄的圓熟的果實這兩種不同種類的事性聯繫起來,這便使我們看到了生物界的另一個層次——動物界。我們已就這一問題對《查拉圖斯特拉》和《莊子》兩部著作進行了研討①,那麼,我就不浪費篇幅了。《莊子》中有很多有關動物的寓言,其主要目的在於使讀者借鑒動物的觀點以擺脫人類中心論的不良影響,其中最具代表性的是莊周夢蝶("不知周之夢爲蝴蝶吁,蝴蝶之夢爲周吁?"——見《莊子・齊物論》)以及

① 參閱拙著《漫遊》一文。

莊子與惠子在濠水橋頭辯論魚樂的故事①。道家還借用動物表達其生死觀。道家主張視死如歸,死亡不過是又一無限生命的起點,“死生一如”。當子輿患了不治之症而生命垂危之際,他和朋友們卻能坦然地揣測造物者在他的下一輪生命裏將把他變成什麼——是公鷄、馬、老鼠的肝還是小蟲的膀子(見《莊子·大宗師》)。

在更高層的象徵意義上,查拉圖斯特拉幻想着“精神三變”,即從駱駝到獅子再到嬰孩,而最後,精神的變化終結於一個象徵着回歸自然的嬰孩,他“天真善忘,是一個新開始,一個遊戲”(第 1 部第 1 章)。《查拉圖斯特拉》一書共提到 70 多種不同種類的動物,繼亞里斯多德的動物學巨著之後,這在西方哲學史上是絕無僅有的。在《查拉圖斯特拉》一書中出現的絕大多數動物都被賦予了象徵或比喻的意義,不過查拉圖斯特拉的最好的伴侶卻是一頭鷹和一條蛇。在尼采看來,人類的原始衝動近似動物的衝動(如蛇、野獸等)。祇有接受動物的觀念的人纔能算作是“更高”的人:除了具備蛇的智慧,查拉圖斯特拉的“狂野的智慧”還具有獅子的秉性(見第 2 部第 1 章),他欲用他的言語像野豬的鼻子似的撕開聽衆的心底(見第 2 部第 5 章),他把自己描繪成長着馬腿鷹胃的人(第 3 部第 11 章),愈是苦練飛翔,愈是依賴“鳥的智慧”(見《七個印》)。中國的道家也是特別鍾情於飛翔。《莊子·山木》篇中有歌曰:“無譽無訾,一龍一蛇,與時俱化,而無肯專爲。”

三

尼采與道家同是參與自然現象之連續的倡導者,有關這一點,我們已從動植物界諸方面做了研究,現在讓我們就有關人與自然

---

① 參閱《莊子》中的《齊物論》和《秋水》兩篇,并與《大宗師》中孔子對顏回講的話作一比較。孔子說,“且汝夢爲鳥而厲乎天,夢爲魚而没於淵。不識今日言者,其覺者乎,其夢者乎?造適不及笑,獻笑不及排”。鮮爲人知的是,海德格爾早在 1930 年便引用莊子的魚的故事來闡述神人的內在主觀性(參見《關於道的思考·序言》)。

的關係問題展開更深入的探討。人們曾經對兩者的思想產生誤解，誤以爲他們所倡導的回歸自然、回歸童年是被動而簡單的，是出自變易的動機受衝動和欲念所驅使的。倘若我們没被告誡要“行如流水”、生若草木、動似走獸，那麼與自然融合之力又是什麼呢？還是讓我們通過考察尼采在某一特定時期内與道家所持的不同的思想來間接地觸及這一問題吧。

在《悲劇的誕生》中，戴歐尼索士的自我與自然的統一、與萬物之源的融合代表着一種對人類最高層次的智慧的體驗，它比阿波羅的那種遠離社會的冷峻、清晰的個人主義的知識更具深層的智慧。詩化般的想象與萬物認同，具有深入萬物之本質的遠見卓識。在 1872 年發表的《論真理與謬誤》一文中，尼采進一步指出，意念與象徵的形成都出自於“人類最基本的動機”，並强調説，“衆多的意念如噴發的液體一般流自人類原始的幻想”，以此論證人類乃“藝術創造的主體”。與德國浪漫哲學家一樣，尼采指出想像融合了内部與外部、主體與客體及人類與自然，它不僅是事物的一員，更是“一個自由創造，自由發明的中間球體和一種調和力量”。正因爲這種原初想像力的作用，“樹木可以似神女般地講話”，就像它們對古希臘人也説話似的，所以“在每一時刻，事物都是——在夢中似的——可能的。”至此，尼采的思想還未與莊子的萬物有靈論分道揚鑣，但是在以後的日子裏，尼采的“實證”觀點偏離了上述的世界觀。

他在《人性、太人性》一書中將對自然的原始參與貶低爲原始的“物化論”，指出與其説它是通過原初的想像媒介而對主客體加以融合，不如説它是將人類的主觀世界投射到無機世界上去①。這種觀點一直沿繼到《朝霞》一書裏，其中有一段“善惡之本質”的格

① 有關西方傳統中對自然的參與的歷史請參閱 Owen Barfield 的《保存現象》一書（紐約，Harcowt，1965）；若要從深層心理學的觀點（depthpsychological perspective），即尼采的觀點而對物化論、人神同形論及其擬人化加以區分的話，那麼請參閱 James flillman 的《修正心理學》的第 1 章（紐約，Harper，1979 年版）。

言說得很明白:"首先,人類通過想像把自己與自然聯繫起來:他們到處都看到自己以及與自己相近的事物身上的脾氣又壞又不着邊際,它躲藏在雲朵、颬暴、野獸和草木之間:就在此時,他們發明了'惡的本質'"。經歷這一時期之後,尼采開始强調中間的作用,即人與自然間的相互作用。

到了寫作《愉快的智慧》的時候,尼采重又承認幻想之行爲無處不在,古老而廣泛,是一切經驗之前提。他質問"現實主義者們":"那邊的山!那棵樹!什麼是'真實的'呢?"把一切幻想以及一切人爲的貢獻都撤掉,你們這些正人君子!你們做得到嗎?這是很艱難的,因爲這種感情自發而來,不受意識的主宰,其背後有着世代的壓力。你們能忘記傳統、忘記過去、忘記受過的教育——乃至你們全部的人性及想像嗎?"① 莊子也同尼采的看法一致,即除了外部環境從内部影響着自然界,如月亮、樹木、蝴蝶、夢中的魚和幻想以外,内在的本質同樣或者更主要地制約人類對外部環境的理想。由此,我們回歸到尼采早期著作的中心觀點上,儘管有自相矛盾的地方,但人類確實生活在想象的世界裏,因爲想象是人類自身的力量源泉。

莊子鼓吹"警乎大哉,獨成其天!"(《莊子·德充符》),這與傳統的新柏拉圖主義的自然觀不謀而合,兩者都將自然視爲内心世界感化的領域,由個體的内外引發上來。查拉圖斯特拉的心靈無不接受了自然的熏陶:

> 最淵博的靈魂,在自身中可以奔跑、漫遊、徜徉到極遠的地方……
>
> 最自愛的靈魂,在自身中也有順流和逆流,退潮與漲潮……
>
> (《舊榜和新榜》)

然而,要使自己的靈魂不封閉,則不僅需要擺脱在現象變易中的一種不自覺的融入和致使我們誤解自然界的一種從人神同形論與宗

---

① 參見《快樂的智慧》第54、56—59條格言。這使人想到的弗羅依德的關於古代繼承之説以及榮格對群體無意識的產物的論及。

教的觀念出發的觀察視角,更需要一種與自然全身心融合的統一。尼采曾這樣問道"何時我們纔能不再神化自然!何時我們纔能歸於純淨而被新發現、被新評估的自然!"(《快樂的智慧》第109節)實現這一使命的前提是在我們必須以莊子的所謂"天和"的眼光看自然,而不再受自己的觀念的影響。由於這一自然具有超道德的可怕性,投入它則需要勇氣。正如尼采在《偶像的黄昏》中所說的那樣,"我說的'回歸自然'事實上不是返回自然,而是一種上昇,昇到一種高尚、自由、乃至可怕的自然與自然態之中去"(《偶像的黄昏》第四部第48章)。

尼采與老莊的又一分歧之處在於,老子和莊子既不承認自然的可怕性,也不以爲人與自然間的均衡會遭破壞,"天地不仁"(《老子》第5章),"天無私覆"(《莊子·大宗師》)。兩者的分歧很可能源於歷史的差異:尼采比道家尤爲激進,因其背負着更長的歷史壓力,或者用他自己的話來說就是自己文化裏的"弓之張力"更緊。與道家所處的相對同種社會成對比的是,尼采的讀者,即十九世紀末的人們,已經肩負并正在肩負着"自身多種多樣的繼承下來的東西,……彼此敵對,不僅矛盾的力量雙方加上矛盾的價值標準相互爲戰,不給對方以和平……"(《善與惡之外》第200節)。對於道家來説,自然脱離了無私,以戴上道德的鎖鍔而懲治人(參見《老子·德充符》),對於尼采,"在'自然'之中有一種道德都種植了有限的地平綫這一必須。……并鼓吹觀念的狹隘化,認爲它是生命與成長的前提"(《善與惡之外》第188節)。

道家繼承了儒家傳統上由天、地、人組成的"三個世界",三者密不可分。《莊子》一書對人與自然關係的闡述向我們揭示了尼采與道家的相近之處,儘管兩者的用詞是不一樣的。《莊子》裏的名言是:"無以人滅天,無以故滅命"(《莊子·秋水》)。在此,道家把存在的兩個方面的區别劃分出來:命是人行動的一組成部分,是意志之外的能力,總之是自發的本質;而"故"是人自願發展的并受引導的自覺推理的本領。在這一方面,我們有必要研討日本現代哲學家

Keiji Nishitaui 的思想,他以禪宗詮釋尼采哲學,從强調 amor fati 和自我與命運之結合的觀點出發解釋了尼采哲學中這一觀點。① 將兩者嚴格區分開來,使前者("命")不高踞在後者("故")之上,即是正路。"知天之所爲,知人之所爲者,至矣。知天之所爲者,天而生也"(《莊子・大宗師》)。

我們已經論及《莊子》一書闡述的忘記天的觀點(這與大乘佛教宣揚的人不可執着於 Sūnyaiā 的思想極其近似)。而莊子的驚人之語"全人惡天"則進一步闡明人與自然的關係中存在着矛盾的本質(《莊子・庚桑楚》)。《莊子・達生》篇反復强調"達生"與"達命"的關係,指出人從先"棄世"開始,進入"更生"階段,"與天爲一",最後達到"反以相天"的境界。這就簡而扼要地概括了道家的自然觀,即人與自然間,并不是簡單的一體關係,而是更高意義上的統一,《老子》第 64 章就講聖人"學不學……以輔萬物之自然……"。人類"很自然"地脱離自然的傾向,如果接受了對自然界的一種深刻的理解,也可以轉變爲對一切事物有利的事情。

另外,尼采和老莊所强調的側重點也有所不同。尼采的有些思想給人以印象深刻的平靜感:例如查拉圖斯特拉可以說出與道家別無二致的話,"萬物已在永恒之泉裏受過洗禮,已超出善與惡之外",和祝福它們,"在每一事物上,作它的天、它的圓頂、它的藍鐘以及永恒的平靜"(《日出之前》)。然而,尼采認爲,要到達這種平靜則是非常困難的,滿是熱情與痛苦。在開闢自我的領域裏,差異來自於尼采對"扶植"一詞的偏愛。扶植有栽培植物和養育動物兩方面的含義,在指人時,它又意味着紀律或培育。開發人的心靈不僅需要生長的植物,更離不開培育它們的農夫。"可悲呀,思想家當不了園丁,而衹能充當生長的土地"(《朝霞》第 382 節)! 在哺育家禽時,我們必須區分開喂養與馴化兩種不同的方法:猛禽可以接受訓

---

① 有關這一主題佔據了 Nishi tani 1949 出版的《虛無主義》一書的重要位置。參閱 Graham Parkes 和 Setsnko Aihaia 共同翻譯的《虛無主義的自我戰勝法》(Albany: Suny Press, 1989 年版)。

練，其力量與其他動物的和諧一致，以求不喪失乃至增强力量。[①]

創造者是與生物緊密相連的——在這一點上，藝術家這一象徵與耕耘者（哺育者）發生聯繫。在論及"偉大的痛苦的自律"時，尼采指出要把"物質的、殘碎的、表面的、骯髒的、無意義的、渾沌的"同"内在的創造者錘子般的堅硬"區别開，認爲前者必被後者弄成"有形的、殘缺的、僞造的、撕破的、燒焦的、鍛鑄的、過濾的"（《善與惡之外》第225節）。如果這便是老子"歸於樸"的疾呼的話，我們一定要記住道家的看似緩和與抽象的觀念未必那麼簡單。漸漸地脱離概念思維經歷了又長又艱辛的歷程，道家的自發性這一自然的流露是極其難得的，正如莊子所説"其嗜欲深者，其天機淺"（《莊子·大宗師》）。欲擺脱自我中心論，以求接近這一目標則須藉助於一種冷漠。在此，尼采與道家分道揚鑣，他欲窮盡自然的力量，使其增强並相互爲敵，以此達到對道德以及所有"反動物"因素的最猛烈的抨擊，與此同時限定與轉化也因戰勝自我而形成了[②]。就工作而言，尼采所要開鑿的材料之堅硬，勞動强度都遠遠超過了道家，他經常藉用煉金術一類的想像，以求説明人與自然之關係，從而對使人轉化并轉換回重又自然化的自然施加影響力。

在本文的末尾，我要指出的是，尼采與道家都試着去理解人與自然這謎一般的關係，兩者都力圖溝通而不是關閉那連接時間的鴻溝。

---

① 在《衝創意志》的第398節裏，尼采將孕育比作是"一種手段，人性的力量得以大規模地儲存起來，各民族得以在其祖輩的創造之上建築——不僅是外在的，也是内在的，從他們中有機地成長起來。……"

② 再參閱 Nishitani 的《虛無主義的自我戰勝法》一書。

讀任繼愈主編的《中國道教史》

唐明邦

任繼愈教授主編的《中國道教史》(上海人民出版社,1990 年 6 月版),是國內學者編著的第一部系統的道教通史,它填補了我國學術文化史上的一大空白,理所當然地受到海內外學者的重視。這一學術著作吸取了劉師培、陳垣、湯用彤、陳國符、王明等前輩學者的研究成果,凝結着中國社會科學院世界宗教研究所道教研究室老、中、青學者多年研究的心血,集中反映了當代道教學術研究的新水平。全書五編十九章,體系完整,結構謹嚴,重點突出,經緯分明,無愧爲一部完整而系統的科學巨著,爲創立中國道教史科學體系樹立了新的里程碑,尤其在研究中國道教史的指導思想和研究方法上作出了重要貢獻,值得借鑒。

一

道教史旨在闡明道教發生、發展和衰落時的規律。該書遵循馬克思主義歷史唯物論原則,結合中國封建社會發展的歷史,剖析了依存於封建經濟基礎的道教及其發生、發展、衰微的軌迹,按其發展分爲漢魏晉南北朝道教、隋唐道教、宋元道教、明清道教四個歷史階段。正統道教是爲封建統治階級服務的,它隨封建社會的興盛而興盛,隨其衰落而衰落,此乃歷史必然。《中國道教史》在論述中,突出道教發展同封建政治變遷的密切聯繫,使道教發展史同社會發展史一樣,有規律可循。

道教思想的發展，體現了歷史與邏輯相一致的原則。東漢時期，道教產生。道教思想受古代宗教、巫術、方術、神仙傳説、儒學與陰陽五行思想的影響，但其主要方面來源於先秦老莊哲學和秦漢道家思想，同荆楚文化、燕齊文化靠得更近；佛教的傳入與興盛對道教的誕生也起了一定的推動作用；東晉以後，仙道思想興起，三皇經、上清經、靈寶經等三洞真經陸續構建，在帝王貴族的支持下，原始道教被改造成爲正統道教；唐代，道教受到皇族的特别尊崇，吸取佛教思想，興起"重玄"之學，大大提高自己的宗教理論水準，在同佛教鬥爭中居於有利地位；宋元時期，封建統治者需要繼續利用道教麻痹人民，道教進一步融攝儒、佛思想，營造合一三教的思想體系，發展内丹理論，從而繼續保持了一段時期的興盛景象；明清時期，除個别帝王迷戀煉丹成仙，崇信道教外，大都限制道教活動，因而道教在理論上少有新的發展，組織上也就日趨衰微。從道教的整個發展史看來，爲適應封建統治要求，其宗教理論由"雜而多端"到完整系統，具有極大包容性。它以道家思想爲主干，對儒、佛思想兼容并包，從而構成中國道教思想的基本特徵。

《中國道教史》緊密結合中國封建社會不同時期政治經濟發展的歷史要求，闡述中國道教榮辱興衰的歷史規律性，綱舉目張，脈絡分明，有極大説服力。

二

道教支派繁複，撲朔迷離。同一時期，諸多道派并興；同一道派，前後變化不一，同中多異，異中有同，不易董理。《中國道教史》緊扣道教主旨，突出其修煉成仙的宗教理想這一共性；同時，抓住在道教主旨支配下不同宗派的衍化，清理其脈絡，找出其個性特徵，使共性寓於個性之中，共相與殊相結合，有如一株大樹，根、幹、枝、葉，交互輝映，蔚爲大觀。

道教初創時，太平道與五斗米道，均以符水爲人治病消災，是其原始宗教的共性;二者的組織形式以及同封建統治者鬥爭的方式,則多有不同。後期太平道抛棄了《太平經》的和平改革路綫進行暴力革命,遭到悲慘結局;五斗米道則與之不同,不但未遭鎮壓,反而演變爲新天師道而成爲道教正宗。顯然二者個性不同,歷史命運亦異。

東晉南北朝時期,興起三皇經派,靈寶經派與上清經派,道教主旨相同,所宗經典各異。此種同道而異趣的教派,影響後來《道藏》的集結,三洞四輔實與各道派思想淵源有關。對此,《中國道教史》考鏡源流,頗爲精詳。

興起於唐末五代的内丹思潮,到了兩宋愈益興盛。注重内修靜養是内丹術的共同特點,但全真道與金丹派南宗則大有區別。流傳於南宋的金丹派南宗同興起於金朝的全真道,二者皆稱同宗鍾(離權)呂(純陽),主張性命雙修,但兩者側重各有不同。金丹派南宗創始人張伯端主張先修命,後修性,從傳統修命之法"閉息"入手,以命取性;全真道創始人王重陽認爲:"主者是性,賓者是命",主張先修性,後修命,以性兼命。同祖鍾呂,性命雙修,是其共性;以命取性或以性兼命是其個性。

明清時期,道教形成全真道與正一道兩大正宗。其個性的差異,更爲森然。全真道以傳授内丹術修煉成仙爲主旨,主張出家離俗,勸人斷舍愛緣,看破功名利祿,歸隱叢林,潜心學道修仙,有較嚴格的經戒、科儀,强調忠孝倫理,以調和出世與入世的矛盾。正一道原爲五斗米道,東晉南北朝,改變性質成爲正統的天師道;元以後,天師道與道教上清派、靈寶派融合而爲正一道,成爲符籙派的總稱,以《正一經》爲主要經典,不重修持,崇拜神仙,畫符念咒,祈福禳災。由於受朱元璋揚正一而抑全真的政策影響,社會地位凌駕全真之上。正一道散居民間,始終以龍虎山天師道一派爲首。正一天師,無功世襲,受寵於朝廷,久而腐化墮落,明憲宗時,四十六代天師"奪良家子女,逼取人財物,家置獄,前後殺四十餘人",觸犯法網,受到人民唾棄,整個正一道亦大受其害,日益衰落。

《中國道教史》對不同時期的道教進行具體分析，徵其流變，考其異同，論道派則同中有異，異中有同；論思想則同不舍異，異不離同。

三

在剖析道教理論方面，《中國道教史》充分展示了道教的包容精神。它在不同時期，總是以道家思想爲主幹，兼容各家，不斷豐富自己。早期道教，以老子思想爲核心，融合陰陽五行、儒家思想，乃至古之巫術文化，其宗教思想顯得粗淺，給人以"雜而多端"的印象。魏晉隋唐時期，道教不斷吸取佛教思想，逐步建立"重玄"思想體系，深化自己的教義，力圖與佛教相抗衡；宋代以後，道教迫於日趨衰落的形勢，本三教合一的宗旨，更多地涵攝儒家綱常倫理思想，以適應鞏固封建統治的要求，使道教思想又有新發展。《中國道教史》對道教如何吸取佛教思想，以及如何進一步吸取儒家思想，結合社會歷史的變遷，和道教自身發展的需要，作了令人信服的剖析，指明合一三教乃道教的必然歸宿，是道教在儒、佛勢力强大的現實情況下，爭取合法地位，謀求自身發展的基本途徑。

該書還用了相當多的篇幅，仔細揭露不同歷史時期道術發展的具體情況，特别詳細地剖析了隋唐道教外丹術和宋元道教内丹術，力圖通過這些方面的重點論述，展現道教區别於其它宗教的特色。道教方術的變化，充分體現了道教的革新精神。早期道教，以符籙治病消災爲主要特色，同時兼施服食、導引、胎息、守一、房中等長生成仙之術；魏晉以後，丹鼎派興起，黄白金丹術受到重視，隋唐時期，金丹術更成爲道術的基本標志，上自王公貴族，下至豪紳士大夫，無不競相煉服金丹，直到常年服丹並無成仙之效，不少帝王大臣，反因服丹中毒早夭，金丹術乃日益引起人們的懷疑，漸至喪失其籠絡信徒的作用；唐末到宋初，道教爲了自身發展，不得不逐漸放棄外丹術轉而側重内丹術，系統的内丹理論應運而生；南宋金元時期，内丹術大爲盛行，以致在道教内部展開先性後命和先命後性的紛爭。内丹術的興盛，的確爲道教的發展帶來新的轉機。道術上的這些變化，無不具有歷史必然性。

該書把闡述道教理論發展同分析道教主要方術的變化，緊密結合起來，使道教理論與道術相輔相成，構成一部理法交融、有骨有肉、生動具體的道教通史。

四

中國道教先由民間興起，後經封建統治者及其士大夫的利用改造，成爲官方扶植的正統道教；在正統道教深受官方尊寵之時，民間道教仍不斷興起，呈現正統道教同民間道教犬牙交錯的形勢。除此之外，還有種種帶有道教色彩的封建迷信活動在民間廣爲流傳。該書對此作了細緻的剖析，首先將正宗道教同民間道教區分，進而將道教同一般封建迷信活動分開，特別對明清時期的民間宗教同道教的關係，另闢專章詳加論述。使一部科學的中國道教史，主次分明，面貌清晰。

民間道教，屬自發宗教，其基本特徵是缺乏經典理論，没有嚴格教義，組織鬆散，未形成固定的科儀、戒律。漢代太平道、五斗米道，南北朝隋唐時期的李家道，清代受道教影響而興起的黄天教、三一教、紅陽教、八卦教等，這些民間宗教勢力的興起，主要是由於生活在社會最底層的勞苦大衆，爲了反抗封建統治者的政治壓迫與經濟剝削，它的基本思想反映了廣大被壓迫人民政治平等、財富均平的要求。農民建立民間道教，目的在舉起替天行道大旗，利用道教太平口號，便於廣泛發動群衆，反抗封建統治，爭取生存權利；長生成仙的宗教理想，並不是他們的主要目的。同民間道教不同，正統道教是封建統治階級利用改造原始道教而來的一種人爲宗教，它具備作爲正統宗教的一些基本特徵。漢末天師道發展成爲東晉南北朝的新天師道，就是一個典型事例。該書正確地指出，民間道教發展成爲正統道教,絶非少數人主觀意志的結果,有其深厚的政治思想根源和社會歷史根源的。並對這些根源作了科學的分析。該書對一些封建知識分子如葛洪、陸修靜、陶弘景、孫思邈、成玄英、張果、吕喦、杜光庭、張伯端、丘處機等在發展道教中所起的決定性的重要作用,作了頗爲全面的分析,這尤其值得注意。

五

作爲一種宗教,道教顯然存在與其他宗教不同的特點,這一特點突出地表現在它和古代科學有較密切的聯繫。爲了追求長生成仙,道教形成了一系列修煉方術,如服食、導引、守一、胎息、外丹術、内丹術、辟穀術、房中術等。這些道術同中國古代醫學、藥物學、氣功學、養生學、原始化學、礦物學等,有千絲萬縷的糾葛,該書對這些道術及其中蘊涵的某些古代科學因素,作了認真細緻的剝離工作,這項工作無疑是相當困難的,也是很有意義的。該書指出道教的金丹術不衹同古代化學、醫藥學密切相關,火藥的發明更是道教煉丹家的功勞。流傳至今的許多外丹著作,是道教信徒總結自己煉丹實驗的經驗的結晶,對於今天研究中國科學技術史是不可忽視的重要文獻,有着多方面的學術研究價值。同樣,對於道教内丹術,該書也指出了它不衹對今天研究人體科學、氣功科學、養生學有意義,其大量内丹著作,對研究古代哲學中的心性之學、宋明理學,也是不可忽視的。

總之,《中國道教史》正確地論述了中國道教歷史發展的客觀規律性,正確處理道教中不同派系道教的區別與聯繫,正確處理道教基本理論同道教方術,正統道教同民間道教,道教方術同其中的科學内核等方面的辯證關係,因而具有較高的學術價值,它爲道教學術研究提供了新的視角。

(作者單位:武漢大學哲學系)

《道家思想史綱》評介

劉周堂

黄釗同志主編的《道家思想史綱》(以下簡稱《史綱》,湖南師範大學出版社 1991 年 8 月版),是近些年來道家思想研究中引人注目的新成果。它的問世,對道家研究從微觀研究走向宏觀研究,從分散研究走向系統研究,從斷代史的研究走向通史的研究,有着重要的意義。《史綱》作爲一部通貫古今、史論結合的力作,有如下幾點特色:

一、《史綱》第一次系統清晰地勾畫出了兩千年來道家思想源流演變的歷史軌跡

道家思想形成於春秋末年,但作爲一種思想體系,它必然是前人思想資料的批判繼承和時代精神的結晶。《史綱》作者分析了道家思想產生的社會政治條件,認爲老子的許多理論都直接或間接地受到當時生產技術和自然科學的啓示。老子正是在借鑒前人思想成果的基礎上,通過對現實社會的認真觀察和冷靜分析,作出了自己富有特色的理論概括。這樣就把道家思想的源頭清晰地展現在讀者面前,破除了世人對老子奇思妙想的迷惑不解。

老子是道家學派的開山祖師,他的宇宙觀、政治觀、人生觀,幾乎規範了道家思想的發展走向。但道家思想並沒有在老子設置的框架裏徘徊不前,而是在不離宗主根本的前提下發生了許多適應社會需要的變化。這種變化在老子以後即開始了。但到底發生了

怎樣的變化。學術界還未作出明確的回答。《史綱》作者在對現有材料進行精心考證和仔細分析後,認爲關尹、列御寇確有其人。關尹主靜,列御寇貴虛,他們直接繼承和發揮了老子的清靜無爲之旨,成爲後來莊周學派的直接理論來源。而老聃的另一個弟子楊朱則主張"全性保真,不以物累形",要求去盈求虛,順乎自然。同時,《史綱》作者又從《荀子・王霸》中記載的"楊朱哭衢塗曰:'此夫過舉跬步而覺跌失千里者哀哭之'"的故事中發現:楊朱之所以"哭歧路",是因爲他是非觀念非常强烈,符合名家特徵。又從《韓非子・說林下》記載的楊朱勸止楊素擊狗中發現他特別注重名實的辨析。並以《莊子・駢拇》、《韓非子・八說》中將楊朱看作"辯者""察士"爲佐證,論定楊朱的思想一方面屬於道家,另方面他的思想中又有明顯的名家因素,他是由道家開始向刑名之學轉化的思想家,成爲後來稷下黄老學派直接的理論淵源。我以爲這種分析完全符合道家思想的實際情況,其中尤以對楊朱的分析最見功力。因爲由道家向刑名之學轉化的楊朱是從老子到稷下黄老道家最關鍵的一環,缺少這一環,就難以說明老子思想何以能演化爲稷下黄老道家。過去學術界之所以未能理清道家學說在老子之後的分化演變綫索,就因爲没有充分認識到楊朱這個承上啓下的過渡人物在道家思想發展中的地位與作用,未能令人信服地說明楊朱的學術貢獻,《史綱》很好地解決了這個問題,實在難能可貴。

分化,是一種學說發展的標志,因爲分化的本身,就是學術要求發展的結果。融合,則是更高層次上的發展,它是分化後學術得到充分發展的必然結果。《史綱》認爲:道家思想從老子思想體系的建立,到戰國中期分化爲稷下黄老學派和莊周學派。而到戰國末年,這兩大學派又逐漸走向了融合,形成黄老新道家,走完了一個從合到分、再從分到合的發展過程。這種分合轉化的内在契機是現實社會的變革動蕩。前一個回合的"分"是現實要求給人們提供亂世中的處世之策,後一個回合中的"合"則是現實要求給人們提供天下一統時的立身之方。因而這時的融合不是黄老學派向莊周學派轉化,而是莊周學派向黄老學派轉化,表明了道家思想匡時濟世的本質特徵。

漢武帝實行"罷黜百家,獨尊儒術"的政策後,道家受到官方的排擠和壓抑。但并没有完全退出歷史舞臺,而是在封建專制主義的夾縫中頑强生存,衹是被迫改變了形式:一是向儒學靠攏。二是向宗教發展。前者通過解注《老子》逐步實現,《河上公章句》中第一次反映出揉合儒道的特徵,它一方面堅持因循無爲,另一方面又肯定儒家的政教禮樂,甚或與儒家形成你中有我、我中有你的情形,在儒家的大旗下施行道家的策略,這是東漢以後道家思想在政治生活中的一種基本表現形式。李唐統治者的治國方略就是這種格局的典型代表。李世民在登位之初着重注意了罕動干戈、抑損情欲、安撫百姓、寬刑簡法四個方面,即以道家清静之旨理政治民。魏徵的政治主張更帶有儒道兼宗的特色:他一方面要求君主無爲而治;另一方面又要求君主自强不息。一方面要求君主清虚自守;另一方面又要求君主選賢任能。認爲君主應該抑制物欲,恪守謙退之道,用寬柔之術撫外安内,用柔德教化百姓,以誠信協調君臣闗係,儒道在這裏得到了和諧的統一。後者向宗教轉化爲道教,在立身處世的人生哲學中發揮應世的功能,滿足人們心理世界另一方面的精神需要,道教教義中的許多原則都來自道家學説。當然道家思想的這種宗教化轉變并不是道家學者的一廂情願,道教學者對它的有意利用是促成這種轉變的主要因素。所以道家并不等同道教,道教也不能等同道家。道家是哲學,道教是宗教,不能混爲一談,但當道家書籍被奉爲道教經典之後,二者又有着不可分割的聯繫。一方面道家著作成了道教的理論根據,另一方面道家藉助道教不僅保存了自己的基地,且擴大了活動的地盤。隋唐以後,道家著作更成了道教的主要理論部分,道教學者同時也就是道家學者。所以在宋以後,道家、道教即混同爲一了。至此,道家思想的發展歷史可以用這様一個圖式來説明:

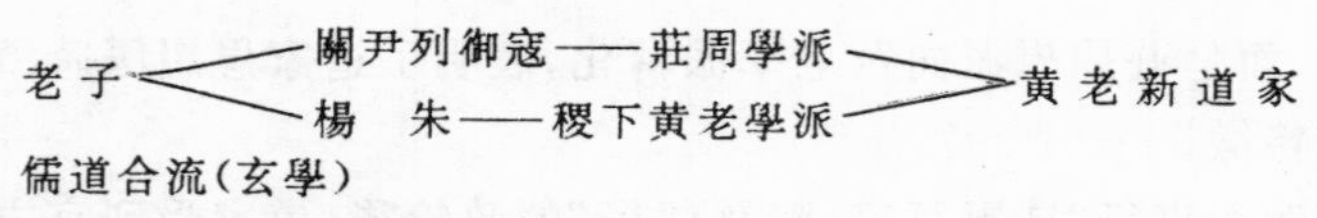

儒道合流(玄學)

向道教轉化——與道教合一

道家思想的源流衍變本不像儒家那樣脈絡清晰,特別是它的流在東漢以後更是模糊難辨,以致於一些人認爲道家思想在魏晉後即湮滅無聞了。《史綱》以翔實的史料,敏銳的眼光,不僅揭示了道家思想的源,更探明了道家思想的流,特別是講清講透了它與道教的關係,第一次完整地勾畫出道家思想發展的歷史,這不能不說是對道家思想研究的一個重大貢獻。

二、《史綱》自始至終貫穿着道家思想是傳統文化兩大主幹之一的撰寫意圖,系統論析了道家思想的歷史地位和文化功能

與儒家政治倫理哲學不同,道家屬於自然哲學,它以强烈的思辯色彩呈現出與儒家不同的特性。它不僅善於從正反兩個方面來觀察事物,並作出帶有規律性的概括,而且熱衷於探討隱藏在事物背後的推動者。正是這種勇敢的探索精神和深邃思考强化了中國哲學的理論色彩,《史綱》對此進行了充分的論述。

《史綱》指出,道家思想在哲學上的最大貢獻是探討並回答了宇宙生成問題。宇宙的本源是什麼? 老子認爲是"道",並提出"道生一,一生二,二生三,三生萬物"的宇宙生成模式,這是中國哲學史上第一個有關宇宙生成問題的哲學表述,此後,道家學者圍繞這個問題進行了反覆探討,也分成兩派,一派以《管子》四篇爲代表,提出"道即精氣",認爲精氣不僅是世界萬物的本源,而且是精神的本源,從而在中國哲學史上開創了精氣一元論的先河。之後《文子》又首次提出氣一元論。而《鶡冠子》則繼承和發展了稷下道家和莊周後學關於氣論的觀點,創立了元氣本體論。這是一個飛躍。因爲"元氣"概念的提出不僅把本源之氣同非本源之氣區別開來了,

而且還爲一生二的宇宙生成論提供了理論依據。《河上公注》、王充、劉禹錫、陸希聲、宋代儒學大師張載都接受了道家這種元氣生成說的理論，成爲中國古代哲學中唯物主義自然觀的理論基石。另一派以莊周爲代表，他們繼承和發揮了老子把"道""無"作爲世界萬物本源的主張，《呂氏春秋》、《老子指歸》、成玄英等基本上都持這種看法，衹不過是表述有所不同而已。至宋，宋代理學的奠基者周敦頤推出《太極圖說》，將世界萬物的本源歸之爲"無極"。其後，二程、朱熹、陸九淵等儒學大師基本上都是沿着這個軌道前進，代表中國古代哲學中有關宇宙本源唯心主義認識的一派。這種對世界本源的積極探討，不僅使道家學說本身理性思辯的水平越來越高，而且還使政治倫理型的儒家學說完成了向思辯哲學的深層轉化，從而在整體上大大提高了中國古代哲學的思辯水平。

《史綱》還對道家思想在方法論和認識論方面做出的貢獻進行了深刻闡述，實事求是地評價了它在中國哲學史上的地位。老子第一次提出"有無相生"的對立統一命題，認識到事物都是相反相成的，矛盾雙方相互依存，並相互轉化，進而提出"反者，道之動"，揭示了世間一切事物都要走向自己的反面這一普遍法則，并認識到事物的變化都有一個量的積累過程，具有了量變引起質變的思想萌芽。中國古代哲學中最具理性光輝的是辯證法的發展，而這完全是道家學者的貢獻。自從老子提出"禍兮福之所倚，福兮禍之所伏"之後，道家的代表人物莊子對此進行了成功的發揮，他齊萬物、齊是非、齊物我，雖然把辯證法推向了相對主義，但他在走向相對主義的過程中所表現出的辯證思維水平卻達到了空前的高度。他不是像儒墨那樣衹是憑着經驗在感官世界以內的直覺類推，而是運用理性將思維的觸角伸向感官以外的世界進行一種抽象的邏輯推理，因而其相對主義理論中又時時閃爍出辯證法的光芒。

關於道家思想對儒家的影響：《史綱》認爲荀子汲取了道家天道自然的思想，擺脱了神學目的論的束縛，不僅否定了"天"的超自然的神秘性，而且主張把"天"當作客觀存在去把握和利用，從而使荀子的思想體系建立在唯物主義的基礎上，這是荀子的思想體系之所以不同於孔、孟的內在原因。在認識方法上，孔、孟衹主張主觀內省，而荀子在稷下道家"靜因之道"的影響下，提出了"虛壹而靜"的認識原則。

程、朱在構建理學體系時，在很大程度上也吸收了道家的思想成份。在本體論上，程朱理學雖然把"理"作爲最高範疇，但這個"理"實際上就是道家的"道"。程頤説得很清楚，"道則自然生萬物"，朱熹更明確表示："道則理之謂"，衹是程朱又把"理"倫理化了。程朱"存天理，滅人欲"的主張也是受了道家思想影響的結果，老子提出"不欲以靜"，周敦頤認爲"無欲故靜"，並進而提出"主靜立人極"。人的最高境界是"靜"，"靜"的條件是"不欲"，所以程朱提出"滅人欲"。此外，陸王心學中的道家因素也非常明顯，陸九淵認爲"心即道"，王陽明説得更明白："這心體即所謂道，心體明即道明，更無二。"心學家修道的方式是"安坐瞑目"，這與《莊子・大宗師》中提出的"坐忘"如出一轍。至於張載的樸素唯物主義和樸素辯證法更是同道家有着血緣關係。

關於道家思想對佛教的影響，《史綱》有許多新穎的見解。作者認爲中國最早的佛經譯經《四十二章經》即打上了黄老道的色彩，其中"行道守真者善，志與道合者大"即是明證。同樣，安世高、支婁迦讖等翻譯的佛經以及牟子的《理惑論》都有鮮明的黄老道術的烙印。在道家的影響下，佛教徒也大講"履踐大道，心與道俱"。隋唐時，佛教在很多方面借鑒和吸收了道家的思想主張，完成了佛教中國化的改造。《史綱》專門用一章的篇幅論述了這個問題。《史綱》認爲：佛教在世俗化的過程中利用了道家"自然"的範疇，在道家自然原則的影響下，一方面找到了"人人皆有佛性"的理論根據，另一方面又發現了成佛的簡捷途徑，既然佛性的存在是自然而然，那麼成佛也應該是自然而然。有力地推動了佛教的發展。成佛本來是自欺欺人，但要使它具有迷人的吸引力，既要有一定的神秘感，又不能完全是子虛烏有，而道家的"道"正好是這種恍惚若現的東西。

於是佛教徒在描述佛性時,也仿效道家對“道”的描述,給人以“玄而又玄”之感,至於在描述成佛狀況上,更是直接借鑒了道家的神仙說。在修佛方法上,佛學藉用了道家的相對主義理論,以論證佛性的普遍存在。佛教認爲,在求佛的過程中,不必把握一個個有差別的事物,而要透過這些差別把握存在於事物背後的佛性,而且衹有泯滅這些事物的差別,纔能把握佛性。認爲世上事物本没有差別,差別是由人的主觀認識造成的,這就完全和莊子的“天地和我并生,萬物與我爲一”一模一樣了。

道家以其特有的理論優勢參與造就了傳統文化的全過程,在這個過程中,它不僅自己能順時因勢地發揮干預現實的功能,而且促進了其它學説的發展,對中國古代哲學做出了巨大的貢獻,《史綱》充分表現了這一點,我以爲這是本書成功的重要原因之一。

（作者單位:湖南師範大學出版社）

《道家文化與現代文明》讀後

張明慧

近年來,研究中國文化的論著出版了不少,人們對傳統文化的關注與熱情,似乎超過了其它任何學科。這應當是一種值得肯定的現象。然而,如果以新的角度審視這種"文化熱",卻不能不令人感到一個明顯的缺憾,即文化研究的"失衡"現象,主要表現在三方面:一是"重儒輕道",即偏重於儒家文化的研究,而對道家文化探索較少;二是"避實就虛",即偏重於傳統文化的"形而上"的研究,而忽略了傳統文化與現代生活的聯繫;三是對道家文化缺乏系統性、整體性研究。

令人欣喜的是,近日由葛榮晉教授主編的《道家文化與現代文明》(中國人民大學出版社,1991 年 4 月,以下簡稱《文明》)一書,在較大程度上彌補了上述不足。

一、立足當代社會價值的新角度

對於道家文化的研究,應該選擇什麼樣的立論角度,這是研究者必須面對,而又常使人感到困惑的一個問題。在當代社會中,人們對道家文化"玄之又玄"的成見,已經成爲一種心理定勢;而以往的理論研究,又一味"高蹈",偏重於"形而上"的文化觀念,客觀上也成爲這種心理定勢的理論導向。這樣一來,就出現了一種不盡人意的結果:一方面是令人眩目的研究成果;而另一方面,人們仍看不到道家文化在現實生活中究竟有何實際價值,從而使得道家文化成了一門與現實生活無關的"玄學"。這樣一種結果,對高揚民族文化,無疑是不利的。

因而,突破以往的研究程式,以新的角度切入研究對象,對道家文化做些有實際意義的探索性研究,顯得尤爲重要。對此,《文明》一書的作者的思考是嚴肅的,正如該書《引論》所述:"長期以來,在老子與道家思想研究中,人們往往衹把注意力集中於道家思想本身,卻很少把目光投到道家思想在當代的社會價值這一新的領域。這樣老子及其道家思想的研究就變成了一個與現實生活毫無關係的純學術問題,使老子思想研究失去了現實意義。"很顯然,發掘道家思想在當代社會中的價值,便是本書研究的立足點。

從這一立足點出發,該書在具體做法上即從形而下的社會生活入手,用大量的人們熟悉的現實生活中的實例和社會現象,在與道家思想的比較中,來剖析現代文明的各個層面,認真梳理着道家思想與現代生活的內在聯繫,細心地發掘道家思想的當代社會價值。分析的結果,給我們提供這樣一個啓示:道家文化之於現代文明的意義,不僅僅在於它的終極價值,或是一種原始精神的感召,而且常常就是一種普遍遵循的原則。這樣,《文明》一書就從致用的角度,把道家文化的"形而上"與"形而下"聯繫起來,有力地揭示了道家文化的當代社會價值。這一點,誠如該書《引論》所言:當我們"由對道家思想本身的研究轉向對道家思想的當代社會價值的研究,而跨進現實生活領域的時候,就會發現:在當代社會的各個領域,老子及其道家思想的靈魂還在以各種不同的方式發生着這樣或那樣的作用,滲透在各個生活領域和學術領域,具有重要的社會價值。祇有我們把這些社會價值揭示出來,纔能把道家思想與現實生活聯繫起來,使道家思想具有强大的生命力。"

與那種對道家文化注重從文化哲學的角度作"形而上"的"高屋建瓴"式的研究方法相比,《文明》一書所選擇的研究角度,無疑是具有重要意義的。傳統文化的研究應當面向現代,爲現實社會服務,這已不是一個新鮮的話題,但能夠真正樹立起這種責任意識的研究,爲數還不是很多的。因而,《文明》一書在這方面所做的努力與探索,顯得尤爲可貴。

二、整體研究的新視野

"道家文化",從來就是一個整體的概念,它的内部構成則是多層面的。哲學、宗教、政治、道德以至文學藝術等,是其形而上的層面,而衣、食、住、行等物質生活方式,是其形而下的層面。兩個層面及其内部的各個子項,彼此連環相牽,構成了一個完整的文化實體。實際上這也就是人類物質文明和精神文明的總和。

道家文化的這種整體性特點,決定了它對於現代文明的影響,不可能是單層面的,或是局部的,而是一種全面的,整體的影響。正是從這種整體性出發,《文明》一書的作者在篇章布局上頗重整體性系統性架構。特别是第七章到第十三章的布局:言及老子思想對工業——《老子思想與企業管理》、農業——《老子與"自然農法"》、國防——《〈老子〉與用兵之道》、科學技術——《〈老子〉與科學未來》的影響,展示出老子思想在時代社會的整體畫卷。再着全書布局:前六章講老子思想與當代人的處世之道,養生之道,以及在老子思想影響下的重個性的文學藝術,主要涉及的是個體;七至十三章講老子思想在當代社會的致用,所涉及的是群體;十四章講的是超越了個體與群體的宗教,上昇到文化的最高層次。這樣,全書把現代文明的方方面面,放到整個道家文化的大系統中加以觀照,在整體中顯示出較强的系統性。

三、簡粹流暢的文風

縱觀近年來傳統文化,特别是道家文化的研究,語言晦澀、概念生僻、繁縟考據,議論空泛似乎已是一種通病。這種學究式的文風,人爲地造成了傳統文化與現代文明的阻隔,不利於人們對傳統文化的瞭解和繼承。因而,轉變文風,已是勢在必行。在這方面,《文明》的作者帶了個好頭。關於本書的文風,該書《引論》中有一段十分恰當的表述:“爲了使更多的讀者瞭解道家思想及其社會價值,本書在文風上力求有一個較大的轉變。在寫作中,盡量避免使用生硬的政治套語和晦澀的學術概念,切忌冗長的古文引證和空泛的議論,力求文字通俗、流暢、易懂,增加富有趣味性的故事、典故和豐富的生活內容,使文章富有生動性、趣味性與可讀性。衹有把學究式的文風轉變成普通人喜聞樂見的文風,纔能收到更爲廣泛的效益。”

其實,就文風來說,《老子》“五千言”還是文辭簡粹、樸直易懂的;《莊子》之文亦如行雲流水,讀來流暢舒適。而我們今天許多老莊的研究者,文風反不如老莊,滿紙玄言奧語,令人卻步,這不能不說是一種可悲的現象。《文明》一書的作者有鑒於此,力求在文風上有一個較大的轉變,或者說,在更高的意義上向先秦諸子文章復歸。書中有些篇章和一些精彩段落,頗似老莊文章風格。如第五章《老子與中國文學之魂》中,《“道法自然”與桃源夢幻》一節,如同一篇優美的散文,文筆清涓流婉;《“大音希聲”與現代主義》一節則析理精微,表現出較强的思辯性。從中我們似乎聽到了老莊文章風格的遺響。

總之,《道家文化與現代文明》一書,以新的角度、新的方法、新的風格,展現在讀者面前。這是一部值得向社會,特別是青年一代推薦的好書。

(作者單位:中央民族學院)